Le
Vicaire
du
Christ

WALTER F. MURPHY

Le Vicaire du Christ

Traduit de l'américain
par Maud Sissung

ÉDITIONS ALTA

Publié sous le titre *The Vicar of Christ*
par Macmillan Publ.

A Terry,
Magnificat anima sua Dominum

PROLOGUE

« Le pape François est mort. » Je n'avais compris que ces quelques mots, mais les cloches des églises et les chœurs de moines confirmaient douloureusement l'information de la radio grecque dont j'avais saisi des bribes. Pour la deuxième fois en douze mois, l'Église catholique avait perdu son chef. Les circonstances de sa mort furent noyées dans un gargouillement de paroles aussi rapide et feutré que celui de l'ouzo versé d'une main preste. Je n'en saurais pas plus jusqu'au lendemain après-midi, lorsque le bateau apporterait le *Daily American* de Rome ou l'*International Herald Tribune* de Genève.

Je me souviens avec précision de ce qui me traversa l'esprit au moment où je compris ce qu'annonçait la radio : une remarque faite par une femme que j'avais connue à Turin, en Italie du Nord. Fervente communiste, elle avait derrière elle des générations de protestants de Lombardie, fiers survivants de l'extermination des albigeois. Je l'entends encore dire à son fils, à propos de l'élection du pape François : « Tu vois, *bambino*, la ruse de ces prêtres! Ils vont même jusqu'à choisir pour pape un homme bien! Mais ils le tueront, va! »

Que cette femme sache, et qu'on puisse d'ailleurs savoir, hors des États-Unis, que le pape François était un homme bien, cela m'échappait. La R.A.I., l'émetteur national de radio-télévision que nous écoutions ce midi-là, donnait fort peu de détails, si ce n'est qu'il avait été un simple moine. « Ils le tueront », avait-elle dit.

Quels qu'« ils » puissent être, « ils » avaient accompli sa prophétie.

Parmi les maisons basses blanchies à la chaux, je déambulai jusqu'à la plage. J'ai toujours eu les idées plus nettes au bord de l'eau. Là, dans la rafraîchissante brise de fin d'après-midi, je voulais me pénétrer de la nouvelle. Mais je n'avais pas fait cent pas que je savais déjà ce que j'allais faire – ce que je *devais* faire. Pourtant, je continuai à marcher pendant une demi-heure, en regardant de temps à autre la montagne qui renferme la grotte où, peut-être rendu fou par la soif, saint Jean eut ses visions de l'Apocalypse.

Les cauchemars de saint Jean avaient été horribles, mais imaginaires; les miens avaient été moins horribles, mais réels, comme avaient dû l'être ceux du pape François. Depuis quelques mois que je séjournais à Patmos, j'avais trouvé, dans la simplicité de l'île, quelque chose de cette paix qui avait sans doute nourri François lorsqu'il était moine. Mais Aristote n'a-t-il pas dit : « Le bonheur est pour les cochons »? Et la conscience de François, ou peut-être son démon personnel, l'avait forcé à réintégrer le monde qui avait créé ses cauchemars. A présent, moi aussi, je me sentais forcé, contraint, de retourner à mon métier (l'oisiveté prolongée fait de l'écrivain un fruit sec), de réintégrer un univers de cyniques qui analysent, rapetissent, trivialisent et qui, depuis des générations, n'avaient pas vu (ou pas reconnu) un personnage de dimension véritablement héroïque, un grand homme, par son énergie et son esprit, doté d'assez de courage moral mais aussi physique pour tenter de changer notre monde – de changer nos mondes. Voici qu'une fois de plus un irrépressible besoin d'apprendre, de comprendre et d'expliquer s'imposait à moi, dominait mon existence, comme si c'était l'esprit même du pape François qui soufflait ses derniers ordres terrestres.

PREMIÈRE PARTIE

HAUT-DE-FORME SIX

notre peur
n'a pas le visage d'un mort
avec nous les morts sont doux
nous les portons sur nos épaules
nous dormons sous la même couverture

fermez-leur les yeux
arrangez-leur les lèvres
choisissez un coin sec
et enterrez-les

pas trop profondément
pas trop en surface

ZBIGNIEW HERBERT.
Notre peur.

1.

Je sais, vous voulez me parler de ces deux articles que j'ai faits pour *Leatherneck.* Ça ne me dérange pas. J'ai encore pas mal de temps qui n'a pas servi. Et rester là dans ce foutu hospice de vétérans, c'est pas joyeux. J'aime pas parler dans ces bidules d'enregistreurs, mais puisque c'est pour le colonel...

On commence par le commencement. Je m'appelle Giuseppe Michelangelo Guicciardini Jr., sergent-chef dans le Corps des Marines des États-Unis, à la retraite. Mon père était né à Florence, « Firenze », comme il disait toujours – où il y a eu Michel-Ange. Il était fier d'être devenu citoyen américain, mais il était fier de Florence aussi, et de Michel-Ange, et de la langue italienne. Je crois que je l'ai déçu, mon vieux. Il était jardinier, mais il aurait voulu être architecte, alors il rêvait que j'irais à l'université, que j'apprendrais l'art ou l'architecture ou un truc comme ça. Mais à Boston, en 1936, est-ce qu'un petit paumé de Rital pouvait aller dans une crénom d'université? Et en plus, l'aîné de quatre sœurs et deux frères? Alors, je me suis engagé dans les Marines. Nom d'un chien, je n'avais pas beaucoup d'autres moyens de trouver la bouffe, un pageot, du fric pour mes virées et même quelques tickets à envoyer chez moi.

Je ne dis pas que le vieux a pas été content quand j'obtenais de l'avancement ou quand j'ai gagné la Navy Cross à Guadalcanal. C'est peut-être seulement qu'il m'en voulait un peu parce que Raffaello s'est engagé dans les Marines après Pearl Harbor et il y est passé quand ils ont pris pied à Tarawa, ou parce que je ne me suis pas marié et je ne lui ai pas donné de petits-enfants. Mais le vieux, il en a eu des petits-enfants avec les filles. Bon sang, des petits salopiauds, il en a eu jusqu'au cou, le vieux, dix-sept chiards en tout, et aussi un fils à l'université, Niccolo, mais ça, c'était après la guerre. Niccolo, il est avocat maintenant, et il fait de la politique; c'est un gars bien, mais faut pas compter qu'il monte très haut, avec en face la clique huppée de Back Bay et la mafia des Irlandais.

Mais c'est pas pour que je vous casse les oreilles avec ma pomme que vous êtes venu. Ce qui vous intéresse, c'est le colonel, Declan Walsh. Tout le monde en est là. C'est pour ça que j'ai pu leur filer mes articles à *Leatherneck*. Eh bien, je le connais depuis Mathusalem. On était tous les deux dans l'*ancien* Corps-de-mes-deux. C'était en 1944. Lieutenant frais émoulu qu'il était, ou plutôt sous-lieutenant. Comme il avait fait un an ou deux de droit, il était plus vieux que les autres lieutenants. Mais vingt-deux ans, c'est jeune, surtout pour des types qui vont mourir. J'étais affecté de façon permanente – à ce que je croyais – au commandement des rotations de troupes, au camp Pendleton. Il attendait d'embarquer pour rejoindre la 5e division, du gibier de Jap à ficelles dorées attendant de prendre la mer pour rejoindre la 5e division. Des capitaines et des lieutenants, on n'en avait pas des tripotées, à ce moment-là – beaucoup ne faisaient pas mieux que sous-lieutenant – alors on prenait un sous-lieutenant sur sept ou huit, et on bombardait le pauvre mec chef de compagnie pour deux cents recrues. Walsh était dans le lot. Je ne sais pas qui tenait le plus mauvais bout, les lieutenants ou les recrues.

Juste avant que ce contingent de relève prenne le départ, mon nom a été porté sur la liste. Je n'ai jamais su pourquoi au juste, à part la raison officielle. La vraie raison venait peut-être de ce que le vieux m'avait dit et redit de ne pas jouer aux cartes avec les officiers. Tout leur bla-bla officiel sur les officiers – ou même les sous-officiers de carrière – et la troupe qui ne doivent pas frayer, je le connaissais, et, en général, je le respectais. Mais, merde, quand un officier, et particulièrement un sous-lieutenant célibataire, se met dans la tête de perdre son fric, j'estime que c'est mon devoir de l'aider. Après tout, ça fait partie du boulot des sous-off de former les jeunes officiers, et un truc comme le poker, ça vous apprend des chiées de trucs sur la tactique militaire.

Je n'ai pas fait de foin d'être affecté là-bas. J'avais été blessé à Bougainville, un obus de mortier qui m'avait envoyé dinguer, et un foutu disque qui s'était déplacé dans ma colonne. Ils m'avaient opéré en Australie, et puis renvoyé aux États-Unis à l'automne 43. Avec la liste des copains tués qui s'allongeait tous les mois, ça me démangeait de retourner larder les fesses des Japs. J'étais célibataire et je n'avais rien d'autre que les Marines, à part une poule de temps en temps, si vous voyez ce que je veux dire.

La raison officielle de mon renvoi au casse-pipe en 44, c'est que le sergent-chef de Walsh a eu l'appendicite. Alors j'ai relevé la relève. J'aimais bien Walsh. Je le charriais en disant que je détestais les sous-lieutenants et que le Corps des Marines devrait supprimer les grades. Tous mes lieutenants, je les ai charriés comme ça, mais ces types-là, moi, je les respecte. Vous en avez qui sont sacrément fortiches, et c'est justement les premiers à trinquer. D'après les chiffres de pertes, neuf sur dix des pauvres gars qui étaient chefs d'une section de fusiliers ont été tués ou blessés au feu pendant la Seconde Guerre mondiale. Il y en a eu un peu moins en Corée. Au Vietnam, je ne sais pas. J'étais déjà à la retraite.

Walsh, c'était autre chose. Il était grand, costaud, plutôt blond, pas jaune paille mais châtain clair, et avec la coupe réglementaire en brosse ses cheveux paraissaient plus clairs. Je me souviens de ses yeux, des yeux d'un gris très froid. Il souriait souvent, et alors ses yeux pétillaient, mais ils n'avaient pas le genre de chaleur que sa voix et son sourire annonçaient. Je ne veux pas dire qu'ils étaient cruels ou méchants, mais simplement froids, comme s'il était toujours en train de vous jauger ou quelque chose comme ça.

Il m'a plu tout de suite. Je suppose que c'est parce qu'il parlait mieux l'italien que moi, et qu'il aimait discuter de l'Italie. Son père était dans les ambassades, et Walsh avait été élevé à Rome et à Dublin. Je pense que c'est à cause de ça qu'il parlait drôlement l'anglais – pas vraiment avec un accent étranger, mais avec une cadence différente, un peu comme les Irlandais, en montant à la fin des phrases.

Il me plaisait, mais sans que je lui fasse entièrement confiance, pendant au moins un bon bout de temps. Je ne peux pas vraiment dire pourquoi. Parce qu'il a toujours été réglo avec moi et avec les hommes. La traversée a duré vingt-deux jours, et il a perdu pas mal de temps à essayer de rendre la vie moins moche à la pauvre bleusaille. Ce satané *liberty ship* n'a pas raté une vague du Pacifique. Et hop en l'air, et floc en bas, et on recommence. Les hommes étaient parqués sur des couchettes de sangle à cinq niveaux, les bon sang d'écoutilles fermées pendant presque toute la nuit – et dans la journée, dès qu'il y avait alerte aux sous-marins ou dans les airs – une chaleur à crever, avec ceux qui dégobillaient tripes et boyaux, plus l'odeur des détritus qui cuisaient dans la coquerie et le parfum des chiottes bouchées. Le trou sale et puant, genre camping sur une décharge publique.

Avec plus de deux cents hommes entassés dans cette tinette flottante, on ne pouvait pas faire grand-chose. Mais Walsh a tout de même essayé, et il a obtenu un peu de mieux. Il y a eu cette histoire de l'eau, par exemple. Ça faisait vingt-quatre heures qu'on avait quitté San Diego, et voilà que le bateau oblige les hommes à se servir de l'eau à heures fixes. Pisser, chier, se laver et boire à telle heure, matin, midi et soir. Le reste du temps, il n'y a qu'à serrer les cuisses. Le foutu équipage, lui, il avait de l'eau tout le temps – les rameurs dorlotent leurs bonshommes, mais les autres, ils s'en cognent. Eh bien, Walsh a passé pas mal de temps au carré des officiers, à étudier les plans du navire, et il a trouvé qu'une conduite d'eau courait derrière une paroi de notre zone. Après une petite opération sans douleur mais pas sans outils, on a eu de l'eau pendant trois jours avant que les foutus rameurs éventent la mèche.

Contre ça, qui était un bon signe, il y en a eu un mauvais : l'histoire du môme qui s'était pas mal imbibé le matin même où on quittait le camp Pendleton pour la balade en bateau. Je ne revois même pas la tronche de cet oiseau, mais voilà-t-il pas qu'il se ramène en titubant dans le bureau de la compagnie, et qu'un des gradés veut le refouler. Le bleu lui envoie un de ces crochets du droit à assommer un bœuf, mais l'autre se baisse en le voyant venir, et deux copains du môme le récupèrent en vitesse pour le ramener dans sa chambrée. Mais la porte du bureau du gradé était ouverte, et le lieutenant mate toute la scène. Il s'en va de son côté, sans piper ni rien. Seulement, quand on traverse un bon bout de San Diego pour aller embarquer, et tout le monde dehors à nous regarder, ce pauvre bleu il est entre deux M.P., manifestement aux arrêts.

Walsh y était quand même allé fort. Frapper un officier ou un sous-off, c'est un truc grave, mais le môme l'avait raté; et puis, il était si salement bourré qu'il ne savait pas ce qu'il faisait. La guerre, c'est le plus souvent la tête en bas, le cul en l'air, à ramasser la merde sur le pont; mais partir à la guerre la tête haute et acclamé par la foule, ça remonte un peu le moral. Le gosse n'y a pas eu droit. J'espère qu'il n'est pas enterré dans une de leurs foutues îles de par là-bas.

Je sais bien que c'est pas mauvais, chez l'officier, de pas être tendre. Parce que, sans ça, il en deviendrait dingue le premier coup qu'il doit commander à quelqu'un de foncer pour se faire démolir. Mais quoi, des fois faut y aller mollo, avoir les yeux ailleurs. Pas tendre et méchant, ça fait deux.

Je vous ai donc dit qu'il y avait bon signe et mauvais signe. Il y avait aussi un signe que je n'entravais pas du tout. Tenez, ce baquet n'avait pas d'aumônier catholique, alors, les trois dimanches qu'on a été à bord, c'est Walsh qui a dit les prières pour les catholiques; j'y suis allé chaque fois. A ce moment-là, l'église, c'était pas mon fort, mais j'ai assisté aux prières parce que je suis toujours allé voir les trucs curieux, e-xo-tiques, comme les expositions sur Cuba ou la Chine ou la Méditerranée. Comprenez-moi bien. Je suis catholique – à ma façon – et je respecte la religion et tout le bastringue. En plus, tout ce qu'on raconte sur les Marines qui en font de toutes les couleurs, c'est de la merde en barres. Mais nom de Dieu, ce qui me sidérait, c'est que je n'avais jamais vu un officier des Marines faire le cureton.

La première fois que j'y suis allé, je repensais à deux jours avant, quand on avait montré aux hommes un film sur les maladies vénériennes. Ça, c'était foutrement du temps perdu. Ces pauvres mômes en avaient pour deux ans à pas risquer de voir une femme tringlable, à moins d'être rapatriés pour blessure. Mais les mecs d'en haut tenaient à ce programme, et, après le film, l'officier commandant la compagnie devait avoir une « franche discussion » avec les gars : exactement le genre de chose que pouvait inventer une dame de la haute de Back Bay, à Boston, en se tripotant dans sa baignoire. Est-ce que vous vous représentez une « franche discussion » sur le sexe avec une meute bandante de mômes de dix-neuf ans sachant très bien que d'ici quelques semaines ils avaient toutes les chances de se faire ratatiner les couilles? Le film était plutôt saignant, en couleurs, avec des putains dégueulasses, des morpions, des chancres et des curetages de queues – on ne savait pas encore traiter la syphilis à la pénicilline; ou, si on le savait, personne ne le disait aux hommes. Après le film, avec le foutu tangage du bateau et la chaleur dans l'entrepont, tout le monde avait les tripes à l'envers. Les officiers sont sortis respirer un coup et ils ont laissé le vise-queues de la compagnie – l'assistant sanitaire – faire ce stupide speech. Mais

Walsh leur a fait ensuite le sien : « Le message est simple. Les mouches transportent des maladies. Gardez vos braguettes fermées et vous n'en attraperez pas. »

Il y a des jours où il était comme ça. Il tournait tout à la blague. Vous disiez trois mots et il les retournait si bien qu'on aurait cru que vous proposiez la botte au capitaine d'armes. Il était drôle, je ne dis pas, mais des fois ça me tapait sur les nerfs. En plus, il en faisait autant en italien, et là il me sciait, parce que je devais me creuser la tête pour comprendre. Mais son humour n'était pas du genre « familier »; c'était plutôt le genre distant, aimable mais distant, comme s'il disait : « Ne m'approchez pas. »

Je pourrais vous en dire encore bien d'autres, mais vous n'allez pas passer votre vie à m'écouter déblatérer. Il y avait quelque chose qui me chatouillait chez ce type. Je ne peux pas dire quoi. Je pense qu'en partie ça venait de ce qu'un gradé, surtout celui qui s'est déjà fait labourer le cul au feu, se demande toujours comment l'officier va se tenir quand ça commencera à péter. Et c'est pire si on ne peut pas dire : ce gars-là, c'est du tout cuit, si on sait qu'il risque aussi bien de tirailler dans tous les sens que d'avoir les foies blancs ou de se mettre à dérailler. Mais, plus que tout le reste – merde, il faut bien que je le dise – je sentais dans mes tripes qu'il voulait aller quelque part, et qu'il était capable de sacrifier le monde entier pour y arriver. D'un autre côté, il pouvait tout aussi bien devenir objecteur de conscience et refuser de se battre. Pour la plupart des gars, j'aurais parié à cent contre un. Mais avec Walsh, les signes se contredisaient.

Je m'inquiétais de savoir s'il en avait dans le ventre, eh bien, j'allais être servi. Arrivés à notre théâtre d'opérations, on a été versés tous les deux dans le même bataillon de la 5e division. Moi comme sergent-major et Walsh comme chef d'une section de fusiliers. Quatre jours plus tard, on débarquait à Iwo Jima, le premier bataillon à prendre pied sur cette foutue plage noire. Walsh a sacrément mené sa troupe. C'est drôle : on entraîne des hommes pendant des mois, on leur enfonce dans le crâne que dès qu'ils débarquent ils ont intérêt à se magner les fesses pour foncer s'ils veulent pas finir sur la plage. On leur fait rentrer cette nom de Dieu d'idée au point que si on les réveille en pleine nuit ils marmonnent qu'ils foncent. Et puis, dès que ces obus de mortiers se mettent à leur piauler au nez – et à Iwo Jima, c'étaient des bordels de pélots qui piaulaient, croyez-moi – mes bonshommes se terrent dans le sable comme des bon sang de tortues en train de pondre, et ils restent à tout prendre sur la gueule. Faut dire que c'était tentant de se creuser un trou à Iwo. Dans la zone qu'on attaquait, c'était de la cendre volcanique tendre. Les chars et les amtracks restaient enlisés, et nous, les pauvres gus, on enfonçait jusqu'aux chevilles, quand ce n'était pas jusqu'au bide. On en avait déjà plein les bottes rien que de se traîner.

Walsh a tellement poussé, tiré, gueulé, bousculé, mené, supplié, menacé que ses gars ont foncé plus vite que les autres – foncé en plein dans les mitrailleuses, les grenades et les armes légères. Mais ils ont franchi la plage et la plupart ont réchappé au feu. Walsh a écopé deux fois – la première, juste une éraflure à la jambe. Je crois que, sur le coup, il ne s'en est même pas aperçu. La deuxième fois, c'était plus grave. Juste au moment où il balançait une grenade dans un blockhaus, une mitrailleuse du blockhaus suivant l'a eu avec une traçante en plein dans le flanc gauche, sous les côtes. Elle n'a rien atteint de vital, mais je vous fous mon billet que ça le brûlait du feu de Dieu, et il avait un bout de côte arraché. Il est resté au tapis pendant quelques minutes, et il a dit à un de ses hommes de lui lancer une grenade au phosphore blanc – et ça et le napalm, c'était ce qui me faisait le plus peur, dans la tripotée de choses qui me faisaient peur, à la guerre. Il a lobé cette foutue grenade en plein dans le deuxième blockhaus. Et il a attendu que les Japs grouillent dehors en toussant et en fumant de partout avant de dire qu'il avait pris un pruneau. Le jour même, il était proposé pour la Médaille de bronze. Il l'avait méritée, mais si tous les Marines avaient reçu ce qu'ils avaient mérité pendant ces premiers jours sur Iwo, la moitié des gars de la 4e et de la 5e division auraient reçu la Médaille d'honneur du Congrès.

Walsh a été sacrément verni puisqu'il s'est retrouvé sur un navire-hôpital. Je ne l'ai revu que six ans plus tard, en janvier 1951. Par-ci par-là, j'apprenais des choses sur lui. Les vieux soldats, ça bavarde, hein? Et notre vieux Corps-de-mes-deux, ce n'était pas la grande unité. Après la victoire il avait été démobilisé, il était retourné à la faculté de droit et à présent, à ce qu'on m'avait dit, il avait décroché un doctorat en philosophie, un truc très calé, en plus de son diplôme en droit, et il enseignait à l'université de Chicago. Sa partie, c'était le droit international. Une autre façon de diriger les prières, en somme. Je ne devrais pas me moquer de son turbin, mais le seul droit international que je connaisse, c'est celui de survivre – par n'importe quel moyen, *n'importe quel foutu* moyen.

Comme je vous le disais, j'ai retrouvé Walsh en janvier 1951, la première année de la guerre de Corée. Et voilà que tous les deux on était encore un coup affectés au même contingent de la relève. Moi, j'arrivais du camp LeJeune, et lui venait de terminer, à Quantico, un cours de perfectionnement pour les officiers de réserve rappelés dans l'active. On s'est rencontrés au motel d'Oceanside, à la sortie du camp Pendleton. Il avait sa femme avec lui. Il fallait voir la dame. Une belle tête, et alors, un châssis de première avec balcon de luxe.

Je ne dis pas ça pour être grossier, mais c'est la vérité vraie, et pour commencer, on ne remarquait que ça. Et croyez-moi qu'elle le savait. Mais c'était une femme formidable. On habitait tous les trois au motel. Je ne tenais pas à trop rester avec les hommes avant de retourner à la guerre; et j'avais sacrément plus de liberté que le colonel. Tout le monde estime qu'un colonel de réserve rappelé a sacrément besoin d'un stage d'instruction; d'un autre côté, personne n'ira penser qu'il y a beaucoup à apprendre à un sergent-chef des Marines avec plus de quinze ans de service derrière lui. Si bien que Kate et moi on s'est beaucoup vus – je dis Kate parce qu'elle insistait pour que je l'appelle par son prénom. Ces histoires de « Madame la Colonelle », très peu pour elle. On passait des heures ensemble à se promener sur la plage ou à attendre, dans un bistro, que le colonel ait fini de jouer au petit soldat.

Entre eux c'était le vrai truc, la passion, une passion à ébranler les murs – je sais ce que je dis : ma chambre était à côté de la leur, et la cloison était mince. Faut dire qu'ils n'étaient mariés que depuis six mois. Mais il y avait bien d'autres choses entre eux que cette histoire de lit. Il y avait de la tendresse – et on n'en voit pas tellement chez les Marines, ni d'ailleurs dans le monde. C'était une fille qui en avait dans la tête, pas simplement un beau châssis et rien au premier étage, et elle comprenait le colonel. Avec une femme comme ça, moi, j'aurais pas moufté de toute la guerre. Un caleçon en béton armé, j'aurais porté. De ce côté-là, il était verni. Je me demande jusqu'à quel point il s'en rendait compte.

Bon, alors le colonel et moi et deux douzaines d'autres types, dont un dénommé Keller dont je vais vous parler, on s'envole pour la Corée à la fin janvier – détachement spécial – juste au moment de l'opération Fendoir. Nous avions encore atteint un tournant de la guerre, comme disent les journalistes. Rappelez-vous : à l'été 1950, les Coréens du Nord avaient presque chassé de la péninsule les Coréens du Sud et les Américains. Et puis, en septembre, la 1re division des Marines débarquait sur les arrières de l'ennemi, on foutait les Nord-Coréens à la porte du Sud, on prenait leur capitale et même quelques gars atteignaient le Yalu. Ce vieux sagouin de Doug MacArthur se poussait du col en disant que les Chinois n'entreraient jamais dans la guerre et qu'il renverrait les garçons chez eux pour Noël. Et puis les Chinetoques se sont amenés, et comme MacArthur avait passé la main à plusieurs commandements, ils nous ont pris chacun à notre tour. Les Marines y ont eu droit au réservoir de Chosin, par moins 40°, et les Chinetoques ont commis l'erreur d'encercler une division de Marines avec seulement six de leurs divisions.

On a écrabouillé ces macaques, mais il a quand même fallu repiquer vers la côte et rembarquer pour le Sud, parce que les Chinois déboulaient en dessous du 38e parallèle. Seulement, à Noël, le bonhomme hiver les avait pas mal calmés, et nous on se réorganisait pour lancer une nouvelle offensive vers le Nord. L'opération Fendoir faisait partie de cette offensive. Walsh a reçu le commandement du 2e bataillon du 1er Marines. (Le 1er régiment des Marines, si vous ne connaissez pas notre jargon.) Moi, j'étais sergent-major dans son bataillon, et Walsh s'est démené pour avoir ce capitaine Keller comme « numéro trois » (c'est l'officier des opérations, le type chargé des plans tactiques). Il faut normalement un major pour ce poste, mais à la guerre on a pas des stocks d'officiers sous la main. Un capitaine suffit, si ça plaît au chef du bataillon – et ça lui plaisait.

Faut que je vous parle un peu de Keller – Sidney Michael Keller, pour être exact. C'était un youpin, mais du genre que j'étais capable de comprendre. Il y a des tonnes de préjugés dans ce monde, mais j'ai toujours aimé les Juifs, surtout les Juifs riches qui veulent jouer au poker et qui n'y sont pas fortiches. Keller – le surnom qu'il se donnait lui-même, c'était le Flambeur – n'aurait peut-être pas été riche rapport à vous, mais rapport à moi, il baignait dans le fric. Et il adorait jouer : poker, vingt-et-un, n'importe quoi. On pariait même sur le moment où on serait attaqués, si ce serait de nuit et à quelle heure. Quand je suis rentré aux États-Unis, j'ai acheté une énorme Buick Super marron avec ce que Keller avait perdu – et net d'impôts. Plus tard, j'ai appris que le Flambeur était un grand séducteur. Rien que des pépées chics, et toutes les nuits une différente. Bah! fallait bien qu'il soit heureux à quelque chose.

Ils étaient des vieux amis, avec le colonel. Walsh était resté dans la réserve – avec, à la clé, un voyage tous frais payés dans ces foutues collines. Il avait été dans le 9e bataillon d'infanterie, qui tenait à Chicago les petites sauteries de son « amicale ». Keller était lui aussi réserviste des Marines. Il connaissait Walsh de l'université de Chicago, où il l'avait eu pour professeur à la faculté de droit. Et Walsh avait obtenu l'incorporation du sous-lieutenant Keller dans le 9e bataillon. En fait, Walsh n'avait que trois ans de plus que Keller, mais d'avoir servi durant la Seconde Guerre mondiale, il était lieutenant-colonel et chef de bataillon à trente et un ans.

Walsh avait un peu changé, son humour tournait à la rosserie, et il avait moins de patience. J'ai eu l'impression que ce coup-ci il fonçait pour de bon, survolté quoi. Mais je n'entravais rien à ses rêves, et je ne voyais pas le prix qu'il était prêt à mettre – ou à faire mettre aux autres – pour atteindre ces rêves.

Les hommes ne l'ont pas tout de suite adopté, et ils ne lui ont d'ailleurs jamais voué une adoration comme à ce sacré Chesty Puller [1] ou à notre Big Foot Johnson. Mais ils le respectaient, et n'importe quel foutu truc qu'il leur commandait, ils le faisaient recta. Vous m'avez dit que cette histoire de commander ça vous intéresse. Eh bien, à ce que j'ai vu en trente ans dans ce vieux Corps-de-mes-deux, il y a trois choses qui comptaient. Pour commencer, Walsh connaissait sacrément son affaire. Fallait le voir manœuvrer un bataillon, en combinant l'appui aérien, les mortiers, l'artillerie, les chars. Une merveille! Il pensait bien à deux cents choses en même temps. Question munitions, il ne regardait pas à dépenser l'argent du contribuable; croyez-moi qu'il y a pas un Marine qui peut se plaindre d'être arrivé trop tôt au Paradis à cause de lui. Mais les macaques, c'est le contraire : bout à bout ils feraient une sacrée file. Et ce que je veux dire, c'est que la troupe respecte toujours l'officier qui a le génie de la tactique. Même s'ils ne peuvent pas le blairer, ils lui fileront le train vingt-quatre heures sur vingt-quatre. Et quand les pruneaux valsent, ce n'est pas rien. (Je savais déjà qu'il avait de la tête quand il était sous-lieutenant : il ne jouait jamais au poker avec moi.)

Et je vais vous dire quelque chose d'intéressant. C'était un truc qui lui plaisait, de préparer les attaques. Je ne veux pas dire que c'était tuer des mecs ou risquer d'y rester qui lui plaisait. Il avait le

---

1. Héros, devenu légendaire, de la guerre du Pacifique. *(N.d.T.)*

trouillomètre à zéro comme tout le monde quand on dégustait gratis, et il râlait plus que beaucoup d'être en Corée. Mais il était fort en tactique, et larder le croupion des troupes de Mao-t'es-Dingue, il aimait ça. Le colonel, il en avait dans la tête, mais il dirigeait pas son bataillon de loin, comme bien des chefs. En fait, il besognait plutôt comme un coolie. Il restait debout la moitié de la nuit à étudier les cartes – et les photographies aériennes, quand on en avait. Il n'avait jamais fini. Il y avait un transparent sur la carte des opérations du bataillon, pour indiquer les lignes d'attaque et de défense; le colonel en faisait grimper ce pauvre Flambeur aux parois de la tente quand il lui effaçait toutes ses marques pour en dessiner d'autres, histoire d'envisager des tactiques différentes.

Quand son opération marchait – ce qui veut dire pour lui une colline enlevée sans pertes d'hommes ou avec des pertes moindres que prévu – il était excité comme un môme. Il avait eu des sueurs de sang pour préparer ses plans d'attaque, et c'est pour ça que nos gars ne saignaient pas en les exécutant.

La deuxième chose qui en faisait un bon chef, c'est qu'il semblait vraiment tenir à ses hommes, et, ce qui comptait encore plus, les hommes pensaient qu'il tenait à eux. Ça entrait dans cette histoire de bien connaître son boulot et de le faire mieux que tout le monde. Il ne se contentait pas de se casser le cul à trouver moyen d'épargner la vie des gars; que le chef du régiment ordonne quelque chose où des gars risquaient d'être tués pour rien, et Walsh l'envoyait paître de toute sa hauteur. Les hommes le savaient, ils l'appréciaient, et ils montraient leur appréciation de la seule bonne façon : en se battant comme un chat sauvage avec un chardon dans le trou de balle.

Et puis il y avait encore son drôle de truc avec nos morts. Les hommes le remarquaient, mais je ne crois pas que Walsh s'en soit jamais rendu compte. Quand il y avait eu de la casse, il allait jusqu'aux corps entassés en attente des camions ou des hélicoptères. Il ne soulevait pas les ponchos; il restait simplement à regarder le tas. On voyait qu'en dedans il était tout retourné. Un jour, j'ai entendu un gars dire que le colonel essayait peut-être de les ressusciter. Faut toujours qu'il y ait un ou deux bougres de rigolos dans une unité de Marines.

Attention, hein, je ne veux pas dire qu'il avait l'air d'un saint ou d'une dinguerie comme ça. Je vous ai parlé de son humour. Il avait un répertoire de blagues cochonnes, celle de l'oignon et des ours, par exemple. Et question de baisette, il aimait probablement ça autant qu'un autre, sinon plus. Je ne peux pas avoir de doute avec ce que j'ai entendu au travers de la cloison du motel à Oceanside, *au-cun* doute.

Ah! oui. Je disais qu'il y avait trois choses importantes. La troisième, c'était l'instruction. L'officier ou le sous-officier qui s'amène en remplacement dans une unité, il prend des gars qui ne sortent pas de ses pattes. D'autres types, des fois en pagaille, ont formé et dirigé ces gars avant lui. Qu'ils soient dégourdis ou foireux, il n'y est pour rien. Mais si le type est bien, mais alors vraiment bien, il peut foutrement former ces gars de première. Seulement, faut qu'il sache exactement comment il les veut; et puis, faut qu'il soit coriace et cabochard, parce qu'il y a bien des chances que ses Marines se croient déjà sacrément fortiches.

Eh bien, le colonel savait exactement ce qu'il voulait, il était coriace, il était cabochard. Une fois qu'il avait dit à son état-major et aux chefs de compagnie ce qu'ils avaient à faire, ceux qui ne marchaient pas recta avaient intérêt à numéroter leurs abattis. Ce n'était pas qu'il pousse des gueulantes ou qu'il pique des rages. Avec lui, pas de momeries. Il fixait précisément ce qu'il attendait d'eux – ceux qui n'étaient pas à la hauteur pouvaient planquer leurs fesses, mais ceux qui faisaient du boulot de première pouvaient compter sur des citations, peut-être des médailles.

Rien qu'avec ça, un nouvel officier s'impose déjà pas mal vite, mais le colonel allait autrement loin. Au cours de l'opération Fendoir – le début de mes vrais souvenirs de guerre sur lui – on n'a pas trop souffert, si on laisse tomber qu'on se gelait les joyeuses et qu'une ou deux fois par jour un macaque vous visait entre les deux yeux. Mais on n'a pas eu de ces sanglantes batailles rangées comme à Iwo, à Tarawa, ou à la crête au-dessus du Tenaru, à 'Canal. Les Chinetoques essayaient de nous amocher autant qu'ils le pouvaient sans engager de trop gros effectifs dans une vraie bataille. Ils reculaient lentement. Leur arrière-garde prenait position, nous occasionnait quelques pertes pour la prise d'une colline, décrochait en vitesse, reprenait position sur la colline suivante, et continuait son manège, encore et encore.

Pour les opérations au jour le jour, le régiment nous assignait une zone à nettoyer et un objectif à occuper, généralement un ensemble de collines à quelques milles plus au nord. A nous d'y arriver, plus ou moins comme on voulait. Et c'est là que Walsh était formidable; il employait l'aviation, l'artillerie et les mortiers pour épingler les Chinetoques avant qu'ils nous épinglent et il manœuvrait en même temps le bataillon pour leur tomber sur le poil quand ils s'y attendaient le moins. On ne file pas de médailles pour des coups comme ça, mais les gars que vous en faites sortir vivants ne sont pas avares de bulletins de satisfaction.

On y allait tous les jours pendant trois semaines, et la quatrième, on restait sur la touche. C'est là que le colonel mettait le paquet. D'abord, il donnait à tout le monde vingt-quatre heures pour récupérer. Croyez-moi que c'était pas du luxe, après toutes ces journées à grimper et dévaler ces satanées collines, et toutes les nuits les macaques qui venaient nous pousser des pointes, pas la grosse offensive mais juste de quoi nous empêcher de dormir, ne pas nous laisser souffler.

Une fois qu'on avait eu vingt-quatre heures pour se requinquer, le colonel passait au programme d'entraînement. Exercices au point du jour, marches, histoire que les jambes rouillent pas, simulations de combats, depuis l'escouade jusqu'au bataillon au complet. Mais rien que cinq ou six heures par jour. On avait encore pas mal besoin de récupérer, et le colonel ne voulait pas nous esquinter.

Le gros truc, pendant la semaine de repos, c'était la réunion des officiers et sous-officiers, le matin. Le colonel prenait nos journaux de marche – où chaque unité consigne ses opérations de la journée – et on restait le cul gelé dans la tente du mess à étudier les cartes et à revoir chaque mouvement d'un engagement vieux d'une ou deux semaines. On faisait la critique du combat, et croyez-moi que le colonel tiquait foutrement. L'officier ou le sous-officier dont la troupe avait combattu devait expliquer exactement ce qu'il avait fabriqué, et pourquoi il s'y était pris comme ça. Il y avait sacrément intérêt à donner de bonnes raisons pour avoir décidé tel mouvement plutôt qu'un autre. Et le colonel nous forçait à en dégoiser autant, qu'on ait gagné ou pris la pile. Comme le disait un gradé : « Lui faut pas moins que de la perfec-mon-cul-tion, à cet homme. » Il disait vrai, le gars – et si ce coup-ci était pas parfait, valait mieux que le suivant le soit.

Et il avait encore une autre façon de s'y prendre, que je trouve même meilleure. Si on avait repos dans la zone où on avait livré un combat, le colonel refaisait la préparation d'offensive sur la carte. Après ça tout le bataillon, ou juste une ou deux compagnies – selon les effectifs qui avaient été au feu – et les officiers au complet répétaient chaque mouvement de la bataille, mais cette fois comme il faut, et lentement, pour que tout le monde comprenne. Si on avait le temps, on repiquait au truc, le colonel lançant par radio de nouvelles directives, pour que ses officiers réfléchissent et que les hommes réagissent.

Tous autant qu'on était, ça nous apprenait des choses, et pourtant j'aurais pas cru qu'on m'en remontrerait encore sur la tactique de l'infanterie après seize ans que j'y traînais mes guêtres. « Apprenez à partir de vos erreurs, messieurs; vivez et apprenez et vivez », voilà ce que disait le colonel. Et il poussait à la roue. Il vous expliquait bien proprement tous les gros machins, et pas mal des petits, qu'on devait garder dans le ciboulot : vérifier si l'artillerie peut arriver à un endroit, ou bien, si c'est trop raide, prévoir les mortiers à cause de leur tir en hauteur; ou encore, si les macaques sont retranchés à couvert, combiner les attaques aériennes et les mouvements de troupes pour leur tomber sur le poil sans qu'ils s'y attendent; ou aussi, repérer le flanc de l'ennemi et le prendre par un mouvement tournant plutôt que d'y aller franco au centre, là où il est le plus fort.

On avait d'ailleurs foutrement intérêt à apprendre. Il aidait, il expliquait, bien patiemment, bien clairement, mais attention à pas recommencer une connerie, parce que c'était des Marines qui trinquaient, ou des macaques qui trinquaient pas, et vous y laissiez la peau des fesses, sinon même votre commandement. Autant que je m'en souvienne, le colonel a relevé de leurs postes un chef de compagnie et deux chefs de section. Relever un officier de son commandement au feu, c'est pas de la rigolade. Après ça, sa carrière est fichue. Mais il lui restait au moins la vie, alors que sa connerie avait coûté foutrement plus qu'une carrière et une pension aux hommes. Les officiers renaclaient, mais ils respectaient le colonel à cause de ce qu'il leur apprenaient sur la tactique et la discipline. Et les hommes, c'était pareil. Peut-être qu'ils appréciaient encore plus son affaire d'entraînement parce qu'ils savaient qui c'est qui se ferait hacher les couilles si un putain de bousilleur déconnait.

Voilà pourquoi on était le meilleur bataillon du corps des Marines. Du colonel jusqu'au deuxième bourre, on connaissait notre boulot mieux que n'importe quel fils de pute dans ce bordel de monde – et, ce qui est encore mieux, on le savait.

2.

Je vous ai assez cassé les oreilles avec l'opération Fendoir en février et mars 1951. On avait fait du bon boulot, pas tellement des actions héroïques, mais du pilonnage, des accrochages, des moments foutrement moches, et on se retrouvait en Corée du Nord, un peu au-dessus du 38e parallèle. Je me rappelle surtout la remontée au nord de Hoengsong, quand on a repris la vallée du Massacre. Un peu plus tôt dans l'hiver, un convoi du bataillon hollandais incorporé à la 2e division de l'armée de terre y avait été chopé par les macaques. Le vrai carnage. C'était une vallée étroite, et elle était couverte d'épaves de camions et de cadavres de Hollandais. A l'arrière d'un des véhicules, on a trouvé le corps gelé d'un officier payeur, tué au moment où il versait la solde à ses hommes gelés.

Excusez-moi, je me laisse encore aller. Comme dit l'autre, les vieux soldats ne meurent jamais, mais ils font mourir tout le monde d'ennui. Ce qui vous intéresse est arrivé en avril, juste après la clôture de l'opération Fendoir. J'ai lu l'autre jour dans une revue de voyages qu'il est délicieux de visiter la Corée en avril. Délicieux, mon cul ! Enfin, il faisait quand même moins froid qu'au réservoir de Chosin ou pendant l'opération Fendoir, excepté les nuits où ce foutu vent de Sibérie nous descendait sur le poil. Mais on ne le prenait pas trop mal, parce qu'on savait qu'il allait faire meilleur. La neige ne s'accrochait plus qu'au sommet des montagnes, et, sur les pentes, les pins reprenaient vie. Au creux des vallées, les rizières se mouchetaient de vert.

Mais il faut avoir la paix pour apprécier ces choses-là, et avril 1951, en Corée, ce n'était pas le mois tranquille. On a appris qu'il y avait, dans le monde entier, des contacts en vue de la paix – des trucs que les gradés apprennent toujours avant le général en chef. Les gugusses diplomatiques à New Delhi, Pékin, Moscou, Londres et Washington qui discutaient, paraît-il, secrètement de la paix entre deux bitures et trois tringlages. Jusqu'à ce vieux Douglas MacArthur qui se disait prêt à rencontrer les macaques « dans l'honneur » et à discuter de la paix. Moi, je ne demandais pas mieux. Ce n'était pas *son* honneur, parce que ce n'était foutrement pas *sa* guerre, mais ce serait peut-être *ma* paix.

On racontait encore autre chose, qui ne nous rendait pas heureux. Et là, ce n'était pas un bruit mais de l'ultra-secret. Le renseignement tenait un truc de première bourre : les Chinois accepteraient tous les pourparlers de paix pourvu qu'ils y arrivent avec une grande victoire dans le calcif. Ils comptaient faire une percée au centre de la péninsule, nous foutre la pile, et accepter les pourparlers avant qu'on ait pu récupérer. Comme ça, ils pourraient dicter les termes. J'ignore si Harry Truman ou le général Ridgway aimaient cette idée, mais nous, sûrement pas.

Je crois que le mieux, c'est que je commence par Oran-ni, la petite ville où on a bivouaqué une nuit pour se retrouver le lendemain matin au milieu d'un océan de toutes petites grenouilles qui n'arrêtaient de sauter que pour s'enfiler – une partouze de grenouilles. Enfin, l'histoire, c'est qu'il y avait là cette grande conférence d'état-major réunie par le colonel Big Foot Johnson, le chef du régiment, pour les chefs de bataillon. Le prénom du colonel, c'était James, mais tout le monde l'appelait Big Foot – jamais devant lui, bien sûr. Il le savait très bien, et je ne crois pas qu'il appréciait, mais pour un homme qui chausse du quarante-six, le surnom est tout trouvé. Il n'a qu'à le prendre pour ses pieds, et pas pour lui. C'était un grand type, dépassant un peu Walsh avec son mètre quatre-vingt-dix, la moustache grise bien taillée. Big Foot était bel homme, comme on dit, pas le genre tantouze de Hollywood, très viril. Au cinéma, il aurait joué l'officier supérieur anglais qui combat aux Indes pour sa reine. Et fallait voir comment il était sapé : ses treillis verts toujours lustrés, et un foulard de soie rouge au cou. Pas plus réglementaire l'un que l'autre, et ses bottes de para non plus. Pourtant, beaucoup d'officiers en portaient, et Walsh aussi. Elles valaient mieux que ces bon sang d'écrase-merdes de l'armée, sauf quand il fallait marcher longtemps dans la neige.

On racontait que lorsque Big Foot était sous-off – c'était un « mustang », ça veut dire « sorti du rang » – il avait vingt-six uniformes de rechange dans sa cantine. Pour moi, ça devait être vrai. Moi aussi j'étais du genre bien sapé, même – et surtout – en opérations. C'est là où ça compte vraiment, quand on n'a ni douches, ni eau chaude, ni blanchissage, d'être rasé de près et en tenue impeccable. Je tiens le truc d'anciens qui avaient fait le Nicaragua, certains avec Big Foot. C'est mauvais pour le moral d'être crasseux. Il y a rien qui vous foute le bourdon comme de se lever avant le jour et d'enfiler des fringues humides qui puent la sueur de la veille.

Pendant ce briefing, à Oran-ni, Big Foot faisait une sacrée tronche. Je le sais parce que j'assistais toujours aux briefings des chefs de corps avec Walsh et le Flambeur. J'avais tiré assez longtemps chez les Marines pour savoir comment être un sergent de première bourre : on prend deux secrétaires dégourdis pour tout noter, on regarde de temps en temps par-dessus leur épaule, histoire de savoir ce qui se passe, et on leur botte le cul juste ce qu'il faut pour pas qu'ils se foutent de vous. Ça me laissait pas mal de temps pour gamberger. Le colonel Walsh aimait que je sois là parce qu'il appréciait mon opinion. Moi, j'aimais y être pour pas quitter d'un poil le capitaine Keller. Quand un type me doit autant de fric que le Flambeur m'en devait, ça me rend nerveux de pas l'avoir à l'œil.

Je devenais encore plus nerveux à regarder Big Foot. Il faisait semblant d'écouter le briefing, mais je voyais qu'il était en boule. C'était pas son genre, de se tourner les sangs pour une offensive, mais cette fois, il avait de bonnes raisons. Le major Charles Stambert, le numéro trois du régiment – l'officier des opérations, comme je vous l'ai dit – décrivait notre plan de bataille.

– C'est une tactique classique, le marteau et l'enclume, messieurs, dit Stambert. Nous serons l'enclume; le reste de la division, le régiment coréen de Marines, le groupe de combat du 187e régiment et la 7e division de l'Armée seront le marteau. Regardez ici, continua Stambert en désignant la grande carte qui couvrait presque entièrement une paroi de la tente, le renseignement indique que les Chinois vont pousser la principale offensive presque au mitan de la péninsule. Ils estiment qu'ils vont foncer droit par ici, près de Chunchon, obliquer ensuite vers l'ouest en suivant la vallée du Pukhan-Gang jusqu'à son confluent avec le Han, traverser le fleuve et tourner Séoul par le sud, ce qui isolerait à la fois cette ville et le plus gros des forces américaines et britanniques.

» Comme vous le savez, le reste de la 1re division de Marines s'est déporté vers l'est. Les Chinois se sont apparemment déportés en même temps. Ils veulent lancer leur attaque contre une unité sud-coréenne. Mais ce jeu du chat et de la souris touche à sa fin. La péninsule n'est pas extensible. Il n'y a plus qu'une seule vallée à l'est du Pukhan par où ils pourraient repasser à l'ouest, c'est celle de la Soyang-Gang. S'ils la suivent, ils auront soit à franchir un col escarpé, soit à attaquer sur un front beaucoup plus large qu'ils ne voudraient...

– Au fait, major, au fait, je vous en prie, l'interrompit Walsh. Quiconque sait lire une carte peut constater que la configuration est contraignante pour les Chinois.

Voilà comment Walsh parlait : des mots comme « configuration » et « contraignante », et jamais une faute de grammaire.

– Notre mission, reprit Stambert sans même accuser le coup, c'est d'aider à canaliser la progression des Chinois, puis de nous déployer pour leur barrer le chemin de la retraite lorsque le reste du 10e corps les prendra de plein fouet par une contre-attaque. A cet effet, nous allons être séparés de la division. Les Marines les plus proches de nous se trouveront à environ quatre milles au sud et à l'ouest. L'unité des Nations unies la plus proche sera la division sud-coréenne, immédiatement au sud d'Inje.

– Est-ce que cette petite sauterie porte un nom? interrogea Walsh.

– Oui, mon colonel. Opération Souricière. Si vous voulez bien vous reporter à la carte, vous verrez qu'entre sa sortie du réservoir de Hwachon et ici, le Pukhan coule à l'ouest de la ville de Yanggu. Le gros de l'offensive chinoise se passera donc à deux milles de nous, à l'ouest. Nous ne sommes pas en mesure d'y faire halte. Tout ce qu'on attend de nous, c'est de tenir cette crête à l'est. Nous ne voulons d'ailleurs pas les empêcher de s'engager dans la vallée ou dans les basses terres de Hwachon – en tout cas, pas tout de suite. Qu'ils suivent la vallée en direction de Chunchon. Nous les harcèlerons, l'aviation et l'artillerie les pilonneront. Au moment où ils se heurteront à nos lignes, ils ne seront plus très frais. La contre-attaque les repoussera vers le réservoir de Hwachon. Nous les contiendrons à l'est, le détachement de combat du 187e de l'Armée sera parachuté à l'ouest de Hwachon, et le reste du 10e corps les prendra de front.

Pendant deux minutes personne ne dit mot, parce que personne n'en croyait ses oreilles.

– Quels seront les effectifs de la contre-attaque? demanda enfin Walsh.

– Comme je l'ai dit, mon colonel, la 1re division de Marines, le régiment des Marines coréens, le groupe de combat du 187e régiment et la 7e division de l'Armée, et, bien sûr, nous-mêmes.

– Et, bien sûr, nous-mêmes. Soit, en tout, quarante mille hommes?

– Oui, mon colonel.

– Et combien de Chinois?

– Le renseignement estime que les Chinois engageront deux cent quatre-vingt mille hommes dans cette offensive. Ils en emploieront probablement la moitié dans ce secteur.

– Nous les contenons, nous les canalisons et nous n'en faisons qu'une bouchée, ricana Walsh. A jeun, je suppose?

– Colonel, intervint Big Foot, si je dis que c'est le ventre plein, votre bataillon bouffera deux cent quatre-vingt mille Chinois en plus de ses rations C.

– Oui, colonel, mais il se peut qu'il doive chier un régiment ou deux.

– Si je vous dis de chier, aboya Johnson, vous baisserez culotte et vous pousserez et vous aurez intérêt à débourrer des macaques.

– Une fois les Chinois totalement engagés entre Yanggu et Chunchon, débitait Stambert, ils nous surpasseront fortement en nombre, mais nous nous trouverons à quelques milliers de pieds au-dessus d'eux. L'aviation et l'artillerie écrabouilleront du macaque à la tonne, et il y a assez de plat en certains endroits pour que la contre-attaque utilise efficacement les chars. Si vous voulez bien revenir à la carte, je vais vous indiquer les positions que nous occuperons. Nous devrons tenir la crête commençant à environ trois milles au sud de la route qui traverse les montagnes d'est en ouest et relie Yanggu à Inje. Nous aurions évidemment un bien meilleur point d'appui juste au nord de la route, mais les magots ne descendront vers le sud que s'ils contrôlent cette grande voie menant directement sur leurs arrières. Nos lignes formeront un grand V renversé avec la pointe au nord, sur la cote 915, un jambage en direction sud-est, l'autre en direction sud-sud-ouest.

Big Foot se leva :

– Messieurs, une colline de 915 mètres nous donne une altitude de 3 000 pieds. Le fond de la vallée n'est qu'à 600 pieds au-dessus du niveau de la mer. Qu'une fourmi y pisse et on la verra de là-haut. Nous tiendrons cette crête jusqu'au déclenchement de l'attaque, et puis nous bouclerons la vallée comme un étau. Pas question de tout gâcher en tiraillant sur les colonnes chinoises. On n'ouvrira le feu que si j'en donne personnellement l'ordre. Nous resterons en observation et nous informerons la division de tout ce qui bouge. A eux de décider s'ils veulent tirer. Nous voulons paraître inoffensifs. Comme l'a dit Stambert, nous dessinerons un V ouvert vers le sud. La carte montre que le point le plus élevé est la colline 915 au nord et que le terrain descend en pente jusqu'aux extrémités du V. Mais, même là, nous sommes encore à 1 000 pieds d'altitude par rapport à la vallée. Le 2ᵉ bataillon sera ici, au sommet de la cote 915. Walsh, vous résisterez à toute tentative de nous déloger de cette crête; et si j'étais un Chinois, je ferais de mon mieux pour nous déloger.

– Moi aussi, colonel, acquiesça Walsh. Mais je vais me faire l'avocat du diable en demandant ce qui fait penser qu'un régiment, même un régiment de Marines (Johnson accusa la pointe), peut arrêter une armée?

– Plusieurs choses, colonel, répondit Johnson. L'une des plus importantes, c'est le temps. Les Chinois savent qu'ils doivent percer notre ligne principale rapidement. Plus ils ont à se démener le trou de balle contre nous sans avancer d'un poil, moins ils ont de chances. Comme le dit Stambert, l'aviation et l'artillerie les écrabouilleront à la tonne. Ils nous causeront pas mal de casse, mais si on les laisse se tirer des pattes par la vallée – ce qu'ils veulent – ils fileront sûrement vers le sud, en se réservant de nous balayer plus tard.

– Vous avez mentionné plusieurs facteurs, colonel.

– Plusieurs milliers, colonel, 3 800 pour être exact. Depuis notre débarquement à Inchon il y a sept mois, ce régiment n'a jamais cédé une colline qu'il avait ordre de tenir, ou échoué à s'emparer d'une colline qu'il avait ordre de prendre. Nous n'allons pas nous mettre à changer maintenant. Comme je l'ai dit, le 2ᵉ bataillon tiendra la cote 915, le 1ᵉʳ bataillon aura la responsabilité du jambage est du V, le 3ᵉ du jambage ouest. Il y a des chances que le 1ᵉʳ bataillon n'essuie pas de gros assauts; il pourra donc fournir la réserve. Nous disposerons des cinq chars du régiment – qui nous aideront à barrer l'ouverture du V là où le terrain est le plus plat – ainsi que des deux batteries d'obusiers de 105 mm automoteurs du 10ᵉ corps. Ce qui nous fera huit obusiers, plus mes huit mortiers de 4,2 pouces et chacun de vous a six mortiers de 81 mm. Nous aurons donc une large puissance de feu, mais les munitions vont poser un vrai problème. Une fois le combat engagé, plus rien ne pourra nous être acheminé par camion, ni même par bêtes de somme, et les parachutages seront difficiles avec tous les tirs d'artillerie. N'allez donc pas demander un gros appui de feu si vous n'en avez pas un besoin absolu. Nous pourrons être un peu épaulés par l'artillerie de campagne de la 196ᵉ armée avec ses 155 longs, mais ils auront des tas d'autres boulots. Nous aurons en plus nos propres groupes aériens de pointe, détachés par la 1re escadre aérienne des Marines, mais eux aussi auront leurs missions quand l'offensive sera lancée. Et souvenons-nous bien que la priorité majeure sera d'arrêter les Chinois autour de Chunchon et non de tenir notre crête.

» Pour moi, ajouta Big Foot, l'opération dépend de trois facteurs : que nous stoppions les Chinois à la cote 915, que le reste de la division les stoppe près de Chunchon et que le 10e corps se lance rapidement à la contre-attaque. Trois « si », messieurs, et nous risquons nos vies pour qu'ils se réalisent.

– Il y a un quatrième « si », colonel, dit Walsh.

– Ah! oui?

Big Foot atteignait l'instant dramatique du briefing où il allait parler de sang et de tripes et de baïonnettes au canon. Il l'avait mauvaise d'être interrompu.

– Le quatrième facteur, c'est l'éventualité que les Chinois décident de ne pas pousser sérieusement vers la Soyang dans la vallée à l'est de notre position, autour d'Inje, et qu'ils nous isolent, nous et toute la division. Il y a une division sud-coréenne du côté d'Inje. Tout ce qu'ils feront contre les Chinois, ce sera d'essayer de leur couper le souffle en détalant à toutes jambes. Si les Chinois se déplacent dans ce sens, nous serons faits aux pattes.

– C'est une éventualité, admit Johnson, mais le renseignement ne croit pas que les Chinetoques frapperont aussi loin à l'est. C'est un risque qu'il nous faut prendre; nous ne pouvons placer partout des divisions américaines. Messieurs, conclut-il, je veux voir vos plans préliminaires de défense ce soir. Départ demain matin à huit heures. Mon poste de commandement sera installé dans le ravin au centre du V. Vous recevrez vos ordres opérationnels dans deux heures. Ai-je oublié quelque chose, Stambert?

– Non, mon colonel, mais je crois que les transmissions ont quelque chose à dire.

Le major Harold Wilkinson, un mustang de cinquante-deux ans, se leva.

– Nous poserons tout ce que nous pourrons comme fils téléphoniques, mais il faut s'attendre à ce qu'ils dégustent avec le marmitage; alors, vérifiez bien l'état de vos radios. L'approvisionnement dispose de quelques batteries pour les SCR-300. Le code d'appel du régiment est Gibus, celui du 1er bataillon Canotier, du 2e Haut-de-forme, et du 3e Toque...

– Toque? interrogea le chef du 3e bataillon.

– Oui, colonel. Je ne sais pas pourquoi, répondit Wilkinson.

– Une toque, expliqua Walsh, est une variété de couvre-chef populaire pendant la Renaissance. C'est ce que portent les Gardes suisses au Vatican.

– C'est ça, mon colonel, dit machinalement Wilkinson, qui ne tenait jamais à s'embarrasser de connaissances inutiles. Pour les batteries d'artillerie, le code sera Melon I et Melon II.

– S'il n'y a plus rien, messieurs, dit Big Foot, Stambert et moi vous verrons individuellement dans la soirée. Souvenez-vous bien que dans les prochains jours la seule chose qui barrera vraiment le passage aux Chinetoques, c'est une tripotée de Marines décidés, baïonnette au canon. Des gars prêts à en découdre, prêts à leur crever le bide. A vous de les chauffer.

3.

Big Foot et le major Stambert avaient dit que les lignes de défense dessineraient un V. Mais ce n'était pas du tout ça. Les cartographes indiquent les choses par des lignes, mais il y a de méchants tours et détours sur les collines et les crêtes. Une fois les troupes installées sur leurs positions, les lignes traçaient plutôt la silhouette de Caspar, le Gentil Fantôme des bandes dessinées. Sa tête entourait la colline 915, et ses mains et son corps dérivaient au sud-est et au sud-ouest, enserrant des sommets clés et se refermant sur les deux ravins – les cartes ne donnaient qu'un seul ravin, mais il y en avait deux – qui commandaient l'accès sud de la zone tenue par le régiment. Big Foot avait installé son P.C. dans le plus grand ravin, entre les batteries d'obusiers de 105 pointés au nord et les chars pointés au sud. Ce n'était foutre pas une solution d'école de guerre, mais dans ce genre de géographie, on n'allait pas s'occuper de ce que les pontes de Quantico auraient trouvé bien ou mal.

Dès qu'on regardait le tracé des positions, on était frappé par l'image du Gentil Fantôme, si bien que dans tout le régiment – et, paraît-il, même dans toute la division – on s'est mis à parler de l'opération Caspar et plus de l'opération Souricière. Big Foot râlait. Il avait presque tiré son temps dans le Corps. Il voulait s'en aller – et, merde! il le méritait – sur une grande victoire. Et voilà qu'une fois de plus il l'avait dans l'os. Souricière, ce n'est pas un nom spectaculaire pour une opération, mais il y avait dedans une sorte de rude franchise. Dans les journaux, il aurait jeté du jus. Tandis qu'« opération Caspar, le Gentil Fantôme », ça prête à rire, non?

Mais on avait d'autres problèmes, et la nomenclature, ce n'était pas le moment pour le colonel Johnson. Les bulldozers, ces grosses bêtes bruyantes, aplanissaient des aires sur les pentes des collines, pour l'hôpital de campagne, les fosses de tir des obusiers de 105 mm et des mortiers de 4,2 pouces, et les réserves de munitions. Des camions de deux tonnes cinq chiaient des vivres, de l'eau, du carburant, des médicaments, mais surtout des munitions – des piles de boîtes métalliques pleines de chargeurs pour les fusils ou de bandes de mitrailleuses, des caissettes de grenades et des tas de caisses d'obus.

Même si on se canarde à distance, un bataillon bouffe des masses de projectiles, et la nuit, l'ennemi, on ne peut pas le viser. On le sent; et alors là, les munitions y passent à la tonne en quelques minutes.

Vous voyez, les civils n'entravent jamais un truc : le soldat ne peut pas trimballer plus de trois minutes de munitions s'il tire à tout berzingue. Et c'est pour ça que le Corps fait tout ce cirque sur la discipline de tir, et que le gus qui mitraille comme un fou, il entend parler du pays. Le gars retranché dans une position de défense a l'avantage de ne pas se coltiner les munitions. Il peut entasser dans son abri une demi-douzaine de bandes-chargeurs et une caissette de grenades – à supposer qu'on les donne par caissettes. C'est la seule fois où j'en ai vu donner autant aux hommes.

Dans le ravin du P.C., le sol n'avait pas résisté longtemps à ce foutu remue-ménage de véhicules, et sur le coup de midi les camions n'arrivaient plus à se dépêtrer de la bouillasse. Depuis notre colline, on entendait le vrombissement des roues qui patinaient, les gueulantes des chauffeurs, les imprécations étouffées des Marines harassés et des hommes de peine coréens s'échinant à pousser les camions sur un terrain plus résistant.

Le Flambeur et moi, on était contents de laisser tout ce bordel derrière nous, même si c'était pour se taper la longue montée depuis le P.C. du régiment jusqu'à l'arrière de la colline 915. On avait beau n'être que le 20 avril, grimper de 400 mètres en moins de deux milles, ça donne chaud. Même sans forcer, on soufflait comme des bœufs rien qu'au tiers du chemin. Le Marine, il la ramène pas mal sur la bonne forme physique, mais personne ne tient la forme après quelques semaines de combat. On saute trop de repas, trop d'heures de sommeil, et cette courante qui ne vous lâche pas (mon pote, un jour j'ai débourré dix-neuf fois). C'est sûr qu'on n'a plus un gramme de graisse, mais plus beaucoup d'énergie non plus. Moi, j'avais toujours cinq ou six tablettes de chocolat dans mon barda et dès qu'on engageait le feu je les avalais – ça me donnait un coup de fouet.

On a décidé (sans avoir à se le dire quand on a senti passer des tripotées de pruneaux, on ne s'excuse plus d'être humain) de faire une petite pause dans un coin à l'ombre, près d'une plaque de neige qui tenait encore. D'où on était, on voyait le ravin en bas; à un demimille de distance, tout ce grouillement dans la zone du P.C. du régiment semblait avoir un sens, comme si ces gens et ces camions et ces bulldozers savaient ce qu'ils foutaient. Mais nous, on connaissait la chanson.

Pendant qu'on était assis là, le Flambeur m'a raconté qu'il avait fait la connaissance de Walsh à l'amicale du 9e bataillon à Chicago, qu'il l'avait eu pour professeur à la faculté de droit, et qu'il en avait pincé pour Kate qui était étudiante en même temps que lui. Et puis Keller avait décroché un job dans un grand cabinet d'avocats de Washington et il avait quitté Chicago à l'hiver 1950. D'après ce qu'il disait, il touchait plus à la politique qu'au droit, mais c'est le genre de truc qui ne m'intéresse pas. En tout cas, il se faisait des masses de fric, et s'il ne se fatiguait pas du poker, le pécule d'un brave sergent en profiterait.

Ce n'était pas la première fois que Keller me racontait son histoire, et par Kate, je savais plein de choses sur elle et le colonel. Je savais qu'elle avait été étudiante en même temps que Keller, mais pas qu'il en avait pincé pour elle. Attention, n'allez pas vous faire des idées. Rappelez-vous que, dans ce temps-là, une fille bien – et Kate était quelqu'un de très bien – n'atterrissait pas dans le lit d'un type dès qu'ils avaient fait connaissance. Mais je comprenais que Keller ait été mordu pour elle. Bon Dieu, je n'y avais pas coupé non plus.

Enfin, elle avait suivi les cours du colonel, et adieu mon Keller. D'après lui, Kate était transportée par Walsh. (Je me suis toujours demandé si ces professeurs d'université ça fricotait pas un peu avec toutes ces jeunesses. Avec Kate, ça devait être sacrément tentant. Compte tenu de son châssis et de son ciboulot, elle devait être au parfum et pas hésiter à vous flanquer son genou dans les parties si on allait trop loin.)

Keller ne m'a pas dit grand-chose sur ce qui s'est passé entre Walsh et Kate, simplement qu'elle n'avait pas moisi à la faculté de droit et qu'ils s'étaient mariés. Il paraît qu'à l'université on avait plutôt mal pris la chose – et pourtant, Kate avait déjà vingt-trois ans. Mais, à ce moment-là, ça ne se faisait pas qu'un professeur épouse une étudiante. Alors Walsh avait cherché un autre poste et il avait fini par en dégotter un à l'université du Michigan (celle qui a des équipes de football). Mais ce même été, avant qu'il déménage, ce sacré Harry de la Chemiserie nous avait envoyés en Corée, et on était là, sur une colline, en plein milieu d'une gentille petite guerre, contents rien que d'avoir encore bras et jambes et quelques jours de plus à vivre.

Avec Keller, on est bien restés un quart d'heure à tailler une bavette, assis sur la pente. On était pas plus pressés l'un que l'autre de revenir dire au colonel que notre mission avait foiré. Il nous avait envoyés – enfin, pas vraiment envoyés, il avait parlé du truc et on s'était portés volontaires – pour essayer de négocier un petit changement de plan avec Big Foot. Lui, valait mieux qu'il tente pas le coup. Ces deux-là, ils ne pouvaient pas s'encadrer, et plus ils se voyaient, plus ils en étaient sûrs. Walsh se payait la fiole de Big Foot, et l'autre se cabrait. Et quand il se cabrait, il se butait encore plus que d'habitude. Et croyez-moi qu'avec sa tête de lard ce n'était pas rien.

On devait le prendre dans le sens du poil pour arriver à ce que lui et le major Stambert réduisent un peu la zone que devait tenir le 2e bataillon. C'était logique. La cote 915, sur des milles à la ronde il n'y avait pas plus important. On appelle ça le point clé d'un secteur. Il n'y avait qu'à regarder la carte : la première colline à prendre, c'était la nôtre. Et le pire, c'est qu'au nord trois crêtes séparées y aboutissaient tout droit, ce qui la rendait aussi vulnérable qu'un Blanc à Harlem sur le coup de minuit. Le 1er bataillon était à notre droite, campé en direction de l'est au bord de falaises à pic. Elles n'auraient jamais pu être escaladées sauf de nuit, par des troupes spécialement entraînées, et en produisant des éboulements de pierre qu'on entendrait à Pusan. On voulait que le 1er bataillon prenne en charge à peu près deux cents mètres de notre secteur; comme ça, on n'aurait à s'inquiéter que de deux voies d'approche, juste deux de trop pour un bataillon posté comme on l'était.

Eh bien, on n'a rien tiré du colonel Johnson, rien de rien. Quand on est arrivés, il était dans la tente des opérations, avec Stambert. Rien qu'à le voir, j'ai su que ça allait foirer. C'était couru. Le Flambeur a fait son baratin. Ils ont écouté, et admis qu'on dégusterait drôlement un de ces jours, demain par exemple. Et Big Foot a expliqué que, le régiment prenant position à plusieurs milles de lignes amies, il voulait ses troupes en cercle bien compact et les abris individuels à quelques mètres en retrait.

Stambert n'était pas le mauvais bougre, mais le chef le tenait serré. Il y avait en fait deux choses, ou peut-être trois. Il y avait le problème du grand ravin, avec au fond le P.C. et les obusiers de 105, mais les chars pouvaient le boucler aussi étroitement qu'un tombeau de momie. Seulement, le petit ravin, c'était un autre genre de bestiole. Il était vulnérable de partout. On n'allait pas y placer des chars, et les Chinetoques n'auraient qu'à y déverser des flopées de monde. Avec ce qu'ils pouvaient lancer à l'assaut, ils perceraient soit là, dans le petit ravin, soit même en haut du V, à la cote 915. Les ravins, Stambert pouvait en parler à Big Foot, mais la percée, ce n'était pas le même tabac. D'un certain côté, Walsh avait raison à propos de Big Foot. L'éventualité que n'importe qui, et même deux cent quatre-vingt mille Chinois, ou seulement la moitié, puissent faire une brèche dans son régiment, c'était quelque chose qu'on ne soulevait pas devant le colonel James McLaughlin Johnson.

Aussi, Stambert l'avait persuadé de détacher du 1er bataillon trois compagnies de fusiliers pour les poster sur l'escarpement du grand ravin afin de « renforcer » les compagnies de commandement et des services, et celle des armes lourdes qui appuyaient les chars. En fait, le major voulait avoir une force de réserve capable de contre-attaquer soit en bas dans le ravin, soit en haut sur la colline 915. Pour moi, Big Foot n'était pas dupe, mais Stambert lui présentait les choses comme il le voulait, alors il marchait.

On a donc eu droit à un sermon poli de Stambert, à un petit speech musclé de Big Foot sur la baïonnette à tout faire, et à quelques douceurs barbotées au cuistot. Mais pour ce qu'on était venu demander : ceinture. Alors, j'étais là, assis à l'ombre, et j'écoutais le Flambeur me raconter que Walsh avait « un plus vaste registre de savoir » – des mots que je n'y entrave rien – que tous les autres professeurs de la faculté de droit. Et puis le moment est arrivé de remonter dire au chef que c'était raté. Je savais ce qu'il allait dire : « Quand on a une mentalité de pionnier, on forme les chariots en cercle. » Je connaissais la chanson.

Quand on est arrivés devant la tente de Walsh, Keller a hurlé en entrant :

– Hip, hip, hurrah! Mein Colonel. Le Flambeur et son fidèle Ritalien Taranto sont de retour, apportant lumière et joie dans votre malheureuse existence. Nous rapportons des nouvelles de notre glorieux Obergruppenführer.

Walsh, assis sur une chaise de sangle, était en train de malaxer de la cire qu'il avait prélevée sur l'enduit d'étanchéité de la radio SCR-300. Il en avait plus besoin que l'appareil, avec son gros fouillis de moustache. Il avait vieilli, depuis la croisière pour Iwo, ce qui était normal considérant qu'on était six ans et deux « *Purple Hearts* » plus tard. Mais n'oubliez pas qu'il n'avait quand même que trente et un ans. Il avait toujours les cheveux châtain clair, mais sa moustache avait viré au blond mélangé de roux, et elle était si drue et si touffue qu'elle lui mangeait à moitié la figure. Pendant qu'il essayait de la discipliner, il prenait un bain de pieds chaud dans un casque. Le vrai luxe. Croyez-moi que, dans le Corps des Marines, le gus en fait des marches, et pendant les combats on était des deux jours de suite sans retirer les bottes. Alors, quand le fantassin ne se bat pas, il se baigne les pieds. Et s'il a de l'eau chaude, c'est une foutue vie de palace.

Johnny Kasten, qui commandait la compagnie E, était dans la tente avec Walsh. Johnny et moi on s'était connus sur le *Ranger* en 1939, longtemps avant la guerre. Johnny était un pedzouille sorti des collines de glaise de sa Géorgie natale – moins dégrossi que lui, on n'en voit qu'à la télévision. On s'est retrouvés ensuite à 'Canal, en 42. Il a dégusté sur la crête du Tenaru et il est retourné aux États-Unis neuf mois avant que j'y passe à mon tour. Quand je l'ai revu, il était instructeur à Quantico, assimilé officier à titre temporaire. Croyez-moi qu'il se poussait un peu du col. Mais ça nc l'empêchait tout de même pas de trinquer avec ses vieux copains.

Walsh connaissait Johnny de Quantico, où il l'avait eu comme instructeur. Et voilà qu'on s'est retrouvés tous les trois dans le même contingent de rotation, en route pour la 5e division et Iwo. Ils étaient très liés, les deux, comme si Johnny était le pater de Walsh ou un truc de ce genre. Et ils devaient être rapatriés sur le même navire-hôpital, Johnny avec une jambe fracassée par un pruneau de tireur isolé. Après la guerre, Kasten s'était démené comme un beau diable pour garder ses ficelles d'argent. Il avait même accepté un brevet d'officier S.L.S., c'est-à-dire « service limité à la spécialité ». Résultat : il ne pourrait jamais être qu'officier d'infanterie, et il n'obtiendrait jamais beaucoup d'avancement. C'était un peu risible, quand on voit que les Marines sont mis à toutes les sauces, mais avec son tout petit bagage scolaire, il ne pouvait pas espérer aller bien loin, ficelles d'argent ou pas.

Walsh leva la tête :

– Qu'est-ce qu'ils décident, à l'arrière?

– Le grossbiden, mein Colonel, dit Keller, on a été quasimenchen vidéchen du pécéchen.

Walsh envoya balader le casque d'un coup de pied.

– Rien n'est trop bien pour les troupes de première ligne, et c'est exactement ce qu'elles vont avoir : rien! Quand on a une mentalité de pionnier, on forme les chariots en cercle. Et encerclez-moi ces chariots! Attendez seulement qu'on les prenne un par un! Est-ce que cette pauvre cervelle de merde d'abruti vous a fait délivrer des plumes de rechange pour nos flèches?

– Mein Colonel, nein plumen!

– Voilà qui m'étonne. Lui et Stambert, c'est le « coin » et le « levier », les deux plus simples outils connus de l'homme.

– O mein Leader, ne désespère pas! Le Flambeur ne revient pas les mains vides, quand il part sur le sentier de la guerre avec le Rital futé.

Moi, un sous-off qui déconne comme ça, il ne pourrait plus s'asseoir pendant un mois. Mais avec Keller, on ne pouvait pas s'empêcher de rire. Il disait que c'était au second degré. Comprenez si vous voulez. Tout ce que je sais, c'est que, quand on l'entendait, c'était marrant; venant d'un autre, ç'aurait été foutrement injurieux.

De toute façon, Keller tenait toujours le crachoir; il en avait plus à refiler qu'un troupeau d'éléphants constipés :

– Nous avons tiré du butin de nos maîtres. D'abord, une mitrailleuse de calibre 50 pour l'ami Johnny Kasten, en compensation des sentiments d'infériorité masculine qu'ont habituellement les Blancs du Sud. Le Yobo tchou-tchou l'apportera ce soir avec les vivres et les munitions. (Le Yobo tchou-tchou, c'était notre sobriquet pour un autre sobriquet. Toutes les unités des Marines employaient des Coréens, généralement des déserteurs de l'armée « Rok » – l'armée de la Republic of Korea – comme hommes de peine, à se coltiner du matériel le long des pentes. On les appelait le Train macaque ou le Yobo tchou-tchou. Le combattant dégoise n'importe quoi, histoire de rigoler.) Et pour le bien commun, continua Keller, le Flambeur a également libéré une bouteille de scotch de la réserve personnelle de notre glorieux chef – pendant qu'il n'était pas dans sa tente, bien entendu. Nous connaissons assez les problèmes du commandement pour ne pas ennuyer un homme occupé avec des détails mineurs. Et enfin, le sergeot Italo a vendu votre assortiment d'âmes – si vous en avez – pour un pavé de bacon et une douzaine d'œufs de la dernière fraîcheur.

– Magnifique, absolument magnifique. Au moins, nous ne mourrons pas sobres ou affamés. Eh bien, Johnny, dit Walsh à Kasten, nos plans ne changent pas beaucoup. Prenez un whisky. Faites ce que vous voulez de cette mitrailleuse supplémentaire. Mike, continua-t-il en s'adressant à Keller, je veux pour ce soir une ceinture de sacs de terre autour de toutes les mitrailleuses du bataillon et, pour demain soir, chacune sous abri fermé. Fournissez trois haches par compagnie. Selon le renseignement, le gros assaut aurait lieu demain soir, mais nous aurons probablement des incursions cette nuit. Dites aux compagnies qu'à partir de vingt-deux heures je veux des factions à cinquante pour cent. Un homme éveillé par trou de tirailleur jusqu'une heure après l'aube.

– Oui, mon colonel. Qu'est-ce qu'il est arrivé à votre patrouille de ce matin, Johnny?

– Rien. Ils ont fait peut-être un demi-mille sur la route Inje-Yanggu. Vu quelques signes, mais pas de contacts.

– Quel genre de signes?

– Un buisson agité dans le sens contraire au vent, des cendres encore chaudes et, autour, quelques grains de riz. Le truc scout banal. Ils nous surveillent de très près.

– Ils nous collent aux fesses, oui! s'exclama Walsh. Ils ont sûrement repéré que le gros de nos lignes est à quatre milles d'ici, et ils se demandent ce que nous foutons tous seuls dans le coin. Ils vont peut-être penser que c'est un piège et nous laisser tranquilles. Ils ne croiront jamais que quelqu'un pense sérieusement que nous pourrions les arrêter.

– Ne vous en faites pas, Dec, dit doucement Johnny.

– Vous me dites de ne pas m'en faire? Et vous, avec la cote 915?

Walsh sourit, parce que les yeux bleus de Kasten étaient tout renfoncés. La tension incessante de sept mois de combats lui labourait la figure de profonds sillons soucieux – de vraies tranchées. Son teint habituellement pâle était maintenant gris sombre, comme de la viande avariée.

– Dec, vous savez bien ce que je veux dire.

Keller et Kasten étaient les seuls officiers du bataillon qui osaient appeler Walsh autrement que « mon colonel ». Johnny avait cinq ans de plus que lui; il en paraissait dix de plus. Avec de la chance et s'il restait encore quatre ans en vie, il prendrait sa retraite avec le grade de major et il irait retrouver sa femme et ses enfants à Augusta.

– Dec, vous savez bien ce que je veux dire, répéta Kasten. Moi je m'en fais seulement pour la peau de la compagnie E, et pour la mienne. Vous, c'est pour tout le bataillon, et même pour la guerre.

– Moi aussi, je pense à ma peau, répondit simplement le colonel.

Mais je savais qu'il pensait aux gosses qui allaient mourir dans cette fétide guéguerre.

– Pour moi, c'est une guerre merdique, marmonna Johnny. Mais je n'ai jamais entendu parler d'une bonne guerre.

– Qu'est-ce que ça y change? Je dois envoyer ces gosses à la mort pour ce pays de boue. Il n'y a aucune différence entre Syngman Rhee et Kim Il Sung, en tout cas aucune qui vaille qu'on se batte. Comme le formuleraient mes collègues universitaires, il n'y a pas d'incompatibilité à expliquer, encore moins à payer de sa vie. Seigneur! Ce satané alcool attaque le métal, dit-il en recrachant le whisky qu'il venait de boire dans son quart, on dirait de l'iode et de la rouille.

Kasten approuva de la tête et avala le sien d'un seul coup. Il avait deux cent quatre-vingt-cinq hommes sur la colline 915. Chacun pensait que Johnny Little Kasten, le plus coriace chef de compagnie du meilleur bataillon de ce foutu Corps-de-mes-deux, rentrerait chez lui vivant et entier. Le lendemain soir, ils allaient peut-être tous avoir tort.

4.

Au creux de leurs abris individuels le long de la crête de la colline 915, les gars du 2e bataillon, ramassés dans leurs sacs de couchage sous une pluie froide, attendaient la fin de la nuit – ou de leur vie. J'y suis passé, à 'Canal et à Bougainville. C'est pas le truc jouissif, sauf si on est fana du grand air ou d'un foutu sport comme ça. La plupart des gars restaient assis, simplement enveloppés dans le sac de couchage déplié. Leurs carabines M-1 étaient chargées et le cran de sûreté retiré. Il n'était que vingt-deux heures trente, mais personne ne dormait. Le goût amer et métallique de la peur aigrissait les bouches et les estomacs.

Ce matin-là, ç'avait été le tour de la compagnie D d'envoyer une patrouille. Ils n'avaient couvert que deux mille mètres lorsque les Chinois avaient ouvert le feu. Ils tiraient mollement, comme si ces foutus abrutis prévenaient qu'ils allaient arriver et qu'ils apprécieraient qu'on les attende. Comme les ordres de la patrouille étaient de repérer sans tirer, le lieutenant avait dû vivement ramener ses hommes. Il n'y avait pas eu de dégâts, mais sa fierté en avait pris un coup. Un Marine, ça n'aime foutrement pas courir, sauf si c'est au cul de quelqu'un.

Dans le grand trou noir de la nuit, on entendait des piétinements et des grognements d'hommes coltinant du matériel. Jusque-là, quand les Chinois attaquaient, ils arrivaient en douce. Ces enfoirés avaient pour la chose un talent à rendre vert d'envie un monte-en-l'air. Ça leur donnait souvent le gros avantage tactique de la surprise, mais cette nuit-là, ils se foutaient pas mal qu'on sache qu'ils s'amenaient. Fallait qu'ils soient foutrement sûrs d'eux.

J'étais assis au P.C. du bataillon, avec Walsh et Keller. On restait tous les trois à regarder la carte murale. Il n'y avait rien d'autre à faire. Moi, je ne joue aux cartes que si je peux me concentrer à cent pour cent. Le parapet de sacs de terre entourant la tente sur une hauteur de quatre pieds donnait un faux sentiment de sécurité, et le toit de la tente aussi, même s'il n'était pas capable d'arrêter toute la pluie, pour ne pas parler de la mitraille. C'est drôle, je me rappelle qu'à 'Canal, quand j'avais une telle trouille que je croyais en devenir dingue, je m'enveloppais complètement dans mon poncho pendant une heure ou deux. Dans le noir complet, je me sentais caché, en sécurité; évidemment, si l'ennemi vous déniche, on y reste rapido. Pour en revenir où j'en étais, le danger, ce coup-là, il venait des mortiers; la seule protection, c'est une couverture de madriers et de sacs de terre, mais on n'en avait pas.

Une lanterne à essence – la mienne, Walsh se l'était appropriée en ramenant son histoire de « biens communs » – tremblotait près de la carte, et dans un coin de la tente deux gus étaient campés sur une caisse à munitions vide pour essayer de rester au sec. L'un des gus avait deux téléphones – un sur chaque oreille. Une ligne était reliée aux compagnies de fusiliers, et l'autre au P.C. du régiment. Le deuxième Marine dorlotait un émetteur-récepteur SCR-300, notre autre ligne de communications.

– Je continue à être inquiet, disait Walsh. S'ils voient notre tactique des chariots en cercle, ils joueront les Indiens en tournant autour pour trouver le point faible. Ils verront forcément ces deux ravins qui nous arrivent droit dans les fesses. Le grand avec l'artillerie est bourré de monde, et les chars feront place nette. Mais c'est le petit qui va nous faire des ennuis; il débouche directement derrière nous. S'ils s'engagent dedans, ils vont nous remonter droit dans l'orifice anal...

Un violent sifflement, suivi presque instantanément d'une déflagration, lui coupa la parole. Un bruit comme ça, ça me fait tout de suite remonter de la bile dans la bouche. Ce sifflement et cette déflagration se sont répétés cinq fois de suite. Dans la tente, on restait tous rivés dans la boue.

– Le magot s'amène, a grincé le Flambeur en farfouillant dans la boue pour récupérer son casque.

– Le P.C. du régiment demande si nous sommes bombardés, annonça l'opérateur du téléphone.

– Dites-leur, répondit Walsh plus calmement que je ne m'y attendais, qu'ils doivent avoir un sixième sens pour avoir perçu si rapidement nos difficultés.

– C'est affirmatif ou négatif? mon colonel.

– A-mon-cul-firmatif, fiston, et vous, Mike, dit-il en s'adressant à Keller, notez l'heure : vingt et une heures trente-cinq. A votre avis, c'était quel genre de pièces?

– Mortiers de cent vingt, mein Leader. Pas d'énervement, mon personnel de la tente des opérations a déjà tapé un rapport en triple exemplaire.

Ces premiers tirs, c'était pour nous chatouiller – et, pour moi, ils étaient même mal pointés. L'objectif devait être la cote 915, mais, comme chez nous autres, au début du feu on panique sec et on rate. Ils allaient sûrement faire mieux avant le matin. J'ai l'air d'en savoir beaucoup sur la campagne du côté chinois, hein? Eh bien, il y a un an, quand je faisais ces deux articles pour *Leatherneck*, pendant deux semaines je suis allé tous les jours en taxi au Quartier général du Corps des Marines, et j'ai fourragé dans leurs archives à propos de cette histoire en avril 1951. Ils ont des trucs foutrement formidables. Au mois de mai, on avait saisi les journaux de marche de la 9e division chinoise, celle qui avait mené l'offensive. Quelqu'un les a traduits, et on peut dire maintenant exactement ce que chaque compagnie faisait à n'importe quel moment.

Au bout d'une demi-heure, je suis sorti de la tente. Je savais que ça allait arriver. Juste comme je commençais à faire de l'eau, voilà que ça recommence à péter. Cette fois, il y avait des gamelles de mortiers de 50 et de 82 avec les marmites des 120, et on entendait gueuler les Marines touchés. Seigneur, ça me glace ces cris-là. Un gars qui hurle parce qu'un mortier lui a enlevé un morceau, et on pense à entrer au monastère. Il y a eu huit minutes de terreur, et puis l'arrosage a cessé, et un magot s'est foutu à sonner du clairon. Un pauvre enfoiré tellement coliqué que c'était à se demander s'il avait l'embouchure dans les lèvres ou dans le cul. En tout cas, il n'a fallu que quelques secondes pour qu'une compagnie chinoise, cent cinquante hommes, s'amène au petit trot sur le chemin de crête qui démarrait à l'est pour conduire au sommet de la cote 915, en plein dans la compagnie E. Deux compagnies de fusiliers la suivaient à la même cadence, prêtes à foncer dans la brèche – qu'elles croyaient!

A la première note du clairon, Johnny Kasten avait crié à son observateur d'artillerie : « Barrage normal! Barrage normal! » Mais fallait plus compter dessus. Un obus de 82 venait juste d'atterrir en plein sur l'abri de l'observateur, le réduisant en bouillie, lui, ses deux adjoints, et leur matériel de communications. L'observateur des mortiers de 4,2 pouces avait entendu l'ordre de Kasten, et sa batterie était parée. En trois secondes, elle dégorgeait ses pélots sur la crête ouest. Malheureusement, les Chinois n'attaquaient pas par là.

Juste au moment où la compagnie de pointe des Chinetoques arrivait au trot à cent mètres de nos positions, leur chef a lancé une fusée verte. Ses hommes ont pris le galop, et ils arrivaient foutrement vite; ils sont passés comme des fleurs par-dessus la clôture de fils barbelés, et ils se sont ramenés sur la compagnie E, en tiraillant à tout berzingue avec leurs foutues petites pétoires. Ils y allaient à fond de train, si bien qu'ils avaient déjà toute une section en plein milieu du champ de mines avant qu'ils réalisent pourquoi il n'y avait qu'un seul fil barbelé autour. En quelques secondes, les quarante hommes qui étaient passés par-dessus volaient en morceaux.

Je l'avais préparée moi-même, cette zone, et le génie l'avait bourrée de Bouncing Betties. Ce n'était rien d'autre que des obus de mortiers, mais fallait voir le truc : une vraie toile d'araignée. On leur attachait un fil tendu à ras de terre, et dès qu'un pied le touchait, le fil tirait un cordon qui faisait partir une cartouche et la mine sautait à hauteur d'homme – et puis, là, elle explosait en faisant un gros baboum. Cette nuit-là, il y en a eu une flopée de ces éclairs jaunes, avec des éclats en vrille qui cisaillaient les veines jugulaires, tranchaient des morceaux de crâne, des fois toute la tête. Les gus de la compagnie E tiraient dans le tas à pleins chargeurs, et la discipline de feu, mon cul; ils ont fait plus de bordel que de bobo.

La deuxième section de Chinois a hésité devant les barbelés juste le temps qu'il fallait pour que Johnny les arrose de plein fouet avec sa mitrailleuse. A cette distance, un pruneau de 50 ça défonce comme un marteau pneumatique, ça envoie dinguer des mains, des bras, des couilles. Treize Chinois de plus y sont restés, et les pruneaux de 30 en ont amoché d'autres.

Voilà les pauvres sagouins de la deuxième section chinoise qui virent sur place et déboulent bille en tête dans la troisième section qui chargeait. Vous auriez vu cette panique, surtout que Kasten venait juste d'arriver à transmettre l'ordre de tir à la batterie d'obusiers de 105. Un groupe de macaques complètement paumés – ou héroïques, au choix – s'est ramené sur la zone minée et a bondi pardessus les barbelés, ajoutant des tas de barbaque fraîche aux autres macabs. Mais le plus gros des deux sections a détalé. Ils se sont rabattus au nord, et le scénario d'avant a recommencé, mais en plus grand : ils sont rentrés en plein dans la deuxième compagnie qui montait à l'assaut.

Il est parti des fusées rouges, puis vertes, puis jaunes. Les coups de sifflets déchiraient l'air, les appels de clairons faisaient un boucan de tous les diables. Ce n'aurait pas été qu'on canardait pour de bon, c'était aussi marrant que les poursuites des flics dans les vieux films Keystone. Du comique de première, avec du sang partout. En gueulant comme des veaux, les officiers chinois ont réussi renvoyer à l'attaque une escouade de la troisième section, mais juste au même moment ce qui restait de la deuxième section détalait au nord comme un troupeau de chevaux devant un feu de forêt. La mitrailleuse en a encore envoyé une giclée à travers les arbres, et quatre obus de 105 ont recouvert la crête de fumée noire et d'éclats vrombissants. A terre, les blessés appelaient à l'aide, mais ceux qui se carapataient les piétinaient à mort. Et alors, les obusiers de 105 ont vraiment commencé à envoyer leur tir de barrage normal.

Le chef de bataillon chinois n'a pas réussi à reformer ses troupes avant minuit. Il a dû les faire reculer à plus d'un mille au nord de la cote 915. La compagnie de pointe n'était plus qu'une cohue dépenaillée et foireuse. Les survivants du champ de mines, des mitrailleuses et du barrage d'artillerie avaient foutu le camp à toute pompe vers le nord. Je parie qu'au matin certains de ces macaques avaient atteint la Mandchourie.

Sur la colline 915, Johnny Kasten avait seulement huit tués et neuf blessés – dont huit par le barrage d'artillerie. Le neuvième blessé avait été frappé au crâne par l'éclat perdu d'une Bouncing Betty qui était remontée en arc vers le haut de la colline 915, au lieu de jaillir tout droit. On ne peut jamais être sûr, surtout quand il pleut. On place ces trucs comme il faut, mais la pluie tasse la terre autrement, et on se retrouve avec une connerie d'accident.

Bon, pour la première attaque, on avait tenu le coup aussi bien qu'on pouvait l'espérer. Le retard dans l'appui d'artillerie nous avait en fait aidés, parce que, comme ça, les Chinetoques avaient gardé l'allure qui les avait entraînés loin dans le champ de mines. Le seul ennui, c'est que la plupart de nos mines avaient explosé. D'un autre côté, il ne devait pas y avoir beaucoup de magots qui tiendraient à sauter les barbelés pour venir vérifier.

Johnny Kasten a profité du répit pour inspecter ses lignes. Je savais que c'était autant pour s'éloigner de son téléphone que pour se renseigner par lui-même. Walsh l'avait tenu au téléphone pendant la majeure partie de l'attaque, et dans quelques minutes il allait remettre ça. De toute façon, il ne pouvait envoyer que des munitions et un nouvel observateur d'artillerie, et seulement à l'aube. Je n'en ai jamais parlé à Kasten, mais pour moi il voulait par-dessus tout un moment de tranquillité, remercier Dieu d'être toujours vivant et trembler dans son coin, avant de retourner dire à ses hommes que, la prochaine nuit, ils allaient encore foutre la pile aux macaques.

Walsh aussi avait quitté son P.C., en disant au Flambeur :

– Big Foot voudrait que je reste rivé à ce téléphone. Le sergent et moi allons au centre de conduite du feu. Restez-là pour lui répondre. Traitez-le comme le champignon qu'il est, en le laissant dans le noir et en le nourrissant de crottin. J'ai passé la moitié de la nuit à essayer de le tenir informé. Tout ce qu'il veut savoir, c'est si on a lardé l'ennemi à la baïonnette. Dites à ce fils de pute où nous en sommes – si vous le savez – et rappelez-lui que Kasten doit recevoir un autre observateur d'artillerie à l'aube. Embêtez-le aussi pour les munitions. Kasten n'en a pas vraiment besoin, mais ça le réconfortera.

– Je lui transmettrai votre affection, mein Colonel.

On était à peine arrivés au centre de conduite du feu – encore une tente détrempée et ceinturée de sacs de terre – que Walsh demandait à l'opérateur du téléphone de lui dégotter le capitaine Kasten, compagnie E. Puis il s'est approché du major Fritz Morstein, le chef de la compagnie d'armes lourdes. Vous ne savez peut-être pas que, pendant les engagements, la compagnie d'armes lourdes du bataillon se fractionne en une douzaine de petits secteurs qui appuient les fusiliers, si bien que le boulot de son chef, c'est de coordonner toute la puissance de feu que réclame le bataillon.

– Vous vous êtes occupé des concentrations d'artillerie pour Kasten? a demandé Walsh au major.

Et, tout en parlant, il a ouvert une boîte des rations C, la « Viande hachée avec ». Le « avec quoi » n'était jamais indiqué, pour ne pas choquer les Marines d'origine italienne comme moi. Pour nous, les spaghetti, c'est de la bonne bouffe, pas une sacrée maladie – et il n'y avait qu'à renifler un coup ces rations C pour être fixé. Comme le colonel avalait ça froid, tout le monde a reculé de quelques pas. Chaude, la « Viande hachée avec » ne vous faisait pas toujours dégobiller; mais froide, elle écœurait même les chiens coréens qui venaient nous japper la faim quand on était au repos. Je n'ai jamais vu un autre Marine qui ait pu manger cette saleté froide. Et ils n'étaient pas des flopées à pouvoir la tortiller chaude.

– Eh bien, mon colonel, a commencé Morstein.

– Je n'ai pas le capitaine Kasten au fil, a interrompu l'opérateur, il est en train d'inspecter ses lignes.

– Mais comment donc! Ce vieux démon asthmatique me fuit, comme je fuis Big Foot. Au moins, je sais que tout va bien. S'il avait besoin de quoi que ce soit, on n'aurait pas besoin du téléphone pour l'entendre mugir. Que disiez-vous, Fritz?

– Nous ne pouvons pas faire grand-chose, mon colonel. Le lieutenant de tir de Kasten est en communication directe avec la batterie d'artillerie.

– Duncan Thurman? Cet abruti de réserviste? (Walsh distinguait toujours soigneusement entre les abrutis qui étaient soldats de carrière et les abrutis réservistes.) Il bombardera le P.C. du bataillon.

Walsh reposa la boîte de « Viande hachée avec » à moitié vide. Un opérateur radio la jeta vivement dehors.

– Tout ce qu'il a à dire c'est « barrage normal », protesta Morstein.

– Il n'arrivera jamais à s'en souvenir. Dites-lui de passer par vous, et vous relaierez l'information aux pièces. Ce sera plus long, mais cela épargnera des vies, probablement la vôtre et la mienne.

Sur un signe du major, un aide a pris un téléphone de campagne et s'est mis à tourner la manivelle.

– Revoyons ce plan du soutien de feu, voulez-vous? a dit Walsh.

Il s'est porté devant la carte murale de la conduite du feu. Elle était pleine de rectangles et de cercles numérotés, chacun indiquant un pointage de mortier ou de pièce d'artillerie, si bien qu'il suffisait de dire à la batterie « concentration 19 » par exemple, et ils balançaient la marchandise en plein dans le tas – à quelques centaines de mètres près.

– Si j'étais les Chinois, et on ne devrait jamais se mettre à la place de l'ennemi, mais généralement ça marche, a dit Walsh, j'opérerais un mouvement tournant au sud et je remonterai par un des ravins. Alors, je repasserais à l'assaut de la colline 915. Et pour ne pas tomber sur ce champ de mines de la crête est, j'essaierais la crête ouest. Qu'avez-vous préparé par là?

– Les mortiers de 4,2 pouces. Si personne n'en a besoin au même moment, ça nous fera huit tubes. Les escarpements forment de meilleurs objectifs pour les mortiers que pour l'artillerie. Mais vous voyez que nous avons deux concentrations d'artillerie sur les points les plus hauts. Je préférerais garder les canons pointés sur la crête est jusqu'à ce que nous sachions ce qui se passe.

– Non. Pointez tout sur la crête ouest. Vous pourrez les ramener sur l'est si nécessaire. Vous couvrez le versant antérieur avec des mortiers de 81. Et les mortiers de 60 de Kasten?

– Pointés sur le même versant.

– O.K. Maintenant, supposons une pénétration par le petit ravin, qui nous prenne à revers. Que pouvez-vous faire, à part notifier les décès à nos familles?

– Ça, c'est le problème du régiment, mon colonel.

– C'est vous qui le dites. Le ravin conduit directement dans ma tente; je ne veux pas rencontrer d'étrangers dans la nuit. Attribuez la chose à une hétérosexualité normale.

Walsh a dit ça mot pour mot. Je l'ai entendu. Voilà le genre de vannes qu'il était tout le temps en train de balancer.

– On ne peut rien placer d'autre que des 81 et des 60. C'est un objectif beaucoup trop rapproché pour les 105 ou les 4,2.

– Parfait. Faites-moi préparer par un de vos bonshommes quelques concentrations par ici. Et que les servants de la section des 81 soient prêts à protéger leurs pièces contre une attaque à revers. Qu'ils aient une bonne réserve de grenades.

– Oui, mon colonel.

Le téléphone crépita furieusement. Tout en tendant le récepteur à Walsh, l'opérateur grimaça pour l'avertir.

– Walsh? Walsh? (C'était Big Foot.) Mais qu'est-ce que vous foutez? Je vous cherche depuis vingt minutes. Mon service n'arrive pas à obtenir de vos bonshommes un état des pertes. Qu'est-ce que c'est que ce bordel?

– Colonel, je suis occupé. Je vous le ferai savoir dès que je le saurai. Tout ce que je peux vous dire, c'est que nous avons culbuté les Chinois et que les pertes de la compagnie E semblent légères.

– Je me fous que vous soyez aussi occupé qu'un unijambiste dans un concours de coups de pied au cul. Qu'est-ce qu'ils fabriquent, les macaques?

– Il se peut qu'ils pissent dans leurs culottes, ou qu'ils se tripotent. Bordel, comment puis-je le savoir? Leur commandement ne me fait pas de rapport.

– Colonel Walsh..., commença Big Foot.

– Très bien! Allons-y gaiement! Les Chinois sont probablement en train de se regrouper. Nous maintenons des tirs de harcèlement sur les crêtes est et ouest. Ne vous tracassez pas; ils reviendront ce soir. Moi, je surveillerais ce petit ravin dans le secteur du 1er bataillon, celui qui mène...

– Surveillez la cote 915, et, moi, je surveillerai les ravins, professeur, a tonné Big Foot.

Puis, d'une voix radoucie :

– Qu'est-ce qu'il vous faut?

– Kasten doit recevoir un nouvel observateur d'artillerie à la première heure, et nous aurions l'usage de munitions pour armes légères et de grenades. S'ils remontent à l'attaque de la cote 915, j'aimerais avoir priorité sur les obusiers de 4,2 pouces et de 105 mm. S'ils reviennent, ils attaqueront sûrement de deux côtés : une diversion à l'est, et le gros de l'offensive sur la crête ouest. Nous n'aurons pas assez de munitions si le feu se prolonge.

– Vous savez, pour foutre la trouille à l'Oriental, il n'y a que la baïonnette. Je vais voir ce que je peux faire. Faites-moi savoir aussitôt que pos...

Il était exactement 3 h 15, et voilà que deux tonnes d'obus de mortiers ont secoué cette foutue crête sans avertissement. C'est à cause de la pluie, qui avait étouffé le bruit des obus sortant des tubes. Il n'y avait eu qu'un piaulement sifflant à l'ultime fraction de seconde avant que le premier projectile explose. Le sommet de la colline 915 n'était plus qu'une masse de fumée noire et d'éclats de métal tourbillonnants. Nous, au P.C. du bataillon, il nous dégringolait de temps en temps des pélots dessus – mauvais pointage – mais c'était Johnny Kasten et la compagnie E qui prenaient les tirs de barrage sur le poil.

– Walsh, Walsh!

Le téléphone a bredouillé, et puis il est resté muet. Au bout de quelques minutes, la radio s'est mise à transmettre :

– Haut-de-forme! Haut-de-forme! Ici, Gibus. Terminé. Haut-de-forme! Haut-de-forme! Ici, Gibus. Terminé.

L'opérateur radio a pris les écouteurs, mais Walsh a secoué la tête en disant :

– Appelez-moi la compagnie E.

Pendant quatre minutes, l'appel : « Haut-de-forme E, Haut-de-forme E, ici Haut-de-forme Six » s'est répété sans réponse. Et puis une voix survoltée a dominé les parasites :

– Barrage normal!!! Pour l'amour du ciel, barrage normal, barrage normal!!!

– Oh! merde, a lancé Walsh, voilà ce trou-du-cul de Thurman qui recommence son numéro. Alertez les pièces, Fritz, mais attendez un peu. (Dans un cas comme celui-là, les artilleurs gardent leurs pièces chargées et pointées en tir de barrage normal. Il ne faut alors qu'une fraction de seconde pour déclencher le feu.) Il n'y a pas tout à fait sept minutes que ça dure. Les Chinetoques ont arrosé pendant six minutes lors de l'autre attaque. Pour celle-ci, ils vont au moins doubler le temps, après la façon dont nous les avons reçus. A douze minutes, allez-y avec les 4,2, et à quatorze minutes avec les 105.

Les obus continuaient à pleuvoir, secouant et resecouant la colline comme un grand navire dans la tempête. Il en tombait de plus en plus par-dessus le sommet et près du P.C. où on était, parce que les Chinois allongeaient leur tir pour ne pas atteindre leurs axes de progression. Brusquement, un fusil a claqué, puis un autre. Les détonations ressemblaient à des questions, comme pour demander s'il y avait vraiment un fils de pute là-bas, dans le noir. Et puis on a entendu le hoquet saccadé d'une mitraillette de fabrication russe, suivi par les M-l américaines, les fusils automatiques et l'artillerie lourde, plus le tonnerre sifflant d'une pièce de char de 90 mm chargée de canister.

Ça, c'est quelque chose. Le canister, c'est tout simplement cette bonne vieille mitraille. Comme une cartouche de fusil de chasse de trois pouces et demi de diamètre. Vous pouvez en faire vous-même si vous êtes à sec d'approvisionnement. Vous prenez un culot de perforant et vous remplissez la chemise de clous, d'écrous, de boulons, de morceaux de boîtes de conserves ou d'autres trucs; n'importe quel métal fait l'affaire. Ça vous fauche le sol sur vingt mètres, sans un pli. Les tankistes n'aiment pas s'en servir, parce que ça entame les rayures de leurs beaux canons, mais un tankiste, dans son alligator d'acier, il ne voit pas grand-chose en plein jour, et la nuit, il est aveugle comme une taupe. Alors il prend sa crise, et il se contrefout des rayures. Pour le gars qui est dans une mauvaise passe au fond de son trou croupi, c'est un bruit rassurant. Mais moi, je n'aime pas trop m'enterrer à côté des tankistes. Ils sont trop nerveux, toujours prêts à se déchaîner dès qu'un gars bouge un tout petit peu – pour lâcher de l'eau, par exemple.

– C'est le grand ravin qui trinque, dit Walsh. Au moins, ça nous débarrasse de Big Foot. Il cherchera partout un malheureux magot à embrocher avec cette baïonnette qu'il trimbale dans sa cantine depuis la Première Guerre.

Je me représentais Johnny Kasten sur la colline 915, aplati dans un trou individuel. Chaque explosion devait le soulever et le replaquer brutalement au fond. Il devait avoir tout de fermé, les yeux, les poings, le troufignon, comme à 'Canal. Quand les cuirassés japonais nous écrabouillaient la gueule, il priait tout haut : « O Jésus, pas comme ça, pas déchiqueté ou broyé. Un pruneau vite fait, quand ils s'amèneront sur nous, mais pas mis en pièces. » Et puis il rendait tripes et boyaux. Et pendant ce temps Bugle Butt McIntyre, le sergent-major de la Compagnie, gémissait de terreur, la tête dans son sac de couchage.

Et puis Johnny récitait le Psaume XLIV. Dans le coin de Géorgie où il avait grandi, ils sont baptistes à tous crins. Ces particuliers-là, ils vous citent l'Ancien Testament comme si c'était la page des sports du journal d'hier. Je me souviens de celui-là parce qu'à 'Canal je l'ai entendu toutes les nuits pendant deux semaines. En plus, quand vous m'avez téléphoné pour venir, je l'ai regardé dans la Bible.

> Réveille-toi! Pourquoi dors-tu, Seigneur? Lève-toi, ne nous rejette pas pour toujours! Pourquoi caches-tu ta face? Pourquoi oublies-tu notre misère et notre détresse? Car notre âme est abattue dans la poussière, notre corps reste attaché à la terre. Lève-toi, viens à notre aide, et délivre-nous, à cause de ta bonté!

J'ai entendu ce clairon chinois sonner, et croyez-moi que c'était le genre de bruit à lui remuer les tripes, à Kasten. Je me disais qu'il devait croire aussi qu'il entendait une marche, dans la boue, se rapprochant de ses hommes. Et j'avais raison. Tout ce qu'il avait de raisonnable le poussait à ne pas bouger, à rester le ventre collé contre terre, mais il s'est forcé à sortir la tête pour hurler à Thurman et à l'observateur des 4,2 :

– Tir de barrage normal!!! Tir de barrage normal!!! Ils arrivent!!!

Et, avec un effort de plus, Kasten s'est extirpé de son trou et il a rampé jusqu'au sommet de la colline. Et il a gueulé :

– Les voilà! Tout le monde debout! Crevez les salopards!!!

L'observateur des 4,2 a réussi à calmer sa tremblote le temps de transmettre sur sa radio le message de Kasten, pendant que mon Thurman criait et bégayait dans son poste. Walsh et Kasten avaient choisi leur moment comme des chefs. Le chef du bataillon chinetoque sur la crête est a engagé ce qui lui restait de ses deux compagnies, et son pote de la crête ouest a engagé deux des siennes. Ils ont amené leurs troupes en plein sous leur propre barrage d'artillerie. Ils étaient malins, les bougres, et coriaces. Ils savaient que leurs hommes trinqueraient, mais qu'ils trinqueraient moins que s'ils essayaient de les lancer sur les derniers cent mètres avec les Marines qui les tireraient comme des lapins. Seulement, les 105 et les 4,2 ont cessé le tir avant que les Chinetoques puissent se déployer en plein sur les deux crêtes. Mais ils avaient quand même salement dégusté. Ils avaient eu assez de bidoche saignée pour approvisionner un supermarché pendant une semaine.

Mais il y avait aussi des trous dans la ligne de Kasten. Le barrage d'artillerie des Chinois avait fait du vilain : quinze morts, trois douzaines de blessés, sept autres enterrés vivants, et il y avait trois mitrailleuses et deux bazookas hors de combat.

Au moment où le tir de barrage des Chinois s'est arrêté, leurs mitrailleuses ont pris le relais. Cette deuxième attaque était une action militaire plus soigneusement préparée que le premier coup, avec leur foutu *banzaï*. Les mitrailleuses de la compagnie E ont répondu : les Marines et les Chinois se retoisaient. Juste comme l'espérait Walsh, avec les deux compagnies sur la crête est, ça pouvait aller. Pas un des macaques n'allait passer par-dessus les barbelés, même si leurs officiers leur avaient dit – bien à l'arrière – que la première attaque et les barrages et les contre-barrages avaient fait exploser toutes les mines.

La compagnie E n'a eu qu'à les immobiliser par son tir de mitrailleuses, et à trois heures cinquante ils étaient encore à soixante-quinze mètres des positions des Marines, bien contents de ne plus bouger.

Mais, sur la crête ouest, c'était un autre tableau. La première compagnie chinoise avait gagné assez de terrain pour ne pas trop écoper avec les 4,2. Et ils sont montés à l'assaut de la colline 915 comme des dingues. Une bonne giclée de mitrailleuses et une volée de grenades les ont ralentis, mais l'escouade de tête a chargé en plein sur le versant gauche de la colline 915 et a percé nos lignes, en nettoyant quatre abris individuels au passage. Les sept hommes ont alors viré pour prendre les Marines à revers, mais juste au moment où ils se retournaient, voilà Kasten, Bugle McIntyre et deux troupiers qui bondissent de leurs trous et déchargent leurs carabines automatiques à cinq mètres. Avant d'y passer, un des macaques a réussi à retourner sa mitraillette pour en envoyer plein les poumons de McIntyre. Les six autres n'ont pas eu le temps de voir ceux qui les descendaient par derrière.

Pendant que Kasten jouait au petit soldat, son chef de section dans le secteur déplaçait ses hommes pour boucher les trous dans les lignes, et la deuxième ruée des macaques a été arrêtée à vingt mètres du sommet. Mais huit gars de plus y sont passés.

En même temps, le barrage de 4,2 démolissait salement les renforts que les Chinetoques continuaient à envoyer à l'assaut.

Walsh faisait pilonner la crête ouest par les mortiers de 81 mm du bataillon, et, avec ceux de 60 mm de Kasten, ils déchiquetaient la barbaque humaine comme des hachoirs à viande. A quatre heures quinze, le chef du régiment chinois a vu que son attaque ne rapporterait pas un pet, qu'en plus il avait un bataillon rayé des effectifs, et l'autre les couilles sacrément amochées. J'ai su par la suite que lorsqu'il avait demandé à la division l'autorisation de rompre l'action, il avait proposé de contourner Caspar et de le ratatiner plus tard. Il a eu l'autorisation de décrocher, mais sans commentaire sur ce qu'il proposait.

Être autorisé à décrocher et décrocher, ce n'est pas le même tabac. Et mon gars, sans charrier, il n'y a pas de plus foutue manœuvre que de se replier en face d'un ennemi qui met le paquet. Walsh et Kasten savaient que les Chinois avaient bousillé le coup, et qu'ils étaient fins prêts pour transformer la défaite en déroute. Dès qu'on avait vu le terrain, Walsh avait pensé à une contre-attaque limitée, et il avait concocté un petit plan soigné avec Keller et les chefs de compagnie. Il lui a suffi de lancer un ordre d'alerte à quatre heures vingt, et à quatre heures cinquante la compagnie D fonçait sur la crête est et la compagnie E sur la crête ouest, suivies par un feu roulant des 105 et des 4,2.

A l'aube, avec les nuages de pluie qui filaient au sud, Big Foot jubilait comme un petit môme le jour de son anniversaire quand il a fait son rapport au général commandant la division. Il avait insisté pour lui parler personnellement :

– Mon général, nous les avons aplatis comme une carpette. Nous les avons arrêtés net, et puis deux compagnies de Marines les ont chargés, baïonnette au canon – la première attaque nocturne de ce genre depuis le début de la guerre. (Ça s'était plutôt décidé au petit jour, mais Big Foot n'allait pas s'embarrasser de ce genre de détail.) Ces crêtes sont inondées de sang chinois, mon général, inondées. Walsh estime les pertes de l'ennemi à sept cents morts et trois fois autant de blessés.

Johnson s'était mis à hurler, pas tellement de joie, mais pour être entendu par-dessus le vrombissement des hélicoptères qui faisaient la navette pour évacuer les grands blessés. Comme ils ne pouvaient emporter que deux gars à la fois, les trois appareils n'auraient fini qu'à la nuit tombée. Les morts attendraient le lendemain.

Le général félicita Johnson, mais il n'avait pas l'air enchanté. Big Foot lui-même l'a senti – et Walsh disait que des types plus sensibles que Big Foot, il y en avait des flopées.

– La 6e division des Roks, colonel, la 6e division des Roks, a seulement dit le général, vos gens des transmissions recevront un ordre d'alerte codé dans quelques minutes.

C'était l'aube, et pour un Marine en Corée l'aube signifiait plus qu'un nouveau jour; elle signifiait la vie elle-mon-cul-même. *Comme la sentinelle attend l'aube*, a écrit le roi David – en tout cas, c'est ce que Johnny Kasten m'avait dit – mais même ces anciens Juifs ne pouvaient attendre l'aube avec autant d'impatience que nous, dans cette foireuse guerre de Corée. La nuit, c'était une saleté noire qui cachait les Chinetoques et les Nord-Coréens visqueux, et qui limitait notre puissance de feu. Le jour, on pouvait esquinter les macaques, les écrabouiller à distance avec l'aviation et l'artillerie, ou bien, si on pouvait les voir, les canarder avec un fusil capable de décalotter un prépuce à six cents mètres plus proprement que le couteau d'un rabbin. La mitrailleuse russe peut cracher des volées de 920 balles à la minute. Mais, à 75 mètres, elle n'est pas précise, à 100 mètres elle est aussi utile qu'un tablier à une vache. C'était une sacrée bonne arme pour les combats rapprochés de nuit, à 50 mètres ou moins, mais dans un assaut de tir à longue distance en plein jour, c'est un joujou.

Le matin de bonne heure, Big Foot était généralement remonté comme pas un, même après une nuit sans dormir. Mais ce matin-là, il était dans le trente-sixième dessous. Le général lui avait crevé son beau ballon. L'ordre d'alerte décodé disait que la bataille avait bien marché dans les secteurs de la 1er division de Marines, mais que la 6e division des Roks avaient cané à l'ouest de Chunchon, laissant notre flanc gauche le cul à l'air. Et, ce qui foutait encore plus les foies, c'était que le renseignement avait repéré une autre importante force chinoise piquant au sud en direction d'Inje, à l'est par rapport à nous. Et entre cette nouvelle armée en marche et l'unique route reliant la totalité de la 1re division de Marines avec le sud, tout ce qu'il y avait, c'était une division de Roks. Seigneur, personne n'attendait que des Sud-Coréens se battent, mis à part les Marines sud-coréens. L'ordre d'alerte était clair : « Soyez prêts à avorter opération Souricière et à rétrograder au sud de la Soyang une heure après le signal. » « Rétrograder » – dans le Corps des Marines, on n'aime pas beaucoup la formule « battre en retraite ». C'est un gros mot.

Pauvre vieux Big Foot. On lui démolissait son rêve de gloire, son nouveau rêve de gloire, en fait. J'en avais mal au cul pour lui. Il avait cinquante-trois ans, et une lointaine chance de passer général de brigade avant la retraite, mais seulement avec du bol ou une grande action, et il tenait encore plus à une grande action qu'aux étoiles de général. Je savais ce qu'il devait éprouver. Comme moi, il n'avait pas eu de temps pour une femme, pour des enfants. Sa femme, c'était le Corps; il n'avait jamais aimé personne d'autre, même s'il devait de temps en temps avoir sauté une poule. Il lui fallait une victoire pour s'en souvenir pendant ses vieux jours, pour y repenser pendant ces années froides et solitaires de la retraite, à attendre la mort – quelque chose qui fasse que sa vie ait valu le coup, une marque dans ce foutu monde qui dirait aux Marines à venir que James McLaughlin Johnson était passé par là. Moi aussi j'avais éprouvé ça, mais j'avais laissé tomber. Je ne crois pas que Big Foot – pas plus que Walsh – ait jamais laissé tomber.

Ce vieux Big Foot savait que le vrai danger pour toute l'opération, c'étaient maintenant les Chinois autour d'Inje, sur notre flanc droit. Les Roks, de ce côté-là, détaleraient aussi vite que les Roks de la 6e division s'étaient débinés sur notre flanc gauche, et alors le 10e corps serait exposé des deux côtés. En quelques heures, la 1re division de Marines serait encerclée encore une fois, comme au réservoir de Chosin. Johnson devait se mordre les doigts en se rappelant que Walsh avait décrit exactement la stratégie des Chinois quelques jours plus tôt. Non que Big Foot ait affranchi les bataillons sur ce qui se mijotait autour d'Inje. Ça n'entrait pas dans ses idées d'inquiéter les troupes avec des choses auxquelles elles ne pouvaient rien. Il gardait toujours la bouche cousue et le troufignon pincé.

Le major Stambert était moins tendre, et il a transmis l'essentiel de l'ordre d'alerte aux trois bataillons. Walsh et Keller, qui s'affairaient à redistribuer nos lignes pour raccourcir le terrain que la compagnie devait défendre, ont préparé trois plans d'évacuation, un pour chaque situation probable. Après ça, Walsh a demandé à Keller :

– Quelle est la situation de Kasten?

– Au départ, il avait deux cent quatre-vingt-cinq hommes, y compris les unités affectées chez lui. Il a eu quatre-vingt-treize morts ou blessés évacués. La compagnie F n'a eu que huit pertes dans sa contre-attaque, et trois de plus par mortiers. La compagnie D en a eu neuf. Elles ont chacune repris douze trous de tirailleur à la compagnie E et j'ai donné à Kasten la section de mitrailleuses lourdes de la compagnie D. J'ai aussi organisé les pourvoyeurs de munitions des 81, et les secrétaires et les cuistots des compagnies de commandement et des services en section mobile pour couvrir l'arrière du ravin ou contre-attaquer. Notre champ de mines sur la crête est doit avoir entièrement sauté, mais ils ne se sont pas frottés à celui de la crête ouest. Ils ont vite compris, les bougres. Il semble que la surprise de Guicciardini soit intacte.

Ma surprise, c'était un tas de barbelés tendus à hauteur de la cheville entre le champ de mines et la compagnie E. A moins d'être un char, personne ne pouvait le franchir dans l'obscurité; le traverser en rampant, c'était y laisser les couilles – et peut-être même le zizi. J'en avais placé sur le versant nord et sur la crête est, mais pas sur la crête ouest où les Chinois avaient lancé leur dernière attaque. Je n'avais pas eu le temps.

– OK! dit Walsh. Encore une nuit qui sera longue. Je vais faire un somme. Je débranche le téléphone dans ma tente; si vous avez besoin de moi, venez me réveiller. Mais essayez donc de dormir, vous aussi.

J'enviais le colonel de s'endormir dès qu'il était pieuté. Au cours des marches, il était capable d'ordonner dix minutes de pause, de pioncer huit minutes et d'être prêt à repartir, alors que je n'avais seulement pas encore défait mes lacets. J'avais vu des flopées de vieux soldats capables du même truc. Fallaient qu'ils aient ça de naissance. Moi, je n'ai jamais pu, et ce n'est fichtrement pas faute d'avoir essayé.

Ce matin-là on a pu dormir, mais pas les macaques. Ils avaient tiré sept jours de marche pour arriver dans le secteur de Yanggu, avec juste une nuit sur place avant d'attaquer Caspar. Mais comme on tenait toujours Caspar, et qu'ils avaient vingt-quatre heures de retard sur leur programme, le sommeil, c'était un luxe pour eux. Ils avaient une sale tripotée de boulots : distribuer les munitions, regarnir les rangs, enterrer les morts, replier les blessés, sans compter tous les plans à établir et à coordonner. Et c'était bougrement dur pour eux de circuler en plein jour, avec nos avions de reconnaissance qui les survolaient, prêts à déclencher une action d'artillerie ou aérienne sur tout ce qui leur paraissait bizarre et, à plus forte raison, hostile.

Dans les journaux de marche des Chinetoques – je vous en ai déjà dit deux mots, il y a un moment – il y avait un double de leur plan. Il prévoyait de lancer au même moment deux régiments à l'assaut de la cote 915. La tentative de prendre Caspar à revers, la nuit précédente, n'avait pas tellement gâché d'artillerie, et elle avait donné aux macaques un renseignement précieux. Ils savaient à présent que le grand ravin était pratiquement imprenable – la section qui avait essayé d'attaquer les cinq chars y était passée au complet. Du meurtre pur et simple. Mais ils pensaient que le petit n'était pas aussi lourdement défendu (il ne l'était pas), et celui-là menait directement sur l'arrière de la colline 915. Aussi, le commandant divisionnaire chinois avait décidé d'envoyer contre le petit ravin deux bataillons de son autre régiment. Il enverrait son troisième bataillon au sud de Caspar, et le garderait en réserve pour le lancer si la percée réussissait.

La première mission de ceux qui attaqueraient le petit ravin, c'était de s'emparer de la hauteur entre les deux ravins pour prendre sous un feu d'armes légères notre artillerie et nos mortiers placés dans le grand ravin. Leur troisième bataillon foncerait alors dans la brèche et dévalerait de la hauteur dans le grand ravin, s'emparerait de l'artillerie et prendrait les chars à revers. La deuxième mission était d'accentuer la poussée contre l'arrière de la colline 915 ; elle était secondaire, parce que si nos pièces calanchaient, les Marines de la cote 915 nageraient dans le caca. Comme les Chinois avaient déjà leur régiment en place au sud de Caspar, l'attaque se déclencherait à vingt-deux heures trente.

5.

A vingt-deux heures, les mortiers chinois ont commencé à cogner sourdement. Ce n'était pas encore le tir de barrage, juste quelques coups à la minute frappant de plein fouet la colline 915. Mais je n'aimais pas la façon dont la moitié des plus gros obus arrosaient le petit ravin au lieu de tomber près du sommet de la colline. Walsh a vivement téléphoné au P.C. régimentaire.

– Stambert, ils vont se lancer contre ce ravin, et je ne pense pas que le 3e bataillon soit capable de les arrêter avec le dérisoire appui de feu qu'il aura.

– Mais, mon colonel, vous savez que Big Foot l'en pense capable.

– Je sais ce que pense Big Foot. Quelle compagnie du 1er bataillon avez-vous en réserve?

– La compagnie C. Si cela peut vous tranquilliser, je les ai placés sur une position d'arrêt.

– Cela me tranquillise, major; veuillez dire à la compagnie C qu'en cas de percée j'ai prévu que la compagnie F se redéploierait vers le haut du ravin et essaierait d'établir le contact avec eux. J'ai organisé mon état-major en section de réserve, et nous devrions pouvoir bloquer une pénétration – pourvu qu'elle ne soit pas massive. J'espère que vous avez prévenu nos amis chinois qu'au regard du nouveau Code uniforme de justice militaire toute pénétration, aussi légère soit-elle, constitue une copulation.

Stambert a acquiescé, mais je ne pense pas que cela l'ait fait rire. L'idée d'être violé par un Chinois ne me paraissait pas non plus très comique. Il y avait trop de risques que cela arrive.

A vingt-deux heures trente pile, le tir de barrage s'est déclenché pour de bon. Au même moment, il s'est mis à tomber une grosse pluie glaciale qui cinglait le visage des hommes. Sans aimer cette douche froide, les gars de la compagnie E l'ont trouvée bienvenue, parce qu'elle ralentirait les Chinetoques en rendant les lignes de crête glissantes. Et en prime, elle empêcherait l'odeur des morts entassés sur le versant de trop monter.

Johnny Kasten devait être en train de frissonner dans son

sac de couchage, en se disant, sans y croire, que c'était de froid. Il devait se demander pourquoi le tir de barrage était beaucoup moins nourri que la nuit d'avant, et comprendre brusquement : les obus sifflaient par-dessus sa tête parce qu'ils étaient dirigés contre l'artillerie et les mortiers dans le grand ravin. Habituellement, les Chinois faisaient peu de tir de contre-batterie. Ce qui n'était pas malin, puisque ce qui brise le plus efficacement une grosse attaque c'est l'artillerie, et tant que notre artillerie n'écopait pas, elle pouvait, sinon la *stopper* toute seule, du moins la ralentir. Ce soir, les macaques jouaient le jeu avec un peu plus de mordant.

Les clairons recommencèrent à sonner, et puis des fusées déployèrent leurs couleurs de feu d'artifice dans le ciel mouillé. Au milieu du fracas on entendait des hurlements : « Barrage normal!!! Barrage normal!!! » « Amenez vos 60 sur la crête nord. » « Grenade! » « Feu! Feu! Les voilà! » « Kaï! Kaï! » « Crève, salopard de merde de macaque, crève! »

Ça a été à peu près la même histoire dans le petit ravin derrière nous, mais la première phase du combat n'a pas traîné. Les deux foutus bataillons de Chinois sont arrivés en plein dans l'unique compagnie de Marines – la compagnie I du 3e bataillon – qui défendait le creux du ravin. Pendant quelques minutes, les Chinetoques ont salement saigné. Leurs deux bataillons attaquaient chacun en colonne de compagnies, chaque compagnie en colonne de sections. Les sections de pointe sont passées au hachoir, les deux sections suivantes, taillées en pièces, ont pilé sur place. Mais le troisième tandem de sections a opéré une brèche dans nos positions, et les deux compagnies suivantes sont passées facilement et ont foncé sur le ravin. Six Marines seulement ont réussi à atteindre la crête dans la zone de la compagnie de réserve, et deux de ces pauvres gars ont été tués avant de pouvoir convaincre la compagnie C qu'ils n'étaient pas des macaques.

On n'avait pas besoin d'un message radio de Stambert. De notre P.C., on a compris ce qui se passait avec l'arrêt rapide du tir. Walsh a aussitôt ordonné à la compagnie F de redéployer ses lignes en arrière, ce qui laissait un passage vers l'ouest. En sept minutes notre compagnie F, la compagnie G du 3e bataillon et la compagnie C du 1er arrosaient le ravin d'un feu d'armes légères aussi dru que le pissat d'un troupeau de vaches sur un rocher plat.

C'est à zéro heure trente que Big Foot a sorti une manœuvre brillante – si satanément stupide qu'elle en était brillante, a prétendu Walsh. La compagnie I avait la responsabilité du petit ravin, et son chef avait placé une section face à l'ouest et au sud au bout de la crête limitant le ravin sur la gauche. Cette section a fait sa jonction avec notre compagnie F, tandis que les deux autres sections dégringolaient au fond du ravin et remontaient le versant est. Les Chinetoques ont déferlé jusqu'au mitan du petit ravin et ils ont avalé les deux sections de Marines sans toucher à la troisième qui était en jonction avec la compagnie F.

Dès qu'il a vu la percée dans le ravin, Walsh a donné au chef de la compagnie F l'ordre de prendre le commandement de la troisième section de la compagnie I, mais avant qu'il ait pu l'exécuter, le sergent dans la tente des opérations au P.C. régimentaire s'est aperçu que la section était isolée sur trois côtés, et il en a référé à Big Foot.

– Qu'ils se fraient le chemin, nom de Dieu! a rugi Big Foot. Et leurs bon sang de baïonnettes, à quoi ça sert?

Qu'il ait lancé ça comme un ordre, personne ne le saura jamais sauf lui, et aujourd'hui il n'est plus là pour le dire. Parce que c'est foutrement anormal qu'un chef de régiment aille court-circuiter son officier d'opérations et le chef du bataillon pour manœuvrer personnellement une section de fusiliers. Toujours est-il que le sergent n'a pas attendu et qu'il a dit – au nom du colonel – au chef de la section de contre-attaquer baïonnette au canon.

A ce moment-là, les Chinois dans le ravin étaient cul par-dessus tête. Ils avaient percé nos lignes mais ils écopaient de première. Les Marines ont la peau dure. Le nettoyage continuait car des gars isolés, la plupart blessés, combattaient à mort. En plus, le ravin était sous le feu des trois compagnies postées sur les versants, et dans le noir les macaques avaient méchamment du mal à se réorganiser. Se trouver dans une pagaille comme ça, avec des piles de morts, des blessés qui se traînent en appelant à l'aide, des pruneaux qui claquent de partout, le manque de munitions, les officiers et les gradés qui cherchent leurs hommes, et les hommes qui cherchent un endroit pour se cacher, c'est comme si on était pris dans un gros étron gluant qui tournerait dans une baraque de tir forain.

Et c'est en plein milieu de ce bordel de merde que la troisième section de la compagnie I a fondu sur le flanc des Chinois. En hurlant, plus de peur que de fureur, les Marines ont dégringolé, baïonnette au canon, fusils et mitraillettes à la hanche, dans une pétarade d'enfer. Ils ont chargé en plein milieu de la compagnie chinoise de gauche. Un vrai carnage. La compagnie de macaques à droite a moins souffert, mais seulement parce qu'elle avait déjà tellement dégusté qu'il restait moins d'hommes sur le chemin des dingues.

Mais une section de soixante-dix-huit Marines, même avec plus de courage que ce qu'on attend des humains, et la chance d'avoir chargé juste au bon moment, ne peut soutenir le combat contre deux mille bonshommes. L'attaque-surprise nous a tout de même donné deux minutes de plus avant que les macaques arrivent à se regrouper et à poursuivre leur progression. Ces minutes étaient décisives. Le troisième bataillon chinois pénétrait dans le ravin peu après la contre-attaque des Marines. Les troupes neuves ont ajouté au désordre, et il les a contaminées.

A une heure trente, nous contenions l'avance chinoise dans le ravin en coinçant l'ennemi sous les tirs d'armes légères et de mortiers, bien que, comme l'avait prédit Walsh, le P.C. de notre bataillon ait été transformé en trous de tirailleurs de première ligne. Les premiers Chinois de pointe n'étaient pas à plus de cent mètres en contrebas de nous. Pendant ce temps, le combat faisait rage sur la colline 915. Dans la compagnie E, le nombre des tués grossissait – les blessés restaient sur place et continuaient à combattre comme tout le monde; ils n'avaient pas d'autre choix que d'y laisser leur peau, et beaucoup la laissaient. Walsh donnait de plus en plus la responsabilité de la crête est, qui était calme, à la compagnie D. La compagnie E continuait à en prendre sur la pêche de deux côtés. A présent, le combat s'était fractionné en affrontements individuels ou entre escouades. Aucun des camps n'avait de contrôle central. Une escouade de Chinois se ruait sur un trou, zigouillait deux gars, et puis se faisait abattre par un autre groupe de Marines. Un peu plus loin, des Marines et des Chinetoques restaient à haleter dans des trous ou derrière des rochers à quatre pas les uns des autres dans l'obscurité, si désespérément à court de munitions que chacun attendait un mouvement de l'ennemi pour tirer une précieuse cartouche ou balancer une grenade.

Dans ce genre de bataille, c'est celui qui peut envoyer le plus de troupes fraîches qui emporte la décision. Ces satanés yeux-bridés en avaient des flopées; avec la moitié de notre artillerie et de nos mortiers rendus muets par les tirs de contre-batterie, ils déplaçaient leur monde assez facilement. Le chef du régiment chinetoque qui attaquait la cote 915 avait engagé deux de ses trois bataillons, et le régiment qui lançait l'assaut au sud par rapport à nous en avait aussi lancé deux contre le ravin. Rien que par la simple force du nombre, les salopards auraient probablement réussi à nous avoir à l'usure, mais comme le temps était décisif, le chef du régiment, face à la cote 915, a décidé que le moment était venu de faire donner sa réserve. A deux heures, il a ordonné au bataillon de réserve, qui était déployé le long de la crête est, de lancer ses trois compagnies contre la colline 915. La débâcle de la nuit d'avant, sur cette même crête, n'était pas un bon présage, mais le chef du régiment se disait que les lignes américaines seraient maintenant bien dégarnies.

En fait, la compagnie D occupait maintenant des positions défendant la crête est, si bien que le bataillon de réserve chinois est tombé pile sur une compagnie fraîche presque au total de ses effectifs. Quelques mines restées intactes la nuit précédente ont averti les Marines avec deux secondes d'avance – et leur ont regonflé le moral – mais les trois compagnies chinoises, couvertes par des mitrailleuses et des mortiers de 82 mm, ont continué à progresser au milieu d'une pluie décroissante de pruneaux et de grenades. Ma petite surprise les a ralenties. Une fameuse tripotée y sont restés avec des geulements, accrochés aux barbelés et déchiquetés par les mitrailleuses.

Le plus gros de cette première compagnie pendait encore aux rouleaux de barbelés deux jours plus tard, mais il s'est passé là plus ou moins la même sacrée histoire que dans le ravin. La deuxième et la troisième compagnies ont percé en masse et le combat était au corps à corps. Les crosses des M-1 écrabouillaient les crânes des Chinois, et les grosses patoches rouges étranglaient des cous jaunes, tandis que les mitraillettes russes déchiraient les intestins de gars de dix-neuf ans. Et puis, ça a été aux pierres, aux poignards, aux poings. La taille des Américains leur donnait un grand avantage. Un Marine de bonne taille pouvait soulever un Chinois et le projeter comme il l'aurait fait d'un gros chien, mais pour un macaque qui avait les reins cassés, il s'en ramenait trois autres à sa place. Les hurlements de douleur et d'agonie étaient maintenant aussi forts que le bruit des armes. La deuxième compagnie chinoise a été pulvérisée, mais la troisième vague montait à l'assaut.

Walsh a plongé derrière les sacs de terre et s'est assis à côté de moi. Il haletait. La tente avait été montée en vitesse. La pluie était beaucoup moins forte mais toujours froide. La flotte ne choisissait pas : elle ramolissait les cartes, les Marines – morts et vivants – les radios et, on l'espérait, les Chinetoques.

– Dans le ravin, je n'ai rien pu voir. Je crois que nous les avons stoppés par là. Où en est la colline 915?

– Je l'ignore, mon colonel, a tembloté le major Morstein. Nous n'avons pas de contact radio avec Kasten depuis vingt minutes (il était à présent quatre heures), et ils viennent juste d'enfoncer la compagnie D.

– Appelez-moi Rockey en vitesse.

– Rockey est mort, mon colonel. Il ne reste qu'un officier dans la compagnie D.

– Seigneur! Comment ça allait pour Kasten la dernière fois que vous lui avez parlé?

– Mal. Il se battait à mort. Les Chinois étaient tout autour de son P.C. J'ai peur que la cote 915 soit enlevée.

– Enlevée? Ils tirent encore, là-haut.

– Oui, mon colonel, mais ils ont contre eux tout un régiment, au minimum. Ca va encore tirer pendant un moment, mais ce seront surtout les Marines qui recevront les pruneaux, et les Chinois qui les enverront.

– Avez-vous prévenu le P.C. du régiment?

– Oui, mon colonel. Big Foot dit qu'il faut se préparer à reprendre la cote 915 à l'aube.

– Avec quoi, des caméras d'actualités? La compagnie E est ratissée. La compagnie D est isolée, et F est bloquée sur place. Peut-être devrons-nous opérer à nous quatre.

Le téléphone cliqueta.

– Est-ce que les macaques ne pourraient pas se rendre utiles avec leurs mortiers en coupant cette saloperie de ligne, dit Walsh en attrapant l'appareil avant le radio. Ici, Haut-de-forme.

– Professeur, ici Johnson.

– Bien compris, Johnson.

– Le P.C. divisionnaire nous commande d'exécuter notre ordre à sept heures. Avez-vous du nouveau sur la cote 915?

– Rien, colonel. Nous n'avons aucun contact avec la compagnie E, et la compagnie D a été partiellement enfoncée sur le versant est de 915. On entend encore beaucoup de tirs d'armes légères, mais nous avons toutes raisons de penser que c'est une opération de nettoyage. Deux compagnies ne peuvent arrêter un régiment.

– Bon sang, colonel, ne venez pas vous plaindre. Vos gars se sont battus comme des sauvages. S'ils ont seulement tué moitié moins de macaques qu'ils le prétendent, cette nuit ils ont démoli presque tout un régiment... Mais ce que j'ai à vous dire me coûte.

– Ce n'est pas le moment de faire des manières.

– D'accord, Walsh. Je veux que vos hommes couvrent le repli du régiment par une contre-attaque sur la cote 915 à six heures quarante-cinq. Ne vous inquiétez pas du ravin. Je crois que les macaques essaient de l'évacuer en douce pendant qu'il fait encore noir. Le 1er bataillon et les chars nettoieront ce qu'il en reste à l'aube. Pour votre contre-attaque, continua Big Foot, je ne peux vous donner ni artillerie ni tubes. Ces 105 automoteurs de l'armée avaient une pagaille de canister avec eux; nous allons prendre avec nous ceux qui marchent encore et nous en servir en même temps que des chars pour tenter notre sortie au matin. Mais je soupçonne qu'à quelques centaines de mètres à l'extérieur il faudra les faire sauter. La compagnie de reconnaissance et une compagnie de chars nous ouvrent le col qui mène à la vallée du Hongchon. Ils pourront le tenir jusqu'à la tombée de la nuit, mais ensuite ils devront décrocher en vitesse. Les Chinois ont percé au sud d'Inje et ils déboulent dans la vallée de la Soyang, parallèle à celle du Hongchon. Ils seront largement au sud de la compagnie de reconnaissance deux heures après le crépuscule demain – ou aujourd'hui, si cette foutue journée est commencée.

– Et donc?

– Et donc, si vous n'atteignez pas ce col avant, vous serez faits, lâcha Big Foot, en chialant à moitié. Je vous abandonne dans leurs pattes, mon salaud, pour sauver le régiment.

– Vous êtes vraiment parfait, colonel. Vous voudriez peut-être que je salue en disant que nous serons heureux d'introduire nos queues dans le hachoir pendant que les Chinois tournent la manivelle? Soyez tranquille, brigadier, nous sauverons Inje pour l'empire.

– Nom de Dieu, Walsh, j'espère que vous vous tirerez de cette merde pour pouvoir saigner comme je saigne en ce moment. Très bien, voici mes ordres : reprenez cette colline et couvrez-nous. Je n'ai pas d'appui de feu à vous donner pour vous protéger, mais on nous a promis quatre Corsair à six heures. Ils sont à vous.

– Mes remerciements.

– Foutez-vous-les où je pense, et bonne chance.

– A vous pareillement, colonel. C'est à notre tour de trinquer. J'espère que Syngman Rhee et la civilisation occidentale apprécient notre geste – mais ils n'en feront rien, et ils n'auront peut-être pas tellement tort. Nous qui affrontons seuls le Péril jaune, nous vous saluons. Mais dites donc, et mes blessés?

– La compagnie A envoie un détachement qui les emportera. Ils partiront avec nous.

– Très bien. Dites à la compagnie A de ne pas traîner, termina Walsh en reposant violemment le téléphone.

– Ça va, Dec? demanda Keller.

– Oui, Mike. Il me faut une section de la compagnie F et tous les hommes que vous pouvez prendre dans l'état-major et aux armes lourdes. Le régiment décroche à l'aube. Nous le couvrons par une contre-attaque sur la cote 915. J'en prendrai la tête. Comme nous n'avons pas d'officier en second, vous devrez vous charger du bataillon. Keller en sait plus que tout le monde sur notre unité, dit alors Walsh au chef de la compagnie des armes lourdes. S'il m'arrive quelque chose, il prendra le commandement. En tant que premier officier à l'ancienneté, vous pourrez vous charger du bataillon demain – si vous le voulez et s'il existe toujours.

– Bien, mon colonel.

– Major, amenez-moi ici votre groupe aérien. Nous contre-attaquons à six heures quarante-cinq pour reprendre la cote 915. Keller, quand nous lancerons l'attaque, vous prendrez ce qui reste du bataillon et vous foutrez le camp d'ici. Je conseille la direction est. Si cette colonne à Inje était leur plus grosse force, ils auraient écrabouillé la compagnie de reconnaissance qui tient le col en vingt minutes. Tournez autour d'eux et allez vers le sud. S'il semble que les Chinois ont l'avantage, partez vers la côte et laissez les rameurs vous évacuer par mer. S'il semble que nous les avons arrêtés, coupez à l'est et entrez dans la bataille.

6.

Je ne sais pas quand la pluie s'est arrêtée; ce qui se passait était autrement important : le silence, tenez, un foutu silence de mort autant dans le ravin que sur la colline 915. Des années plus tard j'ai su pourquoi, en lisant ces archives chinoises au Quartier général du Corps des Marines. Big Foot avait raison. Une fois qu'on a eu bloqué la pénétration, les Chinois se sont vivement tirés avant le point du jour. Avec nos M-1 et à l'altitude où on était, on se serait payé tous les macaques restés au fond d'ici midi. Évidemment, on n'avait pas jusqu'à midi, mais ils n'en savaient rien. Tout ce qu'on a vu, une fois le soleil levé, c'est une chiée de corps, des macabs tout raides et quelques-uns qui gigotaient encore un peu. En quelques jours, ça sentirait la bidoche putréfiée et les asticots, dans le coin.

Je me souviens, en tout cas, que le jour s'est levé quelques minutes avant cinq heures trente. De noir le ciel est devenu gris argent et puis bleu vif. Les Corsair sont arrivés pile à l'heure, mais ils étaient seize, et pas quatre. Walsh a levé la tête vers les appareils qui tournoyaient lentement, et il a commencé par s'emballer – avec seize avions déversant du napalm sur la colline 915, notre contre-attaque pouvait réussir. Et puis il a vu que quatre appareils se détachaient de la formation et se mettaient à décrire des cercles au nord et à l'ouest de la cote 915. Il a dit à Keller :

– Big Foot a trop bon cœur. Il me fait un speech d'encouragement, il m'offre tout ce qui lui reste au monde, quatre Corsair, son ultime talisman d'amour. Et puis il s'en garde douze de plus pour lui.

– Je n'inquiète jamais mes troupes avec des choses auxquelles elles ne peuvent rien, a répondu Keller en imitant la grosse voix grave de Big Foot, et vous ne pouvez rien y faire s'il garde douze avions pour lui.

– Très juste. Puissent les chances syphilitiques qu'il a hérités de sa mère ne jamais guérir. Comment se présente mon détachement opérationnel?

– Il est sur pied. J'ai deux sections de la compagnie F avec une escouade de mitrailleuses légères, et nous avons réorganisé ce que nous avons trouvé de la compagnie D en une section de quarante-cinq hommes plus une autre escouade de mitrailleuses légères. C'est George Paraskovakas qui la mènera.

– Mon officier du renseignement qui redevient chef de section?

– Ce n'est pas lui qui s'est porté volontaire, mais nous n'avons pas d'autre officier disponible. J'ai pensé que nous pourrions placer la compagnie D à droite – du côté de l'est – pour escalader la colline 915 et séparer les deux sections de la compagnie F. Charles P. Randall, troisième du nom, en prendra une – ce sont surtout ses hommes. Et le sergeot Italo insiste que toute cette odeur de cordite réactive ses gonades poilues : il prendra l'autre section. Ils monteront par la gauche – par l'ouest. Sergeot, dit Keller en se tournant vers moi, que sort-il de notre liste révisée des effectifs?

J'ai ouvert mon carnet. C'était un ramassis minable pour un bataillon :

– Compagnie D : soixante hommes, pas d'officier; compagnie F : cent dix-sept hommes, un officier; compagnie des armes lourdes : trente-huit hommes, trois officiers; commandement et services : cent vingt Marines, six officiers des Marines, huit hommes de la Flotte, trois officiers de la Flotte – deux médecins, un aumônier; détachés : quatre hommes du Corps des Marines, un officier du Corps des Marines du groupe aérien de pointe. Plus six blessés valides qui viennent de refuser d'être évacués. Ce qui donne au total : trois cent quarante-cinq Marines, onze officiers des Marines, huit hommes de la Flotte, trois officiers de la Flotte, deux médecins et un aumônier.

Walsh n'a rien manifesté, mais il a dû en avoir les tripes nouées. Deux nuits plus tôt, on avait mille quatre cents gars et quarante-six officiers. Il m'a regardé comme un homme qui vient de prendre un grand coup dans les parties.

– Combien reste-t-il de mes officiers d'état-major?

– Mon colonel, il y a Rogers, l'officier d'aviation, le capitaine Keller, le major Morstein et M. Turner.

M. Turner, c'était notre officier de l'Intendance, six coudées de haut sur quatre de large, mais rien que du muscle.

– J'ai pensé, intervint Keller, que Turner pourrait prendre les hommes du commandement et des services et former une unité tactique composite. Il en est capable.

– D'accord, dit Walsh (mais je savais qu'il n'avait rien entendu). Et les autres, sergeot?

– Morts, mon colonel. Les mortiers, ou ces chats sauvages dans le ravin, ce matin. Ils sont arrivés salement près.

– Rien que trois cents mètres, dit le colonel en regardant le sommet de la cote 915. Un bon coureur les couvrirait en moins de deux minutes. Pour nous, ce sera un peu plus long. Nous nous lancerons à l'attaque au moment où le régiment semblera prêt à décrocher. Nous marcherons comme vous le proposez, Mike.

– Bien, mon colonel.

– A présent, envoyez-moi mes glorieux lieutenants et l'officier d'aviation. Je leur expliquerai comment mourir.

Quelques minutes plus tard le lieutenant George Paraskovakas, le sous-lieutenant Charles P. Randall III, de la compagnie F (qui n'aimait pas le poker, alors que son père était un des hommes les plus riches du monde) et le capitaine Harry Rogers, le malchanceux pilote de la 1re escadrille aérienne des Marines chargé de la liaison avec nous, sont arrivés en rampant dans la boue et ils se sont affalés à côté de nous derrière le parapet de sacs de terre protégeant le centre de conduite du feu. Les deux lieutenants, qui n'avaient pas encore la trentaine, étaient en Corée depuis le débarquement d'Inchon, en septembre. Rogers, le pilote de chasse, était déjà chauve à vingt-huit ans. Comme il avait fait ses premières classes d'officier des Marines avec l'infanterie, il parlait notre jargon et il comprenait autant nos problèmes que ceux des volants.

Je crois que j'étais le plus vieux gus de tout le bataillon, mais, avec moi, les hommes marchaient. Ils m'aimaient bien. Je les asticotais et je les engueulais, mais je connaissais mon boulot, et ils le savaient. On s'entendait. Le colonel a décidé de garder ma « section » comme réserve. Il devait prévoir que les choses risquaient de devenir foireuses – il aurait fallu être idiot pour ne pas penser qu'elles deviendraient *sacrément* foireuses. Moi, je pouvais donner du nerf aux gars pour escalader cette colline. Mais j'appréciais de ne pas être le premier gus à essayer de reprendre la cote 915.

Walsh a déplié une carte détrempée.

– Bien-aimés, nous sommes réunis aujourd'hui pour couvrir l'évacuation de Caspar en accomplissant un petit miracle devant Dieu et quelques centaines de milliers de macaques. Nous reprenons la cote 915. Pour la tenue : en chemise, la corde au cou et par là-dessus un bon acte de contrition. Nous sommes ici (il pointait un ongle noir sur la position du P.C.), à trois cents mètres plein sud du sommet. Nous déclenchons l'assaut dans vingt minutes. Pas de fioritures : nous grimpons droit sur la crête, nous tuons tous les macaques que nous trouvons, et nous reprenons la cote 915. Je vais essayer d'obtenir que cet homme volant nous fignole son truc. Randall, vous serez à gauche. Une fois que vous aurez franchi le sommet de 915, postez rapidement vos hommes en position défensive contre une attaque par les crêtes ouest et nord. Paraskovakas, vous devez vous emparer de tout le secteur de droite, puis défendre la crête est. Sergeot, vous prenez toutes nos mitrailleuses et vous nous protégez par un feu de couverture. Précédez-nous par un tir de vos deux bazookas. Et quand je vous appellerai, amenez-vous à toute vitesse.

» Je ne suis pas très fort pour les speeches d'encouragement, et je n'ai pas besoin de vous dire qu'il ne sera pas facile de reprendre cette colline et plutôt difficile de s'y maintenir. Il faut que nous occupions les Chinois jusqu'à ce que le régiment soit sorti de Caspar, et ce qui reste du bataillon aussi. Paraskovakas, vous et Randall devrez tenir fermement la main à vos hommes. Je veux un déploiement très rapide, pour attaquer sur un front aussi large que possible. Et vous, capitaine, dit Walsh en se tournant vers l'aviateur, qu'est-ce que nous mijotent vos zincs?

– Comme vous l'avez demandé, mon colonel, les Corsair ont tous du napalm, chacun quatre cuves. Ils ont aussi un peu de 20 mm pour le mitraillage.

– Parfait. Je veux qu'ils arrivent du sud-ouest et droit sur la crête ouest. Faites-les descendre aussi bas que possible, et tant pis pour la végétation.

– Nous tondrons les arbres, mon colonel.

– Excellent. Dites aux pilotes de guetter mon signal. Arrangez-vous pour que tous les passages soient différents. Le premier avec les quatre appareils, et chacun lâchera une cuve de napalm. Après ça, un seul appareil à la fois. Variez les passages. Un de mitraillage, un de napalm, un ou deux de feinte en piqué. Placez-vous de façon à nous voir, et terminez par un mitraillage puis une feinte en piqué. La dernière fournée de prisonniers nous a appris qu'ils comptent vingt minutes entre une attaque aérienne et un assaut d'infanterie. Profitons-en. Réglez les passages de telle sorte que la dernière feinte en piqué ait lieu juste au moment où nous arriverons au sommet de la colline. Je veux que nous trouvions là-haut tous les macaques la tête en bas et le cul en l'air pour leur planter nos baïonnettes dans le rectum. Compris?

– Oui, mon colonel, compris.

– Je serai avec vous à gauche, Randall.

– Mon colonel, dit le radio, Gibus vient de rompre le contact par fil. Je crois que Gibus Six sera sur radio dans une minute.

– Merci. Des questions, messieurs?

Il y a eu un long moment de silence, et puis une rafale nourrie de mitrailleuse américaine de calibre 30 et deux explosions de grenades suivies d'un tir de M-1 mêlé aux crachements plus feutrés d'une mitraillette russe.

– Ça vient de 915, mon colonel, a hurlé Keller. Il y a encore des Marines là-haut. Écoutez cette mitrailleuse.

On a entendu une longue rafale, qui s'est terminée sur un tac – tac-tac-tac-tac – tac-tac joué par un doigt entraîné. La rafale a été suivie par un tir de mitraillette russe et encore deux explosions de grenades. Le capitaine Rogers a posé son casque radio et a regardé Walsh. Walsh a fait un signe de la main, mais ça pouvait signifier n'importe quoi. Le truc évident, c'était que des gars de Kasten tenaient toujours. Fallait quand même qu'il en ait dans les tripes, ce petit groupe de Marines, qui s'était battu toute la nuit contre deux millions de macaques, et qui maintenant, cerné et à cours de munition, avait encore assez de cœur au ventre pour jouer son air.

– Le contact avec Kasten? a demandé Walsh au radio.

– Depuis quatre heures trente, j'ai essayé toutes les cinq minutes, mon colonel. Il y a une heure, j'ai cru entendre à un moment la voix du chef Kasten mais je n'ai rien pu recevoir.

– Écoutez, a interrompu Keller.

La mitrailleuse recommençait à taper. Cette fois c'était trois coups séparés, trois rafales courtes, trois coups séparés.

– S.O.S., mon colonel! S.O.S.! s'est mis à hurler le lieutenant Randall en faisant un bond vers les sacs de terre.

Mais je l'ai plaqué aux genoux et Walsh a demandé :

– Tonnerre, où allez-vous, lieutenant?

– Sur cette colline, mon colonel. Il y a des Marines, là-haut. Ils appellent à l'aide. Seigneur, vous n'allez pas les laisser brûler vifs?

– Assis, fiston, assis.

Tout en parlant à Randall je lui tapotais le râble, mais, de mon bras droit, je lui maintenais toujours les genoux.

– Je ne sais pas ce que je vais faire, Randall, a dit Walsh, mais vous resterez là jusqu'à ce que j'aie décidé.

Grand Frère va peut-être nous sortir du pétrin. Opérateur, appelez le régiment.

– Pas nécessaire, mon colonel; ils nous appellent.

– Haut-de-forme! Haut-de-forme! ici, Gibus!

Walsh prit l'appareil :

– Gibus, ici Haut-de-forme Six. Passez-moi Gibus Six ou Gibus Trois. A vous.

– Haut-de-forme Six! ici, Gibus Six. Nous sommes prêts à débarrasser le plancher. Quand signez-vous le bail? A vous.

– Gibus Six! ici, Haut-de-forme Six. Complications. Il y a encore d'aimables locataires. A vous.

La radio est devenue muette. Nous entendions encore des coups de feu sporadiques sur la cote 915.

– Gibus! Gibus! ici, Haut-de-forme. M'entendez-vous? Gibus! Gibus! ici, Haut-de-Forme. M'entendez-vous? A vous.

– Haut-de-forme! ici, Gibus. Je vous entends. Exécutez vos ordres par n'importe quel moyen, mais emparez-vous de l'objectif. Commencez dans les quinze minutes qui suivent. Bien compris? A vous.

– Gibus! ici, Haut-de-forme. Bien compris. Terminé. L'oracle s'est tu, dit Walsh en reposant l'appareil. Capitaine, vos appareils prêts au décollage.

Au moment où le radio du capitaine Rogers s'est mis à tourner sa manivelle, Randall a presque réussi à m'échapper. Il suppliait Walsh :

– Laissez-moi monter là-haut, mon colonel. Kasten a tiré la compagnie F d'une sale passe, cet hiver. Nous étions bouclés, et la compagnie E nous a dégagés comme toute une brigade de John Waynes. Je lui dois la vie, à Kasten, et tous mes copains aussi.

– Négatif, lieutenant. Tout seul, vous m'arriverez jamais là-haut, et même si vous y arrivez, cela ne servira à rien. Vos hommes n'y parviendront jamais sans soutien aérien. Si vous voulez parler de dette, vous devez à vos hommes de ne pas se faire tuer pour rien.

Walsh nous a tous regardés d'un air interrogateur. Personne ne l'a ouvert. On a seulement retenu notre souffle. Je ne sais pas pour les autres, mais, moi, je remerciais le ciel de ne pas avoir eu à décider. J'avais bien mes idées, mais c'était Walsh qui avait la responsabilité, et dans tout le Corps-de-mes-deux, il n'y avait pas un officier à qui ça ait dû autant coûter.

Au bout d'un silence de deux minutes, Walsh s'est retourné vers la colline :

– De toute façon, ce que vous auriez pu dire n'y aurait rien changé. C'est moi qui décide. Envoyez vos avions, capitaine.

– Tout de suite, mon colonel, a dit Rogers en levant la tête de sa radio, parce qu'il était en train de transmettre les instructions de Walsh aux Corsair.

– Tout de suite, tonnerre de Dieu! Envoyez-les.

Rogers a repris l'appareil. Randall a regardé Walsh bien en face :

– Espèce de salaud, assassin, je vous souhaite de rôtir en enfer pendant toute une éternité de merde.

Randall n'avait pas crié ça. Il avait parlé doucement, et les larmes roulaient sur sa figure. Sans honte, comme les hommes qui pleurent parce que leurs copains sont morts, ou vont mourir.

Walsh a levé le bras – une vraie détente de tigre – et il a giflé Randall à la volée, de toutes ses forces. Randall en est tombé à la renverse dans la boue. La marque des doigts était imprimée en rouge sur sa joue gauche.

– Vous êtes hystérique, lieutenant, a dit Walsh, lui aussi sans hausser la voix mais d'un ton dur. Maîtrisez-vous. Votre souhait a toutes chances de se réaliser, et assez vite pour vous satisfaire. Allez retrouver votre section, lieutenant. Keller, à vous la barre maintenant.

– Dec, pour Johnny, je..., a commencé Keller.

– Laissez tomber. Le Flambeur aura tout le temps de lire dans mes pensées s'il arrive à sortir d'ici le reste du bataillon.

J'ai tourné le dos pour ne pas voir les éclairs orangés et les champignons de fumée noire du napalm. Le colonel est resté planté, tourné droit vers la colline 915. Cet homme-là, il était capable d'être plus dur pour lui-même que pour les autres – et croyez-moi que ça veut dire sacrément dur.

Ç'aurait été moi, j'aurais fait faire aux avions des passages de mitraillage et de feinte en piqué jusqu'à ce qu'on voie à quel point ça pouvait être mauvais. On y serait peut-être arrivé sans le napalm. Le mitraillage et les piqués auraient pu suffire pour forcer les macaques à rester la tête au ras du sol. Et ces braves Corsair auraient pu tenir encore deux heures en l'air si on avait eu besoin du napalm plus tard.

Attention, ne me comprenez pas de travers. Johnny Kasten, moi, je l'aimais, même si je n'y tenais pas autant que Walsh y tenait. Mais je sais aussi que si les macaques ne restaient pas la tête au ras du sol, on était faits. On n'aurait pas pu mettre assez de distance entre eux et nous pour faire revenir les Corsair avec le napalm. Vous vous rappelez ce que je vous ai dit sur cette histoire de « décrochage ». C'est le truc merdique quand les autres vous canardent.

Enfin, tout ça dépend de la façon dont on abat ses cartes. Notre objectif, c'était de reprendre la colline 915, et Walsh le faisait passer avant tout le reste. Simplement, je suis content de ne pas avoir eu la main.

Walsh a laissé le temps aux chefs de section d'aller retrouver leurs troupes et de donner leurs instructions aux chefs des groupes de combat, et ensuite il s'est dressé et il leur a fait signe de lancer leurs hommes à l'assaut de la colline. Moi, je l'ai regardé en levant mes pouces, poing fermé. Plutôt vieillot, mais je n'ai rien trouvé d'autre. Et puis il a dit quelque chose qu'on était les seuls à comprendre, parce qu'on avait été tous les deux enfants de chœur : « *Introibo ad altare Dei.* » Et, moi, j'ai répondu : « *Ad Deum qui laetificat juventutem meam.* » Avant le pape Jean XXIII et toute cette histoire de dire la messe dans la langue du pays, c'était la prière qu'on disait au début de la messe, quand le prêtre terminait ses prières au pied de l'autel. L'enfant de chœur se levait à ce moment-là. Le prêtre disait : « Je m'approcherai de l'autel de Dieu. » Et l'enfant de chœur répondait : « Du Dieu qui réjouit ma jeunesse. » Ce n'était pas une mauvaise prière au moment d'une sortie; ça nous rappelait le bon temps.

Les hommes ont commencé leur montée, et les Corsair nous ont survolés en trombe pour leurs passages séparés : mitraillage au canon de 20 mm, feinte en piqué, encore une feinte, napalm en feu, encore du napalm, et puis une feinte, et puis encore un mitraillage, et ainsi de suite. A chaque cuve de napalm qui dégringolait – il y en a une qui est tombée si près que j'en ai eu les sourcils et les poils sur le dos de la main roussis rien que par le dégagement de chaleur – chacun priait pour qu'un satané miracle protège les Marines retranchés en haut de cette colline.

Le truc de Walsh avec les Corsair a si bien marché que les deux sections sont arrivées à moins de dix mètres du sommet sans que les Chinetoques sachent qu'ils étaient attaqués. Les appareils passaient encore en rugissant pour leur dernier tour – un passage en feinte – que Walsh a hurlé « banzaï »! et les deux sections sont tombées sur le poil des Chinois. Pendant que les grands Marines tapaient dans le tas, tiraient, lardaient les macaques, Walsh m'a lancé le signal d'engager mon unité.

Contrairement au combat de la nuit d'avant, celui-là a été court, mais quel carnage! A bout portant, une balle de M-1 ne fait pas un petit trou dans un bonhomme; elle s'aplatit en rencontrant un os ou un cartilage et elle fait sauter un énorme bout de viande. Des gros morceaux de bidoche volaient en l'air parce que les Chinetoques surpris se dressaient pour essayer de riposter à notre laminoir. Une fois de plus, le gabarit des Marines payait. On culbutait les petits macaques, on écrabouillait les crânes à coups de crosse, on cassait les bras, les côtes, les cous, les reins comme de gros bouchers massacrant des poulets.

Au moment où Walsh se retournait après m'avoir lancé son signal, deux Chinois ont bondi à cinq mètres devant lui. Il en a eu un aussi sec avec son 45, mais l'autre a eu le temps de lui lâcher une courte rafale de mitraillette avant qu'un Marine lui coupe la tête au ras des sourcils de quatre coups de M-1. Sur le coup Walsh a glissé quelques mètres plus bas, et puis il a retrouvé son aplomb. Plus tard, il a dit qu'il s'était rendu compte qu'il avait écopé seulement parce qu'il était un peu dans les vapes. Il s'est assis pour se tâter. Il saignait de la joue gauche et de la tête, et il ne sentait plus son épaule gauche. Mais ses deux blessures n'étaient ni graves ni même douloureuses – pour le moment.

Il n'y a pas grand-chose d'autre à raconter. Walsh s'est battu comme les hommes. Une fois le boulot des avions terminé et ma section engagée, il ne lui restait plus qu'à défendre sa vie comme tous les autres bougres. Et il l'a défendue. Les gars n'avaient jamais vu un lieutenant-colonel en combat au corps à corps, et encore, avec un seul bras de bon. Walsh en a salement bousillé, des macaques. Ça les a regonflés, les gars, de le voir feinter sec pour esquiver une rafale de mitrailleuse et puis balancer une grenade sur le nid, ou aplatir la coloquinte d'un Chinois à coups de crosse de son 45 quand le damné truc s'est enrayé.

Quand je suis arrivé en haut de la colline, il n'y avait plus grand-chose à faire, juste fourrager dans les trous, tuer les quelques Chinois qui restaient et organiser la défense. On n'avait pas eu beaucoup de pertes : neuf tués et vingt-huit blessés. Ce trou du cul de Randall avait réussi à se ramener, mais il avait le bras droit en bouillie. Il avait encore le bec pincé, mais sans être surexcité comme quand on revient vivant du feu, ou sonné comme un grand blessé. Toute la haine ne lui était pas sortie du corps, et il savait que s'il s'en tirait, ce serait avec le bras en moins.

Pendant que je m'occupais d'installer la défense, Walsh est allé – avec sa mitraillette dans sa main valide – jusqu'à l'endroit où s'était trouvé le P.C. de Johnny Kasten. Je suis arrivé derrière lui deux minutes plus tard. C'était abominable à voir. Pas les deux douzaines de macaques dessoudés qui traînaient au milieu des blockhaus – ça ne compte pas – mais Kasten dans un blockhaus, avec deux gars à la mitrailleuse. Ils étaient assis tout raides, les yeux grands ouverts. A part leur peau racornie, ils avaient l'air normal. Johnny avait un 45 dans la main gauche et une carabine automatique dans la droite. C'était facile de comprendre ce qui était arrivé : une cuve de napalm avait explosé à vingt mètres, brûlant d'un coup tout l'oxygène dans le blockhaus. Kasten et ses hommes étaient morts les poumons consumés, instantanément asphyxiés par l'essence embrasée.

Walsh restait planté là, sans rien dire, sans rien faire, à les regarder comme s'il était en transe.

– Mon colonel, mon colonel!

Je l'appelais d'un ton brusque, parce que je devinais qu'il avait trouvé Johnny, mais c'est seulement à ce moment-là que j'ai vu le spectacle.

– Mon Dieu, oh! mon Dieu, mon Dieu! j'ai dit. Venez mon colonel, je vais envoyer des hommes les enterrer – et je lui ai serré l'épaule droite pour l'entraîner. Ne vous retournez pas.

Walsh restait muet. Et puis il a marmonné :

– A quoi bon? Jusqu'au jour de ma mort je verrai le visage de Kasten.

– Mon colonel, les invités arrivent.

– Très bien, Giuseppe, a dit Walsh en me regardant d'un œil sec. (Il était toujours capable de tourner le commutateur. C'est ce qu'il venait de faire.) A-t-on suffisamment de munitions pour un combat prolongé?

– Non. En quelques heures on pourrait en récupérer un peu dans les blockhaus et les trous individuels, mais on n'en a pas besoin de beaucoup pour l'instant, juste une balle pour votre ami le Flambeur. Il monte la colline à la tête de ce qui reste de votre bataillon; c'est mes gains au poker qu'il risque, l'enflé.

– Vous êtes un bougre d'abruti de mutin, a dit Walsh a Keller quand il est arrivé à sa hauteur. Capitaine, vous avez encore moins de sens militaire qu'un général égyptien. Je vous avais dit d'emmener le bataillon hors du secteur.

– Mon colonel, nous avions instructions de couvrir le repli du régiment. Vous l'avez fait, et ils s'en sont tirés sans trop d'ennuis. Une fois que vous m'avez eu donné le commandement du bataillon, j'étais légalement libre de modifier les ordres du précédent chef du bataillon. J'ai choisi de monter sur la colline 915 pour regarder le paysage. C'est mon droit légal de rejeter les décisions de mon prédécesseur.

– Fripouille d'avocat véreux!

– J'ai eu le meilleur maître, mon colonel. En plus, je crois que les hommes ne me faisaient pas confiance pour les conduire hors du secteur. Si je sors la nuit pour faire un pipi d'ange, je ne retrouve pas ma tente.

– Je vous traduirai en cour martiale plus tard. Sergeot, montrez à cet échappé de l'asile de dingues où il peut placer ses hommes.

– Dec, murmura Keller en passant, voyez un infirmier. Vous avez la figure en compote, et ce n'est pas de la gelée de groseille qu'il y a sur votre épaule.

Tout me semblait bizarre. On était au calme. Une grosse couche de nuages restait suspendue un peu plus bas que nous. Nous nous trouvions à deux cents pieds au-dessus d'une scène de carnage, et les gros nuages laiteux nous coupaient de tout bruit. La seule chose que l'on voyait nettement, c'étaient les crêtes des plus hautes collines entourant la vallée. Seigneur, ça vous rendait tout drôle après ce foutu boucan de clameurs et de détonations du combat. On voyait même les trous que faisaient dans les nuages les obus de 155 qui voltigeaient vers le nord. A midi, c'était passé. Les nuages avaient été emportés par le vent, il faisait un beau temps frisquet, et le sol était parsemé de corps qui puaient la mort ou qui bougeaient encore.

On a mangé nos rations C froides, on a mis nos chers copains dans les trous dont on ne se servait pas, et on les a recouverts. Quelques gars ont fait une partie de « roule-macaque » : à celui qui fait rouler un corps le plus bas dans la pente en tenant coincé entre ses chevilles un crâne de Chinetoque. Selon la tradition des Marines, on n'a enterré que nos gars. Un boulot sinistre, et à la fin il a fallu les mettre à plusieurs dans des fosses peu profondes. On n'avait pas beaucoup de temps ni non plus d'énergie, après quarante-huit heures de combat continu. Moi, j'ai récupéré les plaques d'identité sur les cadavres. J'en ai trouvé cent trente-sept, et j'ai fait un rapide calcul. C'était moi qui avais dressé l'état des pertes le soir d'avant, et je savais combien il restait d'hommes dans le bataillon, à part les compagnies E et D. Par un sacré miracle – mais un tout petit et inutile miracle – mon compte de Marines du 2e bataillon était juste. La plupart des pauvres bougres étaient morts ou blessés. Ces plaques ne pouvaient pas me servir à grand-chose, sauf peut-être les foutre dans les gencives des Chinetoques s'ils essayaient de reprendre la colline 915.

Mais j'avais d'autres tracas. Le premier et le plus gros, c'était Walsh. Ça ne me gêne pas de l'avouer maintenant, j'avais une foutue trouille qu'il déménage; que le commutateur dans sa tête se remette dans l'autre sens. On voyait bien qu'il avait mal, et, moi, je savais que ce n'était pas seulement à cause de son épaule et de sa figure. Un infirmier lui avait nettoyé les deux plaies. Elles n'étaient pas graves. Celle qui lui labourait la figure lui laisserait probablement une cicatrice qui affolerait les pépées – s'il s'en sortait vivant. Son épaule, c'était plus moche, parce que la blessure était profonde – elle traversait de part en part – et qu'il ne nous restait plus du tout d'antibiotiques. Mais l'infirmier pensait que ça irait; la balle n'avait pas touché d'os ni de muscle essentiel. Seulement, la mort de Kasten l'avait commotionné. J'avais peur qu'il se mette à débloquer s'il lui arrivait encore un coup dur – et à la guerre, les coups durs, ça vous arrive comme une envie de pisser.

J'ai ruminé un peu, et puis j'ai décidé que je coincerais le major Morstein pour qu'il prenne le commandement du bataillon si Walsh déraillait. Je me souviens avoir espéré que si ça lui arrivait, il soit plutôt violent que paumé. S'il se mettait à brailler ou autre chose, je pouvais toujours l'emmener, mais s'il restait à se cramponner, je voyais foutrement pas ce que je pourrais y faire.

L'après-midi, les deux tiers des mômes dormaient comme les bougres éreintés qu'ils étaient. Du côté du régiment, le bruit des tirs s'était éteint. Loin au sud, il y avait une nouvelle formation de Corsair, indiquant la ligne de repli du régiment comme un vol de bienveillants busards. Mais les Chinois ne contre-attaquaient pas. Walsh s'est assoupi plusieurs fois, mais il se réveillait tout le temps en sursaut. Probablement quelqu'un qui lui envoyait des ruades dans l'épaule, ou Johnny Kasten à son P.C. de la compagnie E qui le regardait fixement. Je suis resté à portée. Vers quatorze heures trente, Walsh s'est brusquement assis.

– Mike, Mike, réveillez-vous. J'ai une idée.

– Très bien. Dormons dessus, mon colonel. Vous connaissez le mot du juge Frankfurter : « Les idées, comme le bon vin, doivent vieillir. »

– Ce n'était pas d'idées que parlait Frankfurter. Donnez-moi votre étui de cartes.

Keller le lui a tendu d'un air endormi, et Walsh a déplié les cartes froissées et déchirées. Il m'a demandé d'aller chercher le major

Morstein, ce que j'ai fait; mais si mes yeux étaient aussi rouges que ceux du major, à nous deux on ne risquait pas de remonter le moral du colonel.

– Sergeot, m'a demandé Walsh, combien de temps pouvons-nous tenir en cas de contre-attaque raide?

– Ça dépend raide comment. S'ils ne lancent qu'une ou deux compagnies, on a cinquante pour cent de chances de tenir toute la nuit.

– Et alors?

– Et alors plus rien. Plus de munitions, plus de médicaments et plus de chances.

– Plus de deux compagnies, disons un bataillon?

– Trois chances contre une d'être tous ratatinés dix minutes après l'assaut de la troisième compagnie. Il n'y aurait pas un survivant.

Sans en avoir l'air, j'essayais de lire sur sa figure s'il allait se mettre à parler de reddition. Parce que, aussi sec, je racontais au major Morstein et à Keller que j'avais trouvé Walsh pétrifié devant le corps de Kasten, et je disais à Morstein qu'il devait prendre le commandement. De toute façon, j'avais l'intention de le raconter au major.

– C'est ce que je calcule. On emploierait tout ce que l'on a comme munitions contre les deux premières compagnies. Je pense que nous ne devons pas attendre d'être coincés. Le régiment est largement sorti du piège – en tout cas trop loin pour que nous puissions encore lui être utile. Combien nous reste-t-il d'hommes, sergeot?

J'ai tiré mon carnet de ma veste :

– Trois cent vingt-sept Marines, onze officiers des Marines, huit hommes de la Flotte, deux officiers de la Flotte. Total : trois cent trente-cinq hommes, treize officiers.

Combien de blessés, là-dessus?

– Plus de la moitié des hommes sont blessés, mon colonel, mais si vous voulez dire ceux qui ne peuvent pas se débrouiller tout seuls, seulement une quinzaine.

– Des prisonniers?

Je l'ai regardé sans répondre. J'étais flapi jusqu'aux joyeuses et voilà qu'il me posait des questions stupides. Dans le genre de combat qu'on mène, les prisonniers sont un luxe – un truc que les profs d'université font croire aux étudiants que ça existe.

– Bon. Nous nous dirigerons vers l'est puis en direction du sud, en espérant que nous arriverons à nous en sortir. Cela vaut mieux que d'attendre la mort ici.

Tout le monde a dû m'entendre retrouver mon souffle.

– Oui, mon colonel. Quand?

– Dès qu'il fera nuit. Les Chinois doivent se sentir farauds. Leurs mortiers n'ont pas tiré une seule fois depuis que nous sommes arrivés au sommet.

– Il se pourrait qu'ils ne sachent même pas qu'on y est, je lui ai répondu. Je ne crois pas qu'on en ait laissé échapper un seul, et on a attaqué si sec qu'ils n'ont peut-être pas eu le temps de prévenir par radio.

– C'est possible, mais n'espérons pas d'autre grâce. Il est peu probable qu'ils tentent une attaque avant vingt-deux heures. Il fera nuit à vingt heures ou un peu avant. A dix-huit heures nous serons prêts à tenter la sortie dès qu'il fera assez noir pour nous couvrir.

– Et la lune, mon colonel? a demandé le major Morstein.

– Et alors, la lune? Nous ne tentons pas la sortie pour flirter au clair de lune. Je n'ai pas vu la lune de toute la semaine, il y avait trop de nuages. C'est de la clarté que vous voudriez? (Personne n'a répondu.) Vous feriez de fameux amoureux, tiens. Bon, si nous tentons la sortie peu avant vingt heures, lune ou pas lune, le pire qui puisse arriver c'est que nous rentrions tête baissée dans une vague d'assaut contre la crête est. Cela les surprendrait autant que nous. Si nous arrivons à passer sur cette crête et à virer vers le sud sans être repérés..., eh bien, nous serons en route. Sergeot, dites au médecin de faire confectionner des brancards pour les blessés. Vous vous relaierez pour les porter. Que les compagnies de commandement et des services les prennent en charge les premières. Elles ont moins écopé que les autres.

– Oui, oui, mon colonel.

De contentement, j'en avais la bouche fendue jusqu'aux oreilles.

7.

Dans les quelques jours qui suivirent notre retrait de Caspar, les choses se tassèrent dans le centre-est de la Corée. On avait stoppé les Chinois tout le long du front – quand je dis « on », je ne parle pas des Roks; nous, les combattants de Corée, on ne comptait jamais sur eux. Ces brigands avaient déserté tant de fois le Nord et le Sud qu'ils ne devaient même plus savoir dans quel camp ils se trouvaient. Je ne leur reproche pas tellement. Je n'ai jamais vu en Corée une putain de chose pour laquelle je me serais battu, si j'avais eu à choisir; et peut-être que le monde s'en trouverait mieux si on tournait tous les talons et on foutait notre camp dès que quelqu'un se met à sonner du clairon. Mais j'étais soldat de métier. C'était une bonne vie, et quand on touche le fric on fait le boulot. Mon boulot, c'était d'aller où le chef du Corps des Marines m'envoyait combattre. Il m'avait envoyé combattre en Corée, que Dieu le bénisse, et je combattais.

Toujours est-il que la totalité de la 8e Armée avait dû reculer pour colmater ces grandes brèches laissées par les Coréens dans leur débandade. On avait dégusté – en face de deux cent quatre-vingt mille hommes qui ne tirent pas pour rire, il est forcé qu'il y en ait qui écopent – mais nulle part les Chinois n'avaient enfoncé des unités importantes. Et on les avait fait saigner. A Caspar, on y était allé sacrément plus fort que les autres, mais c'est toujours ce qu'on attend des Marines. Nos troufions et les Anglais ont dû aussi se démener, et l'aviation et l'artillerie ont donné un peu de mou aux problèmes démographiques de ce vieux Mao-t'es-Dingue. Une fois que les Chinois ont eu compté leurs morts et vu que tout ce qu'ils avaient payé de tant de sang c'était cinquante kilomètres de fichues collines, ils ont décidé de se reposer, de se regrouper et de regarnir les rangs avec de la bidoche fraîche.

Pendant ce temps-là, le reste du 1er Marines passait dans les réserves. Le 5e et le 7e Marines et le régiment des Marines coréens affecté chez nous étaient en ligne, attendant la deuxième phase de l'effort des Chinois pour nous rejeter de la péninsule. Toutes les unités de la division avaient eu des pertes – moins moches qu'au réservoir de Chosin, mais suffisamment moches si les morts étaient vos copains. Comme on était censés être anéantis dans Caspar, le 1er Marines obtiendrait le gros des troupes de remplacement qui devaient débarquer à Pusan au début mai. Avec une nouvelle fournée d'hommes à intégrer dans l'unité et une nouvelle bataille en perspective, l'opération Souricière deviendrait une sorte de légende, et Caspar juste un nom dans une pagaille de cauchemars. Pour moi, en tout cas, la dernière opération devenait toujours irréelle, une espèce de rêve, dès qu'un nouvel ordre d'alerte tombait. Hop, c'était reparti, et en vitesse.

Mais, comme je vous disais, on était aux derniers jours d'avril, et tout ça, je n'en savais rien encore, et je m'en contrefoutais. Tout ce que je voulais, c'était qu'on retrouve une unité américaine, manger un bon coup et dormir pendant deux ou trois jours. Même les pépées je n'y pensais pas, et pourtant, je pensais pas mal à la fesse dans ce temps-là. La nuit où on a abandonné Caspar, on a filé en douce par la crête est et on a peiné pendant pas mal de temps à remonter des pentes. La chaîne de montagnes entre Yanggu et Inje, c'est une belle vacherie, et on ne pouvait pas passer par le seul vrai col qu'il y avait dans le coin. Et pire que ça, fallait que l'on traverse la Soyang pour aller soit à l'est soit au sud, parce qu'au nord et à l'ouest c'étaient les camps de prisonniers ou le cimetière, ou même les deux.

Ce n'était pas la question de traverser la Soyang. Elle n'est pas tellement profonde en cette saison, et on aurait pu la passer à gué en plein d'endroits. Le hic, c'était que la seule route pour Inje suivait plus ou moins le cours de la rivière. Elle devait donc être bourrée de Chinois, et pilonnée par notre aviation et notre artillerie. En plus, vers le sud, la vallée était large – pour une vallée de Corée – avec une tripotée de bancs de sable. Faire passer à gué trois cent cinquante bonshommes sans prendre sur le poil quelques millions de macaques plus le feu des Américains, ça allait être drôlement duraille.

Mais c'est là où Walsh a été malin. Il n'est pas allé tout droit vers la rivière, par le chemin le plus court. On aurait pu suivre le jambage est du V de Caspar, celui que la compagnie D avait défendu, et descendre en pente douce jusqu'à un ou deux gués du coin – pour tomber probablement en plein dans un régiment de Chinetoques sinon deux. Au lieu de ça, on a marché presque plein est pendant environ deux mille mètres. Vous vous dites que ce n'est pas si long, parce que vous vous représentez ça sur du plat et en plein jour. Mais allez-y un peu de nuit, en montagne, avec une trouille de merde, quand vous n'avez pas dormi depuis quarante-huit heures, quand vous trimballez des blessés sur des brancards, plus toutes les munitions et les rations que vous pouvez porter, quand vous ne devez pas faire le moindre bruit, tout ça au milieu de cratères d'obus pleins de cadavres pour vous foutre par terre, sans compter ceux qui sont en train de clamser.

Cette petite balade nous a pris une bonne heure. On s'est reposés un quart d'heure, et puis on a obliqué au sud-est sur une crête qui descendait vers la Soyang en ondulant comme une putain à cinquante dollars. Cette fois, on a mieux marché. On a fait la deuxième pause à vingt-deux heures quinze. On longeait la crête depuis près de trois mille mètres, au niveau six cents mètres environ, lorsque la merde s'est abattue sur la colline 915. Une bonne vingtaine de minutes de pilonnage, puis une attaque par l'est, en plein travers de notre sillage. Walsh nous a fait déguerpir aussi vite que nos jambes nous portaient. Il savait que ça pétait trop fort pour qu'on nous entende, et il ne voulait pas que l'arrière-garde de notre colonne se prenne les pattes dans des traînards chinetoques.

Quand j'ai lu les journaux de route des Chinois, j'ai vu que la division qui nous avait attaqués avait employé son seul bataillon intact. A ce moment-là, il était en réserve, avec un nouveau commandant divisionnaire, et dans un sale état. On les avait écrabouillés. Ils avaient mille cinq cents morts et disparus, et environ sept mille blessés. Ce qui est plutôt saignant pour une unité qui n'a démarré qu'avec onze mille hommes. On le voyait à la pagaille de morts qui restaient sur place. Ces salauds valaient presque les Marines pour s'occuper de leurs morts et de leurs blessés. Les Nord-Coréens étaient autrement relâchés – à moins que ce soient les Sud-Coréens. Comme je le disais, je n'ai jamais pu reconnaître un macaque d'un autre. Et je crois qu'eux non plus.

Toujours est-il qu'on a longé cette crête pendant encore une heure, et puis on a viré droit sur l'est autour d'un large éperon. Walsh a dû sentir le tournant, parce qu'on ne voyait rien. La route passait deux milles plus loin, au seul endroit sur vingt milles où elle lâchait la rivière, si bien qu'on pouvait couper la route, rester peinards dans une bonne petite colline et traverser la rivière plus tard, à un endroit où la vallée se resserrait. Tenter de traverser les deux de suite, c'était risquer de tomber dans les pattes des Chinetoques ou d'être tués par notre aviation ou notre artillerie. Trois fois cette nuit-là nos appareils ont aspergé la route, et toutes les quelques minutes un obus s'amenait en hurlant – un tir H et I à longue portée, c'est-à-dire de harcèlement et d'interdiction. Pour l'interdiction, je ne sais pas trop, mais rien que ces sifflements aigus, j'en avais le cul harcelé comme pas un.

Il était trois heures du matin, trop tard pour tenter de traverser à la fois la route et la rivière, et la colline entre les deux était trop petite pour se cacher en plein jour; alors, on a dégotté un petit ravin bien encaissé sur le versant nord-est d'une colline numérotée 593. On a mangé une boîte de conserve, et on s'est mis à couvert pour la journée. De là on ne voyait pas Inje, qui n'était pourtant qu'à un mille à l'est. Et il n'y avait guère de risque qu'une patrouille chinetoque s'amène dans le coin, mais on ne tenait foutrement pas à se faire arroser par l'aviation américaine.

On est restés planqués toute la journée. Au calme. On entendait pas mal de tirs d'artillerie au sud, et parfois de gros convois quittant Inje. Il y a eu quatre attaques aériennes sur la ville. Le colonel pensait que, comme c'était une ville importante, l'Air Force revenait la pilonner à intervalles de quelques heures, et que, pour cette raison, les macaques ne gardaient pas beaucoup de troupes dans le secteur. Je ne sais pas si c'était juste, mais en tout cas on a passé toute la journée sans être repérés.

On a démarré juste après le crépuscule. A vingt-deux heures, on atteignait la route. Il a fallu la traverser par petits groupes, entre deux passages de camions – la nuit, le trafic s'était intensifié. J'ai vu avec plaisir que les véhicules remontant au nord transportaient surtout des troupes. Ça devait être des blessés. J'étais trop loin pour distinguer. On a traversé pas loin d'un petit col. C'était plus raide par là, et nos blessés n'étaient pas à la noce, mais comme ça, on savait si des camions arrivaient. Ils devaient rétrograder et passer en première pour négocier la côte. On a mis deux heures pour passer tout le monde. Mais on y est arrivés, avec une trouille de merde, comme trois cent cinquante mômes qui auraient maraudé dans le champ d'un fermier armé jusqu'aux dents.

Pendant tout le reste de la nuit on a grimpé – longtemps, et lentement et péniblement. En plus des grands blessés qui nous restaient, il y avait les autres amochés qui empiraient. Les jambes devenaient raides, les bras n'avaient plus de force. On avait des tas d'infections et presque pas de médicaments, sauf ce que le médecin appelait anesthésie vocale. Walsh nous faisait avancer. Je l'aidais, et Paraskovakas aussi. On allait d'un bout à l'autre de la colonne, en trébuchant et en se foutant par terre dans le noir, on portait le fusil d'un môme sur quelques centaines de mètres, on relayait un brancardier, on bottait le train des traînards.

On a continué comme ça jusqu'à quelques minutes avant le petit jour. Le colonel pensait qu'on était tout au bout du flanc gauche des Chinetoques, et qu'ils devaient avoir plus de patrouilles dans le coin qu'à la veille d'une de leurs attaques massives. On a encore fait deux ou trois milles en direction sud-est par rapport à la rivière, et on s'est encore cachés dans un ravin.

La nuit suivante on a remis ça, et c'est là qu'on a eu du vilain. Pour commencer, il pleuvait – le premier orage de la saison. D'un côté, le bruit du tonnerre nous aidait, mais de l'autre, la pluie rendait les crêtes glissantes comme de la merde de baleine, et nos brancardiers n'arrêtaient pas de déraper. Je crois que c'est ce qui a tué encore un blessé. Les gars ont glissé, et le malheureux est dégringolé vingt mètres plus bas, en rebondissant contre les arbres et les rochers. Le médecin a dit qu'il était mort d'avoir perdu trop de sang. On l'a enterré presque à fleur du sol.

On a donc continué les glissades pendant une bonne heure et demie, jusqu'à la lisière d'une petite vallée. D'un côté un cours d'eau partait à l'ouest, vers la Soyang. De l'autre, un petit ruisseau serpentait vers l'est et pénétrait dans le dernier grand couloir, la vallée de la Nacrinchon. Et par-delà, il y avait la mer. On était arrivés sur la butte d'une ligne de partage des eaux. A cause des blessés, Walsh a décidé qu'on passerait par la butte, pour éviter la descente raide dans la bouillasse, la traversée du cours d'eau et la remontée aussi raide de l'autre côté. Heureusement pour nos fesses, il a d'abord envoyé une patrouille en éclaireur.

Les voilà qui reviennent en disant qu'il y avait du bruit et deux petits foyers sur un versant. Le colonel et moi, on a décidé de jouer aux Indiens pour aller reconnaître le secteur en douce. Il avait l'épaule gauche toute raide, mais il était armé comme moi : mitraillette et trois grenades. Pour tout vous dire, je n'ai jamais pu trimbaler plus de trois de ces satanés machins. Je n'ai jamais pu les piffer, peut-être parce qu'au Tenaru-ri j'en ai eu une qui m'a roulé entre les jambes. Je sais ce que dirait un psychiatruc, et il aurait sûrement raison. Toujours est-il que je n'ai jamais pu me forcer à mettre un de ces machins dans ma poche. On s'est donc amenés tout doucement. Pour une fois j'ai trouvé les coucous utiles. On était dans une forêt qui en était remplie en même temps que de ce qu'on appelait des oiseaux radios, des gueulards qui n'arrêtaient pas de la nuit avec leur tip-tip-top-tip. La pluie, le tonnerre, rien ne semblait les gêner. Ils ont continué leur boucan pendant qu'on se faufilait au ras du sol.

On est restés planqués pendant quarante bonnes minutes. D'après ce qu'on a vu, il n'y avait que six macaques en tout. Ce qu'ils foutaient là, je n'en ai pas la moindre idée. Pendant ces quarante minutes, ils n'ont rien fabriqué d'autre que de manger du riz, de rigoler et d'entrer en rampant sous leurs deux petites tentes. Ils pouvaient aussi bien être des déserteurs, une flanc-garde ou même une patrouille. Pour moi, ils se tenaient plutôt comme une bande de tantouses qui se donnent du bon temps. On a eu beau bigler des deux côtés, on n'est pas arrivés à voir quelque chose, même quand il y avait des éclairs. Et on ne pouvait plus attendre.

Ils étaient trop nombreux pour le corps-à-corps, et je ne crois pas de toute façon que, Walsh ou moi, on aurait même eu la force d'aplatir un petit chat. Alors, on a étalé nos grenades devant nous. Dès que les six macaques se sont foutus à l'abri de leurs tentes, on a attendu un éclair. On avait compté environ sept secondes entre l'éclair et le coup de tonnerre. Nos grenades fusaient à cinq secondes. Pour une fois, j'ai apprécié qu'il n'y ait pas de claquement au moment où la fusée prend feu, même si c'était foutrement dangereux. On a compté jusqu'à trois et on en a balancé chacun une sur les tentes. Elles n'avaient pas encore éclaté que les deux suivantes volaient en l'air. Le tonnerre a pété juste au bon moment. A cent mètres, on ne pouvait pas savoir qu'il s'était passé quelque chose.

Juste comme on repartait, j'ai cru apercevoir des lueurs à l'est. Et puis il y a eu quatre gros éclairs et des fameux grondements : des obusiers de 122 mm, probablement automoteurs. Ils avaient dû en baver pour les amener dans le coin. Ils étaient en bas, près d'un village appelé Lahyon, au bord d'un ruisseau qui mène à la Naerinchon. Eux aussi, ils se servaient du tonnerre comme couverture. On avait rétamé leur flanc-garde.

Une fois revenu, j'ai mis le bataillon en marche. Avec des éclaireurs à cinquante mètres devant nous, on a franchi la butte et on est entrés de l'autre côté, dans un secteur de hautes collines. Ça me démangeait de descendre foutre en l'air ces quatre canons chinois. Le colonel aussi. Je voyais que ça le travaillait intérieurement : il voulait faire sortir le bataillon du merdier, mais en même temps aller au moins balancer quelques grenades dans les fosses à munitions à côté de ces satanées pièces. Pour finir, c'est le bataillon qui a gagné, et on a continué à tirer la patte et à grimper des pentes sacrément raides. On avait le choix entre aller droit au sud ou plutôt sud-est. Walsh a choisi le sud-est. D'après lui, ces canons voulaient dire qu'il y avait des Chinetoques plein sud. Pour moi, ils devaient plutôt être au sud-ouest que plein sud, mais je n'ai pas discuté, parce que celui qui tenait la barre à deux mains et deux pieds, c'était le colonel.

Et ça a encore duré pendant trois jours et trois nuits : on restait cachés toute la journée, on marchait toute la nuit. On n'avait droit par personne et par jour qu'à deux boîtes de nos rations C, une grosse et une petite, avec peut-être une barre de chocolat. Les explorateurs connaissent bien pire. On est passé deux fois près de ruisseaux, si bien qu'on avait suffisamment d'eau – même si ce n'était pas autant qu'on en aurait voulu.

Je crois que je vous l'ai déjà dit, le colonel avait plus d'énergie qu'un éléphant en rut. Des fois, il était aussi vanné que nous de ne pas dormir, de ne pas avoir assez à manger. Mais, à part ce petit moment devant le cadavre de Johnny Kasten, je ne l'ai jamais vu flancher. Il était toujours « remonté ». Quinze ans plus tard, avec toutes ces histoires de drogue, on aurait cru qu'il se piquait. Mais ce truc qui l'actionnait à l'intérieur, ça lui venait de ce qu'il avait entre les jambes, et pas d'un foutu machin qui vient de l'étranger.

Et on avait foutrement besoin d'être « remontés » pour notre petite promenade de retour vers les copains. Walsh était si crevé qu'il avait les yeux cernés jusqu'au milieu des joues. Mais cet engin à vapeur qu'il avait rivé au derche lui gardait un moral à bloc. Il n'était pas plus brillant que nous quand on s'arrêtait avant l'aube et qu'on se planquait pour la journée. Mais dès qu'il avait pioncé deux heures, il sortait de son sac de couchage comme s'il avait bouffé du lion, prêt à repartir en balade. Et croyez-moi, chez lui ce n'était pas du chiqué.

Il n'y avait pas trop à se plaindre des hommes, excepté qu'il fallait tout le temps les pousser au train. Les derniers grands blessés qu'on brancardait sont morts le quatrième jour, mais on avait douze gars si mal en point que les brancards continuaient à servir. Tous les gars étaient vidés. Le sixième jour ils étaient devenus – comment dire? – léthargiques, trop affaiblis pour se foutre dans un pétrin, mais au bord du désespoir. Ce jour-là, on n'a pas vu trace de l'ennemi, et la nuit non plus. Et puis, juste avant l'aube, alors qu'on avait grimpé sacrément haut, doux Jésus! on a vu des phares à quelque chose comme sept ou huit milles à l'ouest.

8.

Big Foot n'était pas le bon bougre de commandant d'unité qui laisse ses hommes se dorloter et ruminer leurs malheurs. Il leur avait donné quarante-huit heures pour dormir et se requinquer, et ensuite, un programme d'instruction soigné – pas de la préparation au combat mais de la mise en forme : des marches, des escalades. Il avait même fait aplanir au bulldozer un champ de tir.

Ce jour-là, le 1er mai, Big Foot était sorti avec le 3e bataillon du lieutenant-colonel Lucker. Il a surveillé leurs exercices : traversée de la Hongchon, assaut d'une colline abrupte au milieu de la vallée et organisation précipitée d'une défense. Il n'était pas trop content de leurs manœuvres, mais pas furieux non plus. La préparation tactique était bonne; c'était l'exécution qui traînait. Big Foot s'y attendait. Ça faisait trop longtemps que les hommes jouaient pour de bon, ils n'allaient pas se casser le cul pour la frime. Les officiers avaient toujours du mordant, et les gars reprenaient des forces. C'était ça qui comptait.

Tout en regardant les troupes en contrebas, il a dit à son radio d'appeler le colonel Lucker. Au bout d'un petit moment, l'opérateur lui a tendu l'appareil :

– Lucker! ici, Johnson. Il faudra qu'on critique.

– Johnson! Johnson! ici, Lucker. D'accord, chef. Venez déjeuner avec moi, voulez-vous? A vous.

– Lucker! Lucker! ici, Johnson. D'accord, merci. A vous.

Pendant que Big Foot et ses adjoints commençaient à rassembler leur équipement, la radio s'est mise à grésiller. Le message passait à peine. L'opérateur, qui était assis dans la jeep, n'avait rien entendu, et il continuait à lire une bande dessinée de Superman.

– Gibus! Gibus! ici, Haut-de-forme. A vous.

– Haut-de-forme! Haut-de-forme! ici, Gibus. Vous ne modulez pas. A vous, a répondu le radio sans lever les yeux de son Superman.

– Qu'est-ce que vous bafouillez, fiston? a grogné Big Foot.

– Haut-de-forme ne module pas, mon colonel.

– Haut-de-forme? Vous êtes saoul ou quoi?

– Non, mon colonel, a répondu le radio qui s'est brusquement rendu compte de ce qu'il avait annoncé. Je crois qu'il disait Haut-de-forme, mon colonel, mais j'entendais à peine. J'ai dû mal comprendre.

– Lâchez-moi ce nom de Dieu d'illustré, soldat, et occupez-vous de votre boulot, ou vous allez prendre ma botte dans votre toboggan à chiasse, a grondé Big Foot.

(Étant donné la taille des bottes de Big Foot, la menace était foutrement alarmante.)

– Gibus! Gibus! ici, Haut-de-forme. M'entendez-vous maintenant? A vous.

La voix était encore faible, mais plus nette. Big Foot a arraché l'appareil du radio :

– Haut-de-forme! Haut-de-forme! ici, Gibus. Haut-de-forme! ici, Gibus. Qui êtes-vous, tonnerre? A vous.

– Gibus! Gibus! ici, Haut-de-forme de Caspar. A vous.

– Haut-de-forme! Haut-de-forme! ici, Gibus. Passez-moi Haut-de-forme Six. A vous.

– Gibus! Gibus! ici, Haut-de-forme Six. Émettez votre message. A vous.

– Haut-de-forme Six! ici, Gibus Six. Qui êtes-vous?

– Gibus Six! ici, Walsh, Declan Patrick, lieutenant-colonel de réserve du Corps des Marines des États-Unis, matricule 0206271. Je signale mon retour. A vous.

– Walsh, ici Big Foot (je jure devant Dieu que c'est ce qu'il a dit : « Big Foot »). En quelle condition êtes-vous, et à quel endroit? A vous.

On était à cinq milles au nord-est de Johnson, à une vallée de distance de sa position. Walsh nous a regardés. On était affamés, en loques, dégueulasses. On avait les yeux injectés de sang et renfoncés dans les orbites. Comme toujours quand on combat depuis longtemps, on avait l'air plus gros tellement on était raides de terre et de crasse. Nos tenues en lambeaux nous collaient au corps, et on empestait tous la sueur rance, le sang coagulé, et les tartines de merde séchée, à cause de la diarrhée et pas de papier-cul. On avait tous des petites saletés infectées, et on était pompés à en crever.

Walsh m'a fait un clin d'œil et il a dit :

– Gibus! Gibus! ici, Haut-de-forme. Condition excellente. Nous avons enterré nos morts et nous ramenons nos blessés. Vous avez déjà vu des Marines revenir autrement du combat? A vous.

La radio restait muette. Pour une fois dans sa vie, Big Foot avait le bec cloué. Pour finir il a demandé (en oubliant les formules réglementaires de transmission radio) :

– Nom de Dieu, Walsh, où êtes-vous?

– Gibus Six! Gibus Six! ici, Haut-de-forme. Je ne le sais pas exactement. Je dirais, au jugé, à environ neuf milles au nord-est de Hongchon. Est-ce dans les lignes amies? A vous.

– Affirmatif. Que voyez-vous de votre position? A vous.

– Gibus! Gibus! ici, Haut-de-forme. Alors que je suis tourné plein ouest, il y a une rivière à gauche. Elle coule vers le sud-ouest.

D'autres détails du terrain me font penser que c'est le cours d'eau qui se jette dans la Hongchon près de Simnae. A vous.

– Haut-de-forme Six! ici Gibus Six. Bienvenue chez nous. Suivez le cours d'eau en aval, nous vous attendrons. Il y a un bataillon d'Ivanhoe par là-bas, alors allez-y en douceur. A vous.

– Haut-de-forme Six. Bien compris. Terminé.

Big Foot redevenait tout gamin, comme le jour où on avait foutu en l'air la première grande attaque contre Caspar :

– Appelez-moi Sorcier Trois, non, plutôt Sorcier Six – et puis non, fiston, prévenez la division. Dites-leur que le 2e bataillon du 1er Marines a réussi à passer au travers d'une armée en mouvement, et qu'il nous rejoint dans le secteur d'Ivanhoe, au confluent près de Simnae. Stambert, a-t-il ordonné à son officier des opérations, prenez ma jeep et retournez au P.C. Assurez-vous que la division a reçu mon message. Rassemblez tout ce que vous pouvez trouver comme camions. Je veux que le 1er bataillon aille les accueillir. J'enverrai aussi Lucker. Prenez aussi des ambulances. Et pour l'amour du ciel, amenez une tapée de photographes.

Stambert s'est précipité vers la route. Big Foot l'a rappelé :

– Hé! là, Stambert, en revenant avec les véhicules, rapportez le drapeau du régiment. Je vous retrouverai à Simnae.

Stambert est parti en trombe. Le colonel a attrapé son officier du renseignement :

– Jenkins, ma jeep.

– Mon colonel, vous venez d'envoyer Stambert au P.C. dans votre jeep.

– Eh bien, appelez-en une autre.

– Mon colonel, nous n'avions que celle-la Où voulez-vous que j'en trouve une autre en plein milieu de la Corée?

– Nom de Dieu, capitaine, baissez culotte et chiez-en une. Il me faut une jeep dans cinq minutes. Et vous, a dit Big Foot en se tournant vers son radio, appelez le colonel Luckner. Dites-lui ce qui se passe et qu'il conduise ses hommes jusqu'à la route. Les camions les prendront au passage. Et que ça saute!

Johnson avait tort de se foutre les tripes à l'envers. On était à quatre milles du confluent, et en bonne condition, on les aurait couverts en moins d'une heure. Mais on était vidés. Pour soulever un pied et le mettre devant l'autre, on devait formidablement se concentrer, et ça faisait un mal de chien. A tituber comme si on était fins saouls, ça nous prendrait de deux à trois heures.

Au P.C. de la division, ça sautait un peu. Le général était un vieux type tout ce qu'il y a de calme; un Marine avec le troufignon plus raide, je n'en ai jamais vu. Il ne souriait presque jamais, même quand il n'était encore que major – je le connaissais de ce temps-là. Son chef d'état-major était un petit crâneur dans les un mètre soixante-cinq. Un pète-sec comme lui, il n'y en avait pas deux dans tout le Corps. A la place de la langue, il avait un fouet. Eh bien, il paraît qu'ils frétillaient tous les deux autant que Big Foot. L'adjoint au chef d'état-major, un colonel, a pratiquement porté dans le fourgon du général le lieutenant Harvey Richards, l'officier chargé des relations publiques de la division. Pour une fois, grâce à Dieu, Richards n'avait pas bu.

C'était surtout son adjoint qui se tapait le boulot – ce vieux Harry Leigh, un gradé qui avait été mon pote à 'Canal. Il écrivait pas mal pour *Leatherneck,* c'était le gars un peu fort. C'est lui qui m'a aidé à écrire mes articles. Et ce que je vous raconte, c'est lui qui me l'a dit, alors ce n'est pas du bidon.

Richards s'est amené dans le fourgon en chaloupant, avec Harry Leigh sur les talons. Le général était assis dans son fauteuil, la bouche fendue jusqu'aux oreilles; Le chef d'état-major a pris Richards par le bras et l'a fait asseoir sur une cantine.

– Richards, on tient un gros truc! Le 2ᵉ bataillon du 1ᵉʳ Marines vient juste de se signaler par radio : ils sont passés au travers d'une armée chinoise en mouvement. Et Walsh a dit : « Nous avons enterré nos morts et nous ramenons nos blessés. » Qu'est-ce que vous dites de ça? Vous imaginez la bille du petit chemisier de la Maison-Blanche quand il lira ça demain dans le *Washington Post* en prenant son café? Ça l'empoignera juste au bon endroit, dans ce qu'il pose sur le fauteuil présidentiel. Mon vieux, le général tient à mettre le paquet sur ce coup-là. Il va y avoir tant de Médailles du Congrès à passer au cou des Marines que le politicien amateur de piano en prendra un lumbago. Rameutez-moi tous les correspondants de presse auprès de la 8ᵉ Armée, et appelez Séoul et Tokyo. Qui y a-t-il au P.C.?

Richards n'a pas été foutu de répondre. C'est Leigh qui a dit :

– Il y a ce type du *St. Louis Post-Dispatch,* Twisdale, et un gars de l'Associated Press.

– Parfait, ils auront la primeur. Mettez-les dans un hélicoptère; et trouvez-moi tous les photographes à vingt milles à la ronde. Sergent Leigh, rédigez un texte à leur distribuer. Je veux un topo sur Walsh, qui il est et tout le bastringue. Appelez la zone régimentaire de l'arrière à Masan, ils doivent avoir le dossier de Walsh. Colonel, a dit le chef d'état-major à son adjoint, le général veut avoir la musique de la division, et que l'hymne du Corps des Marines fasse vibrer la vallée lorsque le 2ᵉ bataillon arrivera dans le champ des prises de vue.

– Entendu, chef. Je vais aller donner les ordres.

– Voyons, a dit le chef d'état-major en se retournant vers Richards et Leigh, « le Bataillon perdu », ça devrait faire les manchettes de tous les journaux?

– On a déjà vu ça, mon colonel. Dans pratiquement toutes les guerres, a remarqué Richards d'un air renfrogné, parce qu'il voyait foutu un bon après-midi de biture.

– Pas avec les Marines, et pas non plus avec d'autres dans cette saleté de petite guerre. Seigneur, ça peut être fumant. Ne prévenez pas les gars du *Stars and Stripes.* Tout ce qui les intéresse, dans ce canard de l'Armée, c'est de parler d'eux. Même s'il s'agit d'une de leurs divisions qui vient de prendre sa centième pile, ils en feront un plat, mais pas si c'est des Marines qui aplatissent des Chinetoques. Qu'ils se ramènent à la traîne, tant mieux. Et maintenant, que ça saute. Je veux tout le monde à Simnae dans soixante-dix minutes.

C'était le milieu de l'après-midi, et on se traînait au bord de la flotte. C'était en fait un beau petit ruisseau, pas très large, et peut-être profond d'un ou deux pieds, mais avec un cours rapide et limpide sur un lit de galets, le genre de ruisseau où on rêve de se tremper quand il fait 35°. On trébuchait, on se foutait par terre, mais il faisait trop froid pour se tremper dans la flotte.

Là-bas par-devant, je voyais toute sorte de troupes. Par deux fois des hélicoptères avaient tourné au-dessus de nous. Je me suis retourné pour regarder les gars. Seigneur, cette bande de cradingues qui ne tenaient plus sur leurs jambes! Ils puaient. Personne n'avait pu se raser ou vraiment se laver depuis notre mise en place à Caspar. Ça sentait les pieds, et la pisse et la merde – une vraie infection. Mais les yeux des gars s'étaient arrangés, même s'ils étaient toujours rouges et chassieux. Ce regard vitreux du bonhomme sonné, c'était fini.

Je me suis traîné un peu plus vite pour arriver à la hauteur du colonel. Il aidait un caporal à avancer, tout en fredonnant doucement. Vous savez, je crois qu'une fois qu'il a eu réussi à se débarrasser de cette affaire de Kasten (enfin, je ne veux pas dire s'en débarrasser totalement, mais la surmonter), ce dingue de type se marrait de notre histoire. Je lui ai dit qu'on avait l'air d'une bande de pouilleux vaincus, et pas de Marines. Il m'a répondu que j'avais raison, et qu'il allait y mettre bon ordre. Et puis il a voulu lever le bras gauche, mais il n'y a pas eu moyen. Son épaule devait lui faire un mal de chien. Alors, moi, j'ai levé le bras, et la colonne a fait halte en tanguant dans tous les sens. Et voilà le colonel qui beugle :

– Dites donc, les gars, on se ramène comme des Marines, hein! On a combattu les Chinois et on les a ratatinés. Vous allez arriver la tête haute devant les soldats et les Marines. Et maintenant en rang par deux, armes en bandoulière. (Les gars ont pas mal renâclé et juré comme des perdus, mais ils ont exécuté le commandement.) Très bien. En avant, marche! Sergent-major au pas cadencé.

J'ai hurlé de mon mieux :

– Un, deux, trois, quatre! Un, deux trois, quatre!

Trois cents mètres plus loin, comme on arrivait en vue du comité de réception, Walsh a beuglé :

– Comptez la cadence, comptez!

Le bataillon a beuglé en chœur : « Un... deux... trois... quatre..., un... deux... trois... quatre... », en frappant le sol du pied gauche. Et puis « un, deux, trois, quatre, un, deux, trois, quatre » pour chaque pas.

Quand on est arrivés à une centaine de mètres de Big Foot, la musique a entamé l'hymne du Corps des Marines. Walsh a encore crié : « Comptez la cadence, comptez! » Et les gars ont compté comme un seul homme. Les appareils photo crépitaient en suivant tous nos mouvements, pour ne rien manquer de ce qui se passait.

Les journalistes n'arrivaient pas à en croire leurs yeux, pas plus que les Marines et les bouseux d'Ivanhoe, la 2e division de l'Armée. Ils n'avaient jamais vu une putain de meute de Marines plus sale et plus puante. A part les photographes de presse, tout le monde restait figé.

– Ce salaud de cabotin, a tonné Big Foot, il a dû passer la nuit à préparer son cirque.

Au moment où on arrivait à la hauteur de Big Foot, Walsh a commandé :

– Bataillon, halte!

Et puis :

– A gauche, gauche!

Il a refilé le caporal à Keller et il s'est avancé d'un pas raide entre le bataillon et Johnson.

– Sergent-major, trois pas en avant.

J'ai boité jusque derrière lui et je lui ai donné ma collection de plaques d'identité.

– Mon colonel, a dit Walsh d'une voix pâteuse mais forte en saluant, le 2e bataillon du 1er Marines. Tous les hommes présents ou pris en compte – il a passé les plaques dans sa main droite et il les a jetées aux pieds de l'officier du personnel de Big Foot.

De grosses larmes roulaient sur les joues de Big Foot. Je savais que c'était autant des larmes de fierté que d'envie. C'était le moment le plus théâtral de sa vie – un peu trop théâtral pour mon goût, mais je n'étais jamais qu'une vieille bête de sergent – et il aurait bien donné ses couilles pour jouer le premier rôle. Mais il l'avait raté une fois de plus. Il était tout de même sur la scène. Et puis, il était capable d'admirer le boulot bien fait, et celui de Walsh, qui nous avait tous tirés de Caspar, c'était une fameuse démonstration de compétence militaire; et pour les relations publiques, il ne craignait personne.

– Faites rompre les rangs, colonel, a dit Big Foot en saluant, et bienvenue au pays.

Walsh a salué et il a pivoté sur le talon gauche en vacillant. Il a annoncé :

– Bataillon, rompez les rangs!

Et puis, il est venu vers nous en titubant un peu et il a souri en disant :

– Vous avez été bien. Je suis fier de vous. Si j'avais l'habitude des compliments, je dirais que vous avez été magnifiques. Mais « bien », ça fait l'affaire. Rappelez-vous toujours que vous avez aplati une armée. Sergent-major, rompez les rangs!

Ce commandement, ils ne m'ont pas laissé le temps de l'exécuter. Ils avaient à peine entendu « rompez » que tous les hommes valides du 2e bataillon se précipitaient en clopinant pour entourer Walsh. Ils l'ont hissé sans ménagement sur leurs épaules fourbues et on l'a acclamé de tous nos poumons. (Le lieutenant Randall était sur un brancard, mais je crois que s'il avait pu se déplacer, il n'aurait quand même pas bougé.)

– Je pense, mon général, a murmuré Johnson au commandant

de division, que nous pourrions attendre quelques minutes que Walsh fasse son rapport.

– Mais précisément, colonel. Je tiens à entendre ce qu'il va raconter. Mon officier des relations publiques prendra des notes. Cela permettra de rédiger plus vite sa citation pour la Médaille d'honneur du Congrès.

Ce sacré Big Foot avait risqué sa vie à deux reprises pour gagner ce petit bout de ruban bleu et blanc, et voilà que pour la troisième fois dans sa vie il aidait un autre bonhomme à l'obtenir. Pendant qu'on parlait, un journaliste nous a tendu, à un autre gars et à moi, un quart plein de bourbon. C'est drôle, mais on en a seulement pas bu la moitié. On a eu droit à des masses de questions – plutôt idiotes. Qu'est-ce qu'on peut expliquer à des gens qui n'ont jamais entendu des gars – Américains ou Chinois – hurler de terreur devant leurs tripes à l'air qui traînent comme des serpents gris, ou qui n'ont jamais senti la main glacée de la mort leur serrer l'épaule, ou entendu le claquement d'une fusée de grenade ou le piaulement d'un obus de mortier en se disant qu'ils allaient y laisser bras et jambes?

Le colonel Walsh, c'est là que je l'ai le mieux connu. Comme je vous disais, il était drôle – non, pas drôle – enfin si, drôle d'une certaine façon, mais ce que je veux dire, c'est : bizarre. Je crois que cette marche de Caspar à Hongchon a été le meilleur moment de sa vie – la même chose que cette minute où il a vu Johnny Kasten a été la pire. Mais je ne suis qu'un vieux soldat, pas un psychiatruc. J'ai été pas mal avec lui par la suite, mais jamais aussi près. Vous comprenez ce que je veux dire? Vraiment proche. Après ça, c'était l'homme connu, celui qui marche sur l'eau, et pas seulement pour le Corps des Marines mais pour le reste du monde. La magie s'y était mise : sa Médaille d'honneur du Congrès, le livre qu'il a écrit, son boulot à la Maison-Blanche, et tout le bataclan. Mais c'est des choses que vous connaissez.

Des tas de types m'ont demandé si j'étais surpris de ce qui lui est arrivé, au colonel. D'une certaine façon, oui, mais pas vraiment. Ce que je veux dire c'est qu'on voit un gars et on sait qu'il ira très loin ou qu'il se plantera dans un tas de détritus, tout l'un ou tout l'autre, pas de milieu. J'avais senti ça quand il était sous-lieutenant. Je ne me doutais pas qu'il arriverait où il est arrivé, bien sûr, mais ça ne m'a pas surpris.

Le chef? Vous aviez dit que c'était ce qui vous intéressait, et, moi, je vous ai raconté une longue histoire de Marines. Mais tout ça tournait autour de lui comme chef : la façon dont il préparait ses plans, réfléchissait, se souciait des hommes, ou paraissait s'en soucier, dont il enseignait, dont il dirigeait. C'était un bon type, des fois un peu brutal, et peut-être un peu trop vif, mais un bon type. Et le plus coriace des combattants. Sans lui, jamais on n'aurait pu tenir si longtemps la colline 915, ni la reprendre, ni échapper vivants aux Chinois. on avait besoin de lui. Mais je vais vous dire quelque chose. Je crois que, lui, il avait tout autant besoin qu'on ait besoin de lui.

DEUXIÈME PARTIE

LA GRANDE TRIBUNE

il se mit une fois en tête
de se saisir d'un Silène

il le poursuivit trois jours
parvint enfin à l'attraper
le frappa de son poing
entre les yeux et demanda :
– qu'est-ce qui est le meilleur pour l'homme?

le silène hennit
et dit :
n'être rien
– mourir

ZBIGNIEW HERBERT.
Le roi Midas ne chasse pas.

1.

Entrez, jeune homme, entrez et asseyez-vous. Là, prenez cette chaise et posez cet affreux appareil d'enregistrement sur la table basse, où il pourra dévider nos vies sans déranger la conversation. Je m'excuse, mais je ne puis quitter ce divan. Mon médecin soutient que l'amélioration n'est pas un leurre. De fait, j'ai entièrement recouvré l'usage de la parole. En revanche, le bras et la jambe gauches ne fonctionnent guère. C'est un désagrément, mais il ne compte pas dans l'ordre éternel de la nature. A l'évidence, très peu de choses comptent lorsque l'on a quitté la Cour. Mais il y a une fin à tout. A présent, occupons-nous de vos problèmes et place à l'histoire.

Vous êtes venu pour que nous parlions de Walsh – un personnage fascinant, absolument fascinant, mon cher ami. Malgré l'indéniable aura qui émanait de lui, ce n'était pas une présence de tout premier plan – il s'en fallait de peu, mais ce n'était pas absolument ça. Doué d'une grande intelligence, certes, et d'un esprit suprêmement aiguisé. Un homme d'un dynamisme fantastique, absolument fantastique – et en même temps non dénué d'imagination. Mais, pour des raisons que j'essaierai d'exposer, une dimension lui manquait : l'authentique compréhension de la mission limitée de notre Cour.

Nous nous étions rencontrés à plusieurs reprises en 1951, lors de différentes occasions fastes à la Maison-Blanche. Ma présence était très sollicitée à l'époque, très sollicitée. Le président des États-Unis était Harry S. Truman, le châtiment que nous réservèrent les Parques pour avoir cru que le cher Franklin était immortel. (Même après tout ce temps, j'ai la bouche amère à prononcer ensemble ces mots : *Truman* et *président*.) Récemment rentré de la guerre, Walsh était conseiller militaire particulier du Président. Kathryn, son épouse à la voluptueuse plastique – elle avait quelques années de moins que lui – venait souvent aux réceptions de la Maison-Blanche. C'était une femme de belle stature, à la longue et soyeuse chevelure blonde qui contrastait avec son hâle en été. Elle était de ces Scandinaves dont le soleil dore la peau sans la bronzer. En hiver, son teint avait la couleur de la crème, pendant les mois plus chauds, celle d'un bijou ancien. Ses yeux verts – et non bleus comme on s'y serait attendu – ajoutaient à sa beauté un élément de surprise.

Nul ne pouvait lui dénier la beauté. Non, je m'exprime mal, c'était plutôt une séduction magnétique. Elle aurait été idéale en prêtresse d'un culte païen orgiaque. Je sais, je sais, mon cher garçon, vous n'êtes pas venu ici pour entendre un vieillard radoter sur les femmes sensuelles, mais accordez-moi encore un moment de patience.

Comme je vous l'ai dit, Mrs. Walsh portait le prénom de Kathryn, mais elle préférait qu'on l'appelât Kate, privilège qu'elle accordait libéralement. Je sais, je sais, on ne pouvait bien en augurer, mais qu'y faire? Elle avait été l'élève de Walsh à Chicago. On conçoit aisément qu'elle ne soit pas revenue y terminer ses études de droit après leur mariage. Et l'on conçoit non moins aisément que Walsh ait cherché un poste ailleurs. En ces temps plus civilisés, nous comprenions la nature de l'abîme qui sépare l'étudiant du professeur.

Il était dommage, cependant, qu'elle n'ait pas terminé sa formation universitaire dans un autre établissement. Elle avait l'esprit délié, et la carrière juridique aurait pu fournir à son énergie un meilleur exutoire que celui qu'elle finit par choisir. Elle avait aussi la langue agile, et prompte à fouailler qui l'offensait. Et, chez elle, ce trait ne s'émoussa pas avec l'âge. Au total, c'était une femme intelligente pour qui l'on éprouvait de la sympathie. Déjà, en 1951, on pouvait déceler que son mariage avec un homme aussi ambitieux que Walsh devait lui réserver sa part de peines.

Et aussi, si j'en crois ce que j'ai entendu – car je n'ai nulle compétence en la matière, nulle compétence – elle avait un sens aiguisé des manœuvres politiques, sans aucun doute hérité de son père, un robuste Scandinave qui s'était taillé une réputation de flair politique dans le maniement des minorités ethniques au Minnesota. Et elle possédait au surplus un talent non négligeable d'imitatrice. Je me souviens l'avoir vu singer – vraiment à la perfection – ce niais prétentieusement pieux qui était ambassadeur de l'Inde aux Nations unies.

Elle et Walsh formaient alors un couple heureux. Il s'était écoulé si peu de temps entre leur mariage et la guerre que Washington prolongeait en quelque sorte leur lune de miel. Quelle sensation exaltante que d'être plongé dans le tourbillon du pouvoir sans autre responsabilité que celle du spectateur! Lorsque Walsh n'était pas en uniforme, ces deux-là se tenaient par la main en flânant dans les rues ou sur la pelouse à l'arrière de la Maison-Blanche. Tout cela était touchant, extrêmement touchant. Être jeune et amoureux, quel moment précieux, et si fugace.

Dans mon récit, je parlerai toujours de Kathryn, prénom que j'employais en m'adressant à l'épouse de Walsh. Je dois ajouter qu'à ma connaissance j'étais le seul à ne pas l'appeler par son diminutif. Pour être tout à fait clair, j'avoue ne pas lui avoir porté une amitié excessive. Ne vous y trompez pas, nous étions en bons termes, mais sans être jamais très liés. Je crois que vous comprendrez mieux pourquoi, quand j'en aurai fini.

A ce moment-là, Walsh était un grand héros de la guerre, et il était impossible d'en faire abstraction. Sans doute est-ce pour cela qu'il pouvait arborer ces horribles moustaches en croc d'un blond roussâtre. Je puis vous assurer que cette pilosité indisposait des officiers généraux de ma connaissance. Mais que peut dire un simple général à un lieutenant-colonel qui a gagné la Médaille d'honneur du Congrès et dont le président des États-Unis a fait son conseiller particulier?

Walsh venait juste d'écrire ce livre populaire, vulgaire mais populaire – publié, me semble-t-il, tandis qu'il était à la Maison-Blanche – intitulé *Haut-de-forme Six*. Franchement, ce que peut acheter le public! On dit que la télévision détruit le goût, la culture nationale, mais la foule n'a ni goût ni culture à détruire. La télévision répond simplement à un vide, tout comme les éditeurs qui publient de complaisants récits d'aventures sur des brutes hirsutes s'entretuant ou se mutilant. Ayant passé ma vie au service de la nation, je pense pouvoir sans outrecuidance me dire patriote, mais je récuse l'exploitation des bas appétits de la foule pour la violence, même au nom de la morale nationale.

J'avoue avoir eu sur Walsh une certaine opinion préconçue, mais lorsque je fis sa connaissance, mon impression ne fut nullement défavorable, nullement. Je n'avais pas encore saisi qu'il avait été professeur de droit à l'université de Chicago. Il y avait en fait là une certaine adéquation. Comme cette institution elle-même, il était intelligent, vif, et pas tout à fait assez policé pour nos goûts cultivés de la côte est. Pour lui, il fallait bondir sur un problème et le prendre à la gorge. Il méconnaissait le plaisir esthétique de mesurer un problème et de vivre avec lui avant de décider s'il était même désirable de le mettre à mort. En bref, il était plus rapide qu'avisé. Jamais il n'a apprécié l'agrément que peut offrir un valeureux ennemi. C'était par là, et par un certain manque d'humilité professionnelle, qu'il péchait le plus en tant que juriste.

Lorsque je dis « pas assez policé », j'entends par là intellectuellement, et non socialement. Il avait été élevé à l'étranger dans les sphères diplomatiques et témoignait socialement d'une éducation parfaite, vraiment parfaite. Son père était, semble-t-il, un homme brillant, mais il y avait une ombre dans sa carrière. Je ne colporte jamais les ragots, mais je crois savoir que cela tenait à une grave intempérance. Tel est si souvent le cas avec les Irlandais, n'est-ce pas? Sa femme lui aurait conservé sa carrière en dispensant ses faveurs à de hauts fonctionnaires. Vous pensez bien que je n'accorde nul crédit à d'aussi sordides racontars.

Je conçus une certaine amitié pour Walsh. Dieu – s'Il existe – sait combien j'ai essayé de l'aider. Je ne crois pas me montrer immodéré en me targuant de quelque succès. Hormis ce réflexe d'attaque, il se révélait en quelque manière éducable; ayant consacré ma vie à la pédagogie, j'étais ravi de l'occasion qu'il me fournissait. Lorsqu'il était à la Maison-Blanche, sachant qu'il avait l'oreille du Président je profitais de nos brèves rencontres pour lui livrer mes réflexions sur divers problèmes nationaux. Nous nous en serions tous trouvés beaucoup mieux si le Président avait daigné mettre ces idées à exécution.

Une fois M. Truman retourné à son niveau naturel dans le Missouri, et le général Eisenhower installé à Washington, j'ai perdu Walsh de vue pendant plusieurs années. Vous savez ce qu'il en est dans cette ville. Une nouvelle bande entre à la Maison-Blanche, et les visages connus disparaissent rapidement. Au surplus, Walsh n'avait pas été très longtemps en place. C'était à la fin 1951 ou au début 1952, lorsque M. Truman avait fini par comprendre que pour nous extirper de Corée sans nouvelle conflagration mondiale, il nous fallait recourir à tous les moyens diplomatiques possibles. Et quoi qu'il puisse être par ailleurs, le Vatican est un excellent poste d'écoute diplomatique. Venant d'un baptiste de stricte obédience comme M. Truman, la nomination d'un représentant auprès du pape risquait de susciter une levée de boucliers. Et c'est pourquoi cet astucieux politique a envoyé Walsh. Personne, absolument personne, n'irait mettre en question le patriotisme d'un Marine décoré de la Médaille d'honneur du Congrès et blessé des deux guerres.

Walsh était à Rome lorsque M. Truman a quitté la présidence, et le général l'a reconduit dans ses fonctions pendant encore six ou sept mois. Vos sources biographiques usuelles vous fourniront les dates exactes. Nous nous sommes encore entr'aperçus à la fin des années cinquante ou au début des années soixante. Il portait alors la barbe – comme tant d'universitaires. Il me semble que les barbes doivent horriblement démanger, mais je suppose qu'elles gagnent le temps normalement perdu à se raser le matin. Tout en enseignant le droit à l'Université du Michigan, Walsh avait été, pendant quelques années, membre de la commission des Droits civiques, et il siégeait dans une ou deux commissions présidentielles. Il était en train de se faire une belle réputation d'expert. Je voyais constamment son nom sur des ouvrages ou au bas d'articles. Ses écrits inclinaient trop à la sociologie pour mon goût, mais c'est qu'en matière de droit je suis un puriste. Je reconnais en revanche qu'ils témoignaient d'une érudition considérable et, dans l'ensemble, ne manquaient pas de rectitude.

Par la suite, il devint doyen de la faculté de droit dans cette même Université du Michigan – fonction épouvantable, absolument épouvantable. Toutes ces plaisanteries universitaires sur les doyens prouvent le peu de considération qu'ils rencontrent dans la faculté. Il est vraiment très, très triste de voir des esprits déliés se contenter de brasser des paperasses. Toujours est-il que la position de doyen dut planter quelques graines d'ambition politique dans l'esprit de Walsh, car il me vint aux oreilles qu'il songeait à se présenter au Sénat.

Cela se passait à la fin du premier mandat présidentiel de Clarence Bowers. Quant au président de notre Cour suprême, il déclinait. Il avait fait deux infarctus dans la même année, et il n'en avait plus pour longtemps. Nous le savions tous. Notre charge épuiserait un homme dans la force de l'âge, donc, à plus forte raison, un homme âgé et fatigué. Les gens n'ont aucune idée, mon cher garçon, vraiment aucune idée du dur labeur de la Cour. Toujours est-il que les deux seules hypothèses étaient que le président de la Cour mourût ou qu'il prît sa retraite. A la fin juillet, il annonça son intention de se retirer. Dès lors, les usines à rumeurs de Washington fonctionnèrent à plein rendement.

Comme vous ne l'ignorez certainement pas, mon nom fut avancé par des intellectuels et par de hautes sphères de la politique et de la presse. Hélas! ces catégories ne comprenaient pas les honorables personnages auprès desquels Clarence Bowers cherchait conseil. Non, certes, que je me fusse jamais bercé d'illusions, encore qu'il fût flatteur de voir que certains se rappelaient favorablement mes longues années de fonctions, dévouées et non entièrement dénuées de mérites.

Je me souviens d'un cocktail à Georgetown, juste vers ce moment. C'était un samedi après-midi abominablement lourd, et j'étais sorti dans le jardin avec le sénateur Philip Amherst, du Massachusetts. Cet homme avisé voulait me consulter sur le choix d'un candidat comme juge à la Cour de district de Boston. Ayant passé ma vie à étudier les systèmes juridiques dans le monde de langue anglaise, je l'avais pressé de mettre de côté les mesquins intérêts partisans et de proposer au Président un homme de caractère et de savoir – et je lui avais indiqué deux juristes du barreau de Boston, tous les deux dans la force de l'âge et d'esprit sagace. J'en répondais, car je les avais eus pour élèves à la faculté de droit de Yale.

Comme nous revenions nous joindre aux autres à l'intérieur, je demandai à Amherst s'il subodorait qui allait être le nouveau président de notre Cour. (Bien entendu, je ne cherchais nullement à m'acquérir un partisan.) Je me souviens avoir été confondu, vraiment confondu, par la réponse d'Amherst.

– Walker, dit-il. (Je me suis toujours refusé à cette familiarité qu'est l'emploi des prénoms, même venant des grands représentants de la nation. Seuls mes intimes m'appellent Bradley, et je suis fier de dire que personne ne s'est jamais permis de m'appeler « Brad » ou de m'affubler d'un sobriquet.) Walker, si j'aimais parier, c'est vers notre savant et distingué sénateur doyen du Michigan que je lorgnerais.

J'ouvris de grands yeux, pour montrer que j'appréciais son humour, même par une journée si lourde.

– Mon cher Amherst, rétorquai-je, Clarence Bowers est commun, mais ce n'est ni un barbare ni un bouffon. Je suis un vieil ami du sénateur; et pour aussi distingué et savant qu'il paraisse dans *votre* chambre, il serait entièrement incompétent dans la *nôtre*. Aux séances de notre Cour, l'astuce paysanne ne peut remplacer l'érudition et la sagesse juridique. Même si ce Bowers manquait d'intelligence au point de songer à Trimble, ce dernier est lui-même trop perspicace pour ne pas comprendre qu'il se coulerait en une seule session de notre Cour, en une seule. Après tout, son surnom de Finassier dénote une certaine pénétration.

– Je n'irai pas dire que je partage vos vues quant à la valeur respective de nos institutions, poursuivit Amherst avec un sourire, non plus qu'à celle du Président. (La loyauté s'attire toujours mon respect, même lorsque, comme dans le cas d'Amherst, elle se tempère de prudence et se traduit de façon courtoise.) Cependant, le Finassier ne convoite pas la place pour lui-même mais pour accomplir ses desseins.

Je m'arrêtai au bas des marches. La nouvelle était trop savoureuse pour laisser l'oreille d'un bavard potentiel la recueillir.

– Mon cher Amherst, est-ce que vous sous-entendriez quelque chose d'inique?

– Rien de plus inique que la survie; l'autopréservation dépasse toute loi, morale ou statutaire. Le Finassier a largement dépassé la soixantaine et il veut conserver son siège de sénateur lorsqu'il devra solliciter sa réélection dans deux ans. Or les démocrates sont déjà rangés derrière un candidat solide, le doyen de la faculté de droit de l'Université du Michigan.

– Je connais un peu l'homme, dis-je. Il ne deviendra pas un trophée de plus sur les murs du Finassier, en tout cas, pas facilement.

– Non, assurément. Il est coriace, jeune encore mais assez vieux pour agir avec maturité et s'être lié avec beaucoup de gens, et c'est un grand héros, non d'une guerre mais de deux. Au surplus, il est très à l'aise financièrement, et il a des amis aussi bien dans le syndicat United Auto Workers que chez les fastueux habitants de Grosse Pointe. Croyez bien, Walker, que je sais de quoi je parle lorsque je dis qu'il est peu de pires cauchemars, pour un sénateur d'âge, qu'un brillant jeune héros de la guerre bardé de décorations pour avoir tué des Japonais et des communistes.

– Ainsi donc, mon cher Amherst, vous, l'un des piliers du Massachusetts, vous pensez que l'honorable Harwood Trimble persuadera le président des États-Unis de nommer ledit Walsh à la tête de la Cour suprême simplement pour conserver à Trimble son siège au Sénat?

– Exactement.

– Mais, s'il y a d'autres candidats tout aussi qualifiés? Je ne crains pas de dire qu'ils doivent exister par dizaines, et qu'ils vont tous se manifester.

– Dans ce cas, répondit Amherst, le Finassier rappellera au Président – qui tient à être réélu en novembre – qu'en tant que leader du grand, mais minoritaire, Parti républicain, il trouvera là l'occasion de nommer un catholique, donc de s'acquérir le vote des catholiques.

– Mais, cher ami, il y aura sûrement d'autres candidats catholiques?

– Certes, mais le Finassier détient encore un autre atout. Clarence Bowers a siégé quatorze ans au Sénat sous l'égide d'Harwood

Trimble. Dans notre jargon, il est débiteur – et l'honorable Clarence Bowers n'est pas homme à renier ses dettes. D'ailleurs, dans nos sphères, celui qui ne paie pas ses dettes est perdu.

Ayant rejoint les autres à l'intérieur, j'aperçus le sénateur-doyen du Michigan, et je lui proposai de venir plus tard chez moi, au Hay-Adams, pour partager mon dîner. Nous sommes l'un et l'autre célibataires, pour ne pas dire vieux garçons.

Il se présenta vers vingt et une heures. Je le débarrassai de son parapluie. Il s'était mis à pleuvoir, un de ces affreux orages comme nous en connaissons à Washington.

– Mon cher Trimble, comme c'est aimable à vous d'être venu malgré ce temps épouvantable.

– Oh! monsieur le juge, on arrive à un âge où une agréable société et une bonne conversation comptent plus que tout le reste. Il est heureux que ce goût vienne tardivement, sans cela, la race humaine s'éteindrait.

Ce « monsieur le juge », c'était du Trimble tout pur. L'homme était si compassé et si cauteleux qu'on ne pouvait se défendre d'une sympathie pour lui. Se trouvant au milieu d'amis, il se débarrassait graduellement de son onctuosité, comme un serpent se débarrasse de sa peau.

Je m'efforce toujours de libérer mon valet le samedi, aussi introduisis-je moi-même le sénateur dans la bibliothèque. La table était prête : welsh rabbit sur un réchaud, toasts, et une bouteille de vin blanc frappé. Il était assis précisément sur la chaise où vous êtes, et j'étais là, sur le canapé. Le mobilier était plus confortable à cette époque, car je pouvais me déplacer seul.

– Il y a longtemps que nous ne nous sommes entretenus, mon cher Trimble.

– Trop longtemps, monsieur le juge, trop longtemps, mais nous sommes au service de nos concitoyens et tous nos efforts sont consacrés à protéger leurs droits. Je crains, au demeurant, que nous nous surmenions. Notre devoir envers le contribuable serait de prendre un peu de récréation, de façon à avoir l'esprit plus aiguisé.

Tout en dégustant le vin et en dînant, nous avons parlé de vieux amis communs qui siègent au Sénat, non que les personnages soient intéressants, mais parce que nous ne pouvions l'un comme l'autre aborder de but en blanc le sujet qui nous préoccupait. Ce fut finalement Trimble qui l'évoqua :

– Dites-moi, Walker, croyez-vous que l'Esprit Saint inspirera au Président la sage décision de vous nommer à la tête de la Cour suprême?

Je ne pus réprimer un sourire : l'effronterie de cet homme était désarmante, absolument désarmante.

– Mon très cher ami, répondis-je, je subodore fortement qu'il sera inspiré par un terrestre elfe du Michigan.

– Mon vieil ami, vous avez toujours été trop fin pour moi. Cela vient peut-être de ce que vous autres magistrats passez votre temps à écouter de savants avocats tandis que nous, les gardiens de la démocratie, nous besognons pour notre maître souverain, le peuple. Sans doute avez-vous prêté l'oreille à des rumeurs. Quelles rumeurs ne circulent pas à Washington! Un sénateur instruit le Président de la plus triviale affaire, et la moitié de la ville parle de connivence.

– Vous n'avez donc pas conseillé le Président au sujet de la magistrature suprême?

– Je n'ai pas dit ça. Si le président des États-Unis demande conseil à un sénateur, le devoir moral du sénateur – et probablement aussi son devoir légal, mais vous autres savez ces choses beaucoup mieux que nous, juristes de province – est d'offrir toute l'aide dont il est capable. Voilà pourquoi notre grande démocratie fonctionne (et la sincérité de son hypocrisie arracha un sourire à Trimble).

– Si le distingué sénateur du Michigan me le permet, dis-je, je crois pouvoir rendre utile cet entretien. Je tiens d'une source inattaquable, notez-le bien, inattaquable, que vous avez besogné à la Maison-Blanche en faveur de Declan Walsh, gentleman ayant certaines ambitions sénatoriales.

Trimble sourit et attendit quelques secondes avant de répondre. Et il le fit en renonçant à sa rhétorique oblique.

– Pardonnez-moi, vieil ami, je sais à quel point vous brûlez d'avoir ce siège capital. (En fait, mon cher garçon, soyez bien clair dans votre livre : je ne *brûlais* nullement d'obtenir ce siège; simplement, je pensais qu'il couronnerait de façon congrue une carrière vouée, depuis toujours, et, je le crois, non sans distinction, à une institution publique.) Et je sais à quel point vous méritez cet honneur, poursuivit Trimble, mais avec notre administration actuelle, vous n'avez pas une chance, pas une seule. Bien entendu, ce n'est pas faute de compétence, vous le savez. (Assurément, je le savais.) Ce n'est même pas parce que vous n'appartenez pas au parti en place. Cela peut au contraire servir, à la veille de l'élection présidentielle, et vous savez que, pour certains, cela seul compte cette année.

» Non, continua Trimble, la vraie raison, c'est la façon dont on vous situe. Clarence Bowers lie votre nom au New Deal et au Fair Deal. (New Deal, certainement, mais Fair Deal, c'était là m'insulter.) En outre, vous êtes protestant, ce qui ne peut nullement nous aider avec les catholiques – et cette année, ils sont notre objectif majeur. Si le Président peut rompre l'emprise des démocrates sur le vote catholique, nous aurons de nouveau quatre années à la Maison-Blanche, et peut-être même le contrôle du Congrès. Ce qui est encore pire pour nous, vous sortez de Harvard et vous avez enseigné à Yale. Ce sont des titres qu'on apprécie peu dans le rural Midwest, or c'est justement sur le Midwest que nous allons aussi faire porter nos efforts. Être simplement le meilleur, cela ne suffit pas.

Je souris sans rancœur. Ce message, il y avait longtemps que je l'avais compris et admis, entièrement admis. On vous rend toujours imparfaitement justice en ce monde; seuls les idiots, les enfants et quelques juges insensés s'attendent à mieux.

– Et, bien entendu, le réaliste que vous êtes combat pour une cause qui a sa chance?

– Très exactement. Et je reconnais avoir un certain intérêt égoïste. Nous, les sénateurs d'âge, sommes fréquemment visités par un vilain rêve : un héros de la guerre, jeune, énergique, beau, qui possède argent, compétence et ambition politique. Pour moi, Declan Walsh *est* ce cauchemar.

– Je vous entends parfaitement. Voyons, que puis-je faire pour vous aider? Laissez-moi vous mettre à l'aise, mon cher ami, m'empressai-je d'ajouter, je suis trop sensible à la nature délicate de la position de la Cour dans le système politique américain pour faire quoi que ce soit, ou paraître faire quoi que ce soit, qui attente ne serait-ce qu'à la périphérie de la rectitude juridique. Mais il est certaines choses que je puis légitimement faire. Je ne veux pas voir Clarence Bowers maculer de boue l'hermine du magistrat en offrant le siège central à un de ses acolytes.

– C'est très généreux de votre part, Walker, très généreux.

– Non, c'est réaliste. Vous évaluez tout à fait correctement mes chances, et je suppose que vous avez également raison à propos de Walsh. Je l'ai rencontré il y a quelques années, et je me suis fait de son cerveau une idée non défavorable. Je viens en outre de parcourir deux de ses articles dans la *Harvard Law Review.* Il est intelligent et érudit, bien qu'un peu trop imprégné de sociologie pour mon goût, mais une vie consacrée à l'étude du droit a fait de moi un rigoriste sous ce rapport. Néanmoins, Walsh comprend notre Cour et les questions qui se présentent à nous. Il pourrait faire un grand juge; or, tels que je vois les autres concurrents, ce sont de petits personnages. Et si mon opinion sur eux pèche par un point, c'est par son indulgence. Plusieurs de ceux dont la presse a cité les noms sont vénaux, absolument vénaux. A côté d'eux, Richard Nixon paraîtrait la probité incarnée. Mais le moment n'est pas encore venu de se préoccuper de la presse. Quel est le véritable peloton de tête?

– Selon moi, Walker, a répondu Trimble après avoir paru chercher son inspiration au plafond, il n'y a que deux véritables concurrents. Votre collègue, Marvin Jacobson, a flagorné le Président avec art, mais un président républicain qui nommerait un Juif à la magistrature suprême n'irait pas loin politiquement. Je crains que le républicanisme de Marvin (et ici Trimble reprit son style sénatorial) soit une réelle exception. Rares sont nos amis hébreux qui ont jamais été capables d'apprécier les vertus du Parti républicain. En ce qui nous concerne, Israël est une tribu perdue.

– Dans ce cas particulier, le pays et la Cour n'ont qu'à y gagner, qu'à y gagner. Mais si frère Jacobson est hors compétition, qui y participe?

– Probablement notre estimé attorney général Roger Neilson et notre savant premier juge d'Appel du district de Columbia, Geoffrey Earl. Il est difficile de dire pour l'instant lequel essaie le plus de se concilier le Président. Ils ont tous les deux de hauts états de service dans le parti, ainsi qu'une carrière émérite dans la magistrature.

– Mais ni l'un ni l'autre ne sont pourvus à l'excès de matière grise.

– Sans doute, dit rêveusement Trimble, et cela pourrait disqualifier notre premier juge d'Appel. Il a commis l'erreur d'adresser au Président une demi-douzaine d'opinions.

– Je ne puis imaginer un président ayant le temps de les lire, remarquai-je. Et Clarence Bowers aurait-il ce temps qu'il ne les comprendrait certainement pas, à moins qu'elles soient transcrites sur téléprompteur.

– Tout à fait exact. Mais en ce qui concerne Neilson, le Président lui-même s'inquiète de cette carence de matière grise. D'autant qu'elle a suscité au Président certaines difficultés avec le Département de la Justice. Neilson lui-même est parfaitement honnête, mais il a laissé se produire certaines fameuses sottises qui pourraient mettre l'administration dans une situation épineuse. Malheureusement, Clarence ne peut pas le révoquer, car Neilson a fait basculer la Pennsylvanie en notre faveur lors de son élection. Une promotion à la Cour suprême fournirait à tout le monde une élégante porte de sortie.

– Bonté divine, quel jeu compliqué vous jouez tous! Mais cela dit, quelles sont les chances de Walsh?

– Walker, je ne suis pas de ceux qui, à Washington, s'arrogent à leurs propres fins un monopole sur le Président. Mais, en toute honnêteté, j'estime pouvoir neutraliser les pressions politiques que Neilson et Earl font jouer. Dans cette ville, j'ai beaucoup de débiteurs, et l'un des principaux, c'est Clarence Bowers. La question se ramène donc à ceci : si nous pouvons légitimement démontrer que, sur le fond, ce Walsh est un meilleur candidat que les autres – et qu'il peut nous aider davantage pour la réélection présidentielle – nos chances sont excellentes.

– Je répète donc ma question : que puis-je faire pour vous aider?

– Connaissez-vous quelqu'un de haut niveau à l'Association du Barreau américain? demanda Trimble.

– Pas vraiment. Comme vous le savez, je suis plutôt frappé d'anathème chez les troglodytes qui peuplent l'infernal séjour de ce groupe de pression réactionnaire. Mais il se trouve que le juge Albert, plus tolérant que moi envers les sots, est resté en termes très amicaux avec certains de ces personnages. Il se trouve même que, dans l'ABA, son ancien associé est membre du comité sur les Cours fédérales qui est présidé par un de ses anciens condisciples à Stanford.

– Ce sont ceux-là qui jugent de nos juges?

J'acquiesçai d'un signe de tête.

– Parfait, Walker, si vous pensez que M. le juge Albert...

– Gerald Albert et moi votons parfois différemment à la Cour, mais nous sommes pareillement préoccupés des choses qui comptent : tenir notre Cour à l'écart de la politique, et veiller à ce qu'elle fasse honneur à ses plus hautes traditions. Je crois qu'il ne trouvera pas déraisonnable ma crainte que ces valeurs soient mise en péril par la nomination d'Earl ou de Neilson, ou même – le Ciel nous en préserve – d'une de ces dignes figures dont la presse évoque les noms. Oui, je crois que vous pouvez considérer la chose acquise.

– Formidable. Mais il faut que Walsh nous aide en obtenant quelques lettres de la hiérarchie catholique. Nous aurons besoin d'un bon mélange de cardinaux et d'archevêques. Le grand apparat impressionne Clarence Bowers. Mais il est également à l'aise avec les « braves types » comme Spellman. Vous connaissez le genre : on boit du bourbon, on joue aux cartes, on est tout simple et on collecte des masses d'argent parce qu'on est un camelot-né. Mais ne vous méprenez pas, monsieur le juge (et ici Trimble revint à ses manières obliques), nous sommes au service des gens simples de notre pays; seulement, Seigneur, quand ils portent le chapeau rouge, je trouve que c'est se foutre du monde. (Je m'excuse de la crudité de l'expression, mais les sénateurs ont généralement une certaine vulgarité. Je suppose qu'il le faut pour s'attirer les suffrages de la foule.)

Je me levai et préparai deux verres de ginger ale. Quand on a vécu aussi longtemps que nous à Washington, on se garde de boire de l'alcool à une heure tardive.

– Il ne reste plus à penser qu'à notre bon juge Ruskin, l'attorney général adjoint et son équipe, dis-je. Je présume que, suivant la procédure habituelle, le Président lui a délégué la responsabilité de choisir la plupart des candidats.

– Oui, mais l'adjoint et son équipe vont être moins importants que de coutume, car le Président sait parfaitement que l'attorney général vendrait une âme – n'importe laquelle, y compris la sienne et celle de son adjoint – pour obtenir la présidence de la Cour suprême. Clarence Bowers est assez finaud pour ne tenir aucun compte de ce que dira l'adjoint.

– Mais en supposant que l'adjoint – je me laisse aller à penser à haute voix, mon cher Trimble – tout en vantant vigoureusement son chef, ait également quelques bonnes paroles à propos de notre poulain? Serait-ce utile?

– Oui, certainement.

– Eh bien – permettez-moi de continuer à penser tout haut – il se trouve que j'ai eu l'adjoint parmi mes étudiants à Yale, et que je lui ai donné un petit coup de pouce, il y a quelques années, lorsqu'il ambitionnait la magistrature dans une cour d'État. Depuis lors nous sommes assez liés, malgré nos notables différences de vues politiques.

– Vous croyez que...

– Je crois donc pouvoir bavarder avec le juge Ruskin. C'est un homme ouvert et intègre. Et, en confidence, il a encore plus piètre opinion de ce pauvre Neilson que vous ou moi.

– Formidable, Walker. Mais soyez prudent.

– Assurément, mon cher Trimble, assurément. Ayant passé ma vie à prôner la nécessité, pour l'institution judiciaire, de rester à l'écart du jeu politique, je connais les écueils. Je pense qu'après avoir lu trois ou quatre articles de Walsh et parcouru un ou deux de ses ouvrages, je pourrai écrire à l'intention du juge Ruskin un mémorandum personnel et confidentiel – sans le signer, bien entendu. Je veillerai moi-même à ce qu'il le reçoive, et en main propre. J'en fais mon affaire. Lui et sa charmante épouse m'ont prié au thé à plusieurs reprises.

– Formidable, Walker, absolument formidable.

– Puis, poursuivis-je, lorsque vous m'aurez fait savoir que le juge a transmis ces appréciations au Président – en précisant uniquement qu'elles viennent d'un haut magistrat – je crois qu'il conviendrait que Bartholomew Riddock, le chroniqueur judiciaire du *Washington Post* qui couvre les travaux de notre Cour, en reçoive une photocopie. Je puis lui en faire tenir une sous enveloppe du Département de la Justice, ainsi la fuite semblera émaner de ce quartier. Passant dans la presse, le texte donnera à notre homme la stature du candidat le plus qualifié, par contraste avec le choix officiel venant de la propre équipe de Neilson.

– Voilà une riche idée, Walker. Heureusement que *vous* n'êtes pas un homme du Michigan doué d'ambitions sénatoriales.

Venant du Finassier, l'éloge était haut, vraiment très haut. Nous sommes restés encore une heure à mettre au point divers détails. Tout cela était en fait fort divertissant. J'aurais donné cher pour voir la mine de mon collègue Marvin Jacobson lorsqu'il lirait l'article de Riddock.

Une fois Trimble parti, j'écrivis un petit mot à Walsh. Tenez, ma secrétaire en a préparé une copie à votre intention. Elle est sur le bureau, prenez-la.

2 août.

Mon cher Walsh,

Vous avez peut-être lu récemment que j'étais candidat à certaine haute charge ou que j'apportais mon soutien à d'autres. Je sais que nos relations en 1951-52, pour brèves qu'elles furent, et votre connaissance de ma carrière de magistrat ne laissent dans votre esprit aucun doute quant au respect jaloux qui est le mien pour les austères fonctions de notre tribunal dans un système démocratique de gouvernement.

Permettez-moi d'ajouter que, si une vie passée à naviguer sur les marécageuses eaux de la bureaucratie washingtonienne et le singulier univers des salons sénatoriaux peut vous être de quelque assistance dans vos propres projets, il vous suffit de prendre le téléphone. La Cour est ma vie, le droit ma religion. Si je puis contribuer à maintenir la rectitude de sa marche en aidant à faire accéder dans nos rangs des hommes d'un courage, d'une intégrité, d'une sagesse et d'un savoir signalés, j'estimerai avoir utilement vécu.

Fidèlement vôtre,

C. BRADLEY WALKER III.

2.

Environ une semaine plus tard, j'étais assis ici, dans mon bureau, à parcourir une fournée de « satanées certs », comme nous appelons les requêtes en ordonnances de *certiorari.* Vous n'ignorez pas que la majorité des affaires nous parviennent de la sorte. La partie qui a perdu devant la plus haute juridiction d'un État – à condition qu'il s'agisse d'une question d'interprétation d'une loi fédérale ou de la Constitution – ou devant une cour d'Appel nationale, peut nous requérir en révision de son affaire. Techniquement, la requête ne porte que sur l'ordonnance de certiorari par laquelle la juridiction inférieure doit nous transmettre l'affaire pour examen. Nous avons la latitude absolue de décider de faire, ou non, droit à ces requêtes. Lorsque j'ai accédé à la Cour, nous en recevions quelque quinze cents par an; lorsque j'ai pris ma retraite, leur nombre avoisinait quatre mille, dont un bon millier gribouillées par des détenus de pénitenciers. Nous les traitons toutes avec sérieux, Dieu seul sait pourquoi.

J'étais donc assis là, en cet après-midi d'août, lorsque la sonnerie du téléphone retentit. Je reconnus aussitôt les tournures ampoulées.

– Monsieur le juge, ici Trimble. Pourriez-vous m'accorder quelques instants de votre temps précieux?

– Toujours à votre service, Trimble.

– L'affabilité du juge n'a d'égale que sa compétence. L'Amérique n'a pas assez de serviteurs de l'État aussi intelligents et intègres que vous l'êtes. (Je n'ai pas répondu. Que peut-on dire à un personnage d'une telle impudence?) Je dois aller à New York après-demain, poursuivit-il, pour offrir quelques humbles avis à une commission de l'O.N.U., et je me suis demandé, puisque la session de la Cour n'est pas encore ouverte, si je ne pourrais pas profiter de votre offre de m'initier aux meilleurs aspects du théâtre new-yorkais. Je descends au Plaza.

(Mon cher garçon, sachez que Trimble a toujours cru que son téléphone était sur table d'écoute. Je ne lui avais évidemment jamais offert de l'emmener au théâtre. Mais cela pouvait sembler plausible à des oreilles indiscrètes. Après tout, ayant passé ma vie à me tourner vers la culture, je me suis fait une réputation non négligeable, certainement non négligeable, de critique des arts du spectacle.)

– Très cher sénateur, répliquai-je, ce sera avec plaisir. Je vais téléphoner à des amis pour m'enquérir de ce qui se donne. J'essaierai moi aussi de descendre au Plaza.

Le lendemain matin je m'envolai pour New York, où je passais l'après-midi avec de vieux amis qui montaient une pièce off-Broadway. A vingt heures, le sénateur me fit signe et j'allai le retrouver dans sa suite. Je trouvai en sa compagnie Walsh et un autre homme en qui je reconnus Sidney M. Keller, personnage, je dois dire, assez vulgaire – esprit brillant et agile, certes, et sachant fort bien son droit, mais manquant de profondeur; ce n'était pas un grand esprit. Et quelle vulgarité! Comme vous devez le savoir, je me suis fait une règle de vie de ne jamais me livrer à des ragots, mais ce Keller était un homme à femmes, presque un obsédé. Et avec cela assez facétieux, avec des espiègleries qui siéraient à un enfant.

Je remarquai que Walsh portait encore la barbe. Je suppose que ces pilosités continuaient à être en vogue dans les universités. Mais je vous en ai déjà parlé, non? Cependant, la sienne était bien taillée. Brun foncé, elle avait des reflets roux et plus de touffes poivre et sel qu'un homme aussi vain de sa personne le pouvait souhaiter.

– Entrer, monsieur le juge, dit le sénateur avec effusion, prenez un verre. Le juge Walker a consenti a nous livrer le fruit de sa sagesse sur cette affaire, indiqua-t-il à Walsh et à Keller, et comme Walsh ouvrait la bouche, il le prévint d'un signe de la main : Écoutez, doyen, qu'il soit bien clair que pas plus la justice que moi-même ne voulons de remerciements. Simplement, en tant que serviteurs de l'État, nous essayons de contribuer à la bonne marche de ses institutions. Que nous fassions seulement un peu de bien, et là sera notre récompense.

Walsh avait un air légèrement railleur. Ce Keller faisait des mines.

– Je propose, poursuivit Trimble, que nous passions la soirée ensemble pour dresser nos plans. Faisons-nous monter à dîner, car il ne serait pas prudent d'être vus tous les quatre en public. Il ne s'agit pas de donner à la presse l'impression d'une cabale. (Le sénateur nous tendit des menus et nous fîmes notre choix. Il nous proposa aussi de boire un verre, mais seul Keller accepta.) Je vais résumer la situation, dit alors Trimble, en baissant considérablement la voix. Je viens de voir le Président à deux reprises, et l'idée du doyen comme président de la Cour suprême fait son chemin auprès de lui. Il se souvient de vos états de service pendant les hostilités. J'ai pris sur moi de lui laisser un exemplaire de *Haut-de-forme Six*, et la semaine dernière il m'a dit : « Nom d'un chien, ça fait du bien de voir que l'Amérique produit toujours de vrais combattants. »

(Je crois que le sénateur a rapporté sans inexactitude les propos de notre glorieux Clarence Bowers. Voilà précisément le genre de déclaration béate que le personnage pouvait faire à propos d'un ouvrage vulgaire. Évidemment, Walsh avait visé un public sous-développé intellectuellement, et avec Clarence Bowers, il avait mis dans le mille.)

– La première étape, continua Trimble, consiste à obtenir des lettres de la hiérarchie catholique : quelques archevêques et au moins un cardinal.

– Je fais ici des réserves, dit Walsh.

– Doyen, reprit Trimble, comme vous je m'oppose à impliquer les hommes d'Église dans les affaires politiques. Mais vous n'irez tout de même pas dénier à un citoyen américain son droit constitutionnel à solliciter son gouvernement simplement parce qu'il a choisi de servir Dieu au lieu d'amasser une fortune? En conscience, nous devons laisser les prêtres – et les pasteurs ou les rabbins, au même titre que les agnostiques et les athées – exercer leurs droits constitutionnels. Au surplus, ajouta-t-il, si nous ne faisons rien auprès des amis que vous comptez dans la hiérarchie, d'autres feront quelque chose auprès des ennemis que vous y avez peut-être. Il faut que vous saisissiez tous l'importance de cette question de religion. Le Président veut le vote catholique, il en a besoin. Si rien n'indique positivement que la nomination de Declan Walsh sera favorablement reçue par ceux qui dirigent l'Église catholique, il choisira un autre candidat. Permettez-moi, doyen, de suggérer un compromis qui soulagera votre conscience tout en atteignant le but visé : nous ne demanderons de prise de position qu'aux membres de la hiérarchie catholique américaine. Nous ne tenterons rien auprès des Canadiens, des Mexicains, ni même des Italiens. Cela dit, connaissez-vous des cardinaux à qui vous pourriez vous adresser, doyen?

– Un seul.

– Et des archevêques?

– Deux.

– Et vous, M. Keller?

– Ne regardez pas dans ma direction, sénateur. Je suis un Juif agnostique de Chicago circulant dans l'ombre du grand homme. Je ne connais même pas un rabbin. Mon dernier contact avec le clergé remonte à la Corée, un soir où, étant rétamé, je me suis soulagé par erreur contre la tente de l'aumônier. Et encore, il était luthérien.

– Très bien, dit Trimble, qui ne sourit même pas de la vulgarité de Keller. Doyen, à vous de jouer. Tout ce que vous avez à faire, c'est de demander à ces gens s'ils accepteraient de donner leur sentiment à la Maison-Blanche. Vous n'avez pas à solliciter qu'ils en prennent l'initiative. Je veillerai à ce qu'ils soient contactés. Il me faut simplement leurs noms. Je puis vous assurer que le Président aura connaissance de ce qu'ils ont à dire.

Walsh acquiesça d'un air morose. Je ne m'attendais pas à de telles répugnances chez quelqu'un saisi de démangeaisons politiques. Mais ne suis-je pas injuste envers Walsh? Peut-être l'idée de présider la Cour suprême l'avait-elle purgé de ses ambitions politiques.

– Le stade suivant, nous indiqua Trimble, c'est l'ouverture d'une campagne de presse restreinte. Nous voulons attirer suffisamment l'attention pour qu'il soit bien clair que vous êtes un candidat sérieux, mais cependant pas trop, afin que vous ne soyez pas le premier en lice contre qui tous les autres se mobilisent. Monsieur le juge Walker a été assez bon pour préparer un mémorandum à l'intention de l'attorney général adjoint qui est théoriquement chargé du recrutement des magistrats. Ce mémorandum est une froide analyse de certains de vos textes, doyen, mais l'appréciation est « mention bien ».

– Pas « mention très bien »? me demanda Walsh en souriant.

– A Yale, répondis-je, j'avais une réputation non entièrement imméritée de critique exigeant.

– En tout cas, s'interposa Trimble, j'ai appris ce matin que quelqu'un avait transmis occultement un double de ce mémorandum, malheureusement non signé, à Bartholomew Riddock du *Washington Post*. Il serait arrivé dans une enveloppe à en-tête du Département de la Justice. Il ne sert à rien de conjecturer les origines de la fuite. A ce que je sais, Riddock fera usage de ce document, et cela ne peut que nous aider – nous aider énormément. Mais il nous en faut plus. Doyen, connaissez-vous quelqu'un au *New York Times*?

– Kenneth Willard, vaguement. C'est un activiste libéral passionné, qui se préoccupe rarement de publier des informations exactes. Il me semble que le juge Walker le connaît mieux et estime peut-être son travail plus que je ne le fais.

Je tiens à préciser, mon cher ami, que j'ai aussitôt indiqué clairement, très clairement, que je tenais peu de journalistes en si faible estime. Franchement, l'homme était pire qu'un ennemi. Il embrassait les bonnes causes, mais pour tous les mauvais motifs. Un véritable fâcheux. Je suggérai que nous nous adressions à quelqu'un d'autre, mais Trimble pensait que Walsh était exactement le genre d'homme pour qui Willard prendrait fait et cause.

– Quelle est la valeur du *Chicago Tribune* pour nos projets? demanda Keller.

– De l'or, M. Keller, de l'or pur. Le Président préfère les journaux républicains, particulièrement ceux qui ne s'embarrassent pas trop d'idées, répondit Trimble avec pétulance. Et là, le *Chicago Tribune* n'a pas d'égal. A quoi songiez-vous?

– Dec, vous vous souvenez de Bob Twisdale? dit Keller. Il a fait deux reportages sur le 2e bataillon en Corée, et vous avez passé plusieurs heures à lui répondre après nous avoir tirés de Caspar. Depuis quelques années il vit un peu en nomade, en parlant toujours du grand roman américain qu'il va écrire, mais il assure sa matérielle en rédigeant un article quotidien qui passe dans plusieurs journaux, dont le *Chicago Tribune*.

– Formidable, absolument formidable, lança Trimble. Voyons, que devrait-il dire?

Keller tira un bloc-notes jaune de sa serviette :

– Quelque chose dans ce genre, qui viendrait après une appréciation mesurée des principaux concurrents :

Le plus remarquable et le plus qualifié parmi ceux dont les noms sont évoqués dans Washington est certainement Declan Walsh, le combattant de Corée titulaire de la Médaille d'honneur du Congrès et lauréat du prix Pulitzer en 1952 pour son ouvrage *Haut-de-forme Six*. Éminent juriste, actuellement doyen de la faculté de droit de l'Université du Michigan, Walsh a également été le représentant personnel de deux présidents auprès du Vatican. En dépit de sa haute valeur intellectuelle et de sa vaste expérience de juriste, de militaire et de diplomate, Walsh est crédité de peu de chances dans les milieux bien informés. Politiquement, il n'appartient pas au bon parti; et, bien qu'il fasse professionnellement autorité, il n'a aucun lien avec les politiciens qui assailleront le Président pour qu'il nomme leurs amis.

– Qu'est-ce que vous en pensez, sénateur?

– Moi, je vous noterais « passable », persifla Walsh.

– Le fond est bon, maître, le fond est bon, chantonna Trimble, mais il faut terminer par une pointe qui aiguillonne le Président. Voyons, que penseriez-vous de ceci, comme phrase finale : « Au demeurant, les cyniques prétendent que si le Département de la Justice a laissé transpirer le nom de Walsh, c'est uniquement pour donner au public la rassurante impression que l'Administration songe à des hommes n'ayant pour eux que leurs mérites. »

– Épatant, sénateur, dit Keller. Si vous vous trouvez jamais chômeur, le cabinet Milbank, Hughes, Hudson et Webster vous est grand ouvert.

– La seule question, maître, est de savoir si votre Twisdale passera un tel texte. Il est un peu appuyé, mais bon – et ce qui compte, bien entendu, c'est qu'il est honnête. (Keller fit un signe d'assentiment.) Sachez maintenant que je tiens de la meilleure source que lundi matin un groupe bipartite de six sénateurs adressera à la Maison-Blanche une lettre soutenant notre bon doyen. Là, messieurs, réside l'essence de la démocratie : six honnêtes élus s'élevant au-dessus de leur parti pour le bien de leur pays. Voilà ce qui fait la grandeur de l'Amérique.

(Mon cher, il n'était pas difficile de prévoir que les six sénateurs seraient soit de vieux amis de Trimble, soit des gens qui lui devaient beaucoup, ou les deux ensemble. Et ils n'ignoraient pas, assurément pas, ce que la nomination de Walsh représenterait pour Trimble.)

– Monsieur le juge, me demanda alors Trimble, votre distingué collègue Gerald Anthony Albert a-t-il accepté de parler à ses amis du comité de l'Association du Barreau américain?

– Les qualifications de Walsh ont fait une profonde impression sur le juge Albert, et celui-ci est prêt à en entretenir le président du comité. Nous attendons votre signal.

– Parfait, monsieur le juge, parfait. Le signal est donné. Peut-être à la fin de cette semaine, peut-être au début de la prochaine, quelques noms seront présentés à l'appréciation du comité. Le Président aimerait donner à l'ABA les noms de trois ou quatre candidats de premier plan. Je ne sais dans quelle mesure il tiendra compte de leur opinion sur les mérites respectifs des candidats, mais je suis absolument sûr qu'il ne nommera pas quelqu'un qui n'aurait pas l'aval de l'ABA.

A ce moment-là, un serveur nous apporta le dîner. J'ai pour principe – et Trimble me suivait sur ce point – de ne jamais parler affaires pendant le repas. Walsh avait là-dessus des vues différentes, mais notre sagesse prévalut. Nous bavardâmes de choses et d'autres en dînant, puis nous nous remîmes au travail. Il restait encore des détails à régler, mais les décisions fondamentales étaient prises. L'enfant était né.

Par la suite, Walsh me raconta ses entrevues avec le clergé. Je ne puis me remémorer les noms des deux archevêques – j'aurais dû les noter sur le moment dans mon journal, mais j'étais alors trop occupé, vraiment trop occupé. En tout cas le cardinal que connaissait Walsh était Charles Pritchett, un homme que j'avais rencontré quinze ou vingt ans plus tôt à Yale, où il était invité par la faculté de droit comme maître de conférences. A la différence de la hiérarchie catholique américaine en général, c'était un intellectuel et un lettré de quelque réputation, une autorité en matière de droit canon, et il était déjà un de ces jeunes et brillants sujets que l'Église distingue en vue de hauts offices. Il avait été formé au Collège nord-américain de Rome. Par la suite, il avait passé son doctorat en droit canonique à l'Université grégorienne, qui est l'Université jésuite, puis il avait enseigné pendant plusieurs années à l'Université pontificale du Latran. C'est durant cette période qu'il avait écrit un remarquable traité sur le droit médiéval. Et c'est à cause de cet ouvrage que nous l'avions invité à Yale.

C'était une personnalité douée d'un charme irrésistible mais aussi d'une énergie sévèrement disciplinée, sévèrement, m'entendez-vous? Je suis convaincu, pour avoir étudié toute ma vie les réussites professionnelles, que cette « variable critique » du succès dont parlent les sociologues n'est pas l'intelligence – pourvu qu'elle atteigne tout de même un seuil minimum – mais l'énergie disciplinée. Pritchett possédait cette qualité, mais également un bon jugement ainsi qu'une certaine sérénité. Je savais, même en ce temps-là, qu'il recevrait un jour le chapeau – il a d'ailleurs été le plus jeune cardinal américain.

Pardonnez-moi cette digression. Nous parlions de la visite de Walsh à Pritchett. Et bien, ils se connaissaient depuis Rome, au temps où Walsh y était le représentant personnel de Truman. Et, par la suite, leurs chemins s'étaient fréquemment croisés, car Pritchett était archevêque de Detroit lorsque Walsh enseignait à Chicago.

Ayant été l'ami et le collègue de Pritchett, je n'ai pas hésité à l'interroger – quelques années plus tard, bien sûr – sur l'entrevue. Il s'en souvenait parfaitement. Walsh était manifestement mal à l'aise.

– Éminence, avait-il commencé, il me déplaît de vous mettre dans une position gênante.

Pritchett avait souri. Il savait précisément pourquoi Walsh lui rendait visite. On ne devient pas cardinal, m'avait un jour confié Pritchett, ni même évêque, en priant et en jeûnant, du moins pas *uniquement* en priant et en jeûnant.

– J'éprouve rarement de la gêne, et je sais très bien dire non.

– Eh bien, moi, j'en éprouve malheureusement en ce moment. J'irai à l'essentiel. Il semble que, parmi d'autres, on pense à moi pour la présidence de la Cour suprême des États-Unis. Il est évidemment peu probable que la foudre me frappe, mais certains amis de Washington pensent qu'un aval de votre part y aiderait. La Maison-Blanche vous joindra elle-même. La justification de ma démarche, c'est que mes amis et concurrents ne tarderont pas à vous solliciter eux-mêmes. Je peux vous protéger des premiers mais pas des derniers.

– La lecture des arrêts de ce tribunal, dit Pritchett d'un air songeur, me donne à entendre qu'il y a un mur de séparation entre l'Église et l'État, un mur qui ne peut être percé que si vous, les politiciens, ou nous, les ecclésiastiques, trouvons bon de le percer. Si vous me passez l'allitération, nous sommes pragmatiques dans notre pratique et dogmatiques dans nos décrets. Répugnerais-je à me mêler de politique que j'entrerais au monastère. Et Dieu m'en préserve, car je n'ai jamais pu supporter les levers matinaux et toute cette calme méditation. Les seuls problèmes, à mon sens, concernent la prudence. Je dois éviter les prises de position qui seraient interprétées comme une aide à l'un ou à l'autre parti, sauf si la foi ou la morale sont directement en question – et les chefs des deux partis sont si habiles à mitiger leurs propos et à ménager la chèvre et le chou que ma perception théologique n'a encore jamais pu découvrir entre eux une différence nette quant à la foi et à la morale.

Les deux hommes restèrent un moment silencieux, puis Pritchett reprit :

– Peut-être, sera-ce manquer de prudence, mais je crois que je vais prendre position. Et je n'attendrai pas que l'on m'interroge. Je vais également chercher à obtenir le soutien d'un ou deux de mes collègues. Cela me fera vraiment plaisir de penser que je vous ai aidé.

– Merci, Votre Éminence. Je suis sûr que tout ce que vous ferez sera précieux.

– Je ne suis pas certain que vous me remercierez dans quelques années, et je ne mérite pas de remerciements pour l'instant. Je vous ai dit que cela me ferait plaisir de penser que je vous avais aidé, et ce n'est pas une figure de style. Vous êtes sous bien des rapports un homme extraordinaire. On dirait, chez nos frères séparés, que vous avez été touché par le destin; je préfère penser que vous avez été touché par Dieu. Vous avez reçu de grands dons, et vous les avez bien utilisés. Lorsque j'ai fait votre connaissance à Rome, j'ai songé que nous avions quelque chose de commun, outre le goût du droit et de la conduite des hommes, quelque chose de plus profond. Je ne puis lui donner un nom. En ce qui me concerne, cela touche à mes sentiments religieux fondamentaux, non à ma croyance.

– Je n'ai jamais examiné très attentivement les miens, Éminence.

– Vous devriez en prendre le temps. C'est une expérience intéressante, lumineuse, un peu comme de contempler l'autre monde sans avoir à faire le voyage. Et maintenant, dit le cardinal en consultant sa montre, je suis désolé de vous brusquer, mais il me faut informer une délégation de saintes religieuses que je n'ai pas d'argent pour les aider à ouvrir une maison d'accueil pour anciens drogués. Je bénis leur digne œuvre, mais je ne puis la financer. De nos jours, hélas! les dames, même nonnes, considèrent la pauvreté ecclésiastique plus comme un péché que comme une vertu. Je subodore que d'aimables dames promèneront bientôt des pancartes devant la chancellerie, et que pour leur trouver de l'argent je devrai vendre ma Ford, comme j'ai vendu ma Lincoln il y a trois ans. Priez pour moi. Je suis beaucoup trop grand pour tenir à l'aise dans une Volkswagen.

3.

Nos plans commencèrent rapidement à porter leurs fruits. Le jeu était plaisant, même pour quelqu'un d'aussi éloigné que moi de la politique. L'article de Bartholomew Riddock parut trois jours après notre conciliabule de New York, et celui du fameux Twisdale fut publié dans l'édition dominicale du *Chicago Tribune.* Riddock s'en tint exactement aux termes du mémorandum que j'avais rédigé à l'intention de l'attorney général adjoint, en indiquant simplement qu'il était dû à un haut magistrat réputé pour la solidité de son jugement. Seuls ceux qui connaissaient bien les travaux de notre Cour pouvaient en pressentir l'auteur, et encore n'auraient-ils jamais de certitude absolue. Quant à Twisdale, il n'avait pas changé une virgule au canevas fourni par Keller et Trimble. (Vraiment, mon cher, ces journalistes sont d'une rare hypocrisie. Ils proclament bien haut leur intégrité tout en prostituant leur plume si on leur fournit la copie toute prête.) Toujours est-il que notre parole était semée. Walsh faisait maintenant figure de candidat le plus digne de la charge, mais ayant les plus minces chances.

Il y avait cependant des embûches sur le parcours. L'attorney général, pauvre stupide créature, intensifiait sa campagne. Mais le plus ennuyeux venait de ces horribles associations féministes, essayant de pousser le Président à nommer une femme. Malgré ma contrariété, je ne pouvais me défendre d'admirer leur impudence. Une femme dans notre Cour! Voyez-vous ça! Imaginez-vous une femme gardant le secret comme nous le devons? Ou s'abstenant de jaser sur ses collègues derrière leur dos? Impossible, à tout jamais impossible. Néanmoins, Clarence Bowers étant un politicien, race qui n'est pas réputée pour son courage, je tremblais qu'il se rende à ces pressions. Les pathétiques efforts de notre collègue de la Cour, Marvin Jacobson, pour se faire valoir comme candidat, étaient plus amusants et infiniment moins dangereux. Je vous ferai grâce des détails inélégants de sa campagne, Jacobson manquant autant de goût que de savoir-vivre.

Une dizaine de jours après notre conciliabule de New York, je téléphonai à Trimble pour savoir où nous en étions, mais il refusa absolument de parler, et même de me laisser poser la moindre question. Je me souvins alors de sa paranoïa à propos des tables d'écoute. Une heure plus tard c'était lui qui m'appelait de la cabine téléphonique d'un restaurant pour m'informer que le F.B.I. menait une enquête de fond sur Walsh – ce qui n'était assurément pas de mauvais augure – et que, par ailleurs, plusieurs correspondants d'agences de presse avaient cherché à interviewer notre candidat – autre présage non défavorable.

A peine avais-je reposé le combiné que la sonnerie retentit de nouveau : c'était mon collègue, Gerald Albert, un des hommes les plus capables dont ait jamais pu s'honorer la Cour suprême. Il m'indiquait qu'il avait eu plusieurs contacts avec ce Smythe du comité de l'ABA sur les cours fédérales, le « juge des juges », et que Smythe l'avait appelé en disant qu'il souhaitait venir immédiatement le voir chez lui, à Chevy Chase. Je n'ai eu que le temps de prendre un taxi. (Je me flatte de ne m'être jamais distrait des activités sérieuses pour apprendre à conduire.)

Ce fut Elizabeth, l'épouse d'Albert – un être délicieux – qui m'introduisit dans le bureau. Vous n'entendez pas citer le nom d'Albert parmi les grands juges de notre Cour, et pourtant il était un grand juge. Notre ancien président l'avait baptisé « mon chancelier », titre en soi éloquent.

Il avait une logique incisive et un vaste savoir. Je n'aurais pas été surpris s'il m'avait récité par cœur tout le code de droit fédéral. Non seulement se souvenait-il du nom des affaires – ce dont j'étais incapable – mais également de la tomaison du volume d'archives qui les renfermait. Et ce n'est pas un mince exploit lorsque l'on sait que les arrêts de la Cour, pendant la période où nous en étions tous deux membres, ont dépassé leur quatre cent cinquantième volume.

Physiquement, il n'avait rien d'impressionnant. Il était épais, un peu obèse même, avec des cheveux blancs clairsemés et des yeux d'un bleu vif. Il avait la peau blême, car il ne pouvait supporter le soleil, même à petites doses. Fumeur de pipe invétéré, il transportait toujours sur lui plusieurs blagues à tabac – toute sa personne empestait le tabac – qu'il ne cessait d'égarer. Cette affreuse habitude – je veux dire l'habitude de fumer – était le seul vice d'Albert. Il avait une voix cultivée d'homme cultivé, mais un peu rauque, certainement à cause de cette infecte fumée qui lui brûlait la gorge et les poumons.

Ce jour-là donc chez Albert, nous bavardions à peine depuis cinq minutes, lui, Elizabeth et moi – nous avons toujours entretenu les plus cordiales relations – lorsque parut J. Porter Smythe, le pompeux président du comité de l'ABA. Il refusa le madère qu'Albert voulait nous servir, en prétextant qu'il était trop pressé. A ce moment-là, je mis en marche ce petit enregistreur de poche. Il est moins perfectionné que le vôtre, mais il suffisait. Je pensais que la postérité devrait savoir textuellement comment s'exprimait J. Porter Smythe, précenseur des magistrats fédéraux. Je vais vous passer l'enregistrement en identifiant les voix :

ALBERT. – J'ai demandé au juge Walker d'être présent, Porter, parce qu'il connaît assez bien Walsh.

WALKER. – Uniquement de façon professionnelle, mon cher Smythe. Je l'ai vu à diverses reprises, mais nous ne sommes nullement intimes. En revanche, je connais très bien son œuvre de juriste.

SMYTHE. – Hum, hum, qu'est-ce que vous en pensez, enfin, est-il compétent, monsieur le juge?

WALKER. – Ayant passé toute ma vie d'adulte à servir le droit, je ne parle pas sans quelque autorité. Walsh est manifestement – manifestement – un juriste intelligent et savant. Il a indubitablement maîtrisé notre science. Quant à son aptitude à diriger, sa carrière parle d'elle-même, d'Iwo Jima à la Maison-Blanche, en passant par la Corée et le Vatican, pour finir par ses fonctions actuelles de doyen d'une insigne faculté de droit.

SMYTHE. – Oh! ça, pour être savant, sans aucun doute; mais, hum, est-ce qu'il est sain?

WALKER. – Sain?

SMYTHE. – C'est-à-dire, heu, politiquement sain.

WALKER. – Mon cher Smythe, pour moi qui tiens si fortement à ce que la Cour et ses membres restent à une distance antiseptique du virulent botulisme de la politique des partis, c'est une question à laquelle je ne puis répondre, hormis par cette évidence que le doyen Walsh n'est ni fasciste ni communiste.

SMYTHE. – Oui mais, heu, monsieur le juge, pour la pratique, hein? Je veux dire qu'il connaît très peu les tribunaux, il n'a en somme aucune expérience du judiciaire.

ALBERT. – Porter, vous faites fausse route en nous posant de telles questions. Vous savez bien qu'avant d'accéder à la Cour suprême, pas plus le juge Walker que moi n'avions jamais siégé comme magistrats.

SMYTHE. – Eh bien, c'est que...

WALKER. – Mon cher Smythe, un juriste aussi lettré que vous a certainement lu mon ouvrage sur l'histoire de la Cour suprême. J'y démontre, à l'aide de preuves irréfutables, absolument irréfutables, que la grandeur dans ce domaine n'a absolument rien à voir avec une précédente expérience des tribunaux. Certains grands noms de notre Cour étaient déjà magistrats : Field, Holmes, Van Devanter par exemple. D'autres n'avaient jamais ni siégé ni plaidé : Marshall, Taney, Brandeis, Hughes ou Black. La balance est égale des deux côtés. La seule conclusion correspondant aux faits, c'est qu'une expérience judiciaire préalable est sans portée sur la grandeur dans notre Cour.

Voilà, j'arrête cette machine. Smythe était si épouvantablement assommant! Il n'avait évidemment pas lu mon livre, et il ne devait même pas en connaître l'existence. Un cerveau de pygmée. Mais ce qui me rasséréna, c'est qu'il n'avait rien demandé sur d'autres candidats. J'y vis un signe que Trimble progressait avec son ami de la Maison-Blanche. La lecture de la presse ne permettait pas de le discerner. En plus du *New York Times*, j'étais abonné au *Chicago Tribune* et au *Star*, mais leurs articles là-dessus n'étaient que conjectures et ragots. Le nom le plus souvent cité était celui de l'attorney général, et même celui de notre collègue Jacobson était mentionné – d'ailleurs beaucoup plus favorablement qu'il ne le méritait. Quant à Walsh, on en parlait de temps en temps, plutôt comme d'un outsider. Ce qui était parfait, car Trimble le disait fort justement : tout le monde tire sur le chef de file; l'obscurité de Walsh le protégeait plus ou moins des attaques des partis.

Le lendemain, vers vingt-trois heures trente, alors que j'étais au lit, en train de lire, on m'appela au téléphone. Je reconnus immédiatement la voix de Trimble :

– Monsieur le juge, j'ai pensé que vous aimeriez savoir que notre ami sera reçu par le grand patron demain à dix heures? Je crois entrevoir le triomphe de la vertu. Il semble que vous et moi pouvons nous enorgueillir de ce que nous avons accompli pour notre formidable pays.

Comme j'aurais aimé assister à l'entrevue entre Clarence Bowers et Walsh. Bowers avait été dans la Flotte pendant la guerre de Corée, et il affectait volontiers l'argot des matelots, bien qu'il ne soit jamais sorti du Pentagone. On disait, de bonne source, qu'en bateau sur le Potomac il souffrait du mal de mer. Le jargon de Walsh a dû le transporter. Apparemment tout fut lumineux, tout au moins c'est ce que Trimble, qui était présent, rapporta.

Et le premier lundi de septembre, à midi, un messager spécial de la Maison-Blanche apportait au Sénat la nomination de Walsh à la présidence de la Cour suprême. L'autre sénateur du Michigan, le collègue démocrate de Trimble, Lawrence Fletcher, annonça tranquillement et, dirai-je, non sans élégance, la nomination de Walsh, qu'il accueillit comme dûment méritée et comme une haute manifestation d'indépendance à l'égard des partis. Trimble fit, lui aussi, une brève allocution, mais avec beaucoup plus d'onction. Sans objection, la nomination fut alors remise à la commission de la Justice. Le président de cette commission, Archibald Swinton Timrod Rutledge, créature curieuse (pendant des siècles il a mal représenté, mais avec grâce, les Blancs de Caroline du Sud et, avec un total manque de grâce, il a expectoré, si vous me passez cette audacieuse image, sur les droits des citoyens noirs de ce même État), annonça que les auditions commenceraient dans une semaine, jour pour jour. Il y avait, encore que ténu, un espoir que lorsque nous nous réunirions un mois plus tard, le premier lundi d'octobre, notre Cour suprême aurait un nouveau président.

4.

Mon cher jeune homme, il me vient une bonne idée. Vous pourriez prendre tout seul connaissance des *Auditions*, mais j'en ai si souvent reparlé avec Walsh et Trimble que je peux leur donner une couleur que vous ne sauriez dégager de la seule lecture des sténographies. Donnez-moi les dossiers verts qui sont sur le rayonnage derrière le bureau : voilà les *Auditions*. Vous allez rester debout derrière le canapé, et lire par-dessus mon épaule, tandis que je les feuilleterai en ajoutant au passage des précisions.

Sachez d'abord que les auditions se tenaient dans l'ancienne salle du Sénat – il y a longtemps que j'ai oublié pourquoi, si même je l'ai jamais su. J'aime ce lieu, peut-être parce que s'y tinrent mes propres auditions. Ses hauts plafonds lui confèrent une majesté qui rappelle ces temps disparus où l'Administration songeait plus à la beauté architecturale qu'au prix de revient du mètre carré. Il y avait une estrade portant des bureaux disposés en demi-cercle, avec, sur chaque bureau, un microphone et une plaque au nom du sénateur. Dans le demi-cercle, étaient rangés, en contrebas des bureaux pour l'avocat de la commission, les assistants et les sténographes. Face au demi cercle, il y avait une table et deux chaises pour le témoin et son conseil juridique, s'il choisissait d'être ainsi assisté.

Nous n'étions qu'au début septembre, et la climatisation luttait difficilement contre la chaleur de la matinée. La salle n'était nullement comble; bien qu'une douzaine de journalistes et de photographes attendaient en bavardant entre eux, l'assistance comptait relativement peu de citoyens intéressés. La foule est stupide. Les auditions du Sénat constituent souvent d'instructifs débats d'idées, ou parfois de vulgaires joutes, mais les hordes de touristes qui, l'été, envahissent Washington préfèrent l'assommante inanité des débats dans l'une ou l'autre des deux chambres.

A onze heures précises, le président de la commission de la Justice, l'honorable Archibald Swinton Timrod Rutledge, sénateur doyen de Caroline du Sud, réclama le silence. Il expliqua que ces auditions seraient conduites par une sous-commission extraordinaire de la commission de la Justice. Au même moment entrèrent les deux autres membres de la sous-commission. Le premier était Carol Vanderbilt, sénateur démocrate du Nouveau-Mexique, un néophyte de trente-huit ans qui s'était déjà taillé une réputation de libéral remuant et fait connaître nationalement pour s'être opposé à l'intervention américaine en Afrique. (De vous à moi, il se taillait en même temps une réputation de Casanova. Selon des racontars, dont, personnellement, je ne tiens aucun compte, il serait passé dans la moitié des lits de Washington. A son crédit, on ne lui attribuait que des partenaires féminines, ce que l'on n'a jamais fait pour les compagnons de lit du sénateur doyen de Caroline du Sud.)

L'autre sénateur était Frank Alexander, un républicain de New York. Quinquagénaire, bel homme, le cheveu argenté, il avait l'esprit épais mais prompt, le pied agile politiquement, et un attachement aux principes qui relevait du caméléonisme. Trimble, qui était tout sauf un novice dans l'art de récolter des voix sans prendre d'engagement, me glissa d'une voix étranglée par la révérence qu'il était un grand admirateur d'Alexander. Lorsqu'il n'était pas à un bout quelconque de l'État de New York, en train d'assister à un mariage, un baptême ou une bar mitzvah, Alexander était un redoutable adversaire. « L'ennui, se plaignit Trimble, c'est que l'on ne sait jamais qui il va poignarder dans le dos, ami ou ennemi. La seule chose dont on puisse être sûr, c'est que quelqu'un qui ne s'y attendait pas va saigner. Il est aussi fixe qu'une girouette : libéral aujourd'hui, demain conservateur, réactionnaire la semaine prochaine. Surveillons-le attentivement. »

Le président annonça alors que la sous-commission était autorisée à siéger pendant la séance du Sénat, et qu'elle acceptait la participation aux auditions de l'honorable Harwood Trimble, sénateur doyen du Michigan.

Ainsi la sous-commission aurait un interrogateur hostile, un autre relativement amical, et un opportuniste. Pour sa part, Trimble s'emploierait, avec son habituelle onction, en faveur de Walsh.

Et puis la pièce commença vraiment. Après une pause calculée, le sénateur Rutledge annonça :

– Nous avons invité le doyen Walsh à comparaître devant nous, et il y a consenti. Doyen, si vous voulez bien venir vous asseoir à la table des témoins, la sous-commission aimerait vous entendre. Nous accordons trois minutes aux photographes.

Sur cette invitation officielle à prendre des clichés du témoin vedette, plusieurs des photographes de presse braquèrent leurs appareils sur Walsh et sur la sous-commission. Lorsque tout le monde eut été proprement aveuglé par les flashes, l'avocat de la sous-commission demanda à Walsh de décliner ses nom et adresse pour le procès-verbal. Après s'y être prêté, Walsh ajouta :

– J'ai suivi le conseil donné en son temps à un juge anglais qui envisageait de poursuivre un quotidien en diffamation : j'ai pris un avocat compétent. Voici M. Sidney Michael Keller, qui exerce à New York et occasionnellement ici, à Washington.

– Vous avez été bien avisé, doyen, répondit Rutledge. Nous

connaissons tous le vieil adage selon lequel l'avocat qui défend sa propre affaire a un sot client. Veuillez, pour débuter, nous indiquer ce que vous estimez être les traits pertinents de votre biographie.

– Je suis professeur de droit ainsi que de sciences politiques à l'Université du Michigan et, pour l'instant – jusqu'aux prochaines révoltes estudiantines et professorales – doyen de la faculté de droit. Je suis né à Rome; j'ai été élevé dans cette ville et ensuite à Dublin. Mon père appartenait au corps diplomatique. Je suis allé pendant un an à l'University College de Dublin et j'ai obtenu mon diplôme ici, à Georgetown, après quoi j'ai suivi pendant deux ans les cours de la faculté de droit de l'Université de Chicago. Officier dans le Corps des Marines en 1943, j'ai été pendant quelque temps chef d'une section de fusiliers dans la 5e division des Marines. J'ai débarqué à Iwo Jima, été blessé et rapatrié.

» La guerre terminée, je suis retourné à la faculté de droit, ai terminé rapidement ma licence puis obtenu un doctorat en sciences politiques. Je suis resté à l'Université de Chicago en enseignant parallèlement à la faculté de droit et dans la section des sciences politiques. J'ai pour spécialité le droit constitutionnel et le droit international. Je suis resté dans la réserve du Corps des Marines et je suis devenu chef du 9e bataillon d'infanterie à Chicago.

» En juillet 1950, nous avons été rappelés dans l'active. Après un stage d'instruction à Quantico, je suis parti pour la Corée en janvier 1951. Affecté au Ier Marines comme officier commandant le 2e bataillon, j'ai été blessé à deux reprises en avril 1951 et rapatrié. Mes guerres ont été violentes mais rapides. J'ai fait partie du personnel de la Maison-Blanche de juillet 1951 à janvier 1952, date à laquelle le Président m'a fait son représentant personnel auprès du Vatican.

– Veuillez m'excuser, doyen, intervint Rutledge, pourquoi le Président vous a-t-il choisi?

– Certaines des raisons de son choix étaient évidentes. Je parle italien couramment. Mon père ayant été longtemps en poste à Rome, je connaissais un peu quelques personnalités très influentes du Vatican et très bien plusieurs autres de moindre importance hiérarchique mais comptant beaucoup dans les affaires du Saint-Siège. Mais je crois qu'avant tout c'est parce que le Président m'avait en amitié et me faisait confiance.

– N'est-il pas dangereux de fonder sur l'amitié une nomination gouvernementale? demanda le sénateur Alexander.

– Cela peut l'être, sénateur, convint Walsh. Mais un président doit énormément compter sur ses amis. Il ne peut travailler qu'avec ceux qu'il comprend et dont il est sûr. J'ajoute que le Président suivant, membre de l'autre parti, m'a maintenu au Vatican pendant six mois. Après avoir quitté ce poste officiel, j'ai repris mon enseignement à l'Université du Michigan que je n'ai plus quittée sauf pour participer à certaines commissions gouvernementales.

– Vous avez publié des livres et des articles, n'est-ce pas? demanda Rutledge.

– Oui, monsieur le président. Mon sixième ouvrage est à l'impression : il traite du droit constitutionnel. J'ai déjà publié quatre livres professionnels consacrés à des procédures gouvernementales, intérieures ou internationales, et le cinquième est *Haut-de-forme Six*, un récit sur un épisode de la guerre de Corée auquel j'ai participé.

– *Haut-de-forme Six* s'est fort bien vendu, n'est-ce pas? dit le sénateur Alexander.

– Oui, fort bien. Je n'ai pas les chiffres exacts en tête, mais il s'en est vendu environ un demi-million d'exemplaires en édition normale et probablement le double en livre de poche.

– Combien vous ont rapporté ces ventes?

– Ici encore, je ne puis être absolument précis, répondit Walsh en feignant d'ignorer la pointe que lui poussait Alexander, mais les droits ont dû dépasser légèrement le demi-million de dollars.

– Estimez-vous légitime, doyen, de faire fortune avec la souffrance des autres? intervint pour la première fois le sénateur Vanderbilt.

– Sénateur, dit Walsh.

Et il s'interrompit en regardant ses poings se crisper. Il se maîtrisa pour les garder sur la table. Et, selon cette infaillible source qu'est le *New York Times*, lorsqu'il reprit la parole ce fut d'une voix neutre et très calme :

– Je n'ai pas tiré fortune de la souffrance des autres. Les hommes qui souffrirent, du moins ceux dont j'ai parlé, étaient morts ou blessés bien longtemps avant que j'écrive le premier mot. Mon livre n'a pas plus affecté qu'exploité leur souffrance. Je l'ai décrite et j'ai essayé d'expliquer ce qu'en était l'esprit. Ce livre est un mémorial à beaucoup qui furent mes amis.

– Mais vous avez accepté des droits pour le mémorial à vos amis, non? lança Alexander.

– Oui.

– Si le président veut bien de nouveau entendre un vieil homme, intervint Trimble, je préciserai les faits. Le doyen Walsh, dans sa modestie, ne vous dit pas qu'il a consacré la moitié des droits de *Haut-de-forme Six* à un fonds d'aide à tout survivant de son bataillon se trouvant dans le besoin, ainsi qu'aux familles de tous les hommes tués lorsqu'il en avait le commandement. Je vois là un geste généreux, extrêmement généreux.

Le sénateur Vanderbilt – notre peu pacifique libéral pacifiste – changea d'aiguillage.

– Doyen Walsh, un témoin a affirmé ce matin que *Haut-de-forme Six* faisait l'apologie de la guerre et que vos autres ouvrages la préconisent. Qu'avez-vous à répondre?

– Je le nie, monsieur le sénateur. Un de mes ouvrages traite du processus judiciaire et un autre du droit constitutionnel. Pas plus l'un que l'autre n'ont trait à la guerre. Les deux autres livres professionnels défendent notamment l'idée que nous devons penser l'impensable. La guerre, aussi horrible qu'elle ait été et puisse devenir, à présent que nous possédons des armes thermonucléaires et biologiques, demeure une possibilité effective. J'estime que nous la rendons, non pas moins, mais plus probable en prétendant qu'elle ne peut plus jamais survenir. Pour employer une image, nous n'évitons pas un infarctus en feignant de croire que rien ne peut se détraquer dans notre cœur. Quant à *Haut-de-forme Six*, il ne fait nulle part l'apologie de la guerre. Glorifier un processus sanglant qui éteint de précieuses vies ne peut être le fait d'un être doué d'intelligence et du respect d'autrui. Je fais l'apologie du courage de beaucoup d'hommes braves – comme je le ferais pour mes camarades d'Iwo Jima. S'il est quelque chose de glorifié dans ce livre, c'est leur oubli d'eux-mêmes, leur sens du devoir.

– Doyen, quelle est votre position à l'égard de la guerre? demanda ardemment Vanderbilt. Estimez-vous qu'il est des guerres justifiables?

– Vous n'ignorez pas quelle a été la réponse historique des théologiens chrétiens : cela dépend du but de la guerre. S'il s'agit d'un bénéfice, économique ou autre, la réponse est manifestement négative. Si le but est de préserver notre indépendance ou notre vie ou la vie et l'indépendance d'autres gens, alors la situation est différente.

– Cette réponse vous satisfait-elle?

Walsh hésita une bonne minute avant de répondre. Keller et Trimble m'ont tous deux assuré qu'un silence absolu régna pendant ce temps. Et puis Walsh dit en souriant :

– Vous avez touché le point sensible, sénateur. Non, ce genre de réponse ne me satisfait pas intellectuellement. C'est une béquille pour ma conscience. Vous avez exposé un dilemme que je ne puis trancher. D'un côté, j'interprète le christianisme comme une exigence de pacifisme. Je ne vois pas comment on peut aimer son prochain tout en tuant des êtres de façon massive et organisée. D'un autre côté, en ce monde, le revers de la volonté de combattre – tout au moins pour les nations – c'est habituellement la servitude. Je ne puis me résoudre à accepter l'esclavage en ce monde en échange de l'espoir d'une récompense dans l'autre monde. Cela traduit probablement un manque de foi. Cela peut aussi signifier un manque de courage, une peur de ne pas maîtriser mon existence. Cette confession me coûte, sénateur, mais c'est la seule réponse honnête que je puisse vous donner. Sur ce point, j'ai la conscience troublée.

La réponse de Walsh impressionna fortement Vanderbilt; il me l'a avoué lui-même par la suite.

– Doyen, je comprends et je respecte l'honnêteté de votre réponse, dit-il. Mais, dans cet ordre d'idées, nous estimez-vous justifiés à intervenir en Afrique méridionale, dans cette guerre où nous semblons nous engager à reculons?

– Non, monsieur le sénateur, à la fois pour des raisons de prudence et de morale. Sans doute les rebelles tuent-ils des quantités de gens, mais cela ne pourra qu'empirer si des forces américaines y sont mêlées. L'intervention d'un pays majoritairement blanc gagnera toutes les batailles, mais perdra la guerre. Cela coûtera des milliers de vies américaines et peut-être des centaines de milliers de vies africaines. Et je ne vois, en échange, guère de profits. Nous n'avons pas de solution de rechange au communisme à offrir à ces gens. Dieu sait si une dictature militaire n'a rien d'une démocratie constitutionnelle.

Rutledge s'empourpra. Aussi peu respectueux qu'il fût de la Constitution dans les affaires intérieures, en matière de relations internationales le sénateur était chauvin. Mais Trimble intervint adroitement :

– Monsieur le président, l'Afrique est un sujet intéressant et important, auquel nous sommes tous très attentifs. Nous savons maintenant là-dessus le sentiment du doyen Walsh. Je propose de passer à un autre sujet.

Vanderbilt et Rutledge tentèrent de rétorquer, mais le sénateur Alexander fut plus prompt :

– Doyen Walsh, pardonnez-moi de vous poser des questions personnelles, mais vous êtes catholique, n'est-ce pas?

– Oui, sénateur. Du moins, je le pense. L'Église a changé si rapidement depuis quelques années que l'on ne peut plus en être absolument sûr d'un jour sur l'autre.

Quelques rires saluèrent cette déclaration, plus nerveux, d'ailleurs, que complaisants, parce que ces questions de moralité avaient tendu l'atmosphère.

– Voyez-vous un problème – je sais que cette question a déjà été évoquée, mais je veux vous donner la possibilité de vous en débarrasser officiellement, parce que, dans ma vision de l'histoire américaine, les catholiques et les Juifs ont joué un rôle important aux côtés des protestants pour en faire un grand pays.

– Excusez-moi, sénateur, je n'ai pas saisi la question.

– Je ne l'avais pas encore posée, doyen. Ce que j'ai dit constituait un prologue. Voyons, y a-t-il pour vous des problèmes, moraux ou légaux, à être catholique et en même temps président de la Cour suprême des États-Unis?

– Non, sénateur, il n'y en a pas.

– Supposons – et pardonnez-moi si je ne veux rien laisser au hasard – que le Congrès promulgue une loi quelconque, par exemple sur l'avortement, qui aille directement à l'encontre des enseignements de l'Église catholique. Le fait que vous soyez catholique impliquerait-il que vous vous sentiriez obligé de voter contre la constitutionnalité d'une loi de ce genre?

– Sénateur, dans l'hypothèse où je serais membre de la Cour suprême et où la constitutionnalité d'une loi de ce genre serait mise en question, mon devoir serait d'interpréter la Constitution et de déterminer si la législation était en conformité avec elle. Dire que la Constitution permet une chose – même implicitement – n'est pas dire que cette chose est moralement bonne. Beaucoup de lois immorales peuvent être constitutionnelles. Permettez-moi toutefois d'ajouter que s'il m'incombait de faire appliquer une loi que j'estimerais si gravement immorale, aussi constitutionnelle fût-elle, que nul homme doué de raison n'en mettrait l'immoralité en doute, je démissionnerais plutôt que de m'y prêter.

– Pouvez-vous me donner un exemple de ce cas?

– Supposons que dans une vague de panique le Congrès propose, et les États ratifient, un amendement constitutionnel autorisant la police à exécuter sans jugement ceux qu'elle trouverait en possession de marijuana. Je ne puis imaginer une telle chose dans notre pays, mais je dois à l'honnêteté de dire qu'il est des limites à ma loyauté envers lui.

– Ainsi vous nous dites que, dans la pratique, vous ne seriez pas influencé par vos opinions religieuses?

– Non, sénateur, je ne suis pas allé jusque-là.

– Jusqu'où êtes-vous allé, doyen? Je crains de mal vous suivre.

(Mon cher garçon, qu'Alexander ait du mal à suivre la pensée de quelqu'un était des plus banal, mais j'avoue qu'en essayant de définir aussi précisément sa position, Walsh en arrivait à manquer de précision.)

– Excusez-moi, sénateur. Je vais être aussi clair que j'en suis capable. Chacun de nous est influencé par un certain nombre de facteurs. Pour certains, nous en sommes conscients, pour d'autres, ils sont enfouis dans notre subconscient. Assurément, nos croyances religieuses comptent parmi ces facteurs. Là où la Constitution est vague, où l'histoire ne fournit pas de réponse, je sais que mon choix entre deux voies sera influencé par le même genre de facteurs subconscients qui influencent tout être humain. Ce que j'essaie d'exprimer, c'est que si nous avons assez bien réussi à séparer l'Église et l'État, nous sommes incapables de séparer l'éthique de la politique ou du droit. Et nous ne pouvons faire siéger dans nos tribunaux, ou au Sénat, des adultes possédant intelligence et maturité d'esprit qui ne se soient déjà formé certaines structures morales. Nous pouvons requérir d'un juge qu'il soit absolument neutre entre les individus comparaissant devant lui, mais nous ne pouvons lui demander de dépouiller toutes ses opinions sur la valeur morale de certains principes et de certaines lignes. Nous pouvons requérir d'un juge qu'il examine ces appréciations morales et qu'il s'assure autant qu'il est humainement possible que c'est la loi qui parle et non ses préjugés personnels. Nous pouvons lui demander d'être conscient de sa faillibilité et prêt à remettre en cause ses opinions, mais nous ne pouvons lui demander de ne pas avoir d'opinions.

– Et qu'en devons-nous conclure, doyen?

– Que je conteste que le fait d'être catholique me force à interpréter la Constitution de façon particulière. Mais également que j'admets être, comme le reste du genre humain, influencé par une masse de facteurs personnels, dont, pour beaucoup, je ne suis pas conscient, mais parmi lesquels figurent assurément mes opinions morales.

– Je regrette à un double titre d'avoir soulevé cette question, dit Alexander, car j'attendais une réponse simple et directe.

– J'ai tenté d'être direct, sénateur, mais votre question n'était pas simple.

Ce fut alors au tour de Rutledge :

– Veuillez me dire, doyen, si vous croyez à la législation juridictionnelle.

Les journalistes dressèrent l'oreille. C'était la question inaugurale typique de Rutledge, lorsqu'il avait décidé de clouer quelqu'un qui croyait que le Treizième Amendement avait véritablement libéré les Noirs de l'esclavage.

– Eh bien, monsieur le président, cela me rappelle ce sondeur Gallup demandant à un fermier du Vermont s'il croyait au baptême par immersion. Le fermier répondit que oui, et le sondeur lui demanda pourquoi : « Parce que je l'ai vu pratiquer », répondit le fermier. Je dirai la même chose à propos de la législation juridictionnelle.

L'assistance rit, sans doute plus de nervosité que d'amusement. Mais Rutledge n'eut même pas l'ombre d'un sourire.

– Effectivement, doyen, vous l'avez vu, tout comme moi, trop souvent. Je vais donc reformuler ma question en vous demandant si vous estimez qu'un juge doit légiférer.

– Évidemment non, sénateur, mais pas plus que le président de la commission de la Justice ne saurais-je prescrire une règle générale qui distingue, en toutes circonstances, entre juger et légiférer. Notre Constitution est si admirablement vague en tant d'endroits qu'un juge doit l'interpréter créativement.

– Voilà des termes condamnables, doyen, condamnables, laissa tomber solennellement Rutledge.

– Ils correspondent à la vérité, sénateur. Si le président fournissait une définition de « procédure légale régulière » ou de « perquisitions et saisies non motivées » à la fois assez générale et assez précise pour trancher tous les cas, il se révélerait être Solon et Salomon pétris en une boule bien ronde.

Les journalistes pouffèrent bruyamment et même les assistants des membres de la sous-commission eurent peine à contenir leur hilarité. En effet, mon cher, le sénateur doyen de Caroline du Sud était petit et obèse. Sa rotondité prêtait à la raillerie, et les journaux ne s'en privaient pas. Le trait de Walsh était parfaitement ajusté et il atteignit le sénateur dans la région la plus vulnérable – et probablement la seule vitale – de sa personne : sa vanité. Mais voilà précisément un exemple de ce qui me faisait critiquer Walsh. Certes, son excellente repartie ramenait un méchant homme à sa vraie stature. Mais, d'un autre côté, humilier publiquement le président de la commission de la Justice n'était d'aucun profit. La vivacité d'esprit, même jointe à une haute intelligence, est d'une autre nature que la sagesse.

Rutledge tambourina violemment de son marteau. Le visage empourpré, il rétorqua sèchement, sinon avec cohérence :

– Le président n'a pas à fournir de définitions ni à vous prouver quoi que ce soit, doyen Walsh. C'est vous qui devez nous satisfaire de votre compétence et de votre intégrité. Le président ne tolérera la légèreté qu'à faible dose.

Rutledge était manifestement prêt à revenir à l'attaque, mais il était trop démonté pour formuler d'autres questions pénétrantes. Alexander intervint alors :

– Doyen, selon vous, jusqu'à quel point un juge de la Cour suprême doit-il s'en tenir à la loi et jusqu'à quel point doit-il se préoccuper de politique dans ses décisions?

J'ai su par la suite que ce Keller s'est alors montré utile. Se penchant vers Walsh, il lui a murmuré :

– Attention, Dec. Je flaire une ouverture.

– Si, par politique, vous entendez les partis, la chose est exclue, dit Walsh. Faire du bien ou du mal à une faction politique ou à un parti n'entre absolument pas en ligne de cause. Mais si vous entendez, par politique, l'intérêt général, alors un juge responsable se doit de s'en préoccuper. Ce que nous appelons la loi n'est souvent que ce que d'autres juges ont énoncé sur des questions d'intérêt public, telle la légitimité du jeu ou la déségrégation immédiate. Lorsqu'une cour décide de qui peut voter, ou être scolarisé et dans quels établissements, ou jusqu'où le gouvernement peut contrôler la prise de position ouverte des citoyens sur les questions qui les concernent, elle affecte de façon vitale les intérêts publics. Et un juge doit autant songer à l'avenir – au résultat de ses décisions dans la vie publique – qu'au passé. Si vous me pardonnez une paraphrase profane de l'Écriture, je crois que la seule réponse générale est de « rendre à la politique ce qui appartient à la politique et à la loi ce qui appartient à la loi ».

– Habile réponse, doyen.

– Pas plus votre question que ma réponse n'étaient originales, commenta Walsh.

Tandis qu'Alexander cherchait une repartie, Rutledge revint à la charge :

– Doyen Walsh, puisque vous travaillez pour la N.A.A.C.P. [1], comment sauriez-vous arriver à une décision vraiment neutre dans une affaire concernant des Noirs?

Walsh soupira audiblement et répondit avec une évidente affectation de patience :

– Pour commencer, sénateur, je n'ai jamais travaillé pour la N.A.A.C.P. dans le sens où ces gens ne m'ont jamais payé. En plusieurs occasions où j'ai été particulièrement frappé par le bien-fondé de leur cause et par leur difficulté à trouver un avocat local, je leur ai offert mes services. En plusieurs autres occasions, je les ai aidés à préparer des dossiers légaux. A aucun moment je n'ai accepté d'honoraires. En second lieu, une affaire à laquelle j'ai pris une quelconque part viendrait-elle devant ma juridiction que je me récuserais. C'est un usage classique. Enfin, en troisième lieu, et pour revenir à la fois à votre question antérieure et à celle du sénateur Alexander, une personne intelligente ne peut être dépourvue d'opinions fermes en matière de relations interraciales, de justice criminelle ou de liberté d'expression. Tout ce que l'on peut raisonnablement

1. National Association for the Advancement of Colored People. *(N.d.T.)*

demander aux juges, c'est d'être conscients qu'ils ont des opinions sur les questions d'intérêt public, d'être disposés à les reconsidérer en fonction de données neuves, et assez réceptifs pour résister à la tentation d'interpréter la Constitution à la lumière de ces opinions.

– Rien de ce que vous exposez ne m'a convaincu que vous pourriez être neutre sur une question constitutionnelle importante, dit Rutledge.

– C'est bien triste, monsieur le président. Je pense que je le pourrais, mais je dois avouer que mon jugement sur cette question n'est pas impartial.

Walsh sourit en faisant cette dernière remarque, et une fois de plus il y eut des rires dans l'assistance. Rutledge heurta de nouveau la table de son marteau.

– Silence, dit-il, ou je fais évacuer la salle, et, se tournant vers Walsh, il lui demanda avec emphase : Vous parliez de justice, doyen. Alors, quelle justice y a-t-il à envoyer des petits enfants dans une école à l'autre bout de la ville rien que pour mélanger scolairement les races. Pour vous, c'est ça la justice?

– Sénateur, je ne puis discuter de questions qui vont venir devant la Cour.

– Doyen, si nous acceptions cette excuse, vous resteriez muet sur n'importe quoi. De nos jours, pratiquement toute question est susceptible de venir devant *cette* Cour, dit Rutledge avec un sourire de satisfaction à l'intention des représentants de la presse.

– Peut-être, mais cela fait des décennies que la question de la ségrégation scolaire est venue devant la Cour, sous une forme ou sous une autre; la question fondamentale a été réglée par un arrêt depuis 1954, mais je parierais qu'en ce moment même plusieurs affaires demandant remède à une ségrégation *de facto* sont inscrites au rôle de la Cour. Je ne puis vous répondre sans risquer de prendre prématurément position.

– Je ne suis toujours pas satisfait de votre réponse, pas satisfait du tout.

– Sénateur, tout ce que je puis dire, c'est que si vous voulez un ségrégationniste, il ne faut pas compter sur moi. J'estime que la Cour a eu raison, en 1954, de déclarer anticonstitutionnelle la ségrégation scolaire et que le Congrès a eu raison, en 1964, d'adopter la loi sur les droits civiques. Je ne puis vous en dire plus.

– Cela n'est pas encore suffisant, doyen. Je ne vous demande pas comment vous voteriez dans un cas précis. J'en suis toujours à ces opinions sur les questions dont vous nous avez parlé. Quelles sont vos opinions sur ce transport des petits enfants dans des établissements scolaires lointains?

– Sénateur, je dois vous faire encore la même réponse. Il serait déplacé que j'exprime une opinion sur une question qui a toute probabilité de venir devant la Cour.

– Cela ne suffit pas, absolument pas. Nous avons le droit de savoir quelle est votre philosophie juridictionnelle.

– Monsieur le président, je l'ai exposée dans plusieurs ouvrages, et ceux-ci sont disponibles. Mais ici, je ne puis que redire ma raison de décliner respectueusement de répondre à votre question – ou à toute question qui serait en rapport direct avec les travaux de la Cour.

– Fort bien, lança sèchement Rutledge. Puisque vous refusez de vous montrer coopératif, et en l'absence d'autres témoins, nous déclarons closes ces auditions.

Son marteau retomba encore une fois et, tournant le dos à Walsh, il entra en conversation avec un assistant de la sous-commission. Les journalistes sortirent en hâte pour aller rendre compte de cette orageuse session.

5.

Ah! oui, où nous sommes-nous arrêtés? C'est ça, la nomination de Walsh et sa confirmation. La sous-commission vota contre lui par deux voix contre une. Il s'était totalement aliéné Rutledge et Alexander, mais selon lui c'était déjà chose faite au départ. Cela se peut, mais il n'avait nul besoin d'étaler à ce point sa supériorité intellectuelle.

Ce fut seulement lorsque le Congrès revint en session pour régler les affaires pendantes après l'élection présidentielle, en novembre, que les partisans de Walsh purent obtenir de Rutledge qu'il convoque la commission pour un vote au complet. Walsh gagna par neuf voix contre cinq – ce qui n'est pas une marge confortable. Au Sénat même, la tendance fut assez semblable : cinquante-trois voix contre vingt-sept, vote qui peut ne pas sembler trop serré sauf si l'on sait que sur les vingt-sept beaucoup étaient amers, et que sur les cinquante-trois rares étaient les enthousiastes. Les démocrates venaient de perdre l'élection présidentielle et certains en rejetaient le blâme sur Walsh, qui avait accepté sa nomination à la tête de la Cour suprême. Ils estimaient que le catholicisme de Walsh et son implantation dans le Midwest avaient joué en faveur de la réélection du Président.

Le lendemain même du vote du Sénat – c'était le mercredi avant Thanksgiving – Walsh se présenta devant nous. En tant que doyen des juges de la Cour suprême, il m'incombait de lui faire prêter serment. Bien que nous ne tinssions pas séance cette semaine-là – je vous expliquerai plus tard notre programme – la cérémonie eut lieu dans notre salle d'audience. Kathryn, l'épouse de Walsh, y assistait. Cela faisait des années que je ne l'avais vue, mais elle n'avait guère changé, sans doute grâce à ses esthéticiennes. Ses charmes les plus évidents se faisaient toujours remarquer, malgré une robe assez stricte – pour elle. Elle attirait plus l'attention des journalistes que les huit juges et leurs épouses réunis. Il doit y avoir dans la presse quelque chose qui incite à la lasciveté.

La cérémonie fut brève. J'entrai dans la salle d'audience suivi de mes sept collègues vêtus de la robe noire, et nous allâmes nous placer derrière nos fauteuils. J'annonçai : « La cour tient cette séance spéciale pour recevoir en sa charge le nouveau président de la Cour suprême des États-Unis, Declan Patrick Walsh. Nous disons en même temps notre plaisir de la présence du Vice-Président des États-Unis. A vous la parole, monsieur le Vice-Président. »

Le deuxième personnage du pays après Clarence Bowers salua, manifestement mal à l'aise dans son costume de ville médiocrement coupé. Il s'approcha de la Cour et dit d'un air compassé :

– Je me présente ce matin en tant que membre du barreau de cette Cour (hélas! cela n'exige que vingt-cinq dollars et d'appartenir préalablement au barreau d'un État) pour informer officiellement cette Cour que la nomination de l'honorable Declan Patrick Walsh à la présidence de la Cour suprême des États-Unis a été entérinée par le Sénat des États-Unis. Le Président a ratifié l'acte de nomination et l'attorney général a été témoin de cette signature. Monsieur Walsh est ici présent, prêt à prêter serment. Je demande que l'attorney général ait la parole pour présenter cet acte à la Cour.

– Merci, monsieur le Vice-Président, dis-je avec plus de solennité que n'en méritait le personnage. La parole est maintenant à l'attorney général des États-Unis.

Cet auguste gentleman s'approcha de la Cour, l'oreille un peu basse :

– Monsieur le président, plaise à la Cour, voici l'acte donnant à l'honorable Declan Patrick Walsh la charge de président de la Cour suprême des États-Unis. Il est revêtu de la signature du Président devant moi, attorney général, en tant que témoin. Je demande que le greffier en fasse lecture et qu'il figure aux archives permanentes de la Cour.

Une fois lecture donnée par le greffier, je dis simplement :

– Monsieur Walsh.

Il s'avança. Il était encore ce qu'il est convenu d'appeler un bel homme. (Mon cher, pourquoi notre société accorde-t-elle la beauté à la stature?) Il n'avait pas daigné marquer son entrée dans une nouvelle vie en rasant cette barbe si fournie. La cicatrice lui courant de l'œil gauche à la tempe était encore visible, bien qu'atténuée. (Pour des raisons qui m'échappent, une balafre suscite de romanesques réactions chez les femmes. Lorsqu'il était à la Maison-Blanche, plusieurs Washingtoniennes lui avaient manifesté un intérêt assez animal. Pour autant que je le sache – étant le dernier à prêter l'oreille aux racontars – il les avait vertueusement ignorées, mais n'était-il pas alors pratiquement jeune marié?)

Où en étions-nous? Ah! oui, la prestation du serment. Walsh, la main gauche sur sa Bible de famille, en répéta après moi les termes :

– Moi, Declan Patrick Walsh, jure solennellement de rendre la justice sans acception de personnes, de faire également droit aux pauvres comme aux riches et de m'acquitter loyalement et impartialement de tous les devoirs qui m'incombent en tant que président de la Cour suprême des États-Unis, au mieux de mes capacités et de ma compréhension, conformément à la Constitution et à la législation des États-Unis. Que Dieu me juge si j'y manque.

Ce serment, il en signerait plus tard le texte, mais de l'avoir pris publiquement il venait de se métamorphoser non seulement en juge, porte-parole de la loi, mais en un des plus prestigieux juges de la planète. Certes, il n'était pas le meilleur pour une si haute fonction, mais il était le meilleur possible. De courtois applaudissements saluèrent ce passage de l'humain à l'oracle.

Je remarquai à quelle page Walsh avait ouvert sa Bible, et les versets qu'il avait signalés à l'encre verte. J'avoue avoir été surpris. C'était Isaïe, chapitre XI :

> Un rejeton sort de la souche de Jessé,
> un surgeon pousse de ses racines :
> sur lui repose l'esprit de Yahvé,
> esprit de sagesse et d'intelligence,
> esprit de conseil et de force,
> esprit de science et de crainte de Yahvé.
> Il respire la crainte de Yahvé.
> Il ne juge pas sur l'apparence,
> ne se prononce pas d'après ce qu'il entend dire,
> mais il fait droit aux miséreux en toute justice,
> et rend une sentence équitable en faveur des pauvres du pays.
> Sa parole est le bâton qui frappe le violent,
> le souffle de ses lèvres fait mourir le méchant.
> Justice est le pagne de ses reins,
> loyauté la ceinture de ses hanches.

Un choix fascinant, simplement fascinant : le prophète Isaïe et non le Nouveau Testament. J'en acquis une compréhension de Walsh que peu – et peut-être aucun – de mes frères ne pouvaient revendiquer. Mais j'y reviendrai plus tard.

La prestation de serment de Walsh ne tombait pas dans une semaine de séances mais, sachant que tous les frères seraient présents en raison de la cérémonie, j'avais prévu une conférence à quinze heures, afin de nous débarrasser des deux bonnes centaines de requêtes en certiorari que nous possédions. J'en avais averti Walsh en l'assurant que je présiderais la conférence et dirigerais ses travaux. Il pourrait se joindre à nous pendant un moment, pour sentir en quelque sorte l'ambiance, mais nul ne s'attendait à ce qu'il demeurât présent d'un bout à l'autre, et encore moins qu'il présidât. Après tout, il n'avait pas encore lu un seul des documents y relatifs. L'important, c'était qu'il assiste au déjeuner que j'organisais, qu'il lie connaissance avec les juges et leurs épouses. (Six de nos frères étaient mariés, j'étais moi-même célibataire et Jacobson veuf. Son épouse était sans doute morte de honte chronique.) Que cela nous plaise ou non, nous formons un petit groupe intime, peut-être trop intime; le président se doit d'entretenir avec tous des relations cordiales.

Le déjeuner se passa admirablement – dût ma modestie en souffrir. Comme il y avait neuf juges, et seulement sept femmes – les épouses – j'avais également invité la collaboratrice administrative de l'ancien chef, Elena Falconi. Nous nous entendions tous bien avec elle (et elle joue un rôle non mineur dans mon histoire, mais nous y reviendrons plus tard). Sa présence nous apportait charme et beauté. Le nombre inégal d'hommes et de femmes me permit de placer l'épouse basanée du juge Kelley à la droite de Walsh, et le juge Albert à sa gauche.

Moi, j'étais à l'autre extrémité de la table, avec sa Kathryn à ma droite – qui était déjà « Kate » pour tout le monde. J'avais placé en face d'elle Elizabeth, la chère épouse d'Albert, espérant qu'elle pourrait contribuer à acculturer Kathryn à nos mœurs. J'avais mis à sa droite le juge Kelley. C'était un brave homme, enjoué sans être débridé, ni « oncle Tom » ni forcené des droits civiques. S'il avait eu à souffrir de la discrimination, il ne s'en montrait nullement aigri. (Je confesse avoir pensé, non sans machiavélisme, qu'au voisinage d'un membre d'une minorité raciale Kathryn contiendrait son tempérament volcanique. Je confesse aussi avoir un instant envisagé de la flanquer de Jacobson, pour le plaisir de contempler ce mélange détonant. Mais mon souci de la Cour prévalut.)

Je dois dire, en toute équité, que Kathryn s'en tira admirablement. Elizabeth, inépuisable de gentillesse, sympathisa beaucoup avec elle. (Par la suite les deux couples devaient se voir fréquemment, bien que Walsh n'ait jamais été aussi intime que moi avec Albert.) Frère Kelley fut, lui aussi, fasciné par Kathryn, mais pour de tout autres raisons. Sans doute celle-ci joua-t-elle un peu de sa séduction. Elle devait par la suite en faire autant avec moi, mais je feignis à chaque fois de ne rien remarquer.

Voyons, je vous disais que j'avais offert à Walsh de le décharger de la présidence de la conférence. Il ferait brièvement acte de présence et pourrait ensuite aller s'occuper des mille petits problèmes que posait son installation à Washington.

Le croirez-vous? Eh bien, il refusa tout net. Oh! de la façon la plus courtoise. Bien qu'il soit issu de l'université de Chicago et qu'il ait vécu avec ces hirsutes brutes du Corps des Marines, il avait du panache. Toujours est-il qu'il s'excusa de quitter tôt la table pour se préparer à la conférence.

Comme vous le savez, chaque juge a un petit service personnel comprenant une secrétaire (nous avons un pool dactylographique qui peut être sollicité lorsque le travail est trop lourd) et trois auxiliaires juridiques. Ces derniers sont généralement de jeunes diplômés – et, de nos jours, diplômées, ce qui me consterne – d'une faculté de droit. Comme, outre sa charge, le président a la responsabilité de l'Administration judiciaire fédérale, il dispose de deux secrétaires et de quatre et parfois cinq auxiliaires juridiques, outre un assistant (ou une assistante) administratif qui a son propre personnel.

Nous ne gardons généralement nos auxiliaires juridiques que pendant une session, bien que certains d'entre nous, tel notre ancien président et Walsh lui-même, préfèrent les garder pendant deux sessions afin qu'ils forment les nouveaux.

Nous n'employons pas tous de la même façon ces jeunes gens, qui sont habituellement les meilleurs éléments des facultés de droit. Certains de mes frères leur confient la rédaction des ébauches de leurs « opinions »; d'autres les confinent dans les travaux de recherche; il y en a même qui les laissent revoir et corriger leurs « opinions ». Personnellement, même s'il m'arrive, en fin de session, de laisser un garçon particulièrement doué s'essayer à préparer une « opinion » sur une cause relativement simple, je ne laisse à aucun l'ébauche de mes textes. L'intelligence, aussi haute soit-elle, n'est rien sans l'expérience.

Pardonnez-moi ce long prologue à l'entrée en charge de Walsh, mais je tiens à ce que vous compreniez bien ce qui se passe dans notre tribunal.

Donc, Walsh, ayant quitté la table, s'était enfermé dans son bureau pour lire les résumés des requêtes établis par nos jeunes diplômés et diverses autres pièces. Il avait décliné mon offre de lui passer mes notes personnelles. Il mettait un point d'honneur à paraître indépendant. Franchement, je ne songeais qu'à son intérêt. Il montra ce jour-là une de ses particularités fondamentales : une nécessité profonde d'avoir le commandement et, plus impérieux encore, un besoin de tout savoir de nos affaires. En bref, non seulement était-il un forcené du travail – trait dont une vie passée à étudier la nature humaine m'a convaincu qu'il dissimule des insécurités personnelles, bien plus qu'il ne témoigne d'un souci du devoir – mais également un paranoïaque de la dépendance.

Nous expédiâmes avec célérité le programme de l'après-midi. Vous savez que nous tenons nos conférences dans une salle qui se trouve sur l'arrière du bâtiment, derrière la salle d'audience. C'est une grande salle austère, avec un mur en longueur donnant, par deux fenêtres, sur la 2ᵉ rue Nord-Est, tandis que le mur qui lui fait face, percé d'une porte, est entièrement garni de livres. La cheminée, qui se trouve sur un des petits côtés, est surmontée par le portrait de John Marshall dans sa robe rouge. L'ordre des préséances à la table de conférence est le suivant : le président au haut bout, le juge doyen en face de lui, le suivant par rang d'âge à la droite du président, celui qui vient après lui à la droite du doyen, et ainsi de suite.

Lorsque Walsh est entré à la Cour, il y avait encore un grand bureau et un fauteuil à l'autre extrémité de la salle. L'ancien président avait fait de cette salle son bureau lorsque nous n'y tenions pas conférence, initiative en laquelle nous étions beaucoup à voir une usurpation, non délibérée mais irréfléchie. Sans doute le président était-il moins bien logé que nous, outre qu'il avait un personnel plus nombreux à caser.

Nous comprenions tous que le président manquait d'espace, mais la salle de conférence est, traditionnellement, un terrain neutre pour nos batailles d'idées. L'annexion qu'en avait faite l'ancien président pour son usage personnel nous donnait l'impression de jouer sur son terrain, selon une formule pour une fois heureuse du frère Jacobson.

Ayant donc gagné la salle de conférence, nous nous acquittâmes du rituel des poignées de main : tous les membres de la Cour se serrent la main avant chaque audience et chaque conférence. Étant donné les heurts qui peuvent survenir entre nous, cette cérémonie nous raffermit dans notre solidarité de frères, encore que je confesse imaginer difficilement des relations familiales avec certains de ces personnages. Mais j'emploie le terme de *frère* comme un symbole de mon humilité.

Et puis Walsh nous fit sa première allocution :

– La foudre tombe où elle veut, et elle m'a frappé. Je vous assure n'entretenir aucune illusion quant aux mérites qui m'auraient valu ce siège. Mais je n'en entretiens pas non plus, poursuivit-il avec un sourire non dénué de raillerie, sur les mérites de quinconque d'autre. Me voilà donc ici pour le meilleur et pour le pire, jusqu'à ce que la mort, la retraite ou l'*impeachment* nous séparent. Pour commencer, il ne me semble pas souhaitable que nous nous réunissions dans le bureau du président, même s'il est aussi bienveillant, aimable et objectif que l'actuel titulaire. Je vais faire installer mon bureau ailleurs. (Et de fait, mon cher, dans la semaine, Walsh prenait ses quartiers dans des bureaux situés en façade, et relativement peu spacieux.) Deuxième point, poursuivit-il, je crois comprendre que certains juges aimeraient que les séances de la Cour débutent de nouveau à midi, avec une pause d'une heure à quatorze heures, pour le déjeuner. Cela nous laisserait toutes les matinées libres pour travailler. Cela me plairait. Y a-t-il des objections?

Jacobson prit immédiatement la parole, bien qu'il ne vienne qu'en second pour l'ancienneté.

– Je préfère avoir fini ma journée le plus tôt possible, président, pour boire tranquillement un doigt de sirop dans mon eau de source. Mais je suis pour les échanges. Je ne raffolais pas des réunions dans le bureau du grand chef; alors si vous faites un pas, je suppose que je peux faire l'autre.

Il y en eut, parmi les frères, pour sourire de cette vulgarité. Pour ma part, je ne fis nullement remarquer cette usurpation de mes prérogatives à parler le premier. Je me contentai de répondre affirmativement à la proposition de Walsh, comme d'ailleurs nous le fîmes tous. Le geste, au demeurant, était généreux.

– A titre de compromis, reprit Walsh, nous pourrions commencer nos conférences du vendredi à neuf heures trente, selon votre usage, et nos séances du mercredi à dix heures. (Ai-je besoin de préciser que c'était là un autre geste de courtoisie à l'égard des trois membres de la Cour qui préféraient toujours les heures matinales?) Voyons maintenant la liste à débattre.

En à peine plus de trois heures, nous avions décidé des trente-deux requêtes – n'en acceptant que trois. Voilà de l'efficacité.

Gerald Albert et moi-même fîmes tout notre possible pour aider Walsh, et les frères se comportèrent bien en ce premier jour. La lune de miel continua pendant plusieurs semaines. Même ce querelleur de Marvin Jacobson contint ses habituels flots de vitriol.

Mais nous avons assez parlé des frères pour l'instant. Nous étions neuf – tout écolier connaît notre nombre. Plutôt que de dépeindre chacun par le menu, je vais vous relater quelques épisodes de la présidence de Walsh en décrivant dans ce contexte la personnalité – ou l'absence de personnalité – de nos collègues. Je ne choisirai que quelques affaires. Nous rendons quelque cent soixante-quinze arrêts par an, et Walsh fut avec nous pendant près de quatre ans. Vous présenter même un échantillonnage représentatif de toutes les causes dont il eut à connaître me conduirait trop loin, sinon jusqu'au tombeau.

Attendez, mon cher. Avant de mettre un terme à notre conversation d'aujourd'hui, laissez-moi vous raconter quelque chose qui est survenu au tout début, et sur quoi j'ai alors buté. Franchement, je bute encore là-dessus. Sachez d'abord que la Cour possède un petit détachement de police. Peut-être inconstitutionnellement mais non imprudemment, le Congrès nous a donné pleins pouvoirs pour formuler et appliquer un règlement de maintien de l'ordre dans tout le périmètre dévolu à la Cour : bâtiment et jardins. L'ancien chef de notre police était parti à la retraite peu avant l'accession de Walsh à la Cour. Nous présumions tous que son adjoint, qui occupait temporairement son poste, y serait nommé définitivement avec l'arrivée du nouveau président de la Cour. Mais il ne devait point en aller ainsi. Walsh amena sa propre créature.

Sachez d'abord que, si, théoriquement, ces nominations dépendent de la Cour tout entière, ses membres les laissent – les remettent même – à l'initiative du président. Walsh eut la diplomatie de nous consulter et nous donnâmes notre approbation, je le concède. Pourtant, le juge Albert et moi-même n'étions pas sans réticences. C'était une nomination qui sentait le favoritisme. Celui que Walsh avait désigné était un personnage de grande taille, efflanqué, huileux, mal embouché – un ancien sergent des Marines nommé Guicciardini. Quelle ironie suprême que ce nom d'un grand historien porté par un être aussi grossier.

Mais le pire, c'était que Walsh et ce Guicciardini étaient liés d'amitié. Ils se fréquentaient, si vous pouvez imaginer une telle chose. Je crains que Walsh n'ait jamais saisi cette règle bien établie que les gens cultivés ne fraient pas avec les domestiques. Mais qu'attendre d'un homme qui avait épousé une de ses étudiantes? Et le bouquet, c'est que ce Guicciardini ne parlait jamais du « président » mais du « colonel ».

Je me sens d'ailleurs obligé de vous confier que lui et l'épouse de Walsh se donnaient respectivement du « Kate » et du « Sergeot » – diminutif vraiment plaisant pour un adulte!

Certes, Guicciardini assurait correctement la sécurité. Je ne nie nullement ses capacités. Mais simplement on ne place pas ses amis à des postes publics, particulièrement des amis qui ont peine à articuler une phrase dépourvue de métaphores relatives à des actes sexuels ou aux plus intimes fonctions corporelles. Il ne me semble pas convenable non plus qu'un simple policier ait ses libres entrées dans les appartements professionnels et privés – privés, m'entendez-vous – du président de la Cour suprême des États-Unis. L'égalité devant la loi n'implique nullement le nivellement social. Comprenez bien que je ne vous relate pas ces choses par malveillance mais pour éclairer de mon mieux la personnalité que vous êtes en train d'étudier.

6.

Le lundi qui suivit l'installation de Walsh dans sa charge, nous passâmes dans le vestiaire lambrissé de chêne, derrière la salle d'audience, où nos valets nous aidèrent à revêtir la robe noire. Après avoir accompli les rituels serrements de main, nous étions prêts pour ce que la journée et de médiocres avocats nous réservaient. Le « nous », en l'occurrence et comme en tant d'autres occasions, n'incluait pas notre frère Jacobson. A son habitude, il était en retard. Il arriva à midi moins une seconde, soufflant et haletant comme une vénérable machine à vapeur, arracha littéralement sa robe du placard et se la jeta en coup de vent sur les épaules. Son valet en perdait contenance devant ses collègues – mais aussi bien la chose ne se reproduisait-elle que trop fréquemment.

Au moment où les deux aiguilles de l'horloge se superposèrent sur midi, nous entendîmes les trois coups du marteau de l'huissier; et, tandis que s'ouvraient les tentures de velours rouge foncé qui ferment l'arrière du tribunal, nous fîmes notre solennelle entrée, annoncée par l'audiencier :

– L'honorable Cour, le président et les juges de la Cour suprême des États-Unis!

» *Oyez, oyez, oyez!* Toutes les personnes ayant une cause devant la Cour suprême des États-Unis sont invitées à s'approcher et prêter leur attention, car la Cour vient siéger. Dieu protège les États-Unis et cette honorable Cour!

Nous prîmes place sur nos chaises de cuir noir au haut dossier, disposées derrière la massive tribune d'acajou, face à la petite mais charmante salle d'audience. Pour moi cette gracieuse salle, avec ses vingt-quatre colonnes de marbre de Sienne, ses rideaux rouges tendant les quatre murs, sa tribune et son barreau séparés du public par une balustrade, avait la sérénité de la cathédrale épiscopalienne – cette image de mystère et de sainteté voulue par William Howard Taft, parrain pérenne de l'édifice. D'autres en avaient eu une impression moins élevée : « Un réfrigérateur classique décoré par un tapissier fou », en avaient dit deux journalistes. Mais, mon cher garçon, on ne peut espérer plaire aux journalistes tout en restant dans le bon goût. Pour moi, sans cesser d'adhérer à mon agnosticisme théologique, je me trouvais parfaitement à l'aise dans cette salle. Elle était, et demeure, ce qu'elle devait être : un Temple du Droit.

Walsh, à présent bien campé sur la chaise centrale à ma gauche, prit pour la première fois la parole en tant que président de la Cour suprême :

– Numéro 1206 : *Hilton contre l'État de Californie.*

Un souriant jeune homme à lunettes monta sur l'estrade en face de nous, cramponné à une liasse désordonnée de papiers. Il portait un complet bleu foncé, une cravate argentée. Les jours, hélas! n'étaient plus où un avocat n'aurait osé paraître devant nous autrement qu'en redingote et pantalon rayé. Au demeurant, la seule tenue correcte dont il me souvient, durant mes dernières années à la Cour, était celle du solicitor général lui-même. Ainsi en va-t-il. C'est le lot des vieilles gens de se remémorer de meilleurs temps.

Notre jeune homme disposait nerveusement ses papiers en prenant soin de ne pas masquer les deux petites ampoules fichées dans la bordure du pupitre. La blanche s'éclairerait cinq minutes avant la fin de la demi-heure impartie à sa plaidoirie; la rouge marquerait la fin de la demi-heure. A l'instant même la parole lui serait retirée. Dans notre Cour, une demi-heure ne signifie pas trente minutes et une seconde. Avant que ces inventions modernes pénètrent chez nous, c'était le président qui annonçait à l'avocat la fin de son temps de parole. La légende veut que Charles Evans Hughes ait un jour interrompu un éminent juriste au milieu du mot « si ».

– Monsieur le président, commença le jeune homme, plaise à la Cour : cette action est introduite par mes trois clients, qui postulaient leur admission à la faculté de droit de l'Université de Californie (que l'on appelle plus couramment Boalt Hall), à Berkeley, et dont la candidature n'a pas été retenue, alors qu'ils avaient, relativement aux deux critères d'admission, des notes supérieures à beaucoup de ceux qui furent admis. Ces derniers, acceptés bien que leurs notes fussent inférieures, appartenaient à des minorités. Mes trois clients sont des Blancs non hispaniques du sexe masculin. Lorsqu'ils ont intenté ce procès, il y a deux ans, ils avaient entre vingt-deux et vingt-trois ans. Chacun habitait, et habite toujours, la Californie. Ils sont tous les trois sortis diplômés de l'Université d'État de San José, et ils ont déposé très en deça du délai prescrit leur demande d'admission à Boalt Hall. Tous les trois, poursuivit le jeune homme en chaussant ses lunettes, ont passé le Test national d'Aptitude des Facultés de Droit, ou T.A.F.D. Ils ont tous reçu une notation numérique entre 648 et 667, ce qui les plaçait parmi les 7 à 10 % de personnes ayant obtenu les plus fortes notes depuis dix ans. Quarante-huit candidats admis, dont quarante-cinq Noirs ou Hispaniques, avaient obtenu au T.A.F.D. un total nettement plus bas.

– Et à l'université, quels avaient été leurs résultats? demanda mon frère noir Franklin Roosevelt Kelley. (Bien que son accession à la Cour suprême résultât des efforts de notre dernier président démocrate pour conserver le vote noir, sa nomination n'était nullement regrettable; il n'était pas un grand juge, mais il ne manquait pas de compétence.)

– J'y venais, Votre Honneur. C'est le second critère décisif pour Boalt Hall. A San José, mes clients ont obtenu des résultats excellents, de 3,51 à 3,59 en moyenne par rapport au maximum, qui est 4. Sur les quarante-cinq candidats admis qui appartenaient à une minorité et avaient reçu au T.A.F.D. une notation inférieure à celles de mes clients, trente-sept avaient également des résultats universitaires très inférieurs aux leurs.

– Mais, à part ces quarante-cinq membres d'une minorité, qu'en était-il de tous les autres admis? persista frère Kelley.

– Eh bien, Boalt Hall a admis cette année-là quatre cent cinq candidats « normaux ». La moyenne des résultats universitaires était 3,78, et celle du T.A.F.D. 702.

– Y avait-il des membres de minorités, parmi ces quatre cent cinq admis? demandai-je.

– Selon le témoignage, au procès, du doyen des admissions, il y avait parmi ceux-ci vingt et une personnes d'origine orientale, six Noirs, trois Chicanos et quatre étudiants étrangers.

– Parmi les candidats blancs admis, y en avait-il dont les notes, pour les deux critères, étaient inférieures à celles de vos clients? demanda Jacobson.

– Oui, Votre Honneur. Trente-deux candidats admis avaient des résultats universitaires inférieurs et trois une notation inférieure au T.A.F.D.

– Vous ne répondez pas à ma question, gronda Jacobson, je veux savoir si, parmi les admis, certains avaient des notes inférieures à ceux de vos clients pour les deux critères.

– Veuillez m'excuser, Votre Honneur, j'avais compris pour l'un ou l'autre des critères.

– Ne nous faites pas perdre notre temps, maître. Contentez-vous de répondre à ma question.

Le jeune homme rougit et répondit, non sans une très légère difficulté d'élocution :

– Non, Votre Honneur, aucun n'avait des notes inférieures pour les deux critères.

– Alors, où est le problème? lança sèchement Jacobson. De toute façon, ils n'auraient pas admis vos clients.

– Mais, Votre Honneur, là n'est pas la question. Ils...

– Quelle est donc la question? l'interrompit Jacobson.

– La question, Votre Honneur, c'est qu'à Boalt Hall ils ont reçu des candidats ayant, pour les deux critères, des notes inférieures à celles de mes clients. Et comme Boalt Hall est un établissement financé et dirigé par l'État de Californie, cet État a pratiqué une discrimination à l'encontre de mes clients en raison de leur race, en violation du Quatorzième Amendement : « ... aucun État... ne déniera à quiconque relève de sa juridiction l'égale protection des lois. »

– J'ai perdu le fil, dit bénignement frère Nathaniel Putnam. (Et il l'avait effectivement perdu, mon cher, n'en doutez pas. Putnam était un superbe gentleman du New Hampshire, à la blanche crinière aussi superbe que celle d'un vieux lion, superbement bien élevé, superbement attentif aux travaux de la Cour, et, contrairement à certains frères que je pourrais citer – mais je n'en ferai rien – il avait l'esprit superbement ouvert. Malheureusement, pénétrer dans cet esprit ouvert c'était tomber dans un vide intellectuel. L'oxygène vous manquait. Comme Putnam avait soixante-quinze ans, certains des frères les moins âgés, et les moins tendres, attribuaient cette vacuité à la sénilité galopante. Certes, sa mémoire faiblissait, mais je puis vous assurer de la façon la plus formelle que, durant les quinze années où nous siégeâmes côte à côte, cet inflexible zélateur de l'individualisme républicain ne fut pas une seule fois capable de saisir une abstraction intellectuelle, et encore moins de s'en tenir à la logique d'une jurisprudence.) J'ai perdu le fil avec tous ces chiffres, répéta Putnam. Que soutenez-vous au fond?

– Eh bien, Votre Honneur, répondit le jeune homme avec un sourire reconnaissant, nous soutenons que, si la Californie peut fixer des normes intellectuelles d'admission à la faculté de droit aussi élevées qu'il lui convient, elle ne peut fixer des normes notablement différentes pour certains candidats uniquement en raison de leur race ou de leur héritage ethnique. Il y a là un déni évident de l'« égale protection ». Si mes clients avaient été noirs ou chicanos, ils auraient été admis à Boalt Hall. Sur les deux critères, ils ont obtenu des notes très supérieures à celles des reçus noirs et chicanos.

– Veuillez avoir la bonté de nous relire la Clause du Quatorzième Amendement que vous faites valoir, demanda notre taciturne frère Campbell.

– Oui, Votre Honneur : « ... aucun État... ne déniera à quiconque relève de sa juridiction l'égale protection des lois. »

– Merci, maître. A présent, poursuivit Campbell, ses yeux bleus dardant sur le jeune homme un regard pareil à un rayon laser, dites-nous exactement quelle protection, égale ou non, la Californie a déniée à vos clients? Il me semble que l'unique objet de votre plainte, c'est que la Californie n'a pas octroyé un avantage particulier à vos clients. Quelle protection leur a déniée la Californie? L'État a-t-il refusé de les protéger contre les criminels ou quelque chose de ce genre?

– Non, Votre Honneur, évidemment pas. Le terme « protection égale », du moins selon l'interprétation initiale de cette clause par la présente Cour, a un sens beaucoup plus large que celui de simple défense de certains droits. Comme la Cour le disait dès 1880 dans l'affaire *Strauder contre Virginie occidentale*, l'amendement doit être interprété libéralement. La clause signifiait, selon la Cour, que « la loi des États sera la même pour les Noirs et pour les Blancs; que toutes les personnes, de couleur ou blanches, seront égales devant la loi ». Et, au long des années, la Cour a prolongé la « protection » jusque et inclusivement aux actes gouvernementaux, qu'ils portent obligation ou prohibition.

– Oui, vous l'avez bien formulé, dit pensivement Campbell. La

Cour a prolongé la Constitution. Mais est-ce là légitimement notre tâche? N'est-ce pas la Constitution en soi qui est le véritable étalon, et non les prolongements que lui ont appendus des fonctionnaires bien intentionnés, mais dans l'erreur? Et cette Constitution ne dit rien au sujet d'avantages égaux.

– Dans un sens, oui, Votre Honneur, assurément. (Le front du jeune homme s'emperlait de sueur. Il n'avait manifestement pas assez travaillé son approche. Quiconque suivait de près notre Cour savait que frère Campbell regardait la Constitution comme un chrétien fondamentaliste regarde sa Bible : comme un recueil de vérités évidentes par elles-mêmes, qui n'ont nul besoin d'interprètes, prêtre ou juge, mais simplement d'un honnête homme pour lire et appliquer ce qui est écrit.) Nous admettons, Votre Honneur, que dans cette étroite interprétation littérale de la Constitution, notre cause tombe, mais il en irait de même...

– Étroite? Littérale? dit Campbell d'un ton interrogatif. (Ne l'aurais-je pas connu aussi bien que je l'aurais cru surpris. Il était déçu, certes, mais surpris? Sûrement pas, mon cher garçon. Il avait trop souvent livré et perdu cette bataille pour être surpris.) Dois-je vous rappeler que lorsque nous sommes devenus juges dans cette Cour, et lorsque vous avez accédé à son barreau, nous avons fait le serment de défendre ce document, non de l'augmenter. L'amender serait nous parjurer.

Là-dessus frère Campbell fit pivoter sa chaise et tourna le dos au garçon décontenancé. Il était temps de remettre un peu d'ordre intellectuel dans la dispute et de venir au secours de ce jeune homme mal armé. J'intervins :

– Postulons – simple hypothèse – pour le plaisir du débat, qu'à une unique exception près il n'est pas un juge de cette Cour qui ait violé son serment; postulons au surplus, toujours pour le plaisir du débat, que cette Cour n'est pas absolument prête à renier la totalité de son passé en effaçant des marges du texte constitutionnel le lustre d'un siècle d'histoire. A partir de ces deux postulats, aussi fragiles qu'ils puissent apparaître à certains juristes, quelle est, en substance, votre pétition?

– Voilà, Votre Honneur, dit le pauvre garçon prêt à défaillir de soulagement, c'est un litige simple et direct : le Quatorzième Amendement interdit *toute* discrimination raciale dans *tous* les domaines d'action du gouvernement. Il interdit la discrimination contre les Blancs aussi fermement que contre les Noirs; il interdit à un État de conférer plus d'avantages à un individu ou à un groupe qu'à tels autres uniquement en raison de sa race, aussi fermement qu'il interdit d'imposer de plus graves châtiments à un individu ou à un groupe en raison de sa race. Or la Californie a discriminé contre des Blancs, lesquels, relativement aux critères déclarés de la faculté de droit, sont plus qualifiés pour l'admission, au profit des Noirs et des Chicanos qui sont...

– De Noirs et de Chicanos, glissai-je.

– Oui, Votre Honneur, au profit de Noirs et de Chicanos qui sont moins qualifiés par rapport aux normes que la faculté de droit se targue d'observer.

– Maître, intervint frère Kelley, vous nous dites que le Quatorzième Amendement interdit formellement toutes les formes de discrimination raciale. C'est bien ça?

– Oui, Votre Honneur.

– Mais cela a-t-il été la doctrine de notre Cour? Avons-nous été aussi rigides, aussi absolus?

– Eh bien...

Cette fois Walsh intervint, un millième de seconde avant que frère Jacobson se déchaîne :

– Vouliez-vous dire que, professant que les classifications raciales sont « intrinsèquement suspectes » nous devons « examiner très attentivement » les cas où un État justifie une telle classification par les exigences de l'intérêt public?

– Oui, monsieur le président, c'est ce que je voulais dire. Mais la Cour a tant de fois tranché contre les classifications raciales qu'il ne semble pas y avoir d'exceptions...

– Nous savons ce que nous avons professé, l'interrompit Kelley. Et nous nous sommes toujours abstenus de poser une règle absolue. Dans quelles circonstances une telle classification pourrait-elle être constitutionnelle?

– Je n'en connais pas, Votre Honneur.

– Vous ne connaissez pas de nécessité publique impérative qui pourrait rendre constitutionnelle une classification raciale? interrogea Kelley en poussant un soupir. Y avait-il dans ce pays une nécessité impérative pour certains groupes – identifiables par des caractères tels que la couleur de leur peau ou leur accent – certains groupes contre lesquels s'est historiquement exercée une discrimination, une discrimination flagrante, violente même, une nécessité pour certains groupes (l'émotion altérait la syntaxe habituellement impeccable de mon frère Kelley) d'avoir leurs membres dans des professions telles que le droit et la médecine?

– Oui, Votre Honneur, il pouvait y avoir là un intérêt public important, mais le Quatorzième Amendement interdit à un État d'admettre de façon préférentielle, dans ses établissements publics d'enseignement, les membres d'une race au détriment de membres d'une autre race mieux qualifiés.

Sur le pupitre, la lumière blanche s'alluma, mais notre lion noir de Columbia était lancé.

– Mieux qualifiés? Mieux qualifiés en quel sens?

– Dans le sens des deux critères dont la faculté de droit dit qu'ils motivent sa décision d'admettre un étudiant : le T.A.F.D. et les résultats universitaires.

– Voilà les deux seuls facteurs, demanda sarcastiquement Kelley, qui qualifient un individu pour exercer le droit? Et la passion de la justice, et la sollicitude à l'égard des souffrances d'autrui? Et l'honnêteté, et l'intégrité? Tout cela n'importe pas?

– Mais, Votre Honneur, notre cause n'est pas là. Nous ne parlons pas de nos normes – des normes qui seraient celles de mes clients – mais des normes établies par l'université de Californie. Nous ne défendons pas le bien-fondé de ces dernières. Nous disons simplement que la Californie les a établies et qu'elle doit les respecter de façon impartiale à l'égard des Blancs, des Noirs, des Chicanos ou de n'importe qui. Si mes clients avaient été noirs et nommés Gomez ou Diego, ils auraient été admis. Mais parce qu'ils sont Blancs et ont des noms d'origine anglaise et italienne, l'État les rejette. Nous...

– Est-ce que l'université de Californie n'accorde pas une certaine préférence aux habitants de l'État? demanda le juge Albert. Dans la mesure où elle le fait, cela n'indique-t-il pas que d'autres normes que celles des deux critères entrent en jeu?

– Eh bien, Votre Honneur, dans la mesure où...

La lumière rouge s'alluma et notre jeune homme, rompu, s'empressa de s'asseoir, souffrant sans doute d'insuffisance surrénale.

L'attorney général de Californie se leva, étudia son maintien, s'approcha du pupitre et commença :

– Monsieur le président, plaise à la Cour...

– Monsieur l'attorney général, lança abruptement Jacobson, qu'est-ce qu'un Chicano?

– Plaît-il?

– Qu'est-ce qu'un Chicano? La partie adverse vient de parler de Noirs et de Chicanos. Votre énoncé et le sien font état de Noirs et de Chicanos. Il me semble savoir ce qu'est un Noir, et l'oublierais-je que l'un de mes frères me le rappellerait (Jacobson crut devoir sourire de son mot, accentuant ainsi encore un peu plus sa laideur). Mais qu'est-ce qu'un Chicano?

– C'est un nom que se sont plus ou moins donné certaines gens, des gens qui viennent de milieux parlant espagnol, généralement des familles d'origine mexicaine habitant la côte ouest.

– Comment savez-vous qu'un candidat est chicano?

– Par son nom de famille. Si c'est un nom espagnol, l'homme ou la femme est certainement un Chicano. La règle n'est pas infaillible, mais c'est une bonne méthode empirique.

– S'agissant des candidats répertoriés en tant que Chicanos, l'ont-ils été simplement en raison de leur nom de famille, Gomez, Alvarez et autre, ou bien la faculté a-t-elle vérifié qu'il s'agissait réellement de Mexicano-Américains?

– Il a été indiqué au procès, Votre Honneur, que la faculté de droit ne classait les candidats qu'en fonction de leur nom de famille. Elle ne dispose pas d'assez de personnel pour...

– Ainsi, s'écria Jacobson qui en bondit presque de sa chaise, si ces trois requérants avaient pris un nom comme Alvarez, ils auraient tous les trois été admis?

– Réellement, je ne saurais le dire, Votre Honneur. Mais...

– Vous ne sauriez le dire? Monsieur l'attorney général, vous ne nous parlez pas en toute franchise.

– Monsieur le juge, répondit l'attorney général qui s'était empourpré, plus de colère que de gêne, je parle aussi franchement qu'il est humainement possible. En toute honnêteté, je ne puis vous dire ce que des professeurs de droit que je ne connais pas et n'ai jamais rencontrés feraient en face d'une situation hypothétique.

– Nul être sensé, intervint Walsh d'un ton mesuré, ne s'aventurerait à prédire ce que feraient des professeurs de droit sauf ne pas être d'accord entre eux ni avec cette Cour. (Sa remarque souleva des rires qui détendirent momentanément l'atmosphère.) Voyons ce qu'il en est ici de la ligne générale, poursuivit-il. La faculté de droit a-t-elle un système de quotas?

– Pas de façon consacrée, monsieur le président, mais certains assimilent à un système de quotas – faussement, selon moi – la double règle que nous observons. D'un côté, nous surveillons, par catégories de population, les chiffres d'embauche et d'avancement dans le secteur public, et ceux des admis ou refusés dans les universités et établissements similaires. Si nous nous apercevons que le pourcentage des minorités est inférieur à la répartition générale, nous enquêtons. Si nous trouvons la moindre trace de discrimination, nous sévissons, et très durement. L'autre volet, plus important, c'est que nous encourageons les institutions publiques de l'État à embaucher ou admettre des minorités. En particulier, nous avons des programmes pour encourager l'admission des désavantagés dans les universités de notre État.

– Tout cela est fort intéressant, lança Jacobson, mais, finalement, votre programme ne concerne que les minorités?

– Non, monsieur le juge, théoriquement, officiellement, ce programme est ouvert à tout individu désavantagé.

– S'est-il trouvé un Blanc, même un « petit Blanc » rural ou citadin, à bénéficier de ce programme à Boalt Hall?

– Non, monsieur le juge, je crains que non.

– Vous craignez fort à propos, martela Jacobson, car j'imagine mal que vous puissiez convaincre cette Cour qu'il n'existe pas, dans le grand État de Californie, au moins un étudiant blanc à la fois intelligent et désavantagé. Et vous n'avez pas à forcer vos statistiques pour savoir que des tas de Noirs ne sont pas désavantagés dans ce pays, et sûrement pas économiquement.

Il y eut un moment de silence. Jacobson s'était montré si belliqueux que l'attorney général n'aurait pu répliquer sans susciter un venimeux débat. Ce fut Walsh qui rompit le silence :

– Quelle est, en substance, votre défense constitutionnelle face aux requérants, attorney général?

– Elle est multiple, monsieur le président. Tout d'abord, nous arguons que l'objet du Quatorzième Amendement est la protection de groupes d'individus – de classes, si vous préférez – en même temps que des individus constituant ces groupes. Cette protection s'exerce à l'encontre de la discrimination. Nous pensons qu'il est de saine doctrine constitutionnelle, lorsqu'un groupe a gravement souffert de la discrimination dans le passé, et que ses membres souffrent encore des effets de ce tort, qu'un État puisse – et même doive – octroyer à ce groupe plus d'avantages, afin de rétablir l'équilibre. Si nous partions de zéro, nous tiendrions qu'un État doit ignorer toute nuance. Mais donner à tous les mêmes avantages alors que certains, sans en être aucunement responsables, démarrent très loin derrière tout le monde, c'est prolonger l'inégalité que veut éliminer le Quatorzième Amendement. Remarquez, monsieur le président, que je parle d'avantages et non de droits, non des protections fondamentales : police, pompiers et autres. L'Université de Californie n'aurait peut-être pas, et même probablement pas, admis ces trois requérants, lors même qu'elle n'aurait pas admis de Noirs et de Chicanos. Nous soutenons que nous n'avons pas privé les requérants d'un droit. Ce n'est pas un droit constitutionnel que de fréquenter une faculté de droit.

– Mais c'est un droit constitutionnel que d'être considéré sur la même base que tout le monde, n'est-ce pas? dit avec vivacité frère Putnam. L'État doit donner à tous des possibilités égales.

– C'est précisément là-dessus que nous argumentons, Votre Honneur, répondit avec un soupçon d'impatience l'attorney général. Dans l'abstrait, la réponse à votre question est affirmative. Mais là où un groupe a souffert de la discrimination, et où ses membres en supportent encore les conséquences désavantageuses, l'État peut prendre acte de cette situation en leur octroyant certains avantages qu'il n'octroie pas à tous. Boalt Hall a pu octroyer à certains Noirs et Chicanos un avantage qu'il n'octroyait pas aux Blancs...

– Même aux Blancs qui avaient été aussi désavantagés ou plus désavantagés que les Noirs et les Chicanos? intervint Jacobson.

– Votre Honneur, comme cette Cour l'a dit dans l'affaire *Dandridge contre Williams,* une classification n'a pas à être parfaite pour être constitutionnelle. Nous reconnaissons n'avoir pas aidé tous ceux qui ont souffert de la discrimination passée, mais nous agissons de notre mieux. Nous avons été ce que la Cour appelle « sub-inclusifs », mais, selon elle, ce n'est pas un péché constitutionnel.

– En tout cas pas un péché mortel, remarqua Walsh.

– Oui, monsieur le président, répondit l'attorney général avec un sourire. Nous n'essayons nullement de discriminer à l'encontre de qui que ce soit. Nous essayons de réparer la discrimination passée. Étant des humains faillibles, notre action n'est pas parfaite, et sans doute ne le sera-t-elle jamais. Mais nous essayons d'accomplir le dessein du Quatorzième Amendement : rendre les individus égaux devant la loi, vraiment égaux, pas seulement sur le papier mais dans les faits.

L'attorney général fit une pause, attendant sans doute une nouvelle charge de frère Jacobson. Il ne devait pas être déçu.

– Parmi vos candidats, certains sollicitent une bourse. Sélectionnez-vous ceux qui en ont pécuniairement besoin?

– En gros, oui, Votre Honneur. Mais pas de façon très minutieuse. Je suis sûr qu'il serait facile de tricher.

– Voyons, puisque vous êtes capable de distinguer les riches des pauvres, pourquoi ne pouvez-vous distinguer les Chicanos d'une façon plus valide que simplement par leur nom?

– Votre Honneur, Boalt Hall reçoit de trois mille à quatre mille candidatures pour environ trois cents places. La faculté de droit en admet environ quatre cent cinquante, en estimant qu'un tiers environ des reçus choisiront d'aller dans une autre faculté de droit, renonceront à faire leur droit, seront atteint d'une maladie grave ou mourront. La moitié environ de ces quatre cent cinquante sollicitent une bourse et c'est seulement ceux-là dont l'université examine la situation financière. La commission ne pourrait jamais examiner plus de cas.

– Que ferait-elle si elle recevait quatre mille requêtes en certiorari par an? glissai-je.

L'attorney général attendit que les rires s'apaisent, et il rétorqua en souriant :

– Elle n'y suffirait pas, Votre Honneur. Il faudrait pour cela des faiseurs de miracles. (Repartie qui suscita de nouveaux rires.) Qu'il me soit permis de revenir sur ma réponse aux questions du président à propos de nos défenses constitutionnelles. Nous avons un deuxième argument. Nous reconnaissons que notre programme, jusqu'à présent, a conféré des avantages en fonction de la race et du milieu ethnique. Mais la race, nous en sommes conscients, est une base de classification suspecte. Nous justifions cette classification par une nécessité impérative, par un puissant intérêt pour la société dans son ensemble. Une bonne faculté de droit s'assure qu'elle admet des étudiants intelligents et assez instruits pour apprendre le droit et le pratiquer, mais ensuite, elle doit s'efforcer de leur fournir un environnement reflétant le monde plus vaste dans lequel vivront ces avocats. Un juriste ne peut se suffire – contrairement au philosophe – d'apprendre dans un livre ce qu'est la discrimination. Il faut qu'il connaisse des gens qui en ont senti l'aiguillon, qui en parlent par expérience; aussi versé soit-il dans les textes – et il doit l'être – il devra avant tout résoudre de façon pratique des problèmes réels concernant des gens réels qui vivent dans un monde très, et parfois trop réel.

» Il acquiert un peu de cette expérience dans une faculté où il y a des Blancs, des Noirs, des Chicanos, des Orientaux, des Indiens, des riches, des pauvres. Nous estimons que fournir un tel environnement dans une faculté de droit est une obligation pour un État, non seulement envers les membres des minorités, mais également envers les membres de la majorité. Nous pensons qu'il y a encore une autre nécessité impérative, celle de fournir une assistance judiciaire aux membres des minorités, gens qui...

– Soutenez-vous, l'interrompit Jacobson, que les Noirs et les Chicanos ne peuvent obtenir une assistance judiciaire des avocats blancs ou des meilleurs avocats sans considération de race?

– Non, Votre Honneur. Nous soutenons que les minorités qui ont souffert de la discrimination et souffrent encore de ses séquelles préfèrent s'adresser à des gens comme eux, en qui ils ont instinctivement confiance.

– Ainsi les avocats noirs et chicanos seraient plus sensibles aux actions en justice de plaideurs noirs et chicanos que ceux qui leur sont ethniquement étrangers?

– Nous ne disons pas qu'ils le sont, monsieur le président, pas de façon évidente. Nous souhaitons qu'ils le soient, mais nous savons que tel n'est pas toujours le cas. L'être humain est égoïste : les Noirs et les Chicanos ne font pas exception à la règle. Mais je ferai remarquer que la National Association for the Advancement of Colored People n'est devenue une puissante force en faveur de la justice raciale qu'une fois fermement dirigée par les Noirs. Ce sont des Blancs libéraux qui avaient contribué à la fonder, qui la finançaient, et qui l'ont dirigée pendant des années. Mais elle n'est devenue *la* force motrice des droits civiques pour les Noirs qu'en devenant une organisation noire, s'occupant des Noirs, menée par des Noirs et émanant d'eux. Un exemple ne suffit pas à avérer une thèse, mais celui-ci nous permet raisonnablement d'espérer.

– En résumé, vous voulez que nous rendions valide la violation, par la Californie, du droit constitutionnel d'un groupe – ici, les Blancs – à être traité avec égalité parce que vous voyez un « intérêt social impératif » dans la chance, l'espoir que les bénéficiaires appartiennent à des groupes qui, dans le passé, ont subi la discrimination? Est-ce là l'essence de votre argument?

La question venait de mon frère Stanley Svenson, et elle prouvait, si besoin était, qu'il n'avait pas saisi un mot du litige. (Vous n'êtes pas sans connaître les rumeurs qui couraient sur ses excès de boisson. Par devoir envers l'histoire, je dois surmonter ma profonde aversion pour les racontars et confirmer ces bruits. En temps habituel, il ne buvait que le soir. On ne comptait plus ses faux pas aux dîners où il était prié; il n'était pas une maîtresse de maison qui ne redoutât de devoir l'inviter. Non qu'à ma connaissance il ait jamais bu lorsqu'il paraissait à la Cour, mais son système métabolique ne devait jamais être entièrement débarrassé d'alcool, sauf pendant de courtes périodes, chaque fois qu'il revenait d'une maison de santé du Connecticut où les gens riches et célèbres suivent en privé un régime sec – pour employer un euphémisme. C'était une véritable épreuve que d'être à côté de lui pendant les conférences si l'on tenait les fenêtres fermées, car il exhalait beaucoup plus d'alcool que de gaz carbonique.)

– Non, Votre Honneur (la lumière blanche s'alluma), ce n'est nullement ce que nous soutenons. Le seul droit qu'ait un individu pour entrer dans une faculté de droit de l'État, c'est que la possibilité ne lui en soit pas déniée. Elle n'était pas déniée aux requérants, et ils ont échoué. Pour toutes les raisons que je viens de citer, nous avons donné à certains une deuxième chance, une chance supplémentaire. Mais je voudrais encore insister sur un point. Il y a là-dedans un autre intérêt impératif : celui de proposer aux jeunes Noirs et Chicanos des images positives, de leur montrer qu'ils ont en Amérique une réelle chance de réussir, de leur faire voir que des gens avec qui ils peuvent s'identifier sont médecins, avocats, administrateurs. La jeunesse intelligente des minorités, il nous faut la convaincre que notre société applique honnêtement l'égalité, et que, sans renier le ghetto ou le barrio, elle peut trouver au dehors des moyens de vivre. Il nous faut montrer à ces gens que le trafic de drogue, le proxénétisme, les loteries clandestines ou le vol ne constituent pas leur unique espoir de prendre leur part de la prospérité américaine. Un Blanc ne peut représenter cette image pour un adolescent noir ou indien, ni un Anglo pour un Chicano. Nous avons besoin de ces gens, messieurs de la Cour, de ces jeunes avocats issus des minorités. Nous tous – en tant que société – avons besoin d'eux si nous voulons devenir véritablement un seul peuple et non une réunion de groupes raciaux et ethniques frustrés, ulcérés, prêts à employer la violence contre ce qu'ils estiment être « le système ». Nous avons besoin d'eux.

L'attorney général avait parfaitement calculé son temps. Moins de cinq secondes après sa dernière phrase, la lumière rouge s'allumait.

– Merci, monsieur l'attorney général, dit Walsh en le saluant d'un signe de la tête et, consultant ses papiers, il annonça : Affaire nº 768, *Les États-Unis contre Dupont de Nemours et Cie.*

Quelques secondes plus tard, un avocat un peu plus âgé que le précédent faisait son entrée et se dirigeait vers l'estrade :

– Monsieur le président, plaise à la Cour...

Et c'est là, mon cher garçon, l'un des aspects les plus importants de notre Cour suprême. Une cause peut être revêtue d'une signification dramatique pour tout le pays; ses attendus peuvent être d'une exquise complexité. Quoi qu'il en puisse être, elle est précédée et suivie par d'autres. Aussi redoutable qu'en soit la signification, elle n'est qu'un élément sur une chaîne de montage qui tourne inexorablement à travers notre tribunal et nos esprits. Rarement avons-nous l'occasion de savourer à loisir les délices intellectuelles d'une controverse. Toujours et toujours d'autres disputes rivalisent pour dévorer la plus rare des ressources, le temps.

Chacun de nous réagit à sa façon devant cet état de fait. Je ne crois pas avoir dissimulé ma position : j'ai appris depuis si longtemps à vivre avec les problèmes qu'ils me paraissaient plutôt de vieux amis que des ennemis. Comme frère Jacobson, Walsh réagissait vis-à-vis d'eux en attaquant. C'est une méthode dont, jusqu'à un certain point, naît l'efficacité; mais elle engendre rarement la sagesse.

7.

Les affaires dont nous nous saisissons reflètent typiquement les problèmes politiques du moment. Je ne parle évidemment pas ici de politique politicienne, mais des problèmes d'intérêt public. C'est pourquoi je vais continuer à vous entretenir du litige avec la faculté de droit de Californie, qui n'était qu'une des douze affaires défendues cette semaine-là devant la Cour.

La cause vint en délibération le vendredi. En raison de l'ampleur des questions qu'elle soulevait, et du peu de temps dont nous disposions, Walsh nous proposa de renoncer à notre habituelle pause pour le déjeuner, et de nous faire apporter des sandwiches et du café dans la salle de conférence à douze heures trente. Nous aurions ainsi une discussion ininterrompue de quatre-vingt-dix minutes sur les faits et circonstances, nous réservant de voter sur le fond la semaine suivante. J'appréciais peu l'idée de débattre tout en mastiquant, d'autant que la simple proximité de l'organe vocal de Jacobson et de l'haleine de Svenson suffisait à me brouiller la digestion. Mais que pouvais-je dire?

Je n'avais pas encore eu le temps de porter à ma bouche un des spongieux sandwiches que déjà notre impulsif nouveau président nous remettait à la tâche. Nous étions réunis simplement pour débrouiller le problème, nous dit-il, puisque la réflexion sur le fond et le vote n'interviendraient que lors de notre prochaine réunion. En conséquence, il nous exhortait à penser tout haut, à jouer l'avocat du diable, à ne pas nous sentir engagés par les arguments que nous exprimerions. S'étant acquitté du prologue, Walsh ouvrit la discussion.

– Je me sens, devant cette cause, comme un cheval ombrageux devant une fanfare. Les questions qu'elle soulève sont visibles mais fuyantes. Je voudrais que les États-Unis soient un pays où la race d'un individu ne compte pas plus que la couleur de ses yeux. Mais je sais que cela ne se vérifiera pas de mon vivant.

» Je ne vois pas comment il pourra jamais exister d'égalité pour plus que quelques éléments extraordinairement doués, ou extraordinairement chanceux, poursuivit Walsh après s'être fortifié d'une grande gorgée de café noir, si nous ne mitigeons pas un peu les règles. L'équité serait d'admettre les étudiants en fonction de leurs résultats universitaires, sans considération de race, de religion, de sexe, de fortune, d'influence ou d'affiliation politique. Mais, pour trop de jeunes, ces résultats sont lourdement tributaires de l'instruction, de la classe sociale de leurs parents et de l'attitude de ces derniers vis-à-vis du savoir ; ils sont aussi lourdement tributaires du soutien de leurs pareils, de leur confiance partagée dans l'idée que l'instruction est à la fois possible et utile. Dire à des gens à qui ont été déniés ces avantages qu'ils auront, par rapport à ceux qui en ont bénéficié, des chances égales, revient à dire à un coureur qu'il a autant de chances que les autres mais seulement s'il commence la course juste au point où il se trouve, à cent mètres derrière la ligne de départ.

– Écoutez, président, moi, je ne vois vraiment pas les choses comme ça, intervint ce rustre de Jacobson. (Il me revenait de droit, en tant que doyen, de prendre la parole directement après le président, mais, une fois de plus, je m'abstins de le faire remarquer. Walsh connaissait cet usage aussi bien que Jacobson. Je décidai de laisser le premier contempler, pour son édification, le second dans son comportement « naturel ».) Pour moi, jamais les gens sensés n'ont pensé que ce bas monde était équitable, poursuivit-il. On n'a pas tous les mêmes chances d'avoir part au gâteau. Si on veut jouer, il faut observer les règles du jeu. Si j'ai une paire de valets, je ne peux pas ramasser le pot simplement parce que celui qui tient un brelan d'as avait un papa riche alors que le mien a pris ses cliques et ses claques quand j'avais six ans et que ma maman a dû faire des lessives pour nous faire manger. La Californie avait annoncé les règles du jeu : pour gagner, il fallait avoir les meilleurs résultats universitaires et la plus haute notation au T.A.F.D. Un point, c'est tout. Personne n'aura de bonification parce qu'il est blanc, ou noir, ou mexicain, ou juif ou même, Dieu nous préserve, goy.

Jacobson s'interrompit, espérant sans doute que ce gros bon sens des hommes de la frontière pénétrerait nos crânes. Avant qu'il ait eu le temps de recommencer à malmener la langue et le bon goût, j'assumai mon rôle légitime, en m'adressant à Walsh comme si Jacobson n'existait pas :

– Président, telle la tragédie grecque, cette cause constitue plus un conflit de droits qu'une dénonciation de torts. Ayant passé ma vie à m'associer aux luttes contre les injustices raciales, ma première impulsion serait de rejoindre votre analyse. Mais, en tant que juge, je ne suis ni libéral ni conservateur, ni noir ni blanc. En fait, j'arrive à la même conclusion que la vôtre, mais je crois, et très sincèrement, qu'il nous faut un algorithme différent de celui que vous avez articulé. (Comme vous pouvez l'imaginer, mon cher, Walsh était suspendu à mes lèvres.) Je suis convaincu, ayant étudié toute ma vie l'histoire de cette Cour, que, dans ce genre d'affaires, la meilleure approche pour nous n'est pas de tenter d'apprécier, dans la multiplicité de leurs aspects, les valeurs qui s'opposent, mais d'examiner de quelle façon les instances politiques les ont appréciées, et de nous demander si cette appréciation est fondée. Si elle l'est, alors notre tâche s'arrête là. Et j'estime que tel est le cas.

» Le Quatorzième Amendement interdit le déni à quiconque d'une égale protection des lois, poursuivis-je, tandis que certains des frères prenaient des notes au passage, mais cette interdiction est entachée d'une ambiguïté inhérente à sa formulation doublement négative. On peut en effet arguer que si un État ne fait rien pour remédier à l'inégalité dans la répartition des bénéfices de ses prestations d'intérêt général, il dénie en fait à certains l'égale protection des lois. Mais, par ailleurs, prendre des mesures compensatoires pour supprimer l'inégalité en question, comme l'a fait la Californie, implique aussi une certaine inégalité. Sans doute existerait-il encore d'autres solutions, mais je crois que dans ce monde post-édenique où nous vivons, aucune ne saurait être sans défaut.

» L'action de la Californie, dis-je en conclusion, est-elle raisonnablement conçue pour rendre effective l'égale protection des lois? La question qui se pose à nous n'est pas de savoir si son attitude serait la meilleure ou la plus équitable dans un monde parfait. La question est de savoir si elle est fondée. Considérant que toute autre attitude serait également imparfaite, je ne me hâterai pas de la condamner. Il ne nous revient pas de trancher si elle est sage ou non, mais simplement si l'on doit l'accepter en tant que réglementation fondée. Je n'irai pas plus loin, et la Cour ne doit pas aller plus loin, car, avec cette réponse, nous atteignons les limites de notre juridiction.

J'avoue avoir peut-être parlé un peu longuement, mais j'essayais au moins autant de contribuer à l'éducation du président à propos de la fonction limitée de notre Cour que de résoudre l'affaire elle-même. Walsh me semblait éducable, et il était de mon devoir de l'aider.

– Le juge Walker a très congrûment exposé des vues que je reprends à mon compte, dit le cher Albert. Nous devons, comme cette Cour l'a fait depuis les temps de John Marshall, présumer de la constitutionnalité de l'acte et laisser aux demandeurs la charge de la preuve de son inconstitutionnalité. J'estime que ceux-ci ont montré que la politique de la Californie n'est pas parfaite; ils n'ont pas démontré qu'elle n'était pas fondée. Si nous sommes unanimes, ou presque, je suggère...

– Mais nous ne sommes pas unanimes, de loin pas, grogna Jacobson.

– Je crains que frère Jacobson n'ait raison, dit Putnam, notre aimable hébété de Nouvelle-Angleterre. Un État doit donner à chacun les mêmes chances et juger ses résultats selon les mêmes étalons. Voilà ce que signifie pour moi l'« égale protection ». Or la Californie a employé des étalons différents vis-à-vis de gens différents par la couleur ou l'origine. Cela ne tient pas. Je trouve fort bon que la Californie se soit sincèrement efforcée de résoudre un très difficile problème, mais elle a choisi une voie interdite par le Quatorzième Amendement.

Le sénateur de Virginie lui succéda. Il commença par une longue énumération de causes. Franchement, mon cher, un tel vernis d'érudition ne pouvait tromper personne; au demeurant, n'eût-ce été le café, sa logorrhée nous endormait tous. Il termina sa péroraison en nous exhortant à déclarer constitutionnelle l'action compensatoire de la Californie.

Notre frère Svenson, qui, après avoir pris sandwich et café, ne se ressentait plus que légèrement des libations de la soirée précédente, grommela quelques remarques. Manifestement, ses auxiliaires n'avaient pas réussi à lui faire ingurgiter assez d'informations. En bref, il se déclara d'accord avec le président et avec le sénateur.

Frère Campbell, notre littéraliste celtique, nous régala d'un de ses sermons sur la lettre pure et simple de la Constitution. Nous ne l'avions guère encore entendu qu'un million de fois. J'en profitai pour ébaucher mon « opinion ».

Le dernier à prendre la parole fut notre benjamin, Franklin Roosevelt Kelley. Il adopta un ton plaisant :

– Je préfère penser que je suis un des extraordinairement doués dont a parlé le président, plutôt qu'un des extraordinairement chanceux. Au demeurant, je me demandais si, dans cette affaire, je ne devrais pas me récuser, car on pourrait me taxer d'intérêt personnel dans le *statu quo* qui ne laisse qu'un nombre infime de Noirs entrer dans le système. Si, depuis vingt-cinq ans, j'ai été le négro dorloté qui gravit l'échelle politique (je n'ai jamais pu me faire à l'emploi de ce mot de « négro », même dans la bouche d'un Noir), il semble que c'était surtout pour légitimer ce que vous autres blancos êtes en train de faire. (Nous rîmes discrètement, mais ce Jacobson crut bon de pouffer bruyamment. C'était aller trop loin : l'ironie mérite un léger sourire, un petit rire même, mais nullement une hilarité paroxystique.)

» Je ne puis parler sérieusement de ce sujet sans me laisser emporter, dit frère Kelley en changeant de ton. Les gènes que m'ont légués trois générations de prédicants me poussent à délivrer des sermons de soufre et de feu. Je me contenterai donc de m'associer aux vues du président et du juge Breckinridge. Nous devons considérer ici la question essentielle, et déclarer que ce qu'a fait la Californie est juste, moralement et constitutionnellement. Présumer de la constitutionnalité est un artifice dont je me refuse à user. J'estime que frère Breckinridge a raison. Nous devons affirmer la constitutionnalité de l'action compensatoire.

– Mon frère, dis-je, une vie passée à œuvrer pour une cause d'une égale justice me fait priser très haut vos commentaires – et ceux du président – et souhaiter les reprendre à mon compte. Mais la robe que je porte me force à contenir mes élans personnels. A la différence de nos confrères du Sénat, nous ne sommes pas libres de prendre fait et cause pour une question. Nos pouvoirs limités nous commandent d'être humbles. Nous devrions garder toujours présente à l'esprit la sage réflexion du grand juge Brandeis : « Ce que nous faisons de plus important, c'est de nous abstenir. » Si nous restons strictement à l'intérieur de notre juridiction, notre fonction est très limitée. Dans la cause que nous examinons présentement, les questions d'intérêt public sont subtiles, complexes et, comme nous le rappelle le président, politiquement explosives. Quelle que soit la solution proposée pour les problèmes tristement vexatoires de la race, il lui faut un large soutien populaire pour s'imposer. Nous ne sommes pas des représentants de nos concitoyens. Nous n'avons pas – et nous ne devons pas avoir – de contact avec l'opinion publique. Notre tâche, restreinte, est d'arrêter, sur des affaires, conformément à la Constitution. Nous ne détenons pas des mandats pour agir en chevaliers errants redresseurs de torts. Notre devoir est l'interprétation de la Constitution, et il est terminé lorsque nous nous sommes assurés que d'autres organes du gouvernement ne font pas un usage indu de leurs pouvoirs.

– Mais, intervint Putnam, nous ne pouvons ignorer ce fait qu'ici un État emploie la race comme étalon des privilèges qu'il octroie. Certes, comme on l'a dit, nul n'est contraint d'exercer son droit d'étudier dans une faculté de droit dépendant d'un État, mais, d'un autre côté, un État ne peut se prévaloir d'un critère racial pour déterminer qui y sera admis. Au surplus, en tant qu'avocats et membres du barreau, notre devoir est de veiller à ce que les normes d'admission dans la profession juridique demeurent élevées. Ce dont nous avons besoin, c'est de meilleurs juristes, et non de pires.

– Voyez-vous, dit le président, j'ai souvent siégé lorsque nous décidions des admissions dans notre faculté de droit. Les candidats que nous avions à Ann Arbor étaient plus ou moins du même niveau et en même nombre qu'à Berkeley. Je peux vous dire que le T.A.F.D. s'est révélé bon, mais loin d'être infaillible, au vu de ce à quoi parvenaient nos étudiants. Probablement était-il utile en éliminant ceux qui ne pourraient nullement « suivre » ou qui suivraient trop mal, mais rien de plus. Et même lorsque nous avons également pris en compte leurs résultats universitaires, les « hors série », que nous avons admis, nous ont réservé des déboires. La moyenne pouvait satisfaire les statisticiens, mais elle était trop basse pour que je ne choisisse pas, de temps en temps, en fonction de ma simple intuition.

» Voyons, poursuivit Walsh, au début des années soixante, les notations obtenues au T.A.F.D. par ces candidats des minorités dont il est ici question les auraient fait admettre dans n'importe quelle faculté de droit du pays : Harvard, Yale, Berkeley, Université du Michigan. Nous assistons à un prodigieux afflux de candidats à l'entrée dans les facultés de droit. Et ce qui est ici en cause, ce n'est pas la façon dont un État distingue entre candidats qualifiés ou non, mais celle dont il choisit entre les candidats qualifiés. A ce stade, s'agissant de candidats hautement qualifiés, je ne vois pas ce qu'il y a de mal à essayer de mettre un peu de levain ethnique ou racial dans une classe, de même qu'il n'y a pas de mal à essayer d'avoir quelques étudiants d'autres États ou une proportion d'élèves d'universités privées par rapport à ceux des universités d'État.

» Au demeurant, il m'apparaît que nous avons au moins accompli quelque chose : nous avons exposé une quantité d'idées. Et plusieurs d'entre nous, dit Walsh avec un mouvement de tête vers Jacobson, ont joué le rôle de l'avocat du diable, peut-être avec trop de succès. (Jacobson pouffa de nouveau.) Je propose que nous placions cette affaire en première position dans l'ordre du jour des délibérations de vendredi prochain, et que, dans l'intervalle, nous la mettions dans nos prières. Je considère mes vues comme sujettes à révision, et j'espère que vous avez la même attitude. A présent, faisons une pause d'un quart d'heure pour nous dégourdir les jambes, et nous passerons à la cause suivante.

Nous nous levâmes. Jacobson posa une patte velue sur l'épaule de Kelley, et ils sortirent en plaisantant. Que Kelley, comme d'ailleurs les autres frères, puisse fraterniser avec cet être, voilà qui dépassait ma compréhension.

La conférence de la semaine suivante nous trouva sur des positions assez inchangées. Putnam avait légèrement faibli, mais c'était chose normale. Je suis certain, absolument certain, que c'était moins pour avoir changé d'avis que parce qu'il avait oublié ce qu'il avait dit – et ce que nous avions dit – la semaine précédente. Lorsque nous passâmes au vote, la constitutionnalité de l'action de la Californie fut soutenue par sept voix contre deux. Mais les sept étaient très divisées sur les prononcés. Albert et moi-même souhaitions nous exprimer de la façon la plus épurée, sans nous départir de la déférence qui sied à l'égard des autres organes du gouvernement. (Inutile de vous dire que je ne nourrissais par d'illusions sur leurs titres à cette déférence. Mais telle est l'attitude que la Constitution prescrit à notre Cour, et telle est l'attitude que j'observe.)

Par ailleurs, Walsh, Breckinridge, Svenson et Kelley voulaient discuter du fond comme s'ils étaient législateurs, et déclarer clairement l'action de la Californie constitutionnelle. Frère Campbell, pour sa part, soutenait que les requérants ne justifiaient pas leur instance. Quel être irréfléchi !

– Eh bien, il est temps que je me jette à l'eau, dit Walsh après le scrutin. Je me chargerai de rédiger le projet d'arrêt.

Je dois à la vérité d'avouer que j'avais escompté me charger de cette besogne. Comprenez-moi bien, il ne s'agissait nullement d'amour-propre. Lorsqu'il s'agit de la Cour, je n'ai absolument aucun amour-propre. Eussé-je voulu m'exprimer personnellement que je l'aurais pu faire dans une « opinion » concourante à laquelle, j'en suis certain, Albert aurait adhéré. Mais j'étais mû par mon souci de la stricte observance des austères fonctions de la Cour, laquelle doit être protégée, autant qu'il est humainement possible, des dangereuses ruades de ce cheval fougueux qu'est l'intérêt public.

Je m'efforcai d'amener Walsh à mes vues, mais je n'y parvins pas. Notre conférence terminée, tard dans l'après-midi, je l'accompagnai jusqu'à son bureau. Je lui consacrai une heure *entière*. Je donnai ma pleine mesure, énumérant tous les grands juges – ce dont je m'étais abstenu pendant la conférence – qui avaient formé la doctrine de la « pondération ». Il m'écouta, et dut en faire son profit, car je lui administrai une très utile leçon d'histoire sur notre Cour. Mais il n'en refusa pas moins opiniâtrement de reconnaître que son attitude était déraisonnable. Tout ce qu'il concéda, ce fut qu'il réfléchirait à ma pétition de principe.

En ce qui concernait Walsh, je n'estimais nullement la partie perdue. Au cours de la semaine, je revins deux fois à la charge, et je lui laissai un exemplaire de mon mémorandum. Je l'informai honnêtement que c'était l'ébauche d'une opinion que je soumettrais plus tard à tous les frères. Je songeai, en même temps, qu'il me serait tactiquement utile de connaître l'état d'avancement de sa propre opinion. Je voulais soumettre la mienne aux frères concurremment à la sienne, afin de minimiser l'influence de son texte dont je craignais qu'il ne manquât pas d'élégance.

Comme j'aimerais couronner ce récit par une fin heureuse! Hélas! il n'en fut rien. Mis à part la décision et le sens qu'elle revêtait relativement à la fonction de notre Cour – au demeurant, éléments importants et même capitaux, si on les considère concurremment à d'autres décisions que Walsh devait essayer de faire passer – l'affaire me donna un aperçu de la personnalité du nouveau président, un aperçu peu flatteur. Voilà un être qui s'était répandu dans toute la Cour, rendant visite aux autres juges – mais ni à moi ni à frère Albert, soyez-en assuré – pour les presser de rallier son opinion! Il avait même eu le mauvais goût d'aller voir Putnam. Et il a harcelé ce pauvre esprit débile pendant près d'une heure.

Vous n'allez pas me croire, mais il eut même l'impudence d'essayer de *me* convaincre, de me convaincre, *moi,* mon cher. Lors d'une de mes visites destinées à faire son éducation, il me harangua comme quoi *il était de notre devoir* de trancher des questions constitutionnelles qui se présentaient à nous. Le courage était, pour les magistrats, une vertu non moins importante que la modestie, dit-il. Il a d'ailleurs repris cette phrase dans son opinion. Vous pouvez vérifier, si vous avez du temps à perdre. Je puis vous assurer que je feignis simplement de l'écouter. Rétrospectivement, je crois que c'est plus la stupeur de voir qu'il avait le front de penser que *lui* pouvait m'apprendre quelque chose en matière de jurisprudence constitutionnelle – m'apprendre, à *moi!* – que le respect du bien-fondé de son argumentation qui me fit rester muet.

Non que je prétende qu'il y ait quelque chose de contraire à la légalité, ou même à l'éthique, dans nos efforts pour nous persuader mutuellement. Nous sommes une *cour,* nous devons œuvrer en commun. Si chacun des neuf membres allait dans la direction qu'il préfère, la loi ne serait bientôt plus qu'un fouillis. Sur quoi pourrait faire fond un avocat, en présence de neuf opinions différentes? Au demeurant, il nous arrive de diverger tous les neuf, mais le chaos qui en résulte prouve l'inanité de cette attitude.

Ce que j'essaie de dire, c'est qu'il nous faut *négocier* les uns avec les autres pour qu'une opinion ait l'adhésion d'au moins cinq d'entre nous. Notez bien, je vous prie, que j'emploie le mot « négocier » et non « marchander », comme certains ont la vulgarité de le dire à notre propos. Nous ne marchandons nullement. Nous négocions.

Je suppose que vous pouvez à présent, mon cher garçon, apprécier congrûment ma critique du comportement de Walsh. Ce fut une véritable campagne qu'il mena en notre sein, passant de porte en porte comme un représentant de commerce. Inutile de vous dire à quel point sa conduite m'affecta, étant donné ma scrupuleuse réserve. Il faut convenir que ses efforts se révélèrent payants, mais la véritable mesure de la rectitude ou même de la grandeur est ailleurs, n'est-ce pas? Toujours est-il que Walsh s'acquit quatre autres votes. Ce nigaud de Putnam finit par rejoindre son camp, laissant Jacobson diverger rageusement seul.

Ce ne fut pas un spectacle agréable. Pour la Cour – je ne nie pas qu'il parlât pour la Cour puisqu'il avait le quorum – Walsh a sauté à la gorge du problème constitutionnel, comme il l'avait fait lors de la conférence. Vous comprenez sans doute mieux maintenant ce que j'entendais en disant qu'il n'était pas un de nos grands juges. *Hubris*, pure *hubris*. Il avait de la fonction de la Cour dans notre système une vision démesurément grandiose, et l'opinion qu'il entretenait de son propre intellect dépassait la simple arrogance.

Je ne laissais pas d'en être inquiet, même durant sa première session, période où s'observe chez les nouveaux juges ce qu'on a savamment baptisé le « syndrome du novice ». Habituellement, pendant leur première année à la Cour suprême, les juges explorent les paramètres de l'institution, ne rédigent d'arrêts que pour des affaires relativement triviales, passent d'un camp à l'autre dans les débats doctrinaux entre les frères, cherchent à s'affermir dans leur rôle neuf. Mais pas Walsh. Si je puis me permettre une vulgaire analogie sportive, il était entré dans les cordes comme un boxeur qui sait qu'il doit gagner au premier round ou jamais.

Il n'y avait aucun doute, absolument aucun, sur la position qu'il prendrait dans les affaires dont nous avions à connaître. Les pauvres, les opprimés, voilà les gens qui formaient, si l'on peut dire, sa clientèle. Il vota, non seulement pour requérir les États d'élargir l'assistance judiciaire gratuite à ceux qui étaient accusés de *n'importe quel* délit passible d'une peine de prison, mais aussi pour leur faire obligation de renoncer aux frais d'enregistrement des instances en divorce introduites par des nécessiteux. Il était l'ami perpétuel des assistés, votant pour l'abrogation de la domiciliation obligatoire comme condition ouvrant droit, dans un État, à la gratuité des soins médicaux, aux allocations de chômage ou à l'assistance pour enfants à charge.

Les pauvres, les malades, les opprimés, écrit-il dans une opinion, *n'ont pas moins de droits, aux termes de la Constitution, que les riches et les bien-portants.*

La formule ne brille pas par la profondeur, mais elle fut largement citée. Je me souviens que le *Time* en fit la légende du portrait de Walsh qu'il publia en couverture. *Newsweek* préféra reproduire ceci :

La dignité de l'homme repose au cœur de la galaxie des valeurs constitutionnelles américaines. Son esprit imprègne chaque clause. Protéger et chérir cette dignité, ce devoir du gouvernement est le moteur moral et politique de tout le système constitutionnel.

Je ne décrie nullement ces sentiments, nullement. Ils reflètent les valeurs d'une vie de labeur au service de la justice, et je les avais faits miens bien longtemps avant que Walsh apprenne la différence entre une injonction et une assignation. Mais le nœud de l'affaire, c'est que de tels sentiments, aussi nobles soient-ils, n'ont pas légitimement place dans les prononcés de notre Cour.

Pour Walsh, par ailleurs, la Cour n'était pas la plus haute instance judiciaire du pays mais un super-bureau d'assistance juridique. Plus même – ou moins, selon votre religion en matière de droit – elle était pour lui une tribune où il montait pour prêcher ce qu'il estimait être la justice sociale, les droits naturels et les limitations à l'autorité du gouvernement sur l'individu.

Voilà la direction dans laquelle tendait Walsh : faire dire à la Constitution que le gouvernement a le devoir de prendre des initiatives sociales et économiques, et pas seulement de s'abstenir de violer les droits qu'elle énumère spécifiquement, ainsi que ce qu'il appelait leur « pénombre » – une véritable armada de menus droits qu'il déduisait des droits spécifiques pris individuellement et collectivement. Il allait même plus loin en laissant entendre que les organes gouvernementaux avaient le devoir, judiciairement exigible, de prendre toutes mesures pour rendre ces droits effectifs. Il y avait là une orientation dangereuse, très dangereuse, aussi bien pour le pays que pour la Cour, car elle crédite son auteur d'un quasi-monopole sur la sagesse politique et d'une intégrité absolument sans faille.

Et il était toujours à patrouiller dans nos couloirs, quêtant une majorité en faveur de ses vues, sinon même l'unanimité. Pendant les conférences, débattre avec lui s'apparentait un peu à discuter avec un jésuite. Il donnait toujours l'impression d'écouter attentivement, d'être ouvert aux arguments. Il n'était jamais de mauvaise humeur, ni agressif comme Jacobson, ni intraitable comme Campbell, ni verbeux comme Breckinridge. Au surplus, il fut bientôt un puits de science sur notre Cour, bien que son histoire ne fût pour lui qu'un élément dans sa batterie d'arguments. C'était un travailleur infatigable – un « drogué de travail », disaient certains frères. A sept heures du matin il se mettait à son bureau, chez lui ou à la Cour, et lorsqu'il s'en allait, vers dix-huit heures sinon plus tard, dans la limousine de la Cour, c'était toujours avec sa serviette gonflée de documents.

Il faut lui rendre cette justice qu'il était toujours extraordinairement bien préparé, en vérité infiniment mieux que nous. Avec son esprit encyclopédique et sa mémoire absolue, Albert avait un certain avantage naturel, mais Walsh lui damait encore le pion. Son savoir, il le laissait tomber négligemment, souvent de façon narquoise, comme s'il convenait de ne pas le prendre trop au sérieux.

Sous toute cette érudition, il y avait aussi une logique aiguë et, enfouis encore plus profond, des principes extrêmement fermes. Seulement, ces principes n'étaient pas les bons pour un juge. Il faut reconnaître qu'il était fidèle à sa vision de la Cour en tant qu'ultime recours judiciaire de ceux que notre société avait malmenés. Vision admirable en soi, certes, mais si tristement erronée – et si dangereuse puisqu'elle tend à inscrire dans la permanence de la législation constitutionnelle les lignes de conduite, ou les angoisses, du moment.

Il était évidemment un héros pour les bonnes âmes, mais j'ai toujours eu le sentiment qu'il accueillait leur culte avec une pointe de cynisme. Eux étaient des tendres; lui était inflexible. Ils souffraient pour les pauvres par une compassion non exempte de culpabilité. Lui était mû par ses principes. Je ne crois pas qu'il ait éprouvé la moindre compassion pour un quelconque opprimé dans le monde. Pour *les* opprimés *du* monde, oui, assurément, mais pas pour tel être humain particulier qui se trouvait souffrir.

A mon sens – et une vie d'étude des juristes me permet d'en parler non sans quelque autorité – Walsh réagissait à l'injustice sociale non en libéral généreux mais en être rigide, égocentrique, imbu de soi. Il s'était convaincu lui-même que la Constitution parlait par sa bouche. En une autre ère, il aurait fait un splendide oracle de Delphes. Certes, c'est là un travers typique du juge activiste. Dieu – s'Il existe – sait si j'en ai vu assez de manifestations. Mais je ne veux pas empiéter sur le cours de mon récit. Je reviendrai plus tard sur le moi labyrinthique de Walsh. Il me faut encore vous instruire de quelques faits avant de vous ouvrir les ultimes portes.

8.

Depuis l'installation de Walsh à la présidence de la Cour suprême, les années avaient vite passé. Il était rapidement devenu un très capable administrateur. Non, la formule n'est pas exacte. Walsh était un administrateur-né. Il inclinait naturellement à l'ordre. Je n'ai pas dit à la netteté. En fait, il y avait souvent du fouillis dans son bureau; lorsqu'ils prenaient le thé avec moi, il arrivait de façon non infréquente que ses auxiliaires se plaignissent de ne pas comprendre ce qu'*ils* faisaient. Ce qu'ils ne saisissaient pas, c'est que *lui* le comprenait, et qu'*ils* travaillaient pour *lui*, même si les jeunes aiment tant se bercer de l'idée que le monde, et particulièrement leurs aînés responsables, travaillent pour eux. Les documents et les êtres qui, souvent, étaient éparpillés dans sa vie, constituaient les pièces d'un gigantesque puzzle ne se raccordant que dans son esprit.

Grâce aux efforts de Walsh, et en dépit des lamentations de ses collaborateurs, le fonctionnement administratif de la Cour était assez harmonieux, condition qui permettait aux autres membres de la Cour de se concentrer sur les questions importantes. Il ne nous échappait pas que cet état de choses était dû en partie à l'efficacité d'Elena Falconi, la charmante assistante administrative de l'ancien président, dont Walsh avait hérité. (Je ne me souviens pas si je vous ai déjà parlé d'elle – c'était vraiment une belle femme et, je dois l'avouer, très capable.) Nos vies furent vraiment allégées non seulement par la compétence d'Elena mais aussi par la propension – pour ne pas dire l'avidité – de Walsh à abattre plus de travail que nous tous réunis. En toute franchise, nous étions unanimes à apprécier la peine qu'il prenait, y compris frère Jacobson, bien qu'il fût un peu plus réticent que les frères civilisés.

N'aurait-on connu son passé qu'on l'aurait plutôt vu, avant d'accéder à la Cour suprême, en astucieux secrétaire permanent de réunions de quakers plutôt qu'en militaire. Peut-être fut-ce son expérience de doyen, c'est-à-dire de responsable sans pouvoir, qui affina ses talents; à moins que ceux-ci, comme ses aptitudes à l'administration, soient plus innés qu'acquis. Mais il y a encore une autre explication, que, pour ma part, je préfère. Au cours de deux guerres, Walsh avait dirigé en *commandant*. A présent, il s'attaquait à une difficulté neuve : diriger en *persuadant*. Au fond, il se peut qu'il ait engagé une partie autant avec lui-même qu'avec nous. Souvent, très souvent, je l'ai senti. Au demeurant, Walsh possédait les talents requis à un degré proprement prodigieux; s'il jouait un jeu, c'était avec art et bonheur.

Non que cela tempère en rien ma critique de ses idées en matière de droit positif, et de l'intensité avec laquelle il cherchait à convertir les autres à ses vues. On peut admirer son habileté professionnelle tout en déplorant à la fois sa conception grandiose de la fonction de notre Cour et l'image démesurément ambitieuse qu'il se faisait de son propre rôle. Ce que je tiens à souligner, c'est qu'il suivait avec une adresse consommée – implacable, si vous voulez – les détours intellectuels de ses collègues. On le sentait bouillir intérieurement, mais il s'abstenait toujours de rendre à Jacobson coup sur coup; il prêtait une oreille patiente aux harangues de Breckinridge; il bravait avec une généreuse courtoisie l'insipide vacuité de Putnam.

Certes, son aptitude à être avec chacun de nous, et même avec Jacobson, de commerce agréable, comptait significativement dans son succès. Mais l'affabilité, même doublée de zèle, n'est pas un sésame. Le lamentable bilan de frère Putnam témoigne à l'évidence de la nécessité d'un esprit de premier ordre pour exercer une véritable action dans notre tribunal.

Et c'est pourquoi, aujourd'hui encore, je ne puis absolument pas comprendre que Walsh ait pu partager l'intérêt de Jacobson et de Kelley pour ces modernes tournois de gladiateurs au cours desquels des hommes se battent pour la fugace possession d'un ballon, tout en appréciant au même titre les conversations philosophiques et littéraires dont Albert et moi faisions nos délices. Walsh passait même parfois un dimanche après-midi dans un stade avec Jacobson et Kelley (j'inférai des allusions de son épouse que c'était l'une de ses rares diversions au travail de la Cour), à acclamer l'équipe locale des « Indiens » ou autre ridicule dénomination. Dans l'ensemble, il portait son érudition avec aisance, et ce n'était pourtant pas un mince bagage intellectuel. Il tendait même à la masquer derrière une curiosité insatiable, presque enfantine. Ce dernier trait le rendait attachant, et nous faisait non point oublier mais pardonner cette ardente ambition qui couvait en lui et embrasait toutes ses activités.

Vous savez qu'il nous faut souvent négocier, et Walsh y était fort habile, encore qu'il usât parfois un peu trop pour mon goût de son ascendant ou de la flatterie. Mais mes collègues le lui faisaient parfois payer bon prix en termes de pureté doctrinale, car aucun ne partageait totalement sa vision. Strictement entre nous, mon cher garçon, l'échange était loin d'être mauvais, étant donné, comme je l'ai déjà expliqué, qu'il ne comprenait pas la véritable fonction de notre tribunal. Nous constituions un frein. Il parvenait souvent à décider quatre, cinq et même six votes en faveur du but qu'il poursuivait, mais il lui était beaucoup plus difficile de faire l'unanimité derrière ses projets d'opinions. Chacun insistait pour y apporter telle ou telle importante modification jurisprudentielle. Je me souviens l'avoir un jour entendu dire plaintivement (pardonnez la crudité de la citation, mais il convient en ces matières de sacrifier le bon goût à l'exactitude) : « Les frères prennent plaisir à trancher au moins une couille à mes opinions. » Vulgarisme, certes, mais métaphore non inappropriée.

En revanche, les journalistes libéraux, activistes politiques, travailleurs sociaux et cœurs sensibles de la nation étaient beaucoup moins pointilleux. Tout ce qui les intéressait, c'étaient les arrêts; ils ne prenaient pas la peine de lire les opinions. Walsh devint et demeura leur idole. *Time* et *Newsweek* rivalisaient d'articles platement laudateurs sur lui.

Mais j'ai obligation, au point où nous en sommes et par fidélité à l'histoire, de glisser une note tragique. Le zèle professionnel de Walsh ne fut pas sans répercussions fâcheuses sur son foyer. Je crois avoir fait allusion, en vous parlant de son poste à la Maison-Blanche en 1951-1952, à l'idyllique entente de ce couple de quasi jeunes mariés très amoureux. Kathryn avait déjà la repartie assez vive, mais leur union semblait suave et harmonieuse – et, subodorait-on, non dénuée d'une forte dose d'érotisme.

Lorsqu'ils réintégrèrent Washington, avec la nomination de Walsh à la présidence de la Cour suprême, des changements évidents étaient survenus. Nul de nous n'échappe à l'érosion des années. Pourtant, dans les débuts, on sentait encore entre eux un attachement, certes non exempt de frictions, mais bien réel, qui suscitait l'admiration, l'envie même. Et, dans cette ville qui se régale des débordements amoureux, vrais ou faux, des grands et des presque grands, jamais il ne me vint aux oreilles le plus léger bruit concernant Walsh. Au sujet de son ami, ce Keller, assurément oui. Mais ses exploits lubriques étaient devenus un tel lieu commun qu'ils n'intéressaient plus guère que les pires amateurs d'histoires d'alcôves.

On sentait qu'il y avait des problèmes maritaux chez les Walsh. Je me souviens d'une soirée d'hiver chez les Albert, au cours de la première année de Walsh à la Cour. L'heure était tardive. Nous avions vu une bonne représentation d'opéra, soupé agréablement, et nous étions dans cet état fugace mais douillet entre le contentement et la fatigue. Elizabeth avait évoqué ses souvenirs d'un autre spectacle d'opéra, trente-cinq ans plus tôt, où elle et Albert avaient fait connaissance. Albert était alors un jeune diplomate détaché auprès de notre ambassadeur à Paris. Elle-même et son père, riche industriel soutenant financièrement le parti démocrate, étaient en vacances dans cette capitale. Et voici que ses affaires avaient contraint le digne homme à se rendre d'urgence en Allemagne. Afin de ne pas laisser Elizabeth se distraire seule au milieu de ces décadents Français, il avait téléphoné à l'ambassadeur de lui dépêcher un de ses aides pour escorter sa fille à l'Opéra. Et cet aide, c'était évidemment Albert.

Pour romanesque qu'elle fût, je suivais distraitement cette histoire, d'un genre qui m'intéresse généralement assez peu. Mais cette chère Elizabeth, toujours sensible à la présence et aux désirs des autres, avait alors demandé à Kathryn comment elle avait rencontré Walsh. Vous n'ignorez pas combien je répugne à apprendre des détails intimes sur la vie des gens; mais j'estimai de mon devoir envers la Cour de surmonter ma répugnance et j'écoutai le récit de Kathryn.

– C'était à Chicago, dans la librairie de l'université. J'allais entrer en première année de droit. J'étais là, dans une longue file d'attente, patientant pour régler deux copieux et coûteux recueils d'arrêts, et j'ai lié conversation avec un beau garçon qui attendait derrière moi dans la file. (J'ai entendu d'autres femmes dire, elles aussi, que Walsh était beau, mais j'avoue qu'il y a là, pour moi, un mystère. Je l'ai toujours trouvé d'un extérieur quelconque. Mais quel simple mortel peut pénétrer les goûts féminins?) Une fois nos achats réglés, il m'a offert un Coca-Cola. En ce temps-là, nous n'étions pas compliqués : un garçon, une fille, des livres de droit, un Coca-Cola et vous aviez tous les ingrédients d'une histoire d'amour. Ensuite, il m'a accompagnée jusqu'à mon premier cours à la faculté de droit.

» La saison était parfaite pour un flirt, poursuivit Kathryn. J'étais seule dans cette ville où je venais d'arriver, et dans une université effrayante d'intellectualité. A Radcliffe et Harvard, les gens jouaient aux intellectuels, remarqua-t-elle avec son tact habituel, totalement indifférente à ce détail qu'Albert et moi-même étions des anciens de Harvard. (Je me souviens, à ce propos, avoir seulement saisi à ce moment-là qu'elle avait reçu une superbe formation.) Mais, à Chicago, ils étaient vraiment intellectuels. Cela me paniquait. Et voilà que brusquement je venais de rencontrer un jeune homme sympathique et follement attirant. J'étais sûre qu'il allait me demander de sortir avec lui. Je passai de la peur à la félicité.

– Moi aussi, tu me plaisais, lança facétieusement Walsh.

– Mais oui, c'est ça, rétorqua-t-elle en lui ébouriffant les cheveux. (Il était assis par terre, tout contre le fauteuil de Kathryn devant la cheminée, attitude que j'estimais peu digne du président de la Cour suprême des États-Unis mais qu'il semblait affectionner lorsqu'il se trouvait en petit comité, de même d'ailleurs que ce Keller. Peut-être cela reflétait-il une bizarre maladie militaire qu'ils avaient contractée en Orient.) Et savez-vous ce que m'a fait ce démon? dit-elle en nous prenant à témoin. (Estimant la question purement rhétorique, je me gardais bien d'y répondre.) Il savait que je le prenais pour un étudiant. Il m'a même dit qu'il se rendait au même cours que moi, un cours d'initiation aux « Voies légales ». Et puis il m'a laissée battre la campagne sur ce que j'avais entendu dire par des étudiants de deuxième année, à propos de l'horrible ogre qui donnait ce cours. J'ai essayé de lui faire partager ma peur en lui racontant que c'était un Marine sanguinaire, un héros de la guerre regardant les étudiants comme des Japonais résiduels, qu'il fallait évacuer de la faculté de droit avec perte et fracas.

– Même alors, je savais que la crise de la surpopulation menaçait, ricana Walsh.

– Ferme-la, le nargua-t-elle. Lorsqu'il m'a quittée pour monter sur l'estrade et qu'il s'est mis à expliquer le sujet de son cours, je me suis enfuie.

– Mais tu es revenue au trimestre suivant.

– Je ne pouvais pas faire autrement, c'était une matière obligatoire. Mais je suis restée au fond de l'amphi avec les trois autres filles de première année. Elles te trouvaient l'air charmant, pauvres innocentes. Moi, je savais que tu étais sadique, et je leur ai dit de se méfier, sans cela Barbe-Bleue les mangerait toutes crues. Elles s'en sont rendu compte dès qu'il en a appelé une pour sa séance spéciale de torture : « Miss Torgerson, exposez-nous l'affaire *Virginie occidentale contre Barnette.* » On aurait dit l'Inquisition espagnole et la Chambre étoilée réunies. Sans Mike Keller, qui était alors en troisième année, jamais ne n'aurais pu tenir jusqu'à la fin du semestre. Il m'a beaucoup aidée à me mettre au courant.

– Pour mettre les jeunes filles au courant, remarqua Walsh, Mike ne faisait jamais défaut.

– Exactement. Au début c'était un peu comme être aidée par une pieuvre exclusivement nourrie de cantharides. Mais il s'est calmé une fois que je lui eus confié que je sortais en catimini avec le brave professeur.

– Mensonge éhonté, glissa Walsh.

– Bien sûr, mais il a marché. C'était comme invoquer le tabou de l'inceste. A la fin de l'année universitaire, j'ai obtenu un des meilleurs classements, et le monstre a offert de me prendre comme assistante.

Dès lors, ce pauvre Mike n'a plus douté que je lui avais dit la vérité. Pour être franche, j'ai été surprise aussi bien du classement que de la proposition.

– Tu avais de remarquables talents.

Là-dessus, Kathryn est partie d'un rire égrillard, et j'avoue que nous en avons tous fait autant, moi compris. Elle avait toujours été parfaitement consciente de son physique attrayant.

– Sérieusement, poursuivit-elle, ce ne fut qu'au printemps suivant que saint Declan m'a paru commencer à entrevoir que les filles étaient différentes des garçons, et que j'étais une fille.

– Je savais que tu étais une fille et j'avais une idée passable de ce qui les différenciait. Mais il ne m'était encore jamais venu à l'idée que les étudiantes étaient également des femmes. Et puis, j'arrivais juste à la trentaine, je voyais déjà approcher la vieillesse.

– Moi, j'avais vingt-trois ans, l'âge où une fille est déjà trop vieille, mais ce n'était pas cette sociologue décharnée avec qui tu sortais qui aurait pu te l'apprendre.

– J'admirais son esprit.

– Certainement, parce qu'il n'y avait rien d'autre à admirer, à moins d'aimer les échalas. Mais l'esprit perd toujours devant la matière, remarqua Kathryn à notre intention. J'ai été son assistante pendant quelques mois, et puis j'ai décidé que j'étais amoureuse de lui depuis notre première rencontre à la librairie, et que lui aussi était amoureux de moi, mais à son insu. Il fallait que je l'aide à s'en rendre compte. Et la tâche n'était pas facile. Nous avions beaucoup de goûts et d'intérêts communs, nous nous entendions bien; ses regards m'apprenaient qu'il entretenait quelques pensées impures. Mais il ne s'était jamais montré le moins du monde entreprenant. Pour ces Irlandais inhibés, le sexe est le plus grand péché possible.

– Tu étais une étudiante. Il m'aurait semblé que je profitais de notre proximité.

– Quelle proximité? Nous n'avons jamais été proches avant ce moment du mois de mai où tu es parti passer un week-end au bord du lac Michigan, dans la maison d'un ami.

– J'avais besoin de solitude, expliqua Walsh non sans quelques réticences, pour réfléchir à ce qui était en train de se produire. Il me semblait que je tombais amoureux; c'était un sentiment nouveau pour moi, particulièrement dans ce contexte. Je n'avais jamais eu même une velléité d'aventure avec une étudiante. Il est difficile de se sentir romantique à propos de quelqu'un qui vient de massacrer l'énoncé du plus simple procès.

– Grand merci, railla Kathryn.

– Et puis je ne savais plus où j'en étais, tantôt le courant passait entre nous, et tantôt pas. J'avais besoin de réfléchir tout seul, au bord de l'eau.

– Et la solitude, tu ne l'as pas eue, dit Kathryn avec un rire sensuel. J'avais découvert sa destination, nous informa-t-elle, emprunté la voiture de Mike Keller, et je le suivais à peu de distance. Je crois qu'il a sincèrement cru que mon sac de voyage était bourré d'ouvrages que je lui apportais. J'ai vu le moment où je devrais le violer pour lui faire comprendre mes intentions, dit-elle en recommençant à fourrager dans les cheveux de Walsh.

– Tu te moques de mon innocence, dit-il d'un air faussement chagrin. Qu'y pouvais-je si l'Église et le Corps des Marines m'avaient rendu pur? C'est pour cela que j'étais vigoureux comme dix.

– Le chiffre est à peu près exact, dit Kathryn avec un rire de gorge. Et lorsque sa vigueur lui est revenue, quelques jours plus tard, sa puritaine conscience irlandaise l'a forcé à faire de moi une respectable épouse. Je me demande, rêvassa-t-elle, comment les choses se seraient terminées si tout cela était arrivé deux semaines plus tard, parce qu'alors, il y aurait déjà eu du monde dans certains chalets. Je vois d'ici les manchettes du *Chicago Tribune : Un professeur de Chicago arrêté : il pratiquait le nudisme avec une étudiante.* Tu aurais été vidé de ta chaire, et il n'y aurait pas eu pour toi de Cour suprême. Peut-être, conclut-elle d'une voix soudain très douce, serions-nous aujourd'hui un couple bien tranquille dans une petite ville du Midwest possédant une modeste université, à contempler la fuite du monde, à vivre ensemble en s'aimant.

Je regardai Walsh. Il avait quitté notre cercle. Il contemplait le foyer comme s'il était seul. Était-ce parce que cette brèche dans le mur de sa vie privée le gênait, ou parce qu'il revivait certains moments critiques de son existence? Je ne saurais le dire. Mais il était absent. C'était d'ailleurs là une attitude que je lui connaissais bien et que je devais observer maintes fois par la suite. Il pouvait s'abstraire d'une conversation et se réfugier pendant quelques minutes dans un monde à lui. Habituellement, il en réémergeait avec un plan ou une idée, mais ce soir-là il sortit de son état hypnotique, qui avait duré dix bonnes minutes, sans un mot, sans manifestations extérieures. Une conversation générale d'un ton plus élevé avait repris, et l'heure approchait pour moi de prendre congé. Mais franchement, je n'aurais jamais imaginé que le bourreau de travail qu'était notre président pût avoir en son temps succombé à la concupiscence ou à tout autre péché, sinon à une ambition outrée.

Ce que je n'avais pas saisi sur le moment, c'était que la dernière phrase de Kathryn nous en révélait bien plus sur elle-même que le reste de son récit ne nous en apprenait sur Walsh. Elle tentait de le ramener à elle, d'une façon à laquelle il ne pouvait rester aveugle. Hélas! elle avait pour adversaire l'ambition de son époux, et peu de femmes livrent victorieusement bataille contre la vision qu'entretient un homme de lui-même. Pour Walsh, remplir sa charge de président de la Cour suprême au mieux de ses capacités – c'est-à-dire mieux que quiconque – exigeait de nombreux sacrifices. Kathryn comptait parmi ces sacrifices. Comprenez-moi bien : Walsh n'était pas cruel – dur, sans doute, et parfois assez insoucieux des autres, mais certainement pas cruel. Je ne crois pas qu'il l'ait sacrifiée consciemment, bien qu'en définitive les choses se soient précisément ramenées à cela. Mais, pour moi, il a accepté consciemment le risque que son épouse et leur union ne puissent survivre dans l'état d'abandon où il les laissait.

Quelle était l'ampleur de ce risque, c'est ce qu'un examen attentif et impartial aurait révélé. Comme vous le savez, ils n'avaient pas d'enfants. Kathryn avait été enceinte à plusieurs reprises (résultat prévisible, considérant la religion de l'un et la beauté de l'autre), mais elle n'avait jamais pu porter son fruit à terme sauf une fois – et cet enfant était mort à quelques semaines. Il souffrait d'une malformation du cœur congénitale, et la chirurgie cardiaque n'était pas, alors, aussi savante que de nos jours.

Ce malheureux état de choses se doublait du fait que Kathryn n'avait pas terminé son droit. Elle se trouvait donc sans enfants et sans profession à un âge où les femmes marient fils et filles et espèrent des petits-enfants. (Les femmes ont un goût pour les nourrissons qui me dépasse. Quelle joie peut-on tirer d'un canal alimentaire vagissant? Serais-je législateur que je ne laisserais pas d'être tenté de classer l'infanticide parmi les délits mineurs.) Et, bien entendu, les amies de Kathryn qui exerçaient une profession réussissaient leur vie. Tandis qu'elle n'avait d'autre centre d'intérêt que Walsh, ou le peu qu'il en restait après qu'il eut été aux prises avec les frères et les cerfs pendant quatorze heures par jour.

Au surplus, ce qui avait été, au Michigan, le principal exutoire de Kathryn, l'action politique, lui était devenu tabou à Washington. A Ann Arbor, elle avait pu donner libre cours à son atavisme politique. Elle présidait la section locale du Parti démocrate, et elle était déléguée à l'assemblée de l'État, si telle est bien la dénomination des législateurs provinciaux. En résumé, elle se mêlait d'une douzaine de causes politiques libérales – ce qui n'avait pas dû être sans attiser les ambitions tardives de son époux dans cette sphère.

Comme vous l'avez très certainement inféré, je n'éprouvai pas particulièrement d'affection pour la dame; mais je n'étais pas insensible à sa triste situation. L'expérience de toute une vie m'a convaincu que le sexe faible n'estime jamais bénin d'être délaissé de quelconque façon; or la prodigieuse énergie de Walsh était manifestement monopolisée par la Cour et le monde. Que peut faire une femme dans de telles conditions, que lui reste-t-il à faire? Elle peut être membre honoraire du comité directeur d'une association de bienfaisance. Toutes les bonnes œuvres de Washington tenaient à faire figurer la femme d'un juge de la Cour suprême sur leur papier à lettres, et à plus forte raison la femme du président. Rendons-lui cette justice qu'elle n'y succomba pas.

Les autres possibilités ne sont pas moins évidentes : d'autres hommes et/ou la boisson. Pour autant que je le sache, elle ne choisit que la seconde. Je suis sûr que Kathryn aimait Walsh sincèrement et profondément, très profondément. Elle l'avait idolâtré, et il en resta toujours quelque chose. Ses regards l'exprimaient. Et elle était à la fois assez intelligente et ferrée en droit pour reconnaître la prééminence de Walsh. Mais, pour la majorité d'entre nous, aimer une légende ne remplit nullement des jours et des nuits vides.

Son choix s'effectua lentement, me semble-t-il, peut-être imperceptiblement pour elle. C'est environ un an après cette soirée chez les Albert que j'entrevis l'existence de ce problème, pour avoir involontairement saisi les bribes d'un navrant dialogue entre les Walsh, un jour où j'étais invité à dîner chez eux. Ils habitaient dans cette zone sud-ouest de la ville où la rénovation urbaine a planté de hautes tours de verre à la place des logements délabrés des Noirs, qui ont été expulsés vers d'autres taudis.

J'étais arrivé un peu tôt, c'est-à-dire juste à l'heure, l'exactitude n'étant pas la moindre de mes vertus. J'étais assis dans le salon, et j'admirais la vue sur le Potomac en essayant de fermer mon esprit aux propos qui s'échappaient de la salle à manger. Walsh conseillait assez sèchement à sa femme de ne pas boire un verre de plus. Elle lui répondit d'un ton cassant : « Une présidente ne gêne pas le président en buvant trop. Une présidente ne gêne pas la Cour suprême en se mêlant de politique. Une présidente ne se plaint pas lorsqu'elle ne voit le président que quelques heures par semaine. Une présidente participe à des tas de comités de bienfaisance. Et surtout, surtout, une présidente sourit tout le temps. »

Elle dut certainement boire le verre litigieux. Par la suite, j'observai d'autres manifestations du problème. Non que je l'aie jamais vue en état d'ébriété, mais il me fut plus d'une fois évident qu'elle avait trop forcé sur l'alcool.

Je connais mal ces questions, mais j'affirme qu'elle devint au minimum une alcoolique chronique. Inutile de préciser que la pauvre femme était enfermée dans le proverbial cercle vicieux. J'ai pu constater qu'en dehors d'aventures passagères l'absence de sobriété chez une femme repousse plutôt un homme, ce qui ne fait qu'augmenter la solitude de celle qui boit pour tromper sa solitude.

Que vous dire de plus? Les amis tentèrent de lui venir en aide. Je n'étais pas assez lié avec la dame pour lui prêter une assistance tangible, mais je m'efforçais de garder la mesure de la situation par l'intermédiaire de cette chère Elizabeth. La charmante épouse d'Albert aimait sincèrement Kathryn, et lui témoignait une grande sollicitude, comme le faisait également la noire épouse de frère Kelley. Il n'est pas jusqu'à ce Keller qui ne soit venu à la rescousse. Quels que soient les vices de cet hédoniste dépravé – et ils étaient légion – il était fidèle à Walsh et à sa femme.

Pendant des mois Elizabeth s'employa à persuader Kathryn de consulter un psychiatre. A mon sens, le conseil était mieux intentionné que profitable. Assurément, si les psychiatres y avaient pu quelque chose, notre frère Svenson, qui leur avait abandonné une petite fortune, aurait été la sobriété incarnée. Le seul recours dont une vie d'observation des faiblesses humaines m'ait enseigné la validité, ce sont les Alcooliques Anonymes. Leur traitement mystique défie l'analyse rationnelle, mais il est efficace. Avec Kathryn, nous échouâmes. Elle demeura, pour Walsh, une croix. Et il la portait en silence. Jamais il ne m'en parla, pas plus, à ma connaissance, qu'à un autre des frères.

9.

Je vous ai dit que Walsh était rapidement devenu la coqueluche de la presse libérale et des réformistes. Il plaisait également, encore que non sans mélange, à ces grands universitaires libéraux qui, à l'abri de leur chaire, épiloguent sur nos arrêts. Dans l'ensemble, il ne s'agissait pas d'un engouement passager. Cette affection fut même assez profonde pour survivre à la déconvenue que suscita sa divergence dans les affaires d'avortement. Pourquoi donc, mon cher garçon, pourquoi donc est-il libéral d'autoriser une femme à tuer le fœtus qu'elle porte? Je vous dis très franchement que je n'aime pas les enfants. En vérité, j'abhorre ces petits sauvages, particulièrement dans un monde surpeuplé de sauvages adultes. Si une femme veut se débarrasser prénatalement de sa progéniture, personnellement, je n'y vois aucun inconvénient. Mais je n'aurai pas la malhonnêteté intellectuelle de prétendre que c'est par libéralisme, à moins que ce mot ait le sens d'égoïsme.

Donc, dans cette affaire, les libéraux attribuèrent l'attitude de Walsh au fait qu'il était catholique. Comme vous le savez, l'anticatholicisme demeure l'antisémitisme de l'intellectuel (non que les intellectuels, aussi bien que les libéraux, ne pardonnent à un juge cette faiblesse religieuse si ses décisions abondent généralement dans leur sens). Or l'explication religieuse tombait en ce qui me concerne, alors que je m'étais associé à la divergence de Walsh, mais cela, ils l'ignorèrent allégrement.

Vous connaissez sans doute l'origine de ces affaires. Des femmes enceintes mais célibataires – on pourrait croire que de nos jours ceux qui veulent copuler auraient assez de bon sens pour passer dans une pharmacie avant de rejoindre le lieu de leurs ébats – introduisirent devant des tribunaux fédéraux de district des actions solidaires contre des ordonnances du Texas et de la Géorgie n'autorisant l'avortement que si la vie de la mère était en danger, arguant qu'elles violaient les droits des femmes à ne pas subir d'immixtion dans leur vie privée. Mais, avant de poursuivre, laissez-moi vous donner une définition de l'« action solidaire ». C'est un procès intenté par un ou plusieurs individus, non seulement en leur nom, mais en celui de tous les autres individus se trouvant dans la même situation. De la sorte, dans le cas où la cause du plaignant originel cesse d'exister (ici, par exemple, si l'enfant naît ou si l'avortement est obtenu ailleurs), il n'y a pas pour autant extinction de l'action.

Inutile de vous dire que les plaidoyers que nous dûmes subir étaient du plus médiocre niveau. L'histoire et la charité n'ont qu'à y gagner s'ils tombent dans l'oubli. Le débat fut relativement plus élevé lorsque nous en délibérâmes, encore qu'il négligeât largement la question centrale que nous avions à juger et dans laquelle les torts ou les mérites de l'avortement n'entraient que fort peu. Ce fut Walsh qui ouvrit le débat :

– Puisque nous avons à connaître non de faits précis mais de stipulations, qu'il nous suffise d'examiner le problème fondamental lui-même. L'avortement soulève des arguments moraux qui font bon marché, si même ils ne les balayent pas entièrement, des problèmes constitutionnels. Je n'ai jamais entendu personne en discuter sans ferveur morale. Je ne ferai certainement pas exception. Jamais, depuis quatre ans que je suis ici, n'ai-je réfléchi plus longuement et plus péniblement que sur ces affaires. Cela vient en partie de ce que mon Église condamne l'avortement pour des raisons morales. Bien entendu, nous jugeons ici de questions constitutionnelles et non morales, mais séparer les deux requiert parfois un effort surhumain. Je me suis efforcé, et je continue à m'efforcer, de respecter cette ligne de partage. Je dois sincèrement reconnaître, poursuivit Walsh, qu'autre chose vient m'influencer. J'ai grandi dans l'Italie mussolinienne, et je suis allé à plusieurs reprises dans l'Allemagne hitlérienne lorsque j'étais adolescent. Je parlais allemand couramment, et je me souviens encore aujourd'hui des arguments selon lesquels les Juifs n'étaient pas des êtres humains, des arguments sur la nécessité de sacrifier « la vie indigne de la vie » pour le bien de la société, la pureté de la race et ainsi de suite. Voilà de tristes souvenirs.

– Président, est-ce là une analogie juste? demanda frère Kelley.

– Il serait évidemment injuste d'assimiler les motifs et la morale des partisans de l'avortement à la mentalité des nazis, répondit Walsh. Et telle n'est pas mon intention. Je cite simplement cela pour parler en toute honnêteté. Et maintenant que je me suis confessé, passons à l'examen des questions. Le fœtus est-il un être vivant? Cela, au moins, est évident. Est-il un être distinct de la mère? Cela est également évident. Il possède un code génétique personnel et unique. Il est vivant, il peut réagir aux stimuli, y compris à la douleur, de même que vivre et survivre hors du sein maternel s'il est placé dans un milieu adéquatement accueillant. A présent, est-ce une vie humaine? Je souhaiterais le savoir, mais je l'ignore. Il est potentiellement humain; cela aussi est au moins évident. Ce que j'ignore, c'est à quel moment il devient humain. Et comme je l'ignore, j'estime devoir pencher pour la vie – j'estime le devoir constitutionnellement, et non point moralement, à moins de considérer que notre serment ne nous impose que des obligations morales.

» Comme vous le savez, poursuivit-il, je pense que l'esprit tout entier de la Constitution témoigne que sa plus haute valeur est la protection de la vie humaine. Tant que l'on n'aura pas prouvé au-delà d'un doute raisonnable que le fœtus n'est pas un être humain, si imparfaitement formé soit-il, je ne crois pas que nous puissions reconnaître comme une mesure constitutionnelle qu'un État ait licence de ne pas protéger cette vie. Si nous nous trouvions devant des stipulations interdisant l'avortement même si le fœtus met en danger les jours de la mère, le problème serait totalement différent. Mais celles que nous examinons permettent justement l'avortement dans ce cas.

– Président, interrogea frère Albert, plaidez-vous pour que la cour se désiste?

– Considérant les procès dont nous avons à connaître, oui, répondit Walsh. J'ai surtout présenté une argumentation morale unilatérale, mais il y aurait beaucoup à dire, des deux côtés, à divers points de vue : médical, moral, légal, pratique et politique. Dans ces conditions, je ne veux pas infirmer le jugement des États, conclut Walsh en me donnant la parole d'un signe de tête.

– Il me semble, dis-je, que le président vient d'énoncer nettement la question capitale et formuler la solution qui s'impose. Qu'il me soit permis de lui faire écho. Comme c'est si souvent le cas, nous nous trouvons ici devant un conflit de droits et non de torts. Comme toujours nous devons absolument nous souvenir qu'il ne nous incombe pas de résoudre ce conflit. Si j'étais législateur, voter pour la mère ou pour le fœtus exigerait une longue et sérieuse réflexion. C'est pourquoi je ne puis, touchant l'interprétation constitutionnelle, dire que les législatures de la Géorgie et du Texas ont agi en la matière de façon non fondée. Elles ont essayé de trouver un moyen terme entre les droits de la mère à ne pas subir d'immixtion dans sa vie privée et les droits éventuels du fœtus à la vie. Que ce moyen terme ne soit pas tout à fait celui que j'aurais choisi, il n'importe. Elles ont trouvé un moyen terme que je ne puis dire non fondé, et que je ne puis donc prononcer inconstitutionnel.

– Désolé, commença Jacobson, sans doute par antiphrase, d'être en contradiction avec d'aussi respectés juristes, mais il me semble que voilà une affaire fort simple. En droit – en droit coutumier – un fœtus n'était un individu qu'une fois né, et né vivant. Jusque-là, ses seuls droits étaient en réalité ceux de ses parents. Il ne pouvait demander en justice réparation de torts physiques – seuls ses parents le pouvaient, en arguant de torts physiques subis par eux, et non par le fœtus en tant que personne juridique.

– N'oubliez pourtant pas, intervint Walsh, qu'avant l'adoption du Quatorzième Amendement et postérieurement, pendant un siècle, le code de quelques États considérait comme un meurtre l'avortement d'un fœtus « animé ». Cela indique qu'à une date ancienne le fœtus a été considéré en droit comme une personne, et nous savons, par ailleurs, que le fœtus « s'anime » – commence à bouger – quelques semaines, sinon quelques jours après la conception.

– Ça se peut, seulement on n'arrête pas de me dire que l'important ce n'est pas ce qui s'est passé il y a un ou deux siècles, mais la façon dont la Constitution s'ajuste à notre société. (Je dois reconnaître que pour une fois Jacobson avait raison, en retournant à Walsh un de ses dangereux principes.) Aussi ennuyé que je sois de voter contre ces braves types d'Austin, je ne vois absolument pas où la Constitution justifierait qu'un État interdise à une femme d'être maîtresse de son corps. S'agissant d'une femme mariée, dont le mari n'accepterait pas qu'elle avorte, les choses seraient différentes, mais si c'est une femme seule, c'est une affaire entre elle et son médecin. Du moment qu'elle ne lèse pas les droits légaux d'une autre personne, elle est libre; voilà ce que signifie l'individualisme.

– Peut-elle empoisonner des chevaux sauvages qui n'appartiennent à personne, ou torturer ses animaux domestiques parce qu'ils l'agacent? demanda calmement Walsh. (La question était moins incongrue qu'il y paraît. Aussi grossier qu'il fût envers les humains, Jacobson adorait les animaux. Avez-vous remarqué comme il est fréquent que les misanthropes aiment les animaux? Pour moi je ne puis supporter les créatures à quatre pattes. Toujours est-il qu'à Washington Jacobson avait dans son appartement deux chiens, trois chats et un couple de petits sauriens – je parle bien entendu par ouï-dire, car je ne suis jamais allé chez lui, au surplus, il possédait des chevaux dans son ranch au Texas.)

Jacobson partit d'un gros rire à la repartie de Walsh.

– Ah! ça, président, c'est une autre histoire. On sait tous que les animaux valent salement plus que bien des gens.

Walsh sourit et, d'un signe de tête, donna la parole à frère Albert.

– Comme vous vous en doutez, frère Walker a exposé des vues que je partage entièrement. Siégerais-je en législateur que je voterais probablement dans un sens opposé à celui du président, mais nous sommes des juges, et c'est pourquoi je dois voter dans son sens.

– Je suis d'accord avec Jacobson, dit ce pauvre Putnam. Tout notre système de gouvernement repose sur les droits de l'individu. « La liberté est la règle générale, et la contrainte, l'exception », pour citer *Adkins contre Children's Hospital*, 1923. Pour moi, cette phrase résume le jugement que nous devons rendre en conformité avec la Constitution. Le droit d'une femme à sa vie privée s'étend assurément à sa sphère la plus intime : celle de sa sexualité et de sa décision d'avoir ou non un enfant. Je respecte les idées morales de ceux qui considèrent un fœtus comme une personne, peut-être une personne humaine, mais j'accorde la priorité aux droits de la personne *dont nous savons* qu'elle est un être humain.

Svenson se contenta de hocher approbativement la tête. Celle-ci devait être trop enfumée pour qu'il pût prendre la parole, ce dont je lui sus gré.

– Je ne vois pas où nous mène cette histoire de vie privée, commença notre littéraliste Campbell. Je tiens autant que chacun à ma vie privée, mais je ne vois nulle part dans la Constitution que la protection d'un tel droit soit inscrite. Lorsque la Déclaration des Droits a été promulguée, l'avortement était punissable à l'égal d'un crime; les codes prévoyaient déjà une répression spécifique et rigoureuse de l'avortement quatre-vingts ans avant l'insertion du Quatorzième Amendement dans la Constitution. Dans un cas comme dans l'autre, personne n'a estimé que les amendements restreignaient l'autorité d'un État en matière d'interdiction de l'avortement. Nulle part la Constitution n'évoque l'avortement. Si ces associations féministes veulent en obtenir la légalisation, qu'elles s'adressent aux législateurs, et non à cette Cour.

Ce fut notre noir frère Kelley qui parla le dernier. Il prit un ton doux :

– Comme le président, je lutte pour faire abstraction ici de mes sentiments. Je vois des familles pauvres, je vois des familles déjà chargées de trop d'enfants – des parents trop ignorants pour connaître la contraception, trop démunis pour avoir une nourriture correcte et encore moins un logement humain, trop pauvres pour s'instruire eux-mêmes et donner une instruction à leurs enfants non désirés. Que doit faire la femme qui vit dans un indicible dénuement lorsqu'elle se retrouve enceinte pour la huitième fois en huit ans? Avoir encore un enfant de plus, un enfant qu'elle ne peut ni abriter, ni habiller, ni nourrir, ni même aimer? Faut-il qu'elle meure à trente ans, épuisée de porter en son sein la conscience de la bourgeoisie blanche?

» Je reconnais que le droit à la vie devrait être sacré, poursuivit-il presque en un murmure, mais dans le ghetto, où il n'y a pas assez de travail ou de nourriture pour subsister – mais plus qu'assez de cafards, de rats, de maladies, de criminalité – la vie n'est nullement sacrée. Elle est simplement horrible. Si la liberté garantie par la Constitution, si la vie privée, si l'individualisme, et tous ces « droits conservés par le peuple » que reconnaît le Neuvième Amendement, si toutes ces notions signifient quelque chose, elles signifient qu'une femme déshéritée n'a pas à accepter un nouveau fardeau qu'elle *ne peut* assumer et que la société *n'assumera pas*. Ces droits signifient pour elle la liberté de ne pas mettre au monde un être qui sera un enfant maltraité, un adolescent conduit socialement à la délinquance, et finalement un adulte assisté ou emprisonné.

» Ne nous berçons pas de mots en parlant de la vie, continua Kelley, de la vie du fœtus ou de celle de la mère. Ce sont l'une et l'autre qui seront tuées si cette législation est déclarée fondée. Un État n'est pas en mesure de faire respecter cette dernière dans une société qui estime l'avortement légitime, une société citadine parcellisée. Les riches et les bourgeoises peuvent trouver des médecins habiles qui les débarrasseront, elles ou leurs filles, dans toutes les conditions d'hygiène requises, moyennant de coquets honoraires. Les pauvres n'ont pas les moyens de s'adresser à un avorteur compétent, car les médecins ont leur éthique, et tant que la chose sera illégale ils s'y refuseront, sauf contre la forte somme. Aussi les femmes pauvres, les femmes noires, les femmes hispaniques sont obligées d'aller trouver des charlatans et des bouchers – c'est ce qu'elles font et continueront à faire tant que nous aurons de telles lois. Des milliers de ces femmes seront lésées dans leur corps ou y laisseront la vie, et les fœtus seront morts comme ils l'auraient été aux mains d'un praticien compétent. De nos jours, alors que la contraception et l'avortement sont moralement acceptés, de telles lois sont absurdes, à moins que nous voulions punir les pauvres encore plus que nous ne le faisons déjà.

» Je ne discute pas des motifs de chacun, conclut Kelley, ils sont tous bons. Mais être bien intentionné et bien agir sont deux choses différentes. Dans notre société, notre société du présent, voilà des lois qui suppriment des vies au lieu de les sauver, et ces vies sont toutes des vies de femmes déshéritées, principalement de Noires et d'Hispaniques.

C'était un discours passionné que celui de Kelley, le revers du dilemme moral que Walsh n'avait fait qu'esquisser. Les suffrages furent de cinq contre quatre pour l'invalidation des lois de l'un et l'autre État. En qualité de doyen d'âge de la majorité, Jacobson confia la rédaction de l'opinion de la Cour à Breckinridge.

Bien entendu, Walsh ne capitula pas à l'issue de la conférence. Ce n'était pas son style. Il lui suffisait qu'un seul vote fût modifié et, dans le vote majoritaire, se trouvaient deux de nos plus faibles chaînons : Svenson et Putnam. Walsh centra ses efforts sur Svenson et, de mon côté, je tentai de persuader Putnam.

Finalement, Walsh et moi échouâmes. Le sentiment prévalut sur la raison, l'ambition, sur l'effacement.

Breckinridge nous soumit une opinion sonnant comme un discours au Sénat. Walsh nous soumit une opinion divergente, à laquelle Albert et moi-même nous associâmes des plus volontiers. Campbell, le quatrième vote minoritaire, rédigea bien entendu sa propre opinion. Le texte de Walsh, encore que différant sensiblement de ce que j'aurais personnellement formulé, était loin d'être mauvais. Comme je vous l'ai dit, il se souciait de bien écrire, et ce qu'il avait à dire était exprimé clairement et non sans une certaine élégance. Permettez-moi de vous en lire quelques passages où il rivait son clou à la majorité – et, plus important encore, à Breckinridge, lequel, dans une autre suite d'affaires, avait infructueusement préconisé que fussent traités comme des personnes légales les bassins fluviaux, les arbres et les ours. Il s'agit d'une incidente sur la question de savoir si le fœtus est, ou non, une personne :

> Nous nous trouvons aujourd'hui confrontés pour la première fois à ce problème : dans quelle mesure un fœtus est-il, ou non, une « personne » qu'un État doit protéger conformément au Quatorzième Amendement. Si, comme semble le laisser supposer la majorité, la loi ne connaissait de personnes légales que celles qui sont nées d'une femme, notre tâche serait facile. Mais les tribunaux et les législateurs n'ont pas été aussi rigides. C'est ainsi que, non sans avoir d'abord hésité, la pré-

sente Cour a soutenu – et continue à soutenir – qu'une société est une personne ayant, aux termes du Quatorzième Amendement, droit à la protection de l'État. Pareillement, un navire est-il une personne légale, protégée dans ses droits. Au surplus, concernant les problèmes de protection de notre environnement naturel, un membre de notre Cour a éloquemment argué que les tribunaux devraient considérer comme des personnes les bassins fluviaux, les arbres et même les ours. Selon son argumentation, que je trouve persuasive, ces objets et animaux, générateurs et conservateurs de vie, ont au moins autant de titres à se prévaloir du statut de personnes que les sociétés et les navires.

Le processus de développement habituel du droit coutumier est de raisonner par analogie, de répondre à des problèmes neufs en choisissant parmi les règles existantes et, si nécessaire, de les adapter aux conditions nouvelles. Un juge étudie la situation X, décide qu'elle se rapproche plus de la situation A que de la situation B, applique alors à X les règles valables pour A ou les adapte pour qu'elles répondent à X. Il faut vraiment un don de l'argutie qui n'est pas le mien pour soutenir qu'un fœtus est plus éloigné d'un adulte humain qu'une société, fût-elle aussi bienfaisante que la Dow Chemical, ou qu'un navire, fût-ce un supertanker répandant avec félicité son pétrole dans nos fleuves et sur nos plages.

C'est pourquoi, avec toute la déférence due au raisonnement de mes frères, les preuves tangibles, la perception sensorielle et le simple bon sens me forcent à conclure que l'on ne peut, avec la moindre apparence de raison, soutenir simultanément qu'un navire, une société ou même un ours est une personne, et qu'un fœtus formé par l'union de deux cellules humaines et se développant dans le sein d'une mère humaine n'est pas une personne.

Quoi qu'on pense de l'humanité réelle d'un fœtus, on ne peut mettre en doute son humanité potentielle. En revanche, depuis le temps des frères Grimm, pas plus les ours que les navires ne deviennent des gens, et ni les contes de fées ni la science moderne n'ont encore réussi à métamorphoser des sociétés en êtres humains.

Il s'ensuit que si le fœtus est réellement une personne, alors il possède certains droits qu'un État peut, et peut-être doit, protéger; et si l'État peut protéger certains droits fœtaux, il s'ensuit certainement aussi que l'État peut protéger l'existence même du fœtus.

Assurément, Walsh en disait trop. J'aurais préféré qu'il reformulât brièvement les principes, en montrant que le moyen terme trouvé par les législatures de la Géorgie et du Texas était fondé relativement à l'autorité que leur reconnaît la Constitution. Je m'associai à son opinion parce que j'entretenais encore un faible espoir qu'une telle rédaction l'aiderait à prendre du recul par rapport à son activisme.

Les réactions publiques à notre arrêt furent très précisément celles que j'avais prédites. Ces horribles associations féministes en dansèrent dans les rues, tandis que l'épiscopat catholique déplorait la « légalisation du massacre ». Des magistrats de juridictions inférieures se déchaînèrent, faisant bon marché du code de leur État. L'avortement à volonté devint bientôt de règle dans maints endroits. Concurremment, d'autres États promulguaient, ou réactivaient, des lois plus sophistiquées que celles de la Géorgie et du Texas, et d'une teneur assez différente; il en naissait de nouvelles vagues de litiges. Et, de leur côté, les associations anti-avortement réclamaient à grands cris un amendement à la Constitution rejetant les principes sur lesquels le sénateur avait fondé l'opinion de la Cour.

Walsh sortit d'abord indemne de la controverse. Souhaitant le conserver « libéral » sur d'autres questions, les partisans de l'avortement dirent publiquement qu'ils comprenaient son attitude : c'était son catholicisme qui l'y « forçait ». Bien entendu, l'Église de Walsh réagit favorablement à sa prise de position. Peut-être la hiérarchie aurait-elle dû se montrer plus prudente, surtout publiquement, mais à part ce cher cardinal Pritchett de Detroit, j'ai peu vu de prélats américains qui aient quelque sens politique; ils sont habiles à collecter des fonds, à coopérer en sous-main avec des dirigeants politiques locaux, mais leur matoiserie paysanne (et *ce sont,* en majorité, des paysans, mon cher, dont la génération précédente sentait encore la terre en débarquant des bateaux d'émigrants) ne leur est pas d'un grand secours lorsqu'ils ont affaire à de plus hauts politiques.

Quoi qu'il en soit, au mois de juin l'Université Notre-Dame, la grande pépinière du Midwest pour les professionnels du ballon, décernait à Walsh un diplôme *honoris causa.* Quelques mois plus tard il s'envolait pour Rome où il était fait chevalier de l'Ordre de Saint-Grégoire le Grand par le pape Paul en personne. Voyez-vous, la pompe romaine est beaucoup trop riche pour mon goût de la simplicité. Aurais-je été enclin à la religion que j'aurais préféré être un Essénien qu'un Pharisien, un moine qu'un cardinal. Mais j'avoue qu'un tel rituel compte pour les foules et qu'il peut d'ailleurs être parfois de très bon goût.

Inutile de vous dire la réaction explosive du Congrès à l'apparition télévisée – retransmise par satellite au réseau américain, quel spectacle! – du président de la Cour suprême des États-Unis recevant le titre de chevalier pontifical. Je crus pendant un moment – et, sans déplaisir, je l'avoue – qu'une vague d'apoplexie allait nettoyer les écuries d'Augias du Congrès de bon nombre de ses Sudistes blancs, ces braves fondamentalistes qui tiennent fermement que l'on ne peut témoigner de son amour chrétien sans détester les catholiques, les Juifs et les Noirs. Des dizaines de propositions d'*impeachment* de Walsh durent arriver sur le bureau de la Chambre, et sans doute beaucoup plus encore pour le sommer – imaginez-vous cela, mon cher, *sommer* le président de la Cour suprême – de renoncer à son titre. Il n'en tint aucun compte, ce qui enragea encore plus ces forcenés qui l'accusèrent de violation du statut fédéral interdisant aux fonctionnaires des États-Unis d'accepter des distinctions conférées par des gouvernements étrangers. Bien entendu, ses défenseurs libéraux des facultés de droit vinrent à la rescousse. Ils expliquèrent *ad nauseam* que la distinction n'avait pas été conférée à Walsh par le pape en qualité de chef de l'État du Vatican, mais en tant que chef d'une secte religieuse. Ils arguèrent, non sans raison, que, si l'on trouvait très bien que Billy Graham bénît publiquement les républicains conservateurs, on ne pouvait rien trouver à redire à ce que le pape bénît un démocrate libéral.

L'affaire s'éteignit progressivement. Mais elle ne contribua pas à renforcer l'image de la Cour se tenant à l'écart des facteurs de divisions dans notre pays. L'enjeu était, en soi, ridicule, mais ce fut un incident malheureux.

Attendez, mon cher, attendez donc. Je pensais, par bienséance, passer sous silence un délieux petit incident, mais il faut que je vous le relate. N'ayons pas honte de dire toute la vérité. Je vous ai dit combien je désapprouvais la langue acérée de l'épouse de Walsh. Eh bien, elle en fit cette fois-là, et cette seule fois-là, un bon usage. C'était au cours d'une réception en l'honneur du nouvel ambassadeur du Canada. Me trouvant près du bol de punch, et voyant à côté de moi Kathryn, je lui en proposai un verre. Juste à ce moment précis, voilà que se glisse entre nous l'honorable Archibald Swinton Timrod Rutledge, ce pompeux sénateur de Géorgie qui avait présidé les auditions pour la confirmation de Walsh dans sa charge. Je subodore qu'il s'était rapproché uniquement pour contrôler les charmes assez peu voilés de la dame. Quoi qu'il en soit, il ouvrit aussitôt le feu :

– J'espère, madame, que votre mari comprend la colère du Congrès et qu'il va bientôt retourner cette chose au pape.

Kathryn le regarda froidement – et je vous garantis que la froideur de son regard aurait gelé un pingouin. D'une voix nette, qui portait à vingt pas, elle lui dit :

– Ne ramenez pas vos conneries, espèce de grosse tante.

Et, tournant les talons, elle partit à l'autre extrémité de la pièce en ondulant sous l'œil admiratif de tous les hommes, sauf un.

C'était délectable, absolument délectable! Rutledge en restait encore bouche bée dix minutes plus tard. Même avec mes goûts puritains, je dois reconnaître qu'en certains moments, en de rares moments, la vulgarité a son rôle à jouer dans la vie.

Mais, trêve de propos légers. Mes efforts pour éduquer Walsh, dans ces affaires d'avortement, n'avaient pas porté leurs fruits. Hélas! une fois encore j'allais surestimer sa malléabilité. Quelques semaines plus tard, nous eûmes à connaître d'affaires où était en jeu la peine de mort. Une fois de plus, la position constitutionnelle était claire. Le Cinquième et le Quatorzième Amendement, que ce soit de façon malavisée ou injuste, interdisent uniquement aux États et au gouvernement fédéral de « priver une personne de sa vie [...] sans procédure légale régulière »; ils n'interdisent nullement la peine capitale en soi. Pour moi, je ne dissimule pas mon opposition, pour ne pas dire mon horreur, de la peine de mort. L'œuvre et la pensée de toute une vie m'ont convaincu de sa barbarie. Mais ma charge judiciaire ne m'autorise certainement pas à interpréter les clauses de la Constitution en fonction de mes raisonnements de valeur personnels, aussi puissamment ressentis soient-ils, ni à imposer ceux-ci au peuple des États-Unis. Certes, je ne soutiens nullement que le monde est meilleur parce que je tempère mon intervention; simplement, la Constitution exige des juges cet effacement. Au demeurant, que la majorité du genre humain soit stupide, vénale et corrompue, voilà quelque chose dont je suis capable de m'accommoder.

Malheureusement, Walsh choisit une fois de plus de tracer une ligne directrice. Il concéda volontiers que la peine de mort avait pu, en un temps, être constitutionnelle, mais, argua-t-il, nous devions interpréter la Constitution « conformément aux normes plus affinées d'une société civilisée ». Et ces normes, s'étant affinées, proscrivaient la peine capitale. (Comment les juges que nous sommes pouvaient-ils autant déterminer ces normes que distinguer entre celles qui s'étaient affinées, s'affinaient ou s'affineraient un jour, voilà un point sur lequel il négligea de nous éclairer.) Ce que protégeait la Constitution, c'était la dignité de l'homme, et la peine de mort la violait. L'État qui mettait à mort un criminel traitait ce dernier non en être humain mais en animal, en chose non réhabilitable; l'État niait le caractère sacré de son existence. Voilà des sentiments et des valeurs que je partageais, mais je place au-dessus ma fonction limitée de juge.

On pouvait en tout cas dire que l'opinion de Walsh concernant l'avortement et la peine capitale était cohérente, de même, d'ailleurs, que de celle de frère Jacobson. Dans les deux cas, Walsh a voté pour protéger ce qu'il considérait comme un droit à la vie – comportement curieux chez un homme venu sur le devant de la scène publique en tant que tueur en Corée. De son côté, Jacobson préconisait le meurtre à la fois des fœtus et des criminels. Certains des frères ne virent nulle incohérence à voter qu'un État ne pouvait interdire à une femme de tuer son fœtus innocent, encore que non juridiquement déclaré tel, et qu'il devrait respecter la vie d'un meurtrier juridiquement déclaré tel. Le sénateur et frère Kelley se montrèrent aussi éloquents à défendre le droit constitutionnel d'un criminel à la vie qu'ils l'avaient été à rejeter celui d'un fœtus à l'existence. Tout cela était des plus troublants pour celui qui vote conformément à des principes généraux, sans ambition de tracer des lignes faisant nationalement autorité.

10.

Il faut que je vous parle de cet aspect fascinant de la vie de Walsh : ses liens avec son Église. Au demeurant, à part le tollé soulevé par son acceptation d'un titre pontifical, il n'y eut pas, tandis qu'il siégeait à la Cour, de crises dans les relations entre État et Église, sauf si l'on compte ces questions d'avortement. Mais là-dessus, même moi, agnostique qu'aucune religion jamais n'effleura, je trouvai ses positions irréprochables, tant au point de vue constitutionnel que jurisprudentiel. Certes, il y eut aussi la question de l'aide publique aux écoles confessionnelles, mais il s'en tint aussi fermement que moi à la ligne qui doit être celle de la Cour sur ces sujets.

Mais revenons à la dimension religieuse de la personnalité de Walsh. Sans doute les papistes n'ont-ils pas le monopole de l'optimisme, mais il est, chez eux, très sensible. Une religion qui croit que les créatures humaines peuvent mériter une sorte d'éternelle félicité doit receler en son tréfonds un inépuisable optimisme. Je pense également que l'opposition de l'Église romaine à l'avortement est fondée sur l'idée qu'une mère finira toujours par aimer son enfant, aussi peu désiré soit-il; pareillement, son opposition à l'euthanasie procède – non ouvertement, je l'admets – de l'idée que même les vieillards et les malades incurables peuvent être aimés par quelqu'un, et de la foi en la miséricorde divine.

Il abordait rarement le sujet de la religion, sauf pour puiser occasionnellement dans son répertoire de plaisanteries scandaleusement indécentes sur le clergé. Je dirai toutefois qu'une vie passée parmi les sommités m'a enseigné ceci que, souvent, l'homme intelligent raille ce qu'il admire le plus. Quoi qu'il en soit, en une seule occasion l'ai-je entendu participer à une discussion théologique, si l'on peut la qualifier telle. C'était à l'issue d'une réception diplomatique, chez des Latino-Américains ou des Africains, j'ai oublié lesquels. Comment les représentants de pays où règne, paraît-il, la famine, peuvent-ils recevoir aussi somptueusement et fréquemment, voilà qui ne cesse de m'étonner.

Toujours est-il que plusieurs des frères y avaient assisté, et, parmi les autres dignitaires, se trouvait l'ambassadeur du pape.

Non, ce n'est pas là son titre. Comment l'appelle-t-on aux États-Unis? Ah! oui, le délégué apostolique. Le gentleman en question était Ugo Galeotti, le premier cardinal à détenir ce poste, m'apprirent les initiés. Jusqu'à Galeotti, le pape n'avait jamais placé à Washington, comme représentant diplomatique, de plus haut dignitaire qu'un archevêque. Mais il avait maintenu Galeotti à son poste après qu'il eut accédé au cardinalat, pour signifier au monde l'importance particulière du catholicisme américain pour l'Église. (Mes amis catholiques disaient plus cyniquement que « l'importance particulière » résidait dans les contributions des ouailles américaines aux chancelantes finances pontificales.) Ce prélat avait été lié avec la famille de Walsh, du temps de son enfance à Rome. De cette amitié de longue date subsistait entre eux quelque chose de très fort, du type des relations d'oncle à neveu – relations dont, instinctivement, je me méfie.

Je me souviens que nous étions, avec Walsh et Kathryn, dans le grand hall, prêts à sortir. Nous bavardions. Elle s'était d'ailleurs parfaitement tenue, étant restée, autant que j'en puisse juger, parfaitement sobre. Il était plus de dix-huit heures et nous nous préparions à rentrer, chacun de son côté. Galeotti était arrivé juste à ce moment, et nous avait pressés tous les quatre de dîner avec lui et son collaborateur principal, un monsignor Carlo Sartori. Je dis « tous les quatre » parce que l'assistante administrative de Walsh, Elena Falconi, était à mon bras. En tout bien tout honneur, évidemment, car j'étais son aîné d'un quart de siècle. Je la considérais comme une nièce. Je dois ajouter que Kathryn appréciait peu qu'Elena fût également conviée. Elle devait flairer quelque chose qui m'échappait encore. Ses yeux verts jetaient un feu glacé, signe que l'alcool ne l'embrumait pas au point de ne pas percevoir en Elena un danger potentiel.

L'appartement de Galeotti avait grande allure. Le délégué apostolique résidait dans l'ensemble immobilier du Watergate, au dernier étage, avec une terrasse panoramique. Le Vatican avait été actionnaire privilégié dans la firme qui avait construit l'ensemble, mais, heureusement pour l'Église, il avait négocié ses actions peu avant les exploits délictueux de M. Nixon. La vue sur le Potomac était superbe, les tapis moelleux et l'ameublement de fort bon goût – pas un élément moderne ni de rigide attachement à un « style », si ce n'est une inclination toute italienne pour le baroque. Il n'y avait que des œuvres d'art religieux, mais qui ne manquaient pas entièrement d'intérêt. Il y avait même un authentique Fra Angelico, une petite Madone. Je me souviens en avoir admiré la délicate beauté, tandis que Kathryn l'exécutait sèchement, la trouvant « à la fois vide et trop léchée, inexpressive à la limite du sacrilège ». Elle et moi tombions rarement d'accord, sauf peut-être sur le fait qu'Elena Falconi était une femme séduisante et que Declan Walsh pourrait y être vulnérable.

Galeotti était un personnage fascinant, absolument fascinant, bien que d'un type que je n'apprécie pas outre mesure. Il était de petite taille et tout rond – une caricature de Jean XXIII. Je soupçonne que cette ressemblance n'avait pas été sans le servir pour franchir les degrés de la hiérarchie. Personnellement, il m'indifférait assez – je parle de Galeotti, et non de ce cher pape Jean. Mais il connaissait extrêmement bien les questions internationales, la philosophie et même l'art; nous avions beaucoup de relations communes à Paris, Londres et en Amérique latine.

Notre gros cardinal se flattait d'être un gourmet et un grand connaisseur en vins. Je reconnais volontiers qu'en matière de vins il avait le choix délicat, mais je me garderai d'aller plus loin, n'étant pas œnologue. En revanche, je dois à la vérité de dire qu'il était, au mieux, un gourmand, mais non un gourmet. Bien entendu, vous n'ignorez pas qu'il y a là une vaste, une très vaste différence.

Le « dîner » de ce soir-là en fut un excellent exemple, ou plutôt un atroce exemple. On nous servit trois plats, suivis du dessert. Ce fut d'abord un mélange froid de fruits de mer assaisonnés de citron, de vinaigre et d'huile d'olive – de l'huile vierge, *verte*. Pouvez-vous imaginer ça? J'ai découvert postérieurement que les choses caoutchouteuses qui ressemblaient à des rondelles d'oignon, c'était de la pieuvre. Il y avait aussi, dans ces délices, des lambeaux de triton. L'eussé-je su alors que j'en aurais eu le cœur retourné sur-le-champ.

Le deuxième était superbe à voir : cuit et servi dans des petits plats individuels, il s'appelait l'« Oreiller de Vénus ». Cela se présentait comme une coquille de pâtes d'un jaune vif renfermant une farce de légumes verts, champignons, jambon cru, fromage, crème et oignons. Le sommet de la coquille était resserré par une nouille verte en guise de lien. C'était d'un effet recherché, je n'en disconviens pas, mais quel goût délicat peut apprécier un mets si riche, surtout après des fruits de mer marinés dans de l'acide et de l'huile d'olive verte?

Alors que ces deux services auraient suffi à rassasier un éléphant affamé, voici qu'on nous apporta ce que le cardinal appelait le plat de résistance, un *bollito misto* : le maître d'hôtel déposa au centre de la table un bassin long et étroit dans lequel nous pouvions tous puiser simplement en étendant le bras. Le mélange, composé de morceaux de saucisse et de minces tranches de bœuf, de veau, de poulet, ainsi que de carottes, céleri, pommes de terre et oignons, le tout parfumé d'aromates, était étonnamment savoureux. Mais à peine pus-je y toucher. Au demeurant, je devais en passer une nuit blanche. Mon estomac semblait empli de plomb fondu et brûlant. En bref, ce dîner semblait sorti des cauchemars communs d'un cardiologue et d'un gastro-entérologue. Et encore n'ai-je pas parlé de la salade d'épinards et de jambon séché servie avec un assaisonnement chaud, des fruits marinés dans une sauce à la moutarde – oui, vous avez bien entendu, à la moutarde – ni de l'écœurant gâteau au chocolat accompagné d'un puissant espresso et suivi par du cognac. Manger au rythme du cardinal, c'était participer à une tentative collective de suicide gastronomique.

Refermons à présent cette indigeste parenthèse. Je me devais de vous montrer que, nonobstant toutes ses compétences et son charme non niable, Galeotti était plus un gourmand qu'un gourmet.

Où en étions-nous? Ah! oui, la conversation pendant le dîner, qui ne fut pas dépourvue d'intérêt. Galeotti disserta sur la situation aux Antilles; il avait été, quelques années plus tôt, en poste à Cuba, et conservait de nombreux contacts dans cette zone. Monsignor Sartori, précédemment en fonctions à Beyrouth, était une véritable mine d'aperçus sur ce malheureux pays. Avec une âpreté qui ne devait rien à la boisson, Kathryn lançait des pointes sarcastiques, et elle fit mouche en questionnant Sartori sur les préférences sexuelles d'un nouveau cardinal français qui devait, des années plus tard, frôler le schisme avec Rome. A interpréter les rougeurs du monsignor, les aventures hétérosexuelles n'étaient pas parmi les péchés du nouveau cardinal. Je remarquai que le teint de Galeotti se colorait pendant cette discussion, et il détourna adroitement la conversation.

Mais l'intérêt de cette soirée ne résida pas seulement dans la conversation générale. Elena et Kathryn engagèrent un subtil duel à fleuret moucheté, échangeant des ripostes d'une exquise urbanité. La jalousie est toujours un spectacle hautement distrayant. Ce qui me surprit fut qu'elle pût surgir dans ces circonstances. Je me souvins que deux semaines plus tôt, lors du dîner auquel je convie annuellement la Cour, Walsh s'était beaucoup consacré à Elena. Il y avait là matière à reflexion, mais, n'inclinant pas à fouiner dans les affaires personnelles des autres, je m'en désintéressai.

Et nous eûmes, comme seconde diversion, une représentation de « moralité ». Le jeune monsignor Sartori – « jeune » est peut-être inapproprié, car il avait déjà la quarantaine – se démenait comme un beau diable (si vous voulez bien me passer ce jeu de mot purement inconscient) pour détourner ses regards de la gorge de Kathryn. Je concède qu'elle était d'une rare beauté. Vous vous souvenez qu'elle avait sept ou huit ans de moins que Walsh. Eh bien, même alors, déjà entrée dans son âge mûr, elle était éblouissante. La robe qu'elle arborait ce soir-là devait avoir été drapée et cousue directement sur elle. Franchement, mon cher, ces couturiers sont des génies techniques méconnus. Voilà une création qui défiait les lois de la pesanteur d'une façon proprement ahurissante.

L'intérêt de notre monsignor était moins scientifiquement détaché que le mien. Son ange gardien bataillait ferme, mais sans un entier succès. Le pauvre garçon s'efforçait désespérément d'ancrer ses regards ailleurs que sur l'épouse de Walsh. Malheureusement pour la vertu, elle était assise juste en face de lui, et elle se penchait fréquemment au-dessus de la table pour se servir – bouchée par bouchée – du plat de résistance, ou picorer dans les fruits. L'atmosphère éthérée du séminaire, la société purement masculine des communautés religieuses et la lourde vêture de nonnes replètes l'avaient peu préparé à une telle vision, et combien rapprochée! Je suis certain qu'il dut ensuite réciter son rosaire pendant une partie de la nuit.

Après le repas – le gavage, devrais-je dire – Kathryn parla d'un vernissage d'exposition au Kennedy Center, manifestation au profit d'une quelconque œuvre. Elle souhaitait manifestement y assister. Non moins manifestement, le cardinal souhaitait s'entretenir avec Walsh.

– *Allora, cara,* dit Galeotti, si l'un de ces messieurs vous y accompagnait, vous me permettriez de profiter des instants précieux de votre mari.

Je me gardai bien de me manifester. Accompagner Kathryn ainsi vêtue, ou plutôt dévêtue, voilà une tâche qui dépassait de très loin ce que le devoir commande. Après un certain flottement, le tact diplomatique (à moins que ce ne fût Satan lui-même) triompha :

– Ce serait pour moi un honneur, proposa notre jeune monsignor, d'accompagner Madame.

Kathryn sourit, un peu trop avidement, à ce qu'il me parut. Je ne doute pas un instant qu'elle savait avoir éveillé la concupiscence cléricale et qu'elle savourait la gêne du monsignor. Cependant Elena, cette divine créature, se mit de la partie en faveur de l'ange gardien de Sartori :

– Puis-je me joindre à vous? dit-elle, ce qui atténuait un peu les tentations du monsignor, à défaut de les supprimer.

Leur départ, peu après vingt-deux heures, me laissa seul avec Galeotti et Walsh. Pendant quelques minutes, le cardinal entretint artificiellement la conversation, parlant d'une représentation de théâtre d'essai à laquelle il avait assisté lors de son dernier voyage à New York. Et puis, lentement, l'affable et exubérant prélat-diplomate-hôte se transforma en un vieux gentleman fatigué et assez sombre.

– *La chiesa santa,* soupira-t-il en s'enfonçant dans un fauteuil, la sainte Église.

Mais avant de poursuivre, il me faut dire quelques mots d'un trait qui m'agaçait chez Galeotti : il avait une propension à parsemer ses propos de mots italiens. C'est une manie que j'ai observée chez beaucoup de ses compatriotes, même cultivés. Au moins une phrase sur trois commence par *ecco,* qui signifie « voici », ou *allora* – « alors », ou *senta* – littéralement : « oyez ». Pour Elena, cela lui rappelait pittoresquement sa famille. Quant à Walsh et à Kathryn, ils n'en semblaient nullement gênés. Mais aussi bien parlaient-ils couramment italien; Walsh était même parfaitement bilingue. Pour moi, j'avoue que cela m'écorchait les oreilles, de même d'ailleurs que ce penchant du cardinal à traduire littéralement des expressions italiennes, par exemple *sans autre* pour *bien entendu,* ou *de vrai* pour *en vérité.* La *chiesa santa,* avait dit Galeotti, par un de ses continuels retours à l'italien.

– Qu'est-ce qu'il y a, Ugo? demanda Walsh d'une voix empreinte de sollicitude.

– Je suis un vieil homme, et l'avenir paraît toujours sombre aux gens d'âge, peut-être parce qu'il est, pour eux, si court. Confidentiellement, il m'arrive de perdre espoir pour l'Église. Depuis le concile Vatican II, au milieu des années soixante, nous sommes en proie à des convulsions. *Ecco,* nous avons tendu la main aux autres religions du monde, avec amitié et compréhension, mais au sein de notre Église, nous frôlons la guerre civile. Le Vatican lui-même est devenu un nid d'intrigues.

– C'est un aspect qui a toujours existé, remarqua calmement Walsh, il est partiellement inévitable dans toute société humaine.

– De vrai, de vrai, concéda Galeotti. Mais je vois à présent une rancœur que je ne me souviens pas avoir connue autrefois. Je reconnais que ce peut être l'âge qui fait imaginer l'idéal dans le passé, et non dans l'avenir. Je me rappelle bien, dans le passé, les conflits de personnalité, inévitables comme vous dites, et aussi les conflits d'ambition, moins élevés. On ne repense pas sans tristesse à la désunion entre monsignor Tardini et monsignor Montini quand ils étaient substituts à la secrétairerie d'État de Pie XII. Pour finir, Montini ne reçut pas le chapeau et il fut exilé à Milan.

– Tout au moins jusqu'au cher Jean XXIII, glissai-je, pour montrer que je n'étais pas entièrement ignorant des affaires de l'Église. Et, au demeurant, d'avoir été en disgrâce auprès de Pie XII aida Montini à succéder à Jean.

– *Ecco,* opina Galeotti, il en alla comme vous dites. Mais ce que je constate à présent, ce n'est pas ce genre de conflit, triste mais humain. Non, je vois une Église paralysée par le chaos. C'est peut-être parce que je suis exténué. J'ai eu trois audiences aujourd'hui. D'abord un entretien avec un délégué de vos évêques américains qui protestent parce que le Vatican refuse leur projet de ramener à la pratique religieuse les catholiques divorcés et remariés. L'argumentation des Américains était séduisante, mais la position du Saint-Office est ferme. J'ai ensuite reçu un groupe de laïcs de Virginie, protestant contre le refus de leur évêque et de leur prêtre d'honorer un accord qui prévoyait une participation laïque dans l'administration de leur paroisse. Et pour finir est arrivée une délégation de dominicaines venue discuter de la possibilité – *ecco,* de l'impossibilité – pour les femmes de recevoir la prêtrise. Et les trois fois, il s'est exprimé beaucoup de rancœur, cette rancœur si abondante, de nos jours, dans l'Église, soupira le cardinal. Des évêques dénonçant le Souverain Pontife, des prêtres dénonçant leur évêque, des théologies de libération et de révolution, un brouhaha prétendument charismatique. *Allora,* il ne faut pas s'étonner que tant de laïcs fassent du sport ou la sieste au lieu d'aller à l'église.

» Par-dessus tout, poursuivit Galeotti, il y a une tendance officielle à l'indécision, entrecoupée de déclarations inconsidérées telle *Humanae Vitae,* condamnant la contraception. Paul VI a, comment dites-vous?... opéré des réduction dans la Curie. Et avec son ancien secrétaire particulier, Giovanni Benelli, faisant office de chef de cabinet, même s'il n'en a pas le titre, le Vatican fonctionne comme une vraie machine. Mais la machine tourne à vide. Nul ne sait où nous allons, et le Saint-Père moins que tout autre. Il pourrait être un grand chef, mais il doute de lui-même. Il ne se fie pas à son instinct.

– Je me souviens très bien de lui lorsqu'il était monsignor Montini, dit Walsh. En tant qu'envoyé spécial de Truman au Vatican, j'avais souvent affaire à lui. Je l'aimais beaucoup. Il était timide, un peu gauche même, dans les rapports personnels, mais c'était un esprit puissant. Non, je m'exprime mal. Il était extraordinairement intelligent, mais ce n'était pas un homme de pouvoir, ni intellectuellement ni matériellement. Je sentais en lui plus la compréhension que la résolution, mais aussi une ardente ambition.

– De vrai, de vrai, soupira Galeotti. *Ecco,* la tragédie. L'intelligence mais pas la résolution. L'obstination, oui, et certainement l'ambition. Il n'est pas seulement, des pontifes de l'époque moderne, le plus intelligent, le plus cultivé, le plus savant, mais celui qui travaille le plus, de cinq heures du matin à près de minuit, avec juste une courte sieste et très peu de vin. Mais c'est un homme à qui les décisions – et le commerce humain – sont difficiles. En tant que souverain pontife, il est déchiré. Peut-être son âme demeure-t-elle blessée par l'injuste traitement que lui réserva Pie XII. Peut-être souffre-t-il du mal des intellectuels : la capacité de voir toutes les facettes d'un problème et l'incapacité de choisir une voie nette. Politiquement, c'est un libéral, peut-être même – et je dirai, sûrement – un socialiste, un socio-chrétien mais néanmoins un socialiste. Vous avez lu son encyclique *Populorum Progressio,* sur le développement des peuples?

(Galeotti croyait devoir ainsi expliquer le titre de l'encyclique à mon intention, mais croyez bien, mon cher, qu'une vie d'incessantes études m'a donné plus qu'une teinture de latin.)

– C'est un document appelant à l'action sociale, appelant les riches, pays et individus, à partager avec les pauvres. Il prône un retour au christianisme des origines.

– Mais alors, *Humanae Vitae?* demandai-je, incapable de me contenir plus longtemps. Comment concilier ses positions, ses objurgations et la sollicitude à l'égard des pauvres?

Galeotti éleva ses paumes vers le ciel et eut un haussement d'épaules typiquement italien pour traduire la résignation :

– On ne peut pas. *Ecco,* voilà la croix du Saint-Père. Politiquement, il se range lui-même à gauche, théologiquement, à droite. Intérieurement, sa conscience sociale se lamente, mais sa conscience théologique triomphe. Il ne peut tolérer le moindre écart de ce qu'il considère être une doctrine de la foi catholique. Je sais, *caro,* je sais, dit-il en levant la main pour couper court à la riposte de Walsh. La contraception n'intéresse pas la foi. Il n'y a pas là-dedans de dogme. Mais sachez, tout à fait confidentiellement, que l'ébauche d'*Humanae Vitae* préparée par le Saint-Office était beaucoup moins stricte que la version adressée par Paul VI aux évêques. Quelqu'un l'avait reformulée (selon moi, ce serait un certain théologien appartenant à la secrétairerie d'État); mais sa formulation définitive répondait aux vœux du Saint-Père. Le document est sien, dans le fond comme dans la forme.

(Walsh se contenta de hocher la tête. Je ne pus réprimer un sourire : il y avait là une information capitale à engranger pour l'histoire. C'est dans cet esprit que je vous la livre aujourd'hui.)

» *Allora,* poursuivit le cardinal, le problème fondamental du Saint-Père – et l'aveu me coûte – c'est qu'il est italien. Par bien des côtés nous sommes un peuple plein de bizarreries, et la moindre n'est pas notre attitude à l'égard des questions sexuelles. A un niveau, nous sommes terre à terre; le machisme et l'acte sexuel font ouvertement partie de notre vie quotidienne. Mais en même temps, certains de nous (la majorité de nos saints et pratiquement tout notre clergé) se détournent de ces choses avec répulsion, n'associant le sexe qu'au péché et à la mort spirituelle, qu'à la vie mais pas à l'amour. *Ecco,* contrairement aux Irlandais dont l'attitude dans ce domaine est invariablement d'un malsain puritanisme, nous autres, Italiens, sommes culturellement manichéens. Pour moi, Paul VI a une vision névrotique du sexe. Il croit que le monde profane le tient pour un plaisir à chercher inlassablement, à l'exclusion de tout le reste, y compris de Dieu. C'est donc un péché dont il faut se garder, non seulement pour obéir au Sixième Commandement mais aussi au Premier. *Humanae Vitae* a sa source dans l'idée que la contraception artificielle est la manifestation d'un faux dieu.

– On ne peut douter que cette encyclique a éloigné les gens de l'Église, dit Walsh, ne serait-ce que parce qu'elle faisait apparaître « rationnel » le faux dieu.

– Sans autre, sans autre, répondit Galeotti d'un ton geignard. C'est une autre facette de la tragédie *del Papa :* sa bonté engendre des résultats mauvais. La rigidité de ses vues sur la contraception a contribué à faire sortir de l'Église maints laïcs et même des prêtres. Mais le problème ne s'arrête pas là. Nous assistons aujourd'hui, en notre sein même, à une âpre concurrence entre des modèles de l'Église radicalement différents, et non seulement chez les théologiens, mais chez les évêques et jusque dans la Curie. Je ne vois partout que chaos. Peut-être ne suis-je pas assez assuré dans ma foi. Nous avons la promesse du Christ que les portes de l'Enfer ne prévaudront pas contre notre Église. Pourtant, avec l'âge qui mine nos forces, la tentation est grande de s'abandonner au désespoir.

Le visage de Walsh s'éclaira, comme cela lui arrivait en conférence, lorsque se présentait une cause particulièrement ardue.

– A l'instar de toute la société occidentale, dit-il, l'Église est en proie au chaos. Mais ne peut-on considérer ce chaos comme une chance et non une menace, un défi et non un danger? L'on assiste moins à un rejet de la religion et de Dieu qu'à une recherche de réponses neuves correspondant à des problèmes neufs. L'ancienne approche catéchistique ne convient plus. Il y a, chez les gens, une aspiration, non un refus. Nous ne progressons qu'à partir du moment où nous mettons en question les choses et les valeurs admises. Et c'est à partir de ce chaos, de ces interrogations, que l'Église peut trouver une nouvelle autorité, quelqu'un possédant la perception, le jugement, l'imagination et l'intelligence pour nous mener, ou peut-être nous ramener, vers un sens de la communauté et de la pratique chrétiennes tel que le christianisme, tout à la fois, demeure fidèle à ses idées premières et fonctionne dans *notre* monde.

(Galeotti regardait Walsh d'un air perplexe. Notre brave président, soudain devenu expert en théologie, discourait d'un air pénétré. Ainsi son arrogance intellectuelle ne se limitait nullement à la Cour suprême et à la Constitution. Voilà un être qui croyait réellement posséder des réponses cosmiques!)

– Je ne crois pas que le catholicisme soit si mal en point au regard des fidèles eux-mêmes, ni même des fidèles potentiels que sont les incroyants. Certes on est troublé, on conteste, on déserte la messe. Mais c'est preuve que l'on se préoccupe sainement de l'Église. Seulement, la hiérarchie s'est gravement fourvoyée en confondant réforme ecclésiastique et bouleversement du rituel. Les laïcs sont, dans l'ensemble, trop sensés pour faire pareille erreur.

– En gros, je suis d'accord, pourtant..., commença Galeotti, mais Walsh lui coupa la parole.

– Le mécontentement devant le mauvais goût et le rejet, à propos de la contraception, d'une argumentation logiquement et moralement indéfendable laisse bien augurer de l'intelligente foi des nôtres. Et vous autres, à Rome, feriez bien de vous remémorer vos racines et de prêter plus d'attention aux augures et présages. Le catholicisme a été, pendant des siècles, la force dominante dans le monde occidental, et il peut le redevenir, surtout avec des laïcs intelligents et non plus un troupeau abruti, mais uniquement si vous autres, qui prétendez nous conduire, saisissez l'occasion non seulement de ramener à lui sa congrégation traditionnelle mais aussi de lui attirer les autres, ceux qui cherchent. On ne conquiert pas en gémissant sur soi-même – erreur de ce pauvre saint Paul, malgré l'ampleur de sa figure. Il faut agir, justifier, convaincre, convertir et changer le monde. La chance est une femme qu'il faut forcer, dit Machiavel.

– *Ecco,* rétorqua en souriant Galeotti, c'est peut-être là le cœur du problème, *caro*. Nous autres célibataires, nous ignorons comment forcer les femmes. Vous parlez d'une autorité, mais d'où émanerait-elle? Non de Paul VI, malgré tout le respect que je voue à son esprit, son zèle et sa sainteté personnelle; non de cette réunion de saints hommes qu'est le Sacré Collège, non plus que de nos bureaucrates spirituels de la Curie romaine.

– Peut-être du prochain pape. Paul VI ne vivra pas éternellement.

– Il n'a même plus très longtemps à vivre, mais son successeur sera vraisemblablement un compromis « vaseux », comme on dit chez vous, entre les factions antagonistes dans l'Église, un homme qui temporisera en priant et jeûnant, sans rien résoudre.

– Allons, Ugo, plaisanta Walsh, n'initiez donc pas à ce jeu les pauvres laïcs que nous sommes. Nous ne pouvons participer au scrutin, et encore moins présenter notre candidature. Mais, sérieusement, vous sous-estimez votre Église. Elle peut triompher.

– Prions pour qu'il en soit ainsi, acquiesça le cardinal.

Je ne crois pas, mon cher garçon, que notre gros prélat ait été très réconforté, mais, comme l'a dit le poète, on se lasse vite de s'apitoyer, même sur son propre sort. Mais ce qui en aurait surpris beaucoup parmi ceux qui se targuaient de bien connaître Walsh, c'était son fervent intérêt pour les affaires de l'Église, son sens d'une aspiration populaire à un contact plus étroit avec la religion. Pour ma part, je n'avais pas la moindre idée de ce à quoi aspirait le peuple – et je ne m'en préoccupais nullement. Mais cette soirée me révéla un aspect de la personnalité de Walsh que je crois sincèrement être le seul, parmi ses relations profanes, à avoir perçu. A défaut d'autre chose, son exhortation à Galeotti reflétait l'étendue de son ambitieuse philosophie sur le rôle du président de la Cour suprême des États-Unis, et sur celui de la Cour elle-même.

11.

Comme je vous l'ai laissé entendre, non sans raison, Walsh et moi entretenions de très cordiales relations, vraiment très cordiales. Je dois préciser, à ce sujet, qu'il avait peu d'intimes. Il s'entendait bien avec tous nos collègues de la Cour, et même avec notre néanderthalien du Texas et avec le sénateur de Virginie, mais seuls Albert et moi-même avions quelque accès à sa vie intérieure. Naturellement amène, il possédait un charme qui empêchait généralement que l'on appréhendât sa vraie personnalité. Il pouvait être extrêmement chaleureux – et parfois acerbement sarcastique. Cependant, on aurait dit que sa chaleur se mesurait en calories, qu'elle émanait de son cerveau, en doses soigneusement quantifiées, plus qu'elle ne jaillissait de son cœur. En bref, s'il disait et faisait ce qui convient, c'était pour y avoir réfléchi et non parce qu'il obéissait à ses sentiments – à ses instincts.

Vous allez voir que ce diagnostic a son intérêt dans ce que je vais à présent vous raconter. Walsh présidait notre Cour depuis quatre ans lorsque, au début du printemps, une sombre rumeur me vint aux oreilles. Je vous ai déjà maintes fois entretenu de mon aversion pour les racontars. Mais je me dois de vous dire l'entière vérité, n'est-ce pas? Au demeurant, vous connaissez probablement les faits par ouï-dire, et j'aurais tort de vous priver d'informations de première main.

Mais j'anticipe un peu sur mon récit. Permettez-moi de revenir en arrière, au risque de me répéter. Fanatique de l'organisation, notre ancien président s'était adjoint un assistant administratif. Il ne s'agissait nullement, en l'occurrence, de l'Administration judiciaire fédérale, dont le président avait également la responsabilité; cette administration-ci est vaste et emploie aujourd'hui de nombreux fonctionnaires. Non, l'assistant administratif dont je parle était seul à son poste, et simplement aidé par une secrétaire. Il veillait à la bonne marche des services de la Cour et assurait la circulation intérieure des documents. La tâche est beaucoup plus importante qu'il n'y paraît de l'extérieur, et elle nécessite jugement et tact.

Le premier titulaire était un diplômé en sciences politiques.

J'avoue avoir d'abord été méfiant à son sujet. Mais cet homme s'acquittait de sa tâche avec une réelle compétence. Il se rendit bientôt indispensable; comme tous les hommes indispensables, il fut remarqué, et il nous quitta pour devenir doyen d'un programme universitaire sur l'administration judiciaire.

Il fut remplacé, au cours de la dernière année d'exercice de l'ancien président, par la belle Elena Falconi. Accorte serait peut-être plus exact pour définir cette créature très féminine. Son extrême féminité ne l'empêchait pas d'être supérieurement efficace et tout à fait apte au commandement, même selon des critères masculins. En fait, les auxiliaires juridiques la redoutaient, tandis que tous les juges la tenaient en grande amitié. Cela venait sans doute des différences d'âge. A trente-cinq ans, elle devait apparaître à nos jeunes gens comme une « femme mûre », alors que par rapport à nous – dont le benjamin, Kelley, avait quarante-neuf ans – c'était une jeune femme.

Elena était grande, brune – son épaisse chevelure retenue en chignon sur la nuque. Ses yeux gris clair et son teint légèrement piqueté d'éphélides ne concordaient pas avec son nom de Falconi, mais aussi bien était-ce son nom de femme mariée. Je découvris toutefois par la suite que sa famille avait émigré d'Italie, mais du Trentin, région septentrionale dont la population a plus de caractères nordiques que latins. Elle était harmonieusement proportionnée. Je n'entends pas par là qu'elle était aussi érotiquement sculpturale que l'épouse du président. D'allure et de tempérament, elles étaient très différentes, encore que douées, l'une comme l'autre, d'une volonté de fer.

Elena était déjà divorcée lorsqu'elle entra chez nous. Ainsi échappai-je au douteux honneur de rencontrer son mari. Des rumeurs circulant dans nos murs voulaient que ce digne citoyen du New Jersey, sans profession définie, ait eu des liens avec la Mafia. Toujours est-il qu'il avait, à plusieurs reprises, été assigné à comparaître comme témoin devant la commission pénale de l'État, mais il avait à chaque fois réussi à se soustraire aux citations, et il avait été tué dans un accident d'automobile alors qu'il paraissait enfin disposé à témoigner. En ce qui concerne Elena, fille de banquier et diplômée du Smith College, rien n'entachait sa réputation, si ce n'est son absence de discernement en matière d'hommes, défaut commun chez les personnes du sexe.

Quoi qu'il en soit, ce fut en cette quatrième année d'exercice de Walsh à la présidence de la Cour suprême que, disant à un de mes auxiliaires que je n'arrivais pas à joindre Elena, je m'entendis répondre qu'elle était probablement avec le président. Son ton appuyé n'échappa pas à mon oreille, et je surpris chez ma secrétaire un sourire entendu. Je notai leurs réactions mais je ne leur en parlai pas. Après tout, on ne discute pas de ses pairs avec des subalternes. Ce qui ne signifie nullement que j'oubliai l'incident. Tout au contraire, d'autres faits enregistrés dans mon subconscient affleuraient à présent à mon esprit. Tout d'abord, sachez que je rencontrais rarement le couple Walsh plus de deux fois par mois. Certes, ils me priaient à dîner plusieurs fois par an et réciproquement. Nous nous retrouvions aussi assez fréquemment chez les Albert ou à l'occasion de réceptions officielles. Mais nous n'étions pas souvent tous les trois en petit comité.

Je n'avais cependant pas été sans remarquer qu'il y avait entre Kathryn et Walsh une réserve inusitée. Certes, avec les autres, Kathryn pouvait observer une glaciale distance ou se montrer fort acerbe, mais entre elle et Walsh il y avait presque toujours eu un évident champ électrique. Je dis « presque » en raison d'occasionnelles altercations dues à l'intempérance de Kathryn. Jamais, en ma présence, elle n'avait déchaîné contre lui des sarcasmes dont elle n'était pourtant pas avare envers les autres. Pourtant, depuis peu, elle réservait à son époux quelques traits acérés, parlant notamment de lui comme de « notre glorieux président héros », à moins que ce ne soit « héros président, chéri ».

Le problème de la boisson devenait de plus en plus évident chez Kathryn. Notez que je ne dis pas plus aigu ou plus grave, simplement plus évident. Elle avait certainement compris que l'assiduité passionnée de Walsh à son travail ne se relâcherait pas, même une fois que notre routine lui serait devenue familière, qu'il allait délaisser son épouse de façon permanente. Ce n'était pas une situation qu'elle acceptait d'un cœur léger. Et que ses intérêts et son énergie n'eussent pas d'exutoires ne pouvait que l'aggraver. En fait, elle présentait maints symptômes classiques de la dépression.

Or un climat se dessinait, même indirectement, qui venait aggraver les choses. L'attitude de Kathryn vis-à-vis d'Elena, chez Galeotti, et le maladroit message codé de mes employés m'imposait l'idée effrayante – terrifiante, en fait – qu'il pouvait y avoir, dans la vie de Walsh, une autre femme, et qu'il puisse s'agir d'Elena. Il allait falloir que je m'en occupe. Ne vous méprenez pas, mon cher garçon, il n'y avait de ma part nulle curiosité malsaine. Mais l'intégrité de la Cour était en jeu, et je m'en sentais responsable. Imaginez qu'un journaliste à scandale hume la piste et traîne dans la boue l'hermine judiciaire! Au surplus, j'avais beaucoup d'amitié pour Elena, et j'appréciais l'utilité de son travail pour la Cour. Certes, cette loyauté personnelle ne venait pour moi qu'en second, après celle que je devais à la Cour, institution qu'il fallait garder pure de toute tache; mais elle ne laissait pas de compter.

Je décidai de continuer à réunir des informations sur cette affaire, afin de mieux la cerner. Dès le premier jour de notre suspension de séances, je demandai à Elena si elle pouvait, en rentrant chez elle, à Georgetown, me déposer au passage des pièces que j'avais laissées dans mon cabinet. Le prétexte, je le crains, était assez transparent : ma secrétaire ou l'un de mes trois auxiliaires étaient tout désignés pour me transmettre ces pièces, d'autant que la Cour possède une équipe de coursiers. Mais Elena et moi étions de bons amis, et je rusai de mon mieux en lui proposant, par la même occasion, de prendre le thé chez moi, ce que nous faisions assez fréquemment dans mon cabinet. J'avais d'ailleurs coutume de prier des amis au thé, ma vie de célibataire ne me permettant guère de recevoir dans d'autres formes.

Elena arriva, nous accomplîmes les habituels rites de retrouvailles, et je commençai par l'interroger à propos d'un problème concernant notre pool dactylographique. En effet, Breckinridge y faisait exécuter une grosse partie de son travail pour la Cour, réservant le temps de sa secrétaire à la préparation du manuscrit d'un livre – je devrais peut-être dire d'une brochure de propagande, étant donné son genre d'activisme judiciaire.

Au bout d'un quart d'heure de conversation professionnelle, je lui dis :

– Pour vous, ma chère, votre santé ne laisse pas de m'inquiéter. Depuis quelques semaines vous paraissez soucieuse, accablée plus qu'il ne sied à une femme jeune et belle.

– Cela se voit? demanda-t-elle avec un sourire.

– Mais oui, répondis-je avec aménité. Cela se voit toujours si l'on est profondément soucieux des gens en cause. C'est une tension qui vous mine. Puis-je vous être d'une quelconque aide?

– Il y a des « gens » en cause. Au début, il est facile de ne pas y penser, mais il y a toujours beaucoup de gens dans ces histoires, et pas simplement deux.

La réponse était étrange, certes, mais saine.

– Je ne manque pas totalement d'expérience en la matière, lui dis-je. Une vie d'étude de la nature humaine ne m'a pas laissé sans une certaine sagesse.

– C'est assez difficile à expliquer, répondit-elle en contemplant la Maison-Blanche à travers la vitre. Cela me blesse dans mon orgueil. Je ne suis pas une adolescente évaporée mais une femme qui approche de la quarantaine à pas de géants. J'ai été éprise, prise, mariée, divorcée, prise encore un certain nombre de fois, dont au moins deux par des hommes dont j'ai oublié les traits. Mais je suis attirée par Declan Walsh comme une gamine de quatorze ans folle des Beatles.

– Elena, ma chère...

– Ne vous tourmentez pas, juge Walker, m'interrompit-elle, il n'y aura rien pour donner prise au scandale, du moins, il n'y aura plus rien. Il n'est pas du genre à m'« installer » dans un coin discret de Georgetown, et nous ne pouvons avoir une aventure passionnée dans son cabinet. Personnellement, j'accepterais l'un ou l'autre, sinon les deux, mais notre grand chef est bien trop noble pour cela.

– Il existe toujours la solution du divorce, dis-je.

(Non que je suggérasse cette voie, loin de là. Mais je voulais la sonder.)

Elle accueillit ma réflexion d'un rire plus moqueur pour elle-même que pour moi, à ce qu'il me parut.

– J'y ai pensé, mais c'est aussi vraisemblable que *votre* accession à la présidence de la Cour. Le voyez-vous divorcer de Kate pour m'épouser, avec tout ce catholicisme irlandais qui lui habite l'âme? Sa conscience religieuse l'anéantirait, à supposer que sa conscience morale ne l'ait pas devancée. Elles sont déjà l'une et l'autre en train de le dévorer. Kate est enfin en traitement chez un psychiatre. Elle a admis le fait que la boisson constituait pour elle un problème. Même s'il n'était pas un pur croyant en sa sainte Mère l'Église, Declan n'abandonnerait pas Kate à elle-même. Il sait qu'elle risquerait fortement de couler. Si vous voulez mon avis, elle coulera de toute façon, et je crois qu'il le pense également. Mais là n'est pas la question. Sir Lancelot ne lui déniera pas une chance.

– Mais vous-même, seriez-vous vraiment prête à faire fi des doctrines de votre Église? Elles ont habituellement de profondes racines.

– Nous autres Italiens avons eu l'Église sur le dos pendant trop de siècles pour la laisser peser aussi sur notre conscience, repartit-elle en riant.

– Mais alors, quelle est la situation?

– Un gâchis – la réponse est peu originale.

– Sans doute, convins-je, mais non inadéquate. Voyons, pour clarifier le présent et l'avenir, retracer le passé est souvent utile. Comment tout cela a-t-il commencé?

– Comment cela a commencé? Avec Adam et Ève, et cette satanée pomme, juge Walker.

– Nous n'avons pas besoin de remonter aussi loin dis-je en souriant de son affectation de bravoure. Cherchons des origines plus récentes.

– Vous connaissez une partie de l'histoire. Cela fait près de quatre ans que nous nous côtoyons. Pendant très longtemps, je l'ai trouvé simplement séduisant et amusant. Il aime parler italien, et moi j'en suis encore capable. Il apprécie mon travail, et je crois qu'il préfère une assistante pas trop laide à un assistant, sans en être vraiment conscient. Tous les hommes en sont là. J'avoue avoir parfois fugacement songé sexuellement à lui, mais rien de plus que ce qui traverserait l'esprit de n'importe qui. (Je puis vous assurer, mon cher, et des plus fermement, que nulle lubie sexuelle à propos de Walsh jamais ne *me* traversa l'esprit, mais je crus sage de ne pas interrompre Elena.) Il régnait entre nous une agréable entente. J'étais son factotum féminin, le pendant de Mike Keller, qui est toujours prêt à faire tout ce que souhaite Declan, et à la seconde même. En fait, il me déléguait une bonne partie de l'administration de la cour.

Je ne la détrompai pas. La chose était d'ailleurs vraie, mais seulement jusqu'à un certain point. Cependant, je m'abstins une fois encore de rétablir plus exactement les faits.

– Mon poste me procurait de grandes satisfactions. Nous participons tous un peu du prestige de la Cour, vous savez, même les concierges. Ma vie sociale se passait tout à fait ailleurs, à l'exception des sauteries officielles. (Elle ponctua son mot du petit rire grinçant des femmes mécontentes du monde entier.) Et puis, cette année, les choses ont changé. Je crois qu'il arrive à tout le monde d'avoir un jour envie de dételer, et entre l'intempérance de Kate et le fardeau de sa charge, Declan a commencé à ployer. Il est très seul.

– Les enfants uniques aussi, mais ils s'y habituent, remarquai-je.

– C'est vrai, et là réside en partie la difficulté. Il est seul, mais il y est tellement habitué qu'il ne s'en rend même pas compte, tout au moins consciemment. Seulement, tout au fond de lui, il le sait et il appelle à l'aide – silencieusement. Au surplus, il est très séduisant.

(Je me souviens avoir réfléchi à part moi que la raison de cette séduction m'échappait. Qu'elle *existât,* j'en avais des preuves directes. Simplement, je ne pouvais appréhender sa *raison.* Mais je n'ai jamais prétendu comprendre le beau sexe, ni ses perceptions particulières, non plus que la complexité de ses attirances.)

– Je suppose que l'initiative vint de moi, poursuivit Elena sans remarquer ma temporaire absence, mais progressivement il cessa de n'être qu'un ami. Je me retrouvai aussi stupidement éprise de lui que j'avais pu l'être, jeune fille, d'un garçon en vue de Yale. Et je n'avais plus de songes sexuels fugaces. Ils devenaient même très détaillés. Sans en être tout à fait sûre – tant mon élan vers lui me brouillait le jugement – il me semblait que lui aussi éprouvait pour moi une attirance.

– Vous êtes très séduisante, dis-je.

– Voilà qui me remonte le moral, juge Walker, me remercia-t-elle avec un sourire. Il me semblait que nous passions beaucoup de temps ensemble, encore que j'aie simplement pu me l'imaginer. En tout cas, nous abordions des sujets plus personnels dans nos conversations. Je m'aperçus, ou crus m'apercevoir, de ce qui arrivait, mais l'amour est un mal qui commence par détruire les processus rationnels. Un soir de janvier, sachant qu'il projetait de travailler tard parce que je l'avais entendu commander un sandwich, j'en commandais également un, et vers dix-neuf heures trente, munie d'une bouteille de vin d'Espagne, j'entrai dans son cabinet et proposai que nous dînions ensemble. Je savais qu'à part nous deux tout le monde était parti. Nous échangeâmes des propos parfaitement innocents, mais je crois qu'il lut dans mes yeux. Pourtant, il ne se passa rien jusqu'au moment où il tenta de déboucher la bouteille. Elle lui échappa et nous la rattrapâmes au même moment. Et nous nous retrouvâmes dans les bras l'un de l'autre. Et soudain nous nous embrassions, nous nous palpions comme on dit dans les mauvais romans. Le canapé de cuir noir n'attendait que nous, et j'avais été assez avisée pour me dépouiller auparavant, dans mon bureau, de toute lingerie superflue – comme je l'avais déjà fait les trois autres soirs où il avait travaillé tard.

(Franchement, mon cher, je ne m'attendais pas à des détails aussi crus, et encore moins les souhaitais-je. Je ne vous les révèle que pour en vider ma mémoire. J'avais espéré une description plus abstraite d'un enchaînement d'événements, enchaînement dont la discussion aurait pu montrer par où s'y soustraire. Mais rien n'arrêtait Elena. Elle était déterminée à tout raconter. Il n'y avait donc qu'à l'écouter.)

– La passion nous souleva. Si l'initiative lui revint dès notre premier embrassement, c'était tout de même moi qui avais commencé.

Ensuite, nous sommes restés vautrés sur le canapé, nous avons bu du vin et, nous étant débarrassés du reste de nos vêtements, nous avons recommencé à nous aimer. Mais cette fois lentement, délibérément, tendrement. Il me semble que, selon les traités d'éducation sexuelle, la deuxième fois est plus agréable physiquement, mais je n'ai jamais connu une plénitude émotionnelle comparable à cette première fois. C'était soudain, violent et purificateur.

– Ce soir-là s'est ouvert et refermé le chapitre physique, dis-je, plus de façon interrogative qu'affirmative.

– Eh bien, non. Il aurait peut-être préféré ça. En tout cas, sa bonne conscience de catholique l'aurait préféré, et il aurait probablement réussi à résister. Mais les femmes n'ont pas cette simplicité. Non, cela a continué jusqu'il y a trois semaines, deux mois de passion dont ni lui ni moi ne nous croyions capables. Ne prenez pas cet air choqué, juge Walker. Nous n'eûmes plus d'autres étreintes sacrilèges dans les murs de la Cour suprême. Nous nous retrouvions dans un appartement que Mike Keller conserve à Washington. Et puis, comme si un rideau était tombé, nos rencontres ont cessé. A l'initiative de Declan, faisant valoir que Kate avait des soupçons. Kate n'a pas de soupçons, elle *sait*, et sans que quiconque l'en ait avertie ni qu'elle ait eu des preuves directes. Une femme sent ces choses. Je crois que c'est ce qui l'a décidée à se soigner pour cesser de boire. Juste ciel, quelle créature superbe elle a dû être, conclut brusquement Elena.

– Assurément superbe, dis-je, assurément. Mais que va-t-il advenir de vous à présent? Voilà l'important.

– Rien du tout, si l'on excepte l'angoisse et le cœur brisé et les déluges de larmes avant de s'endormir. Declan veut que je reste à mon poste auprès de la Cour. Comme je vous l'ai dit, il se repose sur moi de beaucoup de tâches.

– Mais enfin, ne comprend il pas ce que cela risque de vous faire? dis-je, n'en croyant pas mes oreilles.

– Non, il ne s'en rend pas compte. En ce qui le concerne, son remède est excellent, mais pour des raisons qui m'apparaissent toutes mauvaises. J'aime Declan pour ce qu'il est, un cérébral et non un sentimental. Certes, il est capable de passion, mais cela, c'est une autre histoire. Non, il croit avoir compris la vie : on fait face aux problèmes, et on les fait céder, de gré ou de force. Soi-même, on ne cède pas. Et il croit que c'est ce qu'il fait, alors qu'en bon catholique irlandais il se complaît dans un sentiment de culpabilité. Il tient à ma présence, qui lui rappelle qu'il doit expier son péché mortel. Je suis pour lui une forme de pénitence, un bout de purgatoire sur terre. Je remercie le ciel de m'être libérée de la religion romaine il y a beau temps.

– Et qu'en sera-t-il pour vous?

– L'enfer pur et simple. Voilà la différence. Rationnel comme il est, il *sait* que nous finirons par oublier. C'est un jésuite. Et il intellectualise à tel point qu'il imagine les femmes comme des hommes pourvus de seins et d'un vagin à la place des bourses. Le centre de l'univers, pour lui, c'est son travail et non sa propre existence. Il ignore l'égoïsme au sens usuel de ce terme. Il se sacrifierait tout le premier, si cela s'imposait vraiment. Et finalement, il n'a peut-être pas tort, puisque je suis toujours vivante.

Elle était au bord des larmes. Et voir pleurer une femme, voilà ce que je ne puis souffrir, je ne le puis.

– Vous en êtes-vous ouverte à M. Keller? demandai-je. Il m'a semblé que vous étiez extrêmement liés, pendant un moment. Il doit être au courant de l'usage de son appartement.

– Oui, nous avons été très liés. Cela aurait même pu tourner autrement, si Mike était capable de prendre quelque chose au sérieux. Mais son monde se ramène à une succession de parties de fesses. Oui, il sait exactement ce qui s'est passé. Il en a été très perturbé. Il est partagé en raison de sa double allégeance, car il aime également beaucoup Kate. Ces dernières semaines, il a été pour moi un merveilleux réconfort. J'ai bien dû tremper la moitié de ses mouchoirs. Mais voilà le genre d'homme que je peux comprendre; il ne peut pas voir une femme entre seize et soixante ans sans essayer de coucher avec elle. Ce qui me dépasse, c'est le puritanisme irlandais. Ces mères irlandaises doivent avoir une méthode spéciale de castration.

– Oserai-je vous demander ce que vous conseille M. Keller, glissai-je précipitamment, ayant trop côtoyé de juristes catholiques pour avoir besoin d'être éclairé sur les névroses des Irlandais.

– Il dit que nous sommes tous deux atteints de la même affection chronique, qu'il a baptisé la « Déclanolâtrie ». Et c'est vrai. Declan n'arrête pas d'exploiter ce pauvre Mike, alors que moi, au moins, je suis payée par le gouvernement.

– M. Keller me donne l'impression d'aimer son sort, remarquai-je, cherchant désespérément une échappatoire à la situation dans laquelle je m'étais moi-même, trop habilement, enferré.

– Oui, il l'aime. Et il dit que moi aussi j'aime le mien. Ce qui fait partie du problème, car il a probablement raison, avoua-t-elle en finissant son thé refroidi et en se tamponnant les yeux avec sa serviette. Ne m'en veuillez pas si je laisse des traces de mascara sur votre linge, juge Walker. Vous avez été merveilleux de m'écouter. Et ne vous inquiétez pas, je ne causerai pas de scandale, et Declan non plus. Il n'y aura plus d'ébats sur le canapé du président de la Cour suprême. Si je change jamais d'avis, je vous en aviserai à temps pour que vous invitiez la Cour à renvoyer l'impudique.

Avant que je pusse prévenir son intention, elle me déposa un baiser sur la joue et s'en fut promptement. Voilà une expérience, mon cher, dont je me serais bien passé, et que je devais soigneusement me garder de renouveler.

12.

La nouvelle me parvint au point du jour. J'ai gardé de ce moment un très net souvenir, très net. C'était au début du printemps, moins d'une semaine après ma conversation avec Elena, juste avant que nous passions à l'heure d'été. J'aime particulièrement cette saison. L'aube, qui se lève tôt, blanchit lentement ma fenêtre. Quel plaisir de se lever à six heures, quand le soleil est encore timide, et de savoir que l'on a devant soi une grande et neuve journée.

Il n'était pas encore six heures et demie. J'étais en train de me raser lorsque retentit la sonnerie du téléphone. C'était Albert. Son ton funèbre me glaça :

– Walker, vous connaissez la nouvelle?

Je ne la connaissais pas et je ne souhaitais pas l'entendre. Je n'écoute jamais la radio, et je ne possède pas de récepteur de télévision. Je préfère être informé par les journaux, car le décalage par rapport à l'événement en amortit le choc. Mais il n'y avait rien à faire. J'allais savoir la nouvelle :

– Kathryn Walsh s'est tuée en auto, très tôt ce matin.

J'étais abasourdi, simplement abasourdi. La disparition de Kathryn Walsh était la dernière chose à laquelle je pusse m'attendre. Je terminai hâtivement ma toilette et, quelques minutes après l'appel d'Albert, j'étais dans un taxi, en route pour l'appartement de Walsh. La porte me fut ouverte par ce Guicciardini. Il parut heureux de ma présence et, pour une fois, s'abstint de ponctuer ses propos d'épithètes malsonnantes. Il s'exprimait même avec une sorte de raideur solennelle, et d'une voix étouffée :

– Je remercie le juge d'être venu. Le colonel a besoin d'assistance, même s'il dit le contraire.

– Que puis-je faire?

– Le juge peut lui tenir compagnie.

– Il serait peut-être utile que je sache comment la chose est arrivée.

– Certainement, monsieur le juge. C'est aussi ça qui retourne le colonel, dit ce Guicciardini dont je notai le calme, malgré sa fatigue évidente. Ils devaient aller à un cocktail à l'ambassade d'Italie, et puis ensuite retrouver le capitaine et sa dernière pépée pour dîner. (Je supposai que le capitaine devait être Keller.) Et puis le colonel a appelé au dernier moment pour dire qu'il était coincé à la Cour. Vous le connaissez, hein? Pour lui, rien dans ce sacré monde ne passe avant son travail. Vous parlez si Kate l'avait mauvaise. Déjà que ça ne marchait pas trop bien entre eux. Elle est sortie comme une furie. Elle est allée au cocktail de l'ambassade; après ça, vers neuf heures, elle a retrouvé le capitaine et sa nouvelle pépée au Normandy Farms. Il dit qu'ils l'ont accompagnée jusqu'à sa voiture pas longtemps après onze heures. Le colonel est rentré chez lui à peu près à cette heure-là. Et à une heure du matin, la police du Maryland l'a appelé, et lui, il m'a appelé. On n'en sait pas beaucoup plus, sauf qu'elle devait foncer à tout berzingue. Elle avait la Lincoln, et elle aimait conduire ce vieux bahut le pied au plancher.

– A-t-elle heurté une autre voiture? demandai-je.

– Non, monsieur le juge. Elle a raté un virage. Et il n'y avait personne avec elle dans la voiture – et je remercie le juge de ne pas avoir posé la question, dit Guicciardini avec un morne sourire, à faire croire qu'il était, lui aussi, susceptible d'émotions humaines

– Il est seul?

– Non, le capitaine est avec lui. Il était là quand je me suis ramené à deux heures du matin. Il n'y a pas grande famille de son côté à lui comme de son côté à elle.

Je pénétrai dans le bureau, pièce spacieuse et confortable avec une baie panoramique ouvrant largement sur le Potomac. Des bibliothèques et des classeurs occupaient les autres murs. Un superbe bureau en fer à cheval, mariant au noyer le cuir noir, dominait une extrémité de la pièce, tandis qu'à l'autre bout deux fauteuils et un petit canapé étaient disposés autour d'une belle cheminée de pierre. Tout le mobilier était assorti au bureau. L'ensemble de l'ameublement était extrêmement recherché – et terriblement dispendieux, terriblement.

En chaussettes, ses longues jambes poilues passées par dessus l'accoudoir, Keller gisait sur le canapé. L'air hébété, Walsh occupait un fauteuil. Dans l'âtre, un petit feu essayait de survivre. Je m'aperçus seulement alors qu'il faisait vraiment frais, ce matin-là. Keller avait les yeux injectés de sang, le menton bleu d'une barbe de vingt-quatre heures. Walsh avait un teint de cendres. Au-dessus du buisson de sa barbe, la cicatrice que je ne remarquais plus depuis longtemps zébrait d'écarlate son visage, du coin de l'œil gauche jusque derrière l'oreille. Il se leva à mon entrée et saisit mes mains dans les siennes, mais je sus à l'expression de ses yeux – ou plutôt à leur absence d'expression – qu'il ne pourrait pas dire, dix minutes plus tard, qui il avait accueilli. Rien ne s'imprimait dans son esprit.

Keller me salua d'un geste amical, tandis que je m'installai dans l'autre fauteuil. Comme il n'y avait rien à dire, nous restâmes ainsi, silencieux, pendant peut-être une demi-heure, jusqu'à l'arrivée d'Elizabeth Albert. Elle s'empressa de nous apporter du café, du jus d'orange, accompagnés de croissants, de toasts et de beurre. Abandonnant sa faction à la porte, Guicciardini entra sans bruit. Keller se mit sur son séant pour nous servir le café. Elizabeth s'était perchée sur un accoudoir de Walsh, et elle lui tenait la main. S'il répondit à ce geste amical, je n'en surpris rien. Elle lui proposa un verre de jus d'orange, mais il refusa d'un hochement de tête. Elle nous quitta au bout de quelques minutes, et nous retombâmes dans notre funèbre silence.

Un peu plus tard Albert arriva, puis survint Kelley et, assez incroyablement, Jacobson. Je ne reconnus pas le général des Marines qui entra ensuite, flanqué de son aide de camp. Afin que tous pussent s'asseoir, Guicciardini et Keller s'installèrent par terre, de part et d'autre du fauteuil de Walsh, protégeant leur idole comme ces chiens statufiés qui gardent les sanctuaires. Guicciardini avait les yeux rouges et gonflés. Il n'y a rien que les Italiens, même les hommes, aiment autant que les pleurs.

Et enfin arriva notre obèse cardinal Galeotti. Il alla droit à Walsh et l'étreignit.

– *Caro,* nous souffrons tous les deux, dit-il, mi-ami éploré, mi-prêtre consolateur. « Le Seigneur a donné et le Seigneur a repris; que le nom du Seigneur soit béni. »

– Non!

Le cri de Walsh avait claqué comme un coup de fouet dans le funèbre silence de la pièce. Bondissant sur ses pieds, il alla jusqu'à la baie et parut s'abîmer dans la contemplation du fleuve. Puis il reprit plus doucement, mais d'un ton sifflant, que je ne lui connaissais pas :

– Je ne crois pas en un Dieu qui veut qu'on rampe devant lui comme un chien battu. C'est ce qu'a fait Job et il n'a obtenu qu'une plus grosse ration de merde à chaque fois qu'il abandonnait un peu plus de sa dignité. (Mon devoir envers l'histoire me contraint, et je m'en excuse, à citer sans expurger.) *Mon* Dieu a lutté avec Jacob et lorsque Jacob a rendu coup pour coup Il lui a promis qu'il serait le père d'une grande nation et que sa postérité serait aussi nombreuse que les étoiles du ciel et le sable qui est sur le bord de la mer. Je suis Jacob et non Job! hurla-t-il brusquement en menaçant du poing le ciel. Descends et lutte avec moi, salaud jaune! Tu peux bien me battre mais tu ne me feras pas te lécher la main pour avoir tué ma femme. Plutôt brûler en enfer que ramper. Bats-toi avec moi comme un homme, foutu lâche!

Galeotti se signa. Nous restions muets, atterrés devant ce qui devait sûrement être un blasphème de première grandeur. (Je ne me targue nullement de bien connaître ces choses.)

– Ne pouvez-vous pardonner, *caro?* demanda Galeotti avec douceur.

– Pardonner?

– Oui, *caro,* pardonner. Votre Dieu échapperait-il à la nécessité du pardon?

– Ugo, je ne comprends pas ce que vous voulez dire.

– *Ecco*, moi aussi, je ne sais pas très bien. Dieu me confond. Telle est Sa manière. Je dis ce qui se trouve dans mon cœur, pas dans ma tête. Connais d'abord ton Dieu, et puis maudis-Le s'il le faut, mais ensuite pardonne-Lui. Ne condamne pas l'étranger, encore moins s'il est ton Dieu.

Walsh leva la main comme pour signifier sa défaite. Jamais je ne l'avais vu ainsi.

– Je ne puis lutter avec vous, Ugo, et *Il* n'en a pas assez dans le ventre pour lutter avec moi.

Sur ces mots il retourna s'asseoir et retomba bientôt dans son état semi-hypnotique, à contempler le foyer d'un regard vide.

Ne pouvant plus être d'aucune utilité, je m'en fus à la Cour, pour essayer de prendre quelque avance dans mon travail. Il était évident que Walsh serait hors circuit pendant quelques jours et j'aurais donc, en qualité de doyen, à assumer beaucoup des responsabilités du président. Et puis, je voulais consacrer quelques moments à Elena Falconi. Elle devait avoir besoin d'être réconfortée – et dissuadée d'aller chez Walsh ou de se manifester autrement qu'en assistant aux cérémonies usuelles en pareil cas. La tâche se révéla difficile. Lorsqu'il y a crise, la femme ne raisonne pas, elle obéit à ses sentiments. La première impulsion d'Elena aurait été d'accourir chez Walsh. J'eus le bonheur de la persuader de n'en rien faire, mais cela me prit tout le reste de la matinée.

Les obsèques furent une de ces grandes cérémonies catholiques magnifiquement orchestrées : une grand-messe concélébrée par les cardinaux Pritchett et Galeotti et par le jeune cardinal-archevêque de Washington. En raison du rang et des nationalités différentes des concélébrants, ainsi que selon le vœu de Walsh – dont il dit que c'était également le vœu de Kathryn – la liturgie fut en latin. Et, toujours selon le vœu de Kathryn, c'est dans le charmant monastère franciscain du district, oasis de sérénité dans cette ville enfiévrée, que fut célébré le service.

N'aurait été le caractère funèbre de l'occasion, le spectacle était superbe. Le chœur d'hommes était celui des franciscains. Leur chant grégorien était tout simplement admirable, et je fus heureusement surpris d'entendre les trois cardinaux chanter la messe de façon plus qu'honorable. La philippique de Walsh contre la réforme liturgique me revint en mémoire. Il avait eu raison, absolument raison. Je ne comprends pas par quelle aberration les pères de l'Église romaine ont abandonné leur majestueux rituel au profit de ces tristes démonstrations qu'ils imposent de nos jours. On aurait pourtant pu penser que la façon dont les fidèles désertent les églises leur aurait fait reprendre conscience de la réalité.

Le jour de l'enterrement, Walsh parut physiquement un peu plus présent que la veille. Mais la fixité de son regard prouvait qu'il demeurait enfermé en lui-même. En contraste avec l'élaboration de la cérémonie religieuse, l'inhumation au cimetière d'Arlington fut sobre et brève. En raison de la stature insigne de Walsh, une garde d'honneur de Marines en uniforme bleu et rouge attendait le cortège à l'entrée. Malgré le mauvais temps, ils ne portaient pas de manteau de pluie. Ils marchèrent en tête du cortège jusqu'à la tombe et restèrent au garde-à-vous pendant le service – en anglais, celui-là.

Il y eut, devant la tombe, une péripétie incongrue. Une fois dites les prières, le cercueil resta exhaussé au-dessus de la fosse, retenu par des sangles qui devaient permettre de le descendre au fond. L'ordonnateur des pompes funèbres nous convia à sortir du dais qui nous abritait et à regagner les limousines, mais Walsh s'y refusa du geste et ordonna que l'on descendît le cercueil. Cela fait, il s'avança jusqu'au bord de la fosse, ramassa de la terre mouillée et la laissa tomber dans le trou, où elle heurta le couvercle de la bière avec un son mat.

– C'est une ancienne coutume irlandaise, dit-il calmement en revenant vers nous. L'homme qui a placé de la terre sur le corps de sa femme ne peut plus se leurrer. Il sait qu'elle est vraiment morte et enterrée.

Je craignais que les échotiers ne s'emparassent de cet incident, mais il ne fut guère mentionné qu'en une ou deux lignes dans les journaux. A propos d'échos, d'assez sordides bruits coururent sur les circonstances de la mort de Kathryn. Je tiens d'une source absolument irrécusable que les médecins légistes avaient trouvé dans ce qui restait d'elle une quantité fantastique d'alcool. Mais rien n'en transpira dans la presse. Il arrive aux mass media d'avoir encore une ombre de décence.

Trois jours après les obsèques – c'était un lundi et nous devions tenir séance à midi – Elena entra dans mon cabinet et me tendit un double de lettre. Tenez, en voici une photocopie pour votre documentation :

Monsieur le Président,

Je résigne par la présente ma charge de président de la Cour suprême des États Unis.

DECLAN PATRICK WALSH.

– Quels sont ses projets? demandai-je à Elena, une fois remis de ma surprise.

– Vous ne les devinez pas? répondit-elle d'un air bizarre. Qu'est-ce qui répondrait le mieux à sa personnalité?

– Dieu seul le sait. Il pourrait aussi bien s'engager dans la Légion étrangère qu'entrer au monastère. La gamme des possibilités est...

Et je vis des larmes rouler sur les joues d'Elena.

– Un monastère de trappistes en Caroline du Sud, dit-elle d'une voix étouffée.

– Mais c'est impossible, chère Elena. On n'entre pas dans un ordre religieux du jour au lendemain.

– Si, lorsqu'on est président de la Cour suprême, chevalier pontifical, ancien envoyé diplomatique spécial au Vatican, et l'ami de toute une brochette de cardinaux. Son avion décolle du National Airport à douze heures quinze.

– Ne pouvons-nous le retenir?

– Le connaîtriez-vous si mal? Non seulement il n'est pas homme à revenir sur sa décision, mais en outre il éprouve une telle culpabilité qu'il ne se supporte plus lui-même. Monastère ou suicide, mieux vaut le premier. Il s'impute une entière responsabilité. N'importe qui en serait démoli, mais il y a encore bien d'autres choses, qui n'ont rien à voir avec Kate. Je crois que si Mike et Guicciardini n'avaient pas été là, il se tuait après les obsèques. Voilà l'étonnant avec les alcooliques, cette faculté de détruire leur vie et celle de leur entourage, et en plus de faire se sentir coupables ceux qui les aiment.

» En tout cas, maintenant c'est moi qui obéis à ma tête, dit-elle avec un pâle sourire, et lui qui obéit à son cœur. Tout ce qu'il avait en lui pour le rendre fort et bon s'est retourné, et le voici faible, résolu à se détruire. Il est perdu pour nous tous, et par-dessus tout pour moi. Il ne sera plus capable d'aimer, s'il le fut vraiment jamais.

– Je crois que vous sous-estimez son ressort, dis-je avec un entrain tout artificiel. Laissez-le vivre quelques semaines chez les trappistes : silence, prière, travaux manuels, et il ne songera plus qu'à les quitter pour reprendre une œuvre utile.

– Vous êtes gentil, dit-elle en se penchant pour déposer un baiser sur ma joue. Mais vraiment, je crois que vous ne le comprenez pas. (Elle était absolument dans l'erreur, mais je suis assez sûr de moi pour ne pas avoir à quêter d'approbation. Je me contentai de lui sourire.) Merci de votre réconfort. Je me suis appuyée sur vous et vous m'avez soutenue.

Une fois qu'Elena eut quitté mon cabinet, je commençai à tracer les grandes lignes de la communication que je ferais à midi. Mais je parvenais difficilement à me concentrer. L'idée me revenait constamment que Walsh voulait en apprendre plus sur *sa* divinité. Je remerciai la destinée de n'avoir jamais contracté le virus théologique, dont je n'avais que trop vu l'effet sur tant d'hommes. On ne peut pas, absolument pas, en attendre un comportement rationnel. Chez eux, le comportement normal consiste précisément à marcher dans des voies telles que celles suivies par Walsh : maudire aujourd'hui leur Dieu, et puis passer des mois, sinon des années, abîmés en prières au maudit.

Nous sommes en vérité des êtres étranges et fascinants. Et certes Elena avait absolument, totalement raison au sujet des Irlandais. Je donnerais cher pour être encore de ce monde lorsque les savants auront entièrement déchiffré le code génétique de l'être humain. Je suis absolument sûr qu'ils découvriront chez les Irlandais – et chez les Juifs, à l'exception de Jacobson – un large excédent des molécules protéiques qui recueillent, conservent et peut-être multiplient leur sentiment de culpabilité.

13.

Je vous ai promis, mon cher garçon, de vous livrer mon interprétation de la personnalité de Declan Patrick Walsh. Ayant toute ma vie étudié la nature humaine, je ne vous parle pas sans quelque autorité. Nous allons distinguer ses composantes, ou ses aspects, si vous préférez. Une partie de Walsh incarnait caricaturalement ce que Max Weber a appelé « l'éthique protestante ». Certes, il était de religion catholique et non calviniste, mais il avait, comme dans cette dernière, de constants besoins d'être rassuré.

Selon Weber, la doctrine calviniste de la prédestination avait engendré des tensions et des incertitudes névrotiques. Si, de temps immémorial, Dieu avait décidé que tel homme serait sauvé ou damné, et si les hommes étaient trop pécheurs pour mériter quoi que ce soit, ni la foi ni les œuvres, séparément ou ensemble, ne pouvaient constituer un moyen de salut. Une telle situation est grosse de germes de désespoir. Mais, toujours selon Weber, les calvinistes allégeaient leurs tensions en considérant la réussite profane comme un indice divin de l'élection. Cependant, un indice n'est pas une assurance confirmée, et son réconfort se dissipe rapidement. Et c'est ainsi, raisonnait Weber, que les calvinistes convoitaient sans cesse la réussite matérielle – renouvellement constant d'un fugace répit devant la terreur d'être condamnés, par Dieu, à l'enfer.

Or Walsh n'avait pas moins besoin d'une constante réussite que le pieux calviniste du XVIe siècle. Mais la différence, c'est qu'il avait une personnalité multidimensionnelle.

Examinons à présent son deuxième aspect. L'alcoolisme de son père et l'attitude que ne pouvaient manquer d'avoir à cet égard famille, collègues et même étrangers, avaient suscité chez Walsh un sentiment de honte mais aussi de *colère* contre ceux qui, inconsciemment ou délibérément, sinon simplement dans son imagination, méprisaient l'ivrogne et les siens.

Tout en l'ébranlant dans la conscience qu'il avait de sa valeur, ce mépris fouetta sa puissante personnalité. S'il est vrai que sa mère dispensait judicieusement ses faveurs, une telle situation ne pouvait qu'aggraver tout à la fois les doutes qu'il entretenait sur lui-même, ses sentiments de honte et d'isolement, mais aussi sa colère, sa profonde colère. Je tiens qu'à un certain niveau, certes primitif, il percevait le monde comme sarcastiquement hostile; il « les » détestait, quels qu'*ils* puissent être. En bref, au milieu de ce tissu de contradictions qui formait sa vie psychique, il avait un besoin désespéré de triomphes répétés pour se prouver à lui-même que « ceux-là » qui l'avaient en un temps méprisé s'étaient radicalement trompés.

Kathryn était en fait un des facteurs de l'équation. Sa beauté lui conférait une séduction sexuelle évidente. Mais il en était le propriétaire absolu. Que les autres la contemplent, la convoitent, mais jamais ils ne goûteraient de ce fruit succulent. Je suis persuadé que Walsh savourait les regards de concupiscence qu'elle faisait naître. C'était, pour parler vulgairement, une façon de *leur* en faire baver. Et elle coopérait – peut-être pas de façon consciente, mais elle n'en coopérait pas moins – en portant ces robes qui la moulaient érotiquement.

Dès lors, on comprend ces aspects agressifs de la personnalité de Walsh, cette fascination intellectuelle à l'égard de la coercition brutale dont témoignent ses ouvrages, son désir d'un débat ouvert sur l'horrible éventualité d'une guerre thermonucléaire. Et sa propension à l'emporter de haute lutte se conçoit mieux. Inutile de vous dire que là réside également l'explication de son goût pour ces horribles gladiateurs que sont les Marines, et de son succès dans le cruel cirque du sauvage combat physique.

Un autre élément de ce syndrome, c'était son zèle professionnel. Il fallait toujours, et je dis bien *toujours,* qu'il soit le plus averti, le plus ferré sur n'importe quelle question. Au surplus, il ne laissait rien au hasard, afin de ne pas « leur » laisser la moindre possibilité de railler le fils de l'ivrogne. Et il éprouvait le besoin irrépressible de se prouver qu'« ils » avaient tort, et qu'il valait mieux que ces snobs. Bien entendu, faire la preuve de « leur » ignorance constituait un exutoire pour sa colère.

Mais tout n'est pas encore dit, loin de là. Il y a encore un troisième aspect à considérer : son empire sur lui-même. Walsh réussissait généralement à dissimuler ses doutes fonciers et son hostilité, ou plutôt à les exprimer selon des modalités socialement admises telles que la suprématie intellectuelle. Alors que ses doutes fonciers n'affleuraient pas à sa conscience, il n'ignorait nullement son agressivité et s'efforçait virilement de la juguler. C'était d'ailleurs un trait de lui-même qu'il détestait; et cette haine d'une partie fondamentale de sa personnalité tout à la fois le rendait encore moins sûr de lui et attisait son besoin d'être le meilleur. Et pour tenir les rênes à ces émotions conflictuelles, il avait acquis une extraordinaire maîtrise de soi, dont j'avoue n'avoir jamais connu d'exemple aussi achevé.

Sur un plan purement intellectuel, son agressivité le révoltait. Et sur un plan différent, moins primitif mais encore émotionnel, il était profondément attaché aux valeurs du christianisme. Pour ma part je suis agnostique, je vous l'ai dit. Mais, je dois le reconnaître en toute sincérité, et même y insister : Walsh était un chrétien d'obédience absolue. Je sais très bien que jusqu'à son âge mûr sa vie n'en témoigna pas de façon éclatante, et qu'un moraliste condamnerait sûrement comme un grave péché sa liaison avec Elena Falconi. Lui-même, assurément, la condamnait. Mais je le sentais brûler de cette ardeur chrétienne. C'était un évangile de justice sociale chrétienne qu'il lisait dans la législation constitutionnelle. Et lui, le président de la Cour suprême, il se voyait comme un saint Paul – ou peut-être un saint François d'Assise – apportant cet évangile à un monde païen.

Et son christianisme, outre qu'il ne pouvait s'accorder à ses pulsions agressives, engendrait ses propres tensions. Consciemment, Walsh abhorrait la violence, l'antagonisme, et surtout il voulait sincèrement aimer son prochain. Or vous savez comme moi que c'est viser là à l'impossible, ce qui ne peut amener que frustration, sentiment de culpabilité, colère et un regain d'agressivité. Et cependant, je puis vous dire en toute assurance que sans les traumatismes de son enfance, il aurait pu devenir un nouveau saint François d'Assise. Je suis presque unique, parmi ceux qui l'ont connu, à avoir trouvé son ultime carrière entièrement accordée à sa personnalité – ou du moins dans le droit fil de son caractère.

N'eût-ce été ce prodigieux empire sur soi qu'il possédait, les forces centrifuges de ces tensions violemment à l'œuvre auraient désintégré sa personnalité, il aurait aussi bien pu devenir un fou assassin qu'un cataleptique. Mais même cet extraordinaire empire ne réussit jamais totalement à juguler son esprit de compétition. Celui-ci constituait indubitablement une soupape de sûreté pour sa colère et son agressivité.

Dans sa vie privée, il était aimable et doux, encore que l'on y perçût de sombres bouillonnements. Son humour, que des amis trouvaient plein de verdeur, mais que j'estimais simplement vulgaire, son humour, donc, avait un double aspect. Dans un certain sens, c'était sa façon de dire « non seulement suis-je plus intelligent et malin que vous, mais je vous bats sur votre propre terrain tout en pensant à autre chose ». Et dans un autre sens, c'était souvent une façon de déprécier les efforts des autres, de dire que ce qu'ils essayaient de faire de leur vie ne valait pas grand-chose. Par sentiment chrétien, à moins que ce ne soit en raison de ses doutes fonciers, il lui arrivait de se compter parmi les cibles de son humour, témoignant ainsi d'humilité à défaut de charité.

Avec la mort tragique de sa femme, dont il s'imputait, non sans raison, la responsabilité, la trame d'acier de sa personnalité claqua brin par brin. Sa décision d'entrer au monastère fut thérapeutique, tant biologiquement que spirituellement. De cela je demeure absolument convaincu, absolument. On peut même considérer cette décision comme un choix inconscient, encore que tout chrétien, de la catalepsie plutôt que de la folie homicide ou de l'autodestruction.

Walsh était en vérité un être fascinant, mon cher, absolument fascinant. Je vous envie d'avoir encore tout ce temps devant vous pour poursuivre votre quête.

TROISIÈME PARTIE

LE CHIEN DU BERGER

J'ai décidé de retourner à la cour de l'empereur
une fois encore je verrai s'il est possible d'y vivre.
J'aurais pu rester ici dans cette lointaine province
sous le large et doux feuillage du sycomore
et la douce autorité de protégés maladifs.

ZBIGNIEW HERBERT.
Le Retour du proconsul.

1.

Vous m'avez demandé de commencer par mon nom. Je m'appelle Ugo Galeotti, monsignor Galeotti, comme je préfère être désigné, plutôt que selon la forme officielle « cardinal Ugo Galeotti ». Durant ma carrière diplomatique, j'ai été archevêque titulaire de Numida. *Ecco,* Numida n'est pas matériellement un siège épiscopal, comme vous le savez sans doute, et je n'ai jamais été matériellement un évêque, c'est-à-dire le berger d'un troupeau, mais je suis devenu le chien du berger. Ce qui est suffisant quand le troupeau est le peuple de Dieu, et le berger son pasteur suprême.

Allora, j'ai pratiquement toujours exercé des fonctions diplomatiques. Et, arrivé à un certain niveau, un représentant pontifical a besoin, sinon de parler avec l'autorité d'un évêque, du moins d'être traité avec les honneurs dus à ce rang. Or, à la suite des conquêtes arabes du passé, l'Église compte maints anciens diocèses qui n'existent plus que nominalement. Je ne veux cependant pas me parer d'une modestie excessive. Je suis devenu un prince de l'Église, un membre du Sacré Collège des cardinaux, et à une époque où nous étions moins nombreux. Une fois à la retraite, je suis revenu attendre la mort ici, à Torri del Benaco, à moins de cent mètres de la maison où je suis né, il y a quatre-vingt-un ans. Je trouve que cette mort tarde, mais, comme l'a dit un jour *il Papa,* elle est un don que nous fait Dieu, nous ne sommes pas maîtres de sa miséricordieuse venue.

Ici, dans mon enfance, mon père possédait une longue étendue de vignobles, qui commençait près de Bartolino, à quelques kilomètres au sud, et se poursuivait, bien qu'interrompue par endroits, jusqu'à ce qui est aujourd'hui la banlieue de Vérone. Dans la maison paternelle, au bord du lac de Garde, nous buvions à table du soave, pour le vin blanc, et du bartolino, pour le vin rouge. (Comme mon père, je préfère le bartolino au valpolicella, plus dru, et même à l'amarone, plus lourd mais aussi plus élégant.)

Dans cette maison, nous parlions autant allemand qu'italien, et mon père tint à nous faire apprendre le français – c'était avant la Première Guerre mondiale, et nulle part alors on n'enseignait ni ne parlait l'anglais.

Ne me demandez pas à quel moment je décidai de me faire prêtre; je ne l'ai pas décidé; j'ai simplement toujours su que je devais être prêtre. Et il était inévitable qu'un jeune prêtre intelligent, dont la famille était assez aisée pour l'envoyer à Rome préparer un doctorat en droit canonique, qui était bilingue et savait une troisième langue, au surplus connaisseur en vins, aboutisse dans le service diplomatique pontifical.

Dieu a été bon envers moi. Comme le prouve mon physique, j'ai eu plus que ma part de bonnes choses matérielles. *Allora,* j'ai aussi eu plus que ma part du spirituel, bien que je n'aie jamais mené mon propre troupeau. Le matin, en disant ma messe, je vois le lac – jamais plus beau qu'à présent, lorsque l'hiver a fait fuir les touristes et que la neige des Dolomites est descendue sur nos collines – et je suis reconnaissant de tout ce que m'a donné Dieu.

Ecco, vous n'êtes pas venu entendre un vieillard rabâcher sur sa vie. Selon le cardinal Pritchett et l'*awocato* Keller, je puis vous parler en toute confiance, même si vous faites marcher ce petit magnétophone.

Mais, avant de vous parler du Vatican, je dois vous faire une recommandation : nous qui appartenons à la Curie – *mi scusi,* qui appartenions – devons être considérés ni plus ni moins que ce que nous étions, des hommes. Nous n'étions pas une assemblée de saints ascètes ayant abandonné leur cellule pour venir prier à l'ombre de Saint-Pierre. Nous n'étions pas non plus des névrotiques ou des cyniques. Nous étions prêtres, évêques et cardinaux, mais aussi hommes, avec toutes les forces et les faiblesses des humains, nos pareils. Nous ne représentions pas un échantillonnage de l'humanité, ni même du clergé. Nous étions une élite ecclésiastique, mais d'être plus intelligents et plus capables ne nous préservait pas de la tentation, ni même parfois d'y succomber.

Pour moi, notre plus fréquent péché, c'était l'orgueil, défaut que j'ai souvent observé chez les êtres très intelligents qui possèdent un pouvoir sur leurs frères. Mais je dois aussi confesser que certains d'entre nous buvaient immodérément, ou jalousaient les autres, ou manquaient à la vérité, et même un tout petit nombre avaient un penchant pour les femmes ou, en nombre encore moindre, pour les hommes. Beaucoup d'entre nous étaient – selon les désignations modernes – névrotiques, immatures, enfantins, égoïstes, mesquins; ces défauts n'épargnaient aucun de nous à un moment ou à un autre. Je n'en pense pas moins que nous étions dans l'ensemble des adultes sains, normaux. Et nous nous efforcions de toute notre âme – même si nous n'y parvenions pas toujours – de servir Dieu en servant Son Église.

En résumé, nous ne différions pas notablement de vos hauts fonctionnaires ou des administrateurs de Fiat, I.B.M., et autres gens de cette sorte. Nos mœurs sexuelles étaient infiniment plus austères, et notre langage moins vulgaire; mais, bien que nous eussions prié plus qu'eux, je ne suis pas sûr que nous étions plus saints. Nous nous efforcions plus qu'eux à la sainteté, mais cela ne suffit pas toujours.

Allora, je ne cherche ni à critiquer mes collègues ni à les excuser. Simplement, si vous voulez nous comprendre, vous ne devez pas plus voir en nous des saints détachés du monde que de cyniques pécheurs. Nous étions des hommes essayant de servir Dieu et, étant des hommes, nous servant souvent nous-mêmes.

Il suffit. Commençons par le conclave. Ne croyez surtout pas que je suis de ces *Vaticanisti* parjures qui vendent des indiscrétions à la presse. Les cardinaux participant au conclave s'engagent par serment à ne pas violer le secret, bien qu'il n'en ait pas toujours été ainsi dans le passé. Nous ne devons révéler à personne ce qui se passe lorsque, avec l'aide de l'Esprit Saint, nous choisissons *il Papa.* Nous ne pouvons rien en dire sans l'autorisation du Pontife. La transgression est punie de l'excommunication immédiate. Mais, *ecco,* je possède cette autorisation.

Declan – *il Papa* – souhaitait que tous ceux qui l'entouraient, non seulement racontent tout ce qu'ils savaient de son pontificat, mais aussi qu'ils l'écrivent. Je suis trop vieux pour écrire son histoire, mais je puis vous aider à l'écrire de façon exacte. Nous, les Italiens, nous parlons volontiers. Mais comme ma pratique de votre langue est un peu rouillée, ne craignez pas de m'interrompre si je me fais mal comprendre.

Allora, je dois peut-être vous expliquer d'abord l'idée, bien que j'ignore à quel moment elle m'est venue. Je suis sûr qu'elle ne m'avait pas effleuré avant ce long entretien que nous eûmes dans mon appartement du Watergate, lorsque Declan était encore président de la Cour suprême des États-Unis. C'est un peu après, je ne sais exactement quand, qu'elle m'a taquiné, telle une bulle de savon flottant dans le chaud soleil méridien de Rome. Elle a dansé dans mon esprit puis elle a disparu; puis elle est revenue et repartie. Mais je savais qu'elle reviendrait encore.

Je me souviens très bien du moment où j'ai commencé à la considérer sérieusement – un moment de grande affliction. Membre du Sacré Collège, je regagnais Rome (j'étais alors le délégué apostolique à Washington) où nous allions enterrer un Pontife et élire son successeur. Ayant traversé l'Atlantique de nuit, nous avions volé très tôt dans le soleil matinal. Ce genre de décalage m'embrume la tête, aussi j'essaie habituellement de dormir pendant la traversée, grâce à un comprimé. Mais j'ai très clairement mémoire que l'idée s'est alors ancrée dans mon esprit. Je ne l'ai pas aussitôt acceptée, mais elle ne m'a plus quitté.

Le grand 747 descendait rapidement et j'en avais les tympans rompus; il est passé au-dessus du littoral au sud de Rome et puis il est descendu en un lent virage incliné. La vue, au sol, était magnifique : le Colisée, puis le Forum impérial et l'étincelant marbre blanc de cette horrible pâtisserie qu'est le monument de Victor-Emmanuel. Tandis que l'avion poursuivait son large virage, je découvrais les jardins Borghese, puis le boueux ruban marron et jaune du Tibre, et enfin la monumentale place Saint-Pierre et le dôme dessiné par Michel-Ange pour la basilique.

Ce fut au moment de ce vaste virage que l'idée de Declan Walsh comme évêque de Rome s'incrusta dans mon esprit. Me détournant du hublot, j'essayai d'en distraire ma pensée en lisant les gros titres du *New York Times* de la veille, succincts et directs comme toutes les manchettes de journaux : LE PAPE TUÉ DANS UNE CATASTROPHE AÉRIENNE. Le nouveau Pontife était en chemin pour assister à un colloque extraordinaire du Conseil œcuménique des Églises à Genève, sur le thème « justice et paix ». Alors que l'avion transportant *il Papa* se préparait à l'atterrissage par vilain temps, un chasseur suisse, surgissant des nuages, l'avait percuté. L'unique survivant de la catastrophe était le pilote du chasseur, sauvé par son siège éjectable tandis que son appareil s'abîmait dans le Léman.

Ecco, je me demandais quelles funérailles l'Église allait faire au Pontife. Le *Times* indiquait que l'avion à réaction avait explosé sous le choc de la collision avec le chasseur. Je doutais qu'il y ait eu des corps identifiables. Il allait en résulter pour mes collègues du Vatican de difficiles problèmes de protocole. Dans l'Église, nous préférons nous conformer à des précédents plutôt que d'en établir. Mes frères de la Curie s'enorgueillissaient qu'au Vatican rien ne soit fait pour la première fois. Cette fois, il leur faudrait bien innover.

Assurément, certains rites seraient observés. Déjà le cardinal camerlingue de la Maison du Pape (quelque chose comme « chambellan »), Giovanni LaTorre devait avoir recueilli sur le bureau du défunt Pontife l'anneau du Pêcheur pour le briser avec un marteau réservé à cet office. Déjà le clergé de la cité du Vatican devait avoir dépouillé ses soutanes du moindre ornement violet ou rouge, tous habillés de noir, à l'exception des cardinaux et autres prélats autorisés à porter leurs robes de couleur réservées aux cérémonies officielles. Le personnel pontifical devait porter costume et cravate noirs. Les grosses cloches de Saint-Pierre et de Saint-Jean-de-Latran – l'église du Pontife – devaient sonner le glas, rappelant aux Romains leur peine.

Bientôt, plus d'une centaine de cardinaux arriveraient à Rome de tous les coins de la Terre, pour enterrer un Pontife sinon en élire un autre. La constitution de Paul VI relative à l'élection du Pontife romain privait désormais les cardinaux ayant quatre-vingts ans accomplis du droit d'y participer. Donc, sur les cent vingt membres du Sacré Collège, seuls quatre-vingt-deux pourraient participer à l'élection.

Mais, même avec un moindre nombre de cardinaux électeurs, le choix serait néanmoins encore plus difficile. De vieilles jalousies nationales se réveilleraient. Assurément, certains cardinaux italiens tiendraient à ramener la tiare à la maison, si l'on peut dire; des cardinaux d'autres pays souhaiteraient qu'elle revienne à un compatriote. Pas un Italien n'avait, à mon sens, une stature telle qu'il pût obtenir facilement les deux tiers des voix plus une, nécessaires pour l'élection. Et il y aurait aussi des problèmes bien plus profonds que le nationalisme. Je veux parler des âpres divisions entre libéraux, traditionalistes et modérés, que le bon pape Jean et le concile Vatican II avaient fait se révéler publiquement.

Il faut que je vous dise un mot des termes que je viens d'employer. Les *traditionalistes* sont ceux qui souhaitent que l'Église ne change pas, ou change peu. Les deux autres termes : *libéraux* et *modérés* ont un sens moins exact. Les divergences, au sein de l'Église, ne portent pas essentiellement sur le changement, car les libéraux accusent les conservateurs de changer le caractère de l'Église, tandis que les traditionalistes portent la même accusation contre les prétendus libéraux. La dispute ne porte pas non plus essentiellement sur la liberté comme opposée à l'autorité. Car nos évêques libéraux peuvent être aussi autoritaires que nos conservateurs.

Ecco, c'est sur la conception de la nature de l'Église, sur l'image ou le modèle de l'Église, si vous préférez, qu'ils sont divisés. Ceux que la presse appelle les conservateurs tendent à avoir de l'Église une vision associée à l'époque antérieure à la Réforme, au concile de Trente au XVIe siècle. C'est-à-dire, avant tout, une société hiérarchisée, une institution visible créée par Dieu pour sauver les âmes. Le clergé a pour fonction d'enseigner, de sanctifier et de gouverner. J'insiste sur ce dernier terme : de gouverner. Les laïcs ont aussi leur rôle : croire, professer, obéir.

Allora, l'objet de l'Église étant le salut des âmes, elle ne peut, selon ce modèle, accomplir au mieux sa mission que dans une société qui énonce clairement des règles précises, afin que les hommes sachent ce en quoi ils doivent croire et comment ils doivent agir, non seulement pour éviter de pécher, mais aussi pour recevoir la grâce divine et, s'ils faillissent, la miséricorde divine.

Tous, traditionalistes, libéraux ou modérés, nous voyons dans l'Église une communion des croyants – ce que les théologiens, et particulièrement Pie XII, appelaient le « Corps mystique du Christ ». Et pour moi, c'est ici que s'opèrent les véritables divisions. Les traditionalistes font valoir que la communion doit nécessairement être hiérarchisée, structurée, offrir des règles morales de conduite nettes et strictes. Les libéraux nous parlent plutôt du « peuple de Dieu », milieu humain d'échanges réciproques entre, sinon de parfaits égaux, du moins des adultes indépendants dont les vies et les sociétés sont trop complexes pour y appliquer utilement des règles claires et simples.

Libéraux et traditionalistes considèrent pareillement l'Église comme la médiatrice entre Dieu et l'homme au sein de ce Corps mystique, mais les libéraux voient d'une façon différente, peut-être plus large, les rôles majeurs de la hiérarchie qui sont d'enseigner, sanctifier et gouverner. Dans leur modèle de l'Église, le clergé doit servir autant que gouverner. Les libéraux – que je préfère, pour cette raison, appeler les *serviteurs* – se fondent sur Marc 10, 43-45 : ... *celui qui voudra devenir grand parmi vous, se fera votre serviteur, et celui qui voudra être le premier parmi vous, se fera l'esclave de tous. Aussi bien, le Fils de l'homme lui-même n'est pas venu pour être servi, mais pour servir et donner sa vie en rançon pour une multitude.*

Les serviteurs voient aussi le monde séculier investi d'une dignité et d'une légitimité que le modèle institutionnel des traditionalistes ignore. Pour ceux qui acceptent le modèle du serviteur, la fin de l'homme – donc de l'Église – demeure le salut, mais ils estiment que d'autres institutions jouent un rôle important et légitime dans ce processus. Pour eux, l'Église demeure celle qui doit enseigner, mais plus comme le chaleureux directeur d'un petit séminaire d'études que comme l'austère maître de conférence dans un grand amphithéâtre. Peut-être plus important encore, les serviteurs souhaitent que l'Église, et particulièrement le clergé, enseigne autant par l'exemple que par la parole.

Allora, pardonnez-moi. J'ai été *professore,* et il m'arrive parfois encore de faire un cours. Mais il est nécessaire de vous expliquer toutes ces choses. Aimant diriger selon des règles bien définies, les traditionalistes insistent sur la croyance, le dogme, le rejet du péché. Préférant conduire en encourageant, les serviteurs – comme j'appelle les libéraux – insistent sur les œuvres. C'est une division fort ancienne dans le christianisme. Et nous, les modérés – mot qui n'a de sens que si l'on appréhende les forces entre lesquelles nous nous tenons – nous voyons les deux côtés.

Nous, les modérés, assumons l'ingrate besogne de maintenir la paix dans nos propres demeures. Nous nous demandons quelquefois, comme Paul VI dut souvent aussi le faire, si le Sermon sur la Montagne n'énonçait pas en réalité : « Heureux les artisans de paix car ils seront insultés de toute part. »

Allora, ces divergences dans l'Église sont complexes, et même si elles ne sont pas nettement tranchées, elles suscitent de l'amertume, sinon de la rancœur. Et elles traversent également les frontières. A l'exception de l'Irlande, dont les trois cardinaux sont si traditionnels que la moindre entorse à la ponctuation dans les décrets du concile de Trente est pour eux hérésie patente, elles se retrouvent dans toutes les hiérarchies ecclésiastiques nationales. Et, au risque de vous paraître lassant, je répète qu'il existe des différences non moins vastes chez les serviteurs aussi bien que chez les traditionalistes. Quelques serviteurs, tel ce Hollandais Gordenker que je vous décrirai plus loin, voudraient réduire le rôle enseignant de l'Église à la proclamation du message évangélique, en laissant la conduite morale à la conscience individuelle ainsi édifiée. Je ne vois là rien d'autre que du protestantisme.

Ecco, il suffit. Mais gardez bien ces choses en tête, car sans elles on ne peut comprendre ce qui est arrivé au conclave, ni le règne du pape François.

Allora, je me souviens que, dans l'avion, j'ai dressé la liste des candidats les plus probables, les *papabili.* Chacun serait inacceptable à une fraction notable du Sacré Collège. Donc, à moins d'un compromis peu probable, ou d'une prompte et directe intervention de l'Esprit-Saint, le choix finirait par se porter sur un vieillard qui, comme on l'avait cru avec Jean XXIII, « garderait la place » à son successeur. Ou encore, nous pourrions élire un candidat relativement peu connu, qui ne plairait peut-être pas à tous mais ne déplairait pas à beaucoup. Je pensais que la deuxième solution prévaudrait, mais au terme d'un très long conclave au cours duquel toutes les « chapelles » invoqueraient le ciel, la raison et finalement leur propre sauvegarde avant d'accorder leurs suffrages.

Depuis le XIIIe siècle, il nous est expressément interdit de solliciter des votes – de faire campagne, comme on dit chez vous. Mais la *mancanza* – quel est le mot? – *ecco,* le manque d'une inspiration miraculeuse rend nécessaire la discussion, pour que le Sacré Collège parvienne à rendre un vote à la majorité extraordinaire. Tout en mettant en garde contre le péché du marchandage des suffrages, la constitution de Paul VI énonce spécifiquement : *Nous n'avons, cependant, nullement propos d'interdire les échanges de vues relatifs à l'élection pendant la période de vacance du Siège apostolique.* De tels « échanges » commencent précocement au Vatican. Pour dire vrai, dès qu'un Pontife est élu, nous autres de la Curie commençons déjà à penser à son successeur. Évidemment, nous y pensons de façon plus précise après la mort d'un Pontife. Je savais que LaTorre était déjà en train de choisir son candidat et d'encourager ses amis dans la Curie à le soutenir, tout comme j'allais m'ouvrir du mien aux princes que j'y connaissais.

A Milan, le bel et séduisant aristocrate qu'était le cardinal Paolo Fieschi devait s'activer à téléphoner à des amis de Rome, de Paris, de Cologne, de Vienne. Pour finir, LaTorre et Fieschi se rangeraient probablement derrière le même candidat. Mais, en tant que descendant d'une des plus anciennes et des plus nobles familles génoises, famille ayant déjà donné à l'Église plusieurs papes, Fieschi – j'espère ne pas pécher contre la charité – regardait personnellement LaTorre avec mépris, parce que celui-ci était né chez des paysans de l'arrière-pays sicilien. LaTorre n'ignorait pas les sentiments de Fieschi, mais je crois qu'avant même le conclave il aurait sans doute décidé d'élire pape Fieschi. LaTorre était, certes, buté, mais, pour lui, rien, et certainement pas la fierté personnelle, ne pouvait surpasser le bien de l'Église. (Je vous explique cela parce que nous autres, Italiens, sommes plus habitués à l'arrogance que vous autres Américains; nous y voyons un péché véniel et non un grave défaut de caractère. Comme vous le diraient mes compatriotes, à quoi servent le pouvoir et l'éminence si l'on ne peut en user, et même en abuser?)

Plus subtiles seraient les menées du plus jeune membre du Sacré Collège, le cardinal Mario Chelli. Considéré comme un collègue traditionaliste de LaTorre, lui aussi chercherait un Pontife traditionaliste. Mais il me semblait que, contrairement à LaTorre, Chelli convoitait la charge suprême pour lui-même, sinon cette fois, du moins la prochaine. Mais ça, c'est une autre histoire.

Je disais que Chelli et LaTorre étaient d'accord dans leur image de l'Église. De vrai, mais peu d'hommes pouvaient être aussi différents à tous autres égards. LaTorre, que nous appelions affectueusement la sainte Mule, était physiquement monumental. Il pesait dans les cent vingt kilos et mesurait près de deux mètres. Chelli n'atteignait même pas le mètre soixante-quinze et ne dépassait pas les soixante kilos tout habillé.

La masse de LaTorre était couronnée d'une crinière argentée aussi fournie que lorsqu'elle était d'un noir corbeau, quarante ans plus tôt, et que nous étions tous les deux, jeunes prêtres, condisciples à la Pontificia Academia Ecclesiastica.

Chelli avait des cheveux clairsemés et le front, naturellement haut, largement dégarni. Fils de bourgeois cossus de Naples, son teint clair témoignait des divers jougs étrangers qu'avait connus sa ville natale; il avait les yeux bleus et le cheveu brun – du moins, ce qu'il en restait. Comme il nous le faisait souvent remarquer, son visage étroit n'était pas sans rappeler celui de Machiavel, ressemblance à laquelle il imputait les médiocres notes qu'il avait obtenues en morale au séminaire. A l'évocation de ce souvenir, une lueur de fanatisme s'allumait dans ses yeux bleus, malgré le clignement rieur dont il la ponctuait.

L'esprit de LaTorre pouvait se comparer au sabre des croisés : loyal, droit et pesant. Celui de Chelli évoquait plutôt le cimeterre des Arabes : effilé, rapide et courbe. Chelli était, comme moi, expert en droit canonique, et je respectais son érudition et la qualité de sa pensée. Et aussi, le jeune cardinal possédait un sens de l'humour aigu mais sans méchanceté. Personnellement, je le trouvais sympathique. Il ménageait les sentiments d'autrui, ou du moins ceux de ses pairs et de ses supérieurs – si ce n'est pécher contre la charité que de faire cette remarque. Et il savait souvent user de son charme pour apaiser, sinon persuader, ceux qu'il ne pouvait se concilier par sa logique et son savoir.

Bien qu'on le rangeât parmi les traditionalistes de la Curie, Chelli n'avait nullement le dogmatisme de LaTorre, pas plus d'un point de vue personnel que théologique. Mais ni l'un ni l'autre n'atteignaient la hauteur de notre cher frère français, le cardinal Claude Bisset, vis-à-vis de ceux qui osaient être en désaccord avec lui. S'agissant de quiconque n'acceptait pas intégralement le catholicisme tel qu'il le concevait, la solution de Bisset tenait dans la formule du concile de Trente : *Anathema sit.* Qu'il soit maudit.

Ces trois hommes, à mon sens, seraient chacun un formidable adversaire en conclave, et les deux premiers étaient aussi entièrement dédiés à l'Église que je l'étais moi-même. Au surplus, il y aurait dans l'autre camp des hommes non moins actifs, encore que moins puissants. Alors que les traditionalistes avaient pu concentrer leur pouvoir à Rome, ceux qui prônaient une Église des serviteurs étaient disséminés en Europe septentrionale, Afrique, Asie, au Canada, en Amérique latine et, pour quelques-uns, aux États-Unis. En raison de leur dispersion, il leur était moins facile qu'aux membres de la Curie de se liguer pour former une coalition victorieuse, bien qu'ils fussent, en chiffres purs, la majorité.

Ayant médité quelques minutes sur ces problèmes, je demeurai convaincu que sauver notre sainte Mère l'Église des tendres embrassements de ses batailleurs enfants représenterait une tâche ardue.

Mais, sachant aussi qu'en raison du décalage horaire j'allais avoir pendant un certain temps l'esprit embrumé, je décidai d'attendre un peu avant de discuter de la question avec mes saints frères.

Je franchis la douane sans la moindre difficulté; il en va toujours ainsi à l'aéroport de Fiumicino, même si l'on n'est pas muni d'un passeport diplomatique. Mais on perd beaucoup de temps à récupérer ses bagages. Cependant, ma voiture m'attendait et je fus rapidement conduit au palais Saint-Callixte, où j'ai un appartement. Ce *palazzo* est un énorme édifice construit par Pie XI en plein cœur du Trastevere pour abriter les bureaux de la Curie. Les principales congrégations ayant toujours refusé d'aller s'installer aussi loin de Saint-Pierre et du palais pontifical, Saint-Callixte n'abrite pas de très hauts personnages. Le dernier étage, l'*attico*, est divisé en appartements pour les cardinaux, et j'avais réussi à y conserver le mien alors que j'étais en poste diplomatique à l'étranger. Bruyantes et jonchées d'immondices, les rues du Trastevere me déplaisaient, mais j'appréciais d'être ainsi à l'écart de mes frères de la Curie; en outre, les meilleurs restaurants de Rome se trouvent dans ce quartier.

J'espérais que le soleil de ce début d'été romain me réchaufferait assez vite le cerveau pour prendre ma décision : devais-je aspirer moi-même à la tiare – car, de l'avis de tous, y compris du mien, j'étais *papabile* – ou au contraire me tourner vers cet autre tentant projet dont je conservais l'idée. Comme toujours lorsqu'une difficulté se présente à moi, je priai Dieu de me guider. Il fut assez long à me répondre, mais tel est Son style. *Ecco*, je suppose que si nous étions éternels, le temps semblerait moins important et la patience nous viendrait plus facilement.

2.

Les obsèques du défunt Pontife s'entourèrent d'un cérémonial que nous autres Italiens sommes seuls capables d'organiser. Ce que les méthodiques Helvétiques purent recueillir d'*il Papa* fut mis dans un cercueil plombé, et acheminé de Genève à Rome par train spécial. La douleur officielle des Suisses fut ferme et digne, comme celle d'un banquier apprenant un malheur survenu à un client qui ne veut pas reconduire ou augmenter son emprunt. Cette douleur correcte fit pâle figure à côté des torrents d'affliction de nos Italiens. Au passage du train, des foules s'agenouillaient dans les gares, de petits groupes, debout dans les vignobles, sanglotaient bruyamment, les femmes baisant leur rosaire, les hommes se signant. Le visage de ces paysans reflétait le chagrin et l'angoisse qui sont des éléments vitaux dans les joies de notre existence italienne.

Allora, à Domodossola, l'escorte officielle italienne est montée dans le train. De la Curie, il y avait LaTorre lui-même et le cardinal doyen de chaque ordre, deux patriarches orientaux, quinze *monsignori,* une escouade de Gardes suisses dans leur grand uniforme Renaissance et munis de leurs hallebardes.

Le train est entré en fin d'après-midi dans l'étincelante *Stazione Termini.* Après ma sieste, j'étais allé l'attendre avec tous les cardinaux déjà rassemblés à Rome, cinquante-deux au total. *Allora,* les anciens porteurs de la *sedia* du Pontife sortirent le cercueil du wagon, se le chargèrent sur l'épaule, et nous entamâmes processionnellement le long chemin jusqu'à Saint-Jean-de-Latran – église traditionnelle de l'évêque de Rome, élevée sur un site donné par Constantin lui-même. Toutes les cloches de toutes les églises de la Ville éternelle sonnaient le glas. En tête venaient les cardinaux. Derrière nous marchaient les représentants officiels suisses et italiens, puis l'escouade de Gardes suisses, précédant la dépouille que suivait l'escorte militaire italienne.

Une fois la bière installée sur le catafalque devant l'autel pontifical, nous fîmes une courte prière puis nous passâmes dans la fraîcheur du cloître du XIIIe siècle attenant au flanc gauche de l'église. Le personnel du Vatican y avait préparé des rafraîchissements : vin, café, sirops, eau minérale, et deux médecins se tenaient prêts à administrer leurs soins ou leurs réconforts. C'est dans ce cloître qu'eurent lieu mes premières conversations au sujet du successeur de saint Pierre. Nous étions plusieurs à nous égayer des manœuvres de LaTorre qui avait fait aiguiller le train vers la gare centrale de Milan afin d'accroître la réputation du cardinal Chelli qu'il soutiendrait, de toute évidence, en conclave.

LaTorre avait mis au point tout le détail des obsèques – s'arrogeant une autorité qui ne lui revenait pas, même en tant que cardinal camerlingue, ou cardinal doyen, ou les deux. La règle veut, en effet, qu'entre la mort d'un Pontife et l'entrée des cardinaux en conclave, le Sacré Collège se réunisse quotidiennement en « congrégation générale ». Tous les cardinaux participent de droit à ces assemblées, et ce sont elles qui décident, du moins officiellement, de toutes les matières importantes touchant la direction de l'Église et, spécialement, des dispositions relatives à l'enterrement du défunt Pontife et à l'élection du nouveau – tout cela, bien entendu, dans le cadre de la législation de l'Église, laquelle ne peut être modifiée que par le nouveau Pontife.

Allora, je vous ai dit que la congrégation générale décidait. En réalité, sur pratiquement toute chose, et principalement les funérailles et le conclave, LaTorre nous exposait ses plans détaillés; pour la plupart, nous nous connaissions peu à ces choses, et leur attachions beaucoup moins d'intérêt que lui. Au surplus, LaTorre était un homme respecté, même s'il n'était ni révéré ni même toujours apprécié. Il est classique, dans de telles situations, qu'une vaste assemblée laisse un chef énergique prendre les choses en main en consacrant son temps à des problèmes qui n'intéressent pas les autres membres.

Laissez-moi vous dire encore un mot sur la charge de LaTorre. Non seulement était-il préfet du Saint-Office, qui est historiquement le plus prestigieux département de la Curie, mais également cardinal *camerlingue,* souvent décrit comme dictateur *pro tem* de l'Église (car il fait office de secrétaire d'État pendant la vacance du Saint-Siège), et doyen du Sacré Collège, charge plus nantie de prestige que de pouvoir.

LaTorre nous avait incités à ne retenir du cérémonial habituel que la messe funèbre à Saint-Pierre. Ce rite accompli, la dépouille du Souverain Pontife (*ecco,* nous faisions d'ardentes prières pour que ces restes mortels fussent bien les siens) serait enfermée dans les trois cercueils scellés et placée temporairement dans une niche de la crypte, sous la chapelle de Pie XII, en attendant qu'un tombeau lui soit édifié à Saint-Pierre ou à Saint-Jean-de-Latran.

Comme tout événement italien, les obsèques commencèrent en retard et furent traversées d'une demi-douzaine d'incidents, grâce à Dieu tous mineurs, d'autant que nous n'avions pas beau temps pour une mi-mai, bien qu'il fît déjà chaud. Les rues étaient noires de monde; sur la place Saint-Pierre, deux cent mille personnes, au moins, se pressaient. Je connaissais assez l'atmosphère de Rome pour ne pas y détecter un *cambio* – quel est le mot? – ah! oui, un changement dans l'ambiance populaire. Au passage du cortège, il y eut quelques scènes déplaisantes, les Romains se poussant et se bousculant entre eux presque aussi brutalement que s'ils s'en prenaient à des touristes. *Senta,* la ville était endeuillée, mais la tristesse était moins profonde qu'en de précédentes occasions, elle se mêlait de supputations à propos de la prochaine élection pontificale. Déjà, dans le monde entier, la presse proposait des noms de cardinaux, et l'on parlait notamment beaucoup de l'honneur réservé à Son Éminence le cardinal Fieschi au passage du train du défunt Pontife.

Comme le souhaitait LaTorre, nous décidâmes que le conclave débuterait le dimanche 19 mai, quinze jours après la catastrophe – le délai minimum prescrit. Pour moi, l'intervalle est trop long. De tous les points du monde on peut arriver à Rome en moins d'une journée. Et beaucoup de cardinaux ayant le gouvernement d'un diocèse effectif ont hâte de retourner auprès de leurs fidèles. Et, en l'espèce, ils redoutaient comme moi que les antagonismes au sein du Sacré Collège prolongent exagérément l'issue du conclave.

Dans les murs du Vatican, les cardinaux devaient être en train de s'entretenir de la prochaine élection pontificale, mais sans prendre aucunement position. Au demeurant, toute position antérieurement prise, même sous serment, n'a aucune valeur d'astreinte en conclave. Chacun, en déposant son bulletin de vote, doit jurer qu'il élit celui qu'il estime « selon Dieu devoir être élu »; et, lors des quatre conclaves auxquels j'ai participé, je n'ai jamais vu qu'un prélat prît ce serment à la légère.

Pour moi, j'essayai d'échapper aux inévitables discussions avec mes frères, non parce que je les estimais inutiles mais parce que je tenais à bien rassembler mes idées avant de les exposer aux autres. Aussi fis-je retraite dans un monastère des Abruzzes, pour me préparer physiquement et spirituellement à l'épreuve que constituerait le conclave.

Allora, en regagnant Rome le vendredi matin, deux jours avant le conclave, je trouvai une invitation de LaTorre à déjeuner chez lui. Je savais que ce ne serait pas un simple repas amical, mais j'étais désormais prêt à assumer mon fardeau de prince de l'Église.

Je me présentai avec un léger retard au petit appartement de LaTorre, sis au dernier étage du palazzo del Sant'Uffizio, l'historique palais du Saint-Office dont les touristes retiennent seulement que Galilée y fut jugé. Les trois autres convives étaient déjà là : Chelli, dont je vous ai déjà parlé; le cardinal Claude Bisset, théologien français qui était à présent préfet de la Congrégation pour le clergé; et le cardinal Sean Greene, l'original Irlandais ultra-conservateur qui était préfet de la Congrégation pour la discipline des sacrements et de la Congrégation pour le culte divin (les deux congrégations sont sous la responsabilité jumelée d'un seul préfet).

Ces deux hommes étaient, à leur façon, aussi dissemblables que l'étaient LaTorre et Chelli. Greene avait l'esprit moins – comment dire? – incisif que Bisset. *Senta,* je ne veux pas dire que l'Irlandais lui était intellectuellement inférieur. Mais il n'avait pas la pensée aussi prompte, la repartie aussi cinglante que Bisset. J'aime à me rappeler Greene en train d'assimiler ce qu'il venait d'entendre, pinçant les lèvres, tapotant l'un contre l'autre ses longs doigts, et proférant enfin, avec ce merveilleux accent mélodieux des Irlandais : « Exactement », s'il était d'accord. Dans le cas contraire, il fallait se préparer à une vive harangue entassant citations de l'Écriture et références aux encycliques et ficelant le tout à grand renfort de logique thomiste.

Je trouvais Greene charmant. C'était un prélat cultivé, connaissant son Dante aussi bien que son Joyce, et l'un et l'autre aussi bien que son saint Thomas d'Aquin et son saint Augustin. En art, il préférait comme moi les peintres de la Renaissance italienne à ceux de notre temps. Il pouvait se montrer plaisamment spirituel, et il avait toujours des égards pour autrui. Il était foncièrement doux, sans cette trace de mauvaiseté si fréquente chez les Irlandais. Mais il avait une tendance bien irlandaise aux humeurs noires. *Ecco,* comme vous l'avez sans doute entendu dire, il possédait aussi le défaut national : « la boisson »; le cardinal Greene en parlait comme de « la maladie ». Celle-ci le frappait d'une façon bizarre, bien que prévisible. De temps en temps, il tombait dans un état dépressif – dans sa « mélancolie », disait-il – et s'enfermait dans son appartement pour une beuverie de plusieurs jours. Comme il ne sortait pas de sa chambre où il se contentait de se maintenir dans un état semi-comateux, il n'y eut jamais de scandale.

Allora, après quelques jours de « maladie », il reprenait ses tâches, faisant toujours aussi bonne mine, mais intérieurement déchiré par un sentiment d'abjection, de culpabilité, qui préparait la voie au prochain accès. Dans l'intervalle, entre deux accès – toujours séparés par plusieurs semaines – il remplissait ses fonctions de préfet aussi parfaitement qu'il l'était souhaitable pour la Curie.

Ecco, avec Bisset, on passait dans un tout autre registre. Il était à la fois théologien et Français – mélange malheureux, si vous voulez mon avis. Physiquement, ce Parisien de naissance, grand, mince, blond, et même beau d'allure et de traits à cinquante-neuf ans, n'évoquait pas un Français. Il était entré dans la Curie quelques années après Vatican II, mais c'était lors de ce concile qu'il avait posé ses jalons auprès du Saint-Siège. Et il avait été appelé à Rome non pas au Saint-Office mais à la Secrétairerie d'État, au moment où son puissant et conservateur substitut craignait, d'ailleurs non sans raison, que le Saint-Office devînt libéral.

Bisset s'était brillamment acquitté de ses fonctions de théologien auprès du substitut en mettant en échec les tendances libérales qui se dessinaient dans le Saint-Office, jusqu'à ce que la promotion de LaTorre à la préfecture de cette congrégation rende superfétatoire une telle surveillance. L'estime du pape Paul pour son œuvre théologique valut à Bisset l'archiépiscopat et, par la suite, le cardinalat.

Alors qu'il est facile de décrire les vastes capacités intellectuelles de Bisset, il l'est beaucoup moins de le cerner en tant que personne. Ce qui trahit généralement un être, ce sont ses yeux; chez

Bisset, c'étaient ses mains. Il avait les doigts longs et minces mais, pour tout dire, osseux et laids, malgré d'évidents – et fréquents – soins de manucure. Ils ressemblaient plutôt à des serres, comme on en voit à don Fernando Niño, Grand Inquisiteur d'Espagne, peint par le Greco.

Allora, je voulais vous raconter le déjeuner chez LaTorre. A mon arrivée, sa sœur Margherita, qui faisait office de gouvernante, sortit de la cuisine pour m'accueillir, puis retourna bien vite surveiller la cuisinière et le maître d'hôtel. La brièveté de son apparition m'indiqua que LaTorre prenait avantage de ma principale faiblesse : les plaisirs de la table. Mes cent kilos trahissent cette faiblesse. Sans autre, ce n'est pas un poids tellement excessif, mais je ne mesure qu'un mètre soixante-treize. (Je puis dire, sans fausse modestie, qu'une des raisons qui me faisaient considérer *papabile,* c'est que, physiquement, je rappelle assez le bon pape Jean dont, en revanche, je n'ai pas plus la robuste piété que la finesse paysanne.)

Nous entrâmes facilement en conversation en discutant, pendant les *aperitivi,* de la politique des États-Unis. Puis nous passâmes dans la petite salle à manger avec son lustre de cristal de taille modeste mais d'un beau travail, et ses dressoirs emplis d'argenterie ancienne – cadeaux de riches fidèles au princier fils de pauvres paysans siciliens.

Pendant le premier service (une timbale froide de risotto abondamment farcie de *gamberetti* – ce sont de minuscules crevettes – décorée de mayonnaise et servie sur un lit de fines tranches de *prosciutto* maigre), nous parlâmes du courant de renoncement au ministère qui s'observe dans le clergé. Tandis que le maître d'hôtel changeait les assiettes, nous en vînmes à parler de la santé de nos frères cardinaux, tant ceux de la Curie que les autres, ceux qui administrent de véritables diocèses. Le frascati blanc frappé, servi dans une superbe carafe de cristal, semblait répondre à notre calme et habile échange d'idées.

Allora, vint ensuite le plat de résistance : émincé de porc et de poulet rôti, également servi sur un lit de *prosciutto,* et garni de quartiers de citron et de haricots verts. Le maître d'hôtel apporta plusieurs bouteilles de barolo 1967, un rouge qui, pour certains critiques, n'a pas d'égal. Tout bien considéré, il me sembla que ce serait manquer à la courtoisie vis-à-vis de mon hôte que de ne pas faire largement honneur à son barolo. Notre conversation portait à présent sur les capacités de tel ou tel, sans préciser, bien sûr, pour quelle charge; nous parlions seulement des capacités dans l'abstrait.

Je remarquai que LaTorre, Greene et Bisset mangeaient d'aussi bon appétit que moi, tandis qu'à son habitude Chelli chipotait. A la façon dont il maniait un gressin, je compris qu'il souffrait de ne pouvoir allumer un de ses longs et minces cigares cubains, mais la salle à manger était petite, et Margherita avait trop soigné le repas pour le laisser gâcher par la fumée de cigare.

Lorsque fut servie la *zuppa inglese,* fourrée de crème et de fruits et parfumée au rhum sous sa croûte meringuée, Margherita vint boire le champagne avec nous – un Piper Heidsieck. Nous bavardâmes du temps, anormalement chaud pour la mi-mai et qui laissait présager un été torride. D'un ton semi-badin, Margherita nous pressa d'expédier rapidement ce choix d'un nouveau Pontife pour que nous puissions aller chercher le frais à Castel Gandolfo et dans les monts Albains. Sans badiner du tout, je remarquai que son frère aurait rendu un signalé service à l'Église en persuadant le Collège de tenir là-bas le conclave, où nous pourrions au moins subir les harangues loin de la touffeur romaine.

Margherita partit veiller au quatrième service : un melon partiellement évidé et empli d'une salade de fruits macérés dans l'alcool pendant plusieurs semaines. Le maître d'hôtel ouvrit une troisième bouteille de champagne, et la conversation revint sur les capacités et les travers de nos collègues cardinaux. Repoussant les fruits macérés – un quasi-sacrilège, à mon avis – Chelli mangea la moitié du melon, avant de finir son premier verre de champagne, qu'il avait laissé devenir un plat breuvage.

Le repas terminé, nous passâmes tous les cinq au salon pour le café. La pièce, qui n'était pas grande, était encore rapetissée par le rouge sombre du papier de tenture et le lourd brocart d'or du mobilier, mais une de ses fenêtres offrait une vue partielle de Saint-Pierre et de la piazza. La table portait deux carafons de verre gainés d'argent ciselé, contenant, l'un du Courvoisier pour les invités de LaTorre, l'autre de cette grappa brute qu'il affectionnait. Mais les deux carafons restèrent intacts, car nous estimâmes tous plus avisé de nous contenter du brûlant et sirupeux *espresso*. Je refusai le cigare que me proposait Chelli. Mes médecins m'interdisent de fumer, et d'ailleurs j'y prends peu plaisir.

Allora, je me préparais à boire mon deuxième *espresso* lorsque Greene me demanda abruptement :

– Et qui verriez-vous comme nouveau Pontife, mon cher Ugo?

Je souris et tirai parti de ce que Chelli s'efforçait de rallumer son cigare pour imaginer une aimable parade.

– Un des désavantages d'être délégué apostolique à six mille kilomètres de Rome, rétorquai-je banalement, c'est que l'on ne peut se former une opinion ferme sur une telle question. Dans quel sens l'Esprit Saint inspirera-t-il le conclave, selon vous?

– Dans un sens que je redoute, riposta Greene. Je vois nos serviteurs libéraux, que notre infiniment patient préfet du Saint-Office ici présent aurait dû déclarer hérétiques il y a des années...

– De la Congrégation pour la doctrine de la foi, pas du Saint-Office, intervint LaTorre avec rondeur.

– Bah! quel que soit son nom, ces hérétiques trompeusement vêtus en bergers défendront ce Hollandais Gordenker ou, pire encore, cet athée autrichien de Wildenmann, qui se dit théologien.

Les longs doigts de Greene commençaient à fourrager dans ses cheveux; il était temps que j'intervienne pour nous garder d'être tous noyés dans un flot de citations bibliques.

– Mais il est sûr qu'aucun n'a la moindre chance. Qui en a une?

– Je crois que nous devrions..., commença Chelli.

– Un ou deux seulement, l'interrompit Greene. Paolo Fieschi. C'est un homme courageux, déterminé, et d'une scrupuleuse orthodoxie. C'est un Génois, et vous n'ignorez pas qu'avec Milan il a le plus important siège épiscopal de toute l'Italie, après Rome, bien entendu. Il l'a très bien administré, au moins aussi bien que Montini avant de devenir Paul VI.

– Un homme capable à tous égards, admis-je. Qui d'autre?

– Eh bien, vous-même, dit en souriant Chelli.

– Je ne le pense pas, répondis-je en lui dédiant un non moins suave sourire. Si peu de temps après le pape Jean, c'en serait trop, pour les porteurs de la *sedia,* qu'un nouveau pape aussi corpulent. Mais surtout, il me manque le charisme et l'apparentement avec une des factions au sein du Sacré Collège, et je suis trop vieux pour cultiver de tels liens. Je n'envoie plus de cartes de Noël ou de Pâques depuis trop d'années.

– Exactement, dit Greene, exactement. Et c'est pour ça que vous êtes *papabile,* comprenez-vous? Les hérétiques parmi nous ne vous craignent pas, et nous, dans la Curie, nous sommes sûrs de votre orthodoxie.

Les autres ne me quittaient pas du regard. Je savais qu'ils me ménageaient l'occasion de poser ma candidature en déclarant ma foi dans le catholicisme fondamentaliste qu'ils embrassaient. Si je m'en acquittais de façon convaincante, ils proposeraient probablement mon nom au cas où Fieschi ne serait pas élu après cinq ou six scrutins – une hypothèse extrêmement vraisemblable. Il était hautement improbable que quiconque, parmi ceux qui étaient nettement associés aux factions des serviteurs et des traditionalistes, puisse obtenir les deux tiers des suffrages plus un, nécessaires pour l'élection. Et il était vrai que j'avais beaucoup d'amis tant chez les serviteurs que chez les traditionalistes.

Pourtant, et bien que cette idée recèle des tentations, je vous avoue très sincèrement que je n'aspirais nullement au Souverain Pontificat. Le pape Paul, que j'avais bien connu et que j'affectionnais, avait été appelé aussi bien par ses amis que par ses ennemis le pape de l'Angoisse. Et, selon moi, à juste titre. A devoir régner sur une Église divisée et lutter pour exister dans un monde qu'il ne comprenait pas, il avait courageusement, mais infructueusement, tenté de marcher sur une corde raide. Bien qu'ils fussent tout à son honneur, ses échecs avaient assombri sa vie ici-bas, mais au surplus ils le laissaient avec des milliers, peut-être des millions d'âmes perdues dont il devait répondre devant Dieu.

Je décidai de ne pas me prévaloir de cette occasion de poser ma candidature – sans y renoncer absolument, car qui pouvait savoir comment tournerait le conclave? Peut-être en viendrais-je à devoir me sacrifier.

– Je ne suis pas un homme redoutable, dis-je, mais c'est partiellement pour cette raison que je doute pouvoir, et même devoir, être élu. Parlons des autres.

– Pas si vite, mon bon, persista LaTorre. Vous avez trop d'humilité. Dites-nous comment vous considérez nos collègues du Nord et ce « nouveau catéchisme » qu'ils ont publié dans les années soixante.

– Je ne considère pas les Hollandais ou même les Belges sans trouble ni, je l'espère, sans compassion. Je vous avoue ne pas les comprendre. Ils expriment la vérité de Dieu selon des modes différents de ceux qui me furent inculqués. D'un autre côté, je ne pense pas que nous puissions continuer l'œuvre de Dieu en répétant les anathèmes du concile de Trente. Il nous incombe peut-être de reformuler notre antique foi en langage moderne. Tout ce que je souhaite, c'est que nous y parvenions dans un langage qui me soit compréhensible.

Les yeux bleus de Greene lancèrent des éclairs.

– Ne croyez-vous pas que la parole de Dieu devrait suffire à faire l'œuvre de Dieu?

– De vrai, elle suffit, comme elle a toujours suffi. Mais il ne faut pas confondre la vérité de l'Esprit Saint avec les malhabiles efforts de l'homme pour exprimer cette vérité.

– Voilà une réponse peu précise, s'interposa Bisset avec hauteur.

– Vous avez raison. Je ne m'en satisfais pas non plus. Je vois le tumulte dans mon Église et j'ignore comment y apporter la paix. Et c'est une des raisons qui me font préférer penser à d'autres pour le trône de saint Pierre. On a beaucoup parlé, récemment, de l'archevêque de Bologne.

– Je crains que Son Éminence ne soit guère plus sûre que nos collègues du Nord, dit plaintivement LaTorre. S'il prend moins position sur les questions théologiques, c'est parce qu'elles l'intéressent peu, tout simplement. Cependant, je m'interroge. Son point fort pourrait être que beaucoup voient en lui un homme du juste milieu. Et il est italien, ce qui est habituellement un avantage.

– A votre avis, interrogeai-je Chelli, l'Esprit Saint répandra-t-il Sa lumière sur notre vénérable frère génois de Milan?

– Je soupçonne l'Esprit Saint d'avoir déjà répandu Sa lumière sur l'archevêque de Milan, repartit adroitement Chelli. Mais répandra-t-il Sa lumière sur le conclave? Voilà la vraie question.

– Quelles sont, selon vous, les chances d'une telle illumination?

– Franchement, je l'ignore. Faibles, à mon sens. Je crains que nous devions nous préparer au plus long conclave de toute l'histoire moderne. Nous, qui appartenons à la Curie, ne pouvons souffrir un Gordenker ou un Wildenmann. Leurs amis dans le Sacré Collège, fourvoyés ou hérétiques, précisa Chelli avec un sourire à l'intention de Greene et de LaTorre, ne peuvent souffrir l'un d'entre nous. J'ai l'intention de faire provision de cigares pour le conclave.

– Est-ce qu'un soupçon de poison n'accomplirait pas mieux l'œuvre de Dieu? demanda sardoniquement Bisset.

– Mon vœu, dis-je à la LaTorre, serait que Votre Éminence décrète que Margherita surveillera la cuisine du conclave. J'ignore combien de temps je pourrai survivre, avec les plats de nos braves religieuses.

3.

Le dimanche 19 mai, à dix heures trente, cent cinq cardinaux, non point vêtus de rouge – chapeau et robe de soie – mais de lainage pourpre, terriblement chaud et rêche, se rassemblèrent dans la salle des congrégations, au palais pontifical. Précédés par une escouade de Gardes suisses et conduits par monsignor Valerio Anguillara, le *maestro di casa* de l'ancien Pontife, nous sortîmes du palazzo par la Porte de bronze, traversâmes la colonnade du Bernin et, sous une petite pluie fine, nous nous dirigeâmes vers la majestueuse basilique à travers la piazza où les Gardes suisses et la police italienne nous ménageaient un passage. C'est à LaTorre, dictator *pro tem* de l'Église, que revenait l'honneur de célébrer, sur l'autel postérieur, la traditionnelle messe de l'Esprit Saint. (Nous avions été quelques-uns à suggérer une messe concélébrée, peut-être par le patriarche de rite oriental Aspaturian, un cardinal asiatique et un cardinal africain, pour symboliser la réalité catholique de l'Église. Je pensais avoir convaincu LaTorre, mais il s'en était finalement tenu à célébrer seul l'office – sans doute sur le conseil de Bisset.)

Ensuite, ceux d'entre nous qui entraient en conclave eurent un répit de trois heures (ce qui, en Italie, signifie quatre ou cinq heures) pour finir de régler nos affaires et déjeuner avant d'être enfermés pour une période indéfinie. Après cela, sauf sur dispense spéciale pour raisons de santé, plus personne ne pénétrerait jusqu'à nous. Certes, nous ne serions pas seuls. Le cardinal camerlingue posterait à notre intention des confesseurs, des médecins et auxiliaires médicaux, des portiers, et même des plombiers, de crainte que nos délibérations soient troublées par le mauvais fonctionnement des toilettes. (Je savais qu'en ce moment même le personnel de LaTorre faisait la tournée des couvents et monastères pour réunir à notre intention un nombre suffisant de « *gli zi Peppi* » – le terme plaisant pour désigner les *vasi di notte.* Pour des hommes âgés, les toilettes pouvaient être trop lointaines, en pleine nuit.) Le camerlingue aurait aussi sous sa direction des assistants ecclésiastiques, dont le maître des cérémonies, ainsi que l'architecte du conclave et ses aides – au total quatre-vingt-huit conclavistes qui resteraient enfermés avec nous.

Depuis le scandaleux conclave de Viterbe, au XIIIe siècle, qui vit pendant trente-mois les cardinaux festoyer et se donner du bon temps avant de parvenir à choisir un nouveau Pontife, la coutume veut que, jusqu'à ce que nous tombions d'accord sur le successeur de saint Pierre, notre nourriture, que Dieu nous ait en Sa sainte garde, soit préparée par les bonnes filles de la Charité de Saint-Vincent-de-Paul. Ces saintes femmes, qui nourrissent les pauvres à Rome, sont renommées pour leur douceur mais aussi pour leur aptitude à rendre immangeables même de simples spaghetti. Une des rares concessions du conclave à la civilisation serait le bar installé dans les appartements Borgia, et où l'on pourrait uniquement consommer debout. On s'y rendrait surtout pour un *espresso* ou un *cappuccino*, sauf après les repas, où les cardinaux pilleraient ses *digestivi*.

Jusqu'à ce que nous ayons élu un nouveau Pontife, nous mangerions (si nous pouvions avaler la nourriture), dormirions et cohabiterions constamment dans une portion restreinte du palais pontifical, des musées du Vatican et locaux voisins. Des gardes, en faction autour de la zone réservée au conclave, interdiraient toute approche. Les musées et la bibliothèque seraient fermés aux chercheurs et aux touristes et vidés de leur personnel afin de nous ménager une totale tranquillité dans les quartiers où nous dormirions : des cellules sommaires aménagées dans les appartements qui entourent la cour Saint-Damase. Deux des plus grandes salles des appartements Borgia serviraient aux repas en commun.

Sachez que lors de la première congrégation générale du Sacré Collège qui suit le trépas d'un Pontife, est lue la constitution apostolique relative à la vacance du Siège apostolique et à l'élection du Pontife, après quoi nous prononçons le serment suivant : « ... je promets et je jure que j'observerai un secret rigoureux et inviolable sur toutes et chacune des choses concernant l'élection du nouveau Pontife, que je viendrais à connaître par un moyen quelconque, aussi bien celles traitées et établies dans les congrégations des cardinaux que celles qui se passent dans le conclave ou dans le lieu de l'élection, et qui regardent directement ou indirectement les scrutins [...]. Ce secret, je promets et je jure de le garder consciencieusement même après l'élection du nouveau Pontife, à moins de recevoir du Pontife lui-même une permission expresse et spéciale de parler. » Les conclavistes – les assistants, laïcs ou clercs, tous étant soumis au cardinal camerlingue – jurent également d'observer le secret. La violation de ce serment entraîne l'excommunication immédiate, qui ne peut être levée que par *il Papa*.

Allora, il y a encore une autre partie, dans le serment que font les cardinaux et les conclavistes : ils promettent de ne pas transmettre à un cardinal ou au Sacré Collège réuni le *veto* d'aucun pouvoir civil, même sous forme de simple désir. Ainsi est protégée l'indépendance du conclave, mesure qui pourrait toujours avoir sa nécessité. N'a-t-on pas vu, encore en 1903, l'archevêque de Cracovie brandir l'exclusive de l'empereur d'Autriche contre le cardinal Rampolla del Tindaro, secrétaire d'État du défunt Pontife.

A dix-sept heures trente, une demi-heure après l'heure officiellement fixée pour le commencement du conclave, les quatre-vingt-deux cardinaux électeurs se trouvaient tous dans la zone réservée. A dix-huit heures, nous nous rassemblâmes dans la grande salle jouxtant la chapelle Sixtine. Puis, conduits par divers clercs affectés au conclave et escortés par un troupeau d'évêques et d'archevêques, nous suivîmes le maître des cérémonies, qui portait la crosse pontificale, et pénétrâmes dans la chapelle.

En sa qualité de cardinal doyen, LaTorre dit devant l'autel la prière *Deus qui corda fidelium*. Le maître des cérémonies, monsignor Cencio Dell'Aqua, enjoignit alors, par la formule : « *Extra omnes* », à toute l'assistance, sauf les cardinaux, de quitter la chapelle, et nous prîmes place sur nos petits trônes à baldaquin, disposés à deux niveaux. Rappel de nos devoirs princiers, ces baldaquins nous masquaient la vue des merveilleuses fresques de Michel-Ange, à la voûte, et même de son Jugement dernier, à la paroi de l'autel.

LaTorre fit tinter une clochette pour obtenir le silence, puis nous donna encore une fois lecture de la constitution pour l'élection d'un Pontife. Après quoi nous renouvelâmes notre solennel serment de l'observer en tous points. LaTorre nous fit alors une brève allocution sur notre devoir sacré. Une courte prière termina la première session officielle du Sacré Collège, et nous nous retirâmes dans nos cellules pour ne pas gêner les opérations de fermeture du conclave.

Le gouverneur du conclave, monsignor Carlo Silla, fit retentir une cloche à trois reprises – signifiant à toutes les personnes étrangères au conclave qu'elles devaient quitter les lieux. Après avoir allumé toutes les lumières, le gouverneur, LaTorre, les trois cardinaux chefs d'ordre, le secrétaire et l'architecte du conclave fouillèrent minutieusement tous les locaux pour s'assurer que nulle personne non habilitée n'y demeurait. Ils étaient accompagnés de deux techniciens munis d'un appareil électronique détecteur d'éventuels micros dissimulés. Le souci du secret obsédait le pape Paul, et sa constitution, outre qu'elle interdisait l'introduction dans un conclave de magnétophones – comme le vôtre – d'appareils photographiques ou cinématographiques, prescrivait spécifiquement de vérifier s'il ne s'y trouvait pas de système clandestin d'écoute.

La perquisition terminée, monsignor Silla manda le maréchal du conclave, le prince Gallori Giacomo Chigi. Le prince et sa suite, vêtus de leurs si pittoresques costumes Renaissance, arrivèrent jusqu'à la porte des locaux réservés au conclave et le monsignor leur en remit les clés. Le conclave n'aurait plus de communications avec le monde extérieur.

Tous les conclavistes, laïcs ou clercs, durent alors entrer dans la chapelle en file indienne, pour y être identifiés individuellement. Et, pendant la durée du conclave, le cardinal doyen et les cardinaux chefs d'ordre allaient encore inspecter périodiquement les lieux, y compris les cellules des cardinaux, toujours pour s'assurer qu'il n'y avait pas de présence clandestine.

En vous disant que le conclave n'aurait plus de communications avec le monde extérieur, j'ai légèrement exagéré. En cas d'urgente nécessité, une personne de l'extérieur peut parler à un cardinal ou à un conclaviste, pourvu que l'entretien ait lieu en présence d'un groupe d'évêques comprenant couramment la langue employée. Et ceux qui sont en conclave peuvent également recevoir ou expédier des lettres, mais celles-ci doivent passer par des censeurs, pour que rien ne transpire de nos délibérations, et qu'aucune nouvelle du monde extérieur ne puisse affecter nos votes.

Mais il y a une exception à cette dernière règle. Tout message dûment cacheté entre le cardinal pénitencier majeur et la Pénitencerie apostolique est exempt de censure. Car il s'agit alors d'affaires de conscience, et la liberté de communication, sous ce rapport, symbolise la priorité de la miséricorde divine sur tous les autres devoirs de l'Église, y compris l'élection du Pontife.

Le lendemain matin, le patriarche Aspaturian célébra la messe selon le rite oriental devant le conclave réuni. Il y eut plusieurs concélébrations, mais nous les organisâmes nous-mêmes. Puis, après le déjeuner, les cardinaux restèrent seuls dans la Sixtine; après avoir chanté le *Veni, Creator spiritus* et dit une courte prière, nous passâmes à la première phase du choix du Pontife.

Comme les précédentes, la constitution de Paul VI prévoit trois modes d'élection. Elle peut se faire « par inspiration » : un cardinal, se sentant divinement inspiré, se lève et propose un candidat, en expliquant son choix en quelques mots. Nos dispositions suggèrent la forme suivante : « Révérendissimes Pères, considérant la vertu singulière et la probité du Révérendissime [...], je l'estimerais digne d'être élu Pontife romain et je le choisis comme *il Papa.* » Ceux qui ont été pareillement inspirés annoncent : « *Eligo* » (j'élis). Si les voix sont unanimes, le candidat est élu.

Le second mode est « par compromis », c'est-à-dire par délégation. Le Sacré Collège peut, par consentement unanime, déléguer à un petit nombre d'entre eux, neuf au minimum, quinze au plus, et toujours en nombre impair, le pouvoir d'élire le pape en leur nom. Si le Collège adopte ce mode, il doit spécifier expressément si le nom du candidat doit d'abord lui être soumis ou si la délégation peut voter directement, et également si le vote de cette dernière doit être unanime, à la majorité extraordinaire ou à la majorité simple. Il doit également être préalablement précisé si les candidats ne peuvent être cherchés que dans le Sacré Collège ou également à l'extérieur. Enfin, il faut arrêter le délai au-delà duquel la décision des délégués perdra sa validité. Enfin cette procédure se termine par l'engagement : « Et nous promettons de regarder comme Souverain Pontife la personne que les délégués auront décidé d'élire selon la forme sus-mentionnée. »

Le troisième mode d'élection, qui est le plus courant, est « par scrutin » secret. La majorité des deux tiers plus un est exigée pour l'élection.

Pendant dix minutes le conclave resta silencieux. Chacun attendait de voir si une élection par inspiration allait être proposée, mais l'Esprit Saint n'inspira personne ce matin-là. Je profitai du silence pour chercher un réconfort dans le génie de Michel-Ange.

– Messeigneurs cardinaux et révérendissimes frères (la voix de LaTorre me ramena à la réalité), puisque nul ne propose l'élection du prochain Pontife par inspiration, ni ne suggère que nous procédions par compromis, je propose que le Sacré Collège procède à l'élection par scrutin.

Le maître des cérémonies remit à chaque cardinal une liasse d'une douzaine de petits bulletins de vote rectangulaires, portant, imprimée en latin, la formule : *Je choisis comme Souverain Pontife...*

On procéda ensuite à la désignation, par tirage au sort, des cardinaux qui feraient office de scrutateurs pour le dépouillement des votes. Puis, toujours par tirage au sort, furent désignés trois *infirmarii* – ces cardinaux se rendent dans les cellules de ceux à qui leur état de santé ne permet pas d'être présents à la Sixtine, et recueillent leurs bulletins de vote. Et enfin, encore par tirage au sort, furent choisis trois « réviseurs », qui procéderaient à un nouveau comptage des votes après les scrutateurs.

Nous étions prêts pour la phase de désignation des candidats, délibération, vote et, espérions-nous, élection. Le cardinal Henri Fournier, primat de Belgique, se leva. Son intervention fut concise :

– L'Église, dit-il, se trouve devant un choix : suivre le pape Jean et Vatican II, ou se scléroser en revenant à un passé stérile.

– Nous devons croître sous peine de dépérir, affirma Fournier. Nous avons la promesse du Christ que Son Église – nous – durera jusqu'à la fin des siècles, mais non que nous sauverons les âmes si nous ne savons comprendre les problèmes du monde tel qu'il est et communiquer avec les habitants de ce monde. Certes, nous pouvons être une institution éternelle, mais nous pouvons aussi devenir un sépulcre blanchi, serrant d'une main pétrifiée les ossements d'un glorieux passé. Aujourd'hui nous est offerte une possibilité majeure, sans égale sauf, peut-être, au temps des Apôtres, d'amener au Christ un monde qui cherche, un monde qui aspire. C'est maintenant qu'il faut avancer, et non se contenter de maintenir le *statu quo*.

(Fournier indiqua qu'il parlait pour beaucoup de membres du Sacré Collège, « plus d'un tiers du conclave ». Comme il fallait pour l'élection le vote des deux tiers plus un, c'était en fait prononcer un veto, canoniquement permis.)

– Peu nous importe la nationalité ou la race du prochain Pontife, dit-il, mais nous n'accepterons pas quelqu'un de timoré, prisonnier du passé, ou d'une bureaucratie, aussi sacrées que soient les intentions de cette bureaucratie. Nous le disons sans ménagement, reprit-il lorsque les murmures se furent apaisés parmi les cardinaux, et mus par notre amour pour l'Église du Christ, nous voulons pour prochain pape un homme prêt à accepter le manteau de Jean et les fardeaux de Pierre. Nous sommes prêts à siéger pendant des jours, des mois, des années même, pour y parvenir.

Quelques murmures de *vergogna!* – honte! – s'élevèrent, et quelques applaudissements discrets. Fournier salua LaTorre.

Senta, nous savions tous déchiffrer les signes. Les serviteurs étaient déterminés et unis, même si c'était seulement dans leur opposition. Ils étaient divisés sur deux candidats : un Néerlandais, le cardinal Henrik Gordenker, et un Italien, le cardinal Angelo Corragio, archevêque de Bologne. Pour le cardinal Wilhelm Wildenmann, tout le monde savait que le théologien libéral autrichien n'avait pas l'ombre d'une chance. Des deux principaux candidats des serviteurs, c'était Corragio qui avait l'avantage, comme on dit dans votre langue. Certes, Gordenker était plus proche du cœur des Européens du Nord, mais ses positions franchement avouées sur la contraception et le célibat des prêtres rendaient difficile un soutien des modérés, dont j'étais, et lui aliénaient les traditionalistes.

J'avais appris que les libéraux s'était accordés pour que chacun soutînt le candidat de son choix au cours des cinq ou six scrutins initiaux, sauf s'il devenait évident qu'un traditionaliste avait quelque chance d'être élu. Dans ce cas, ils porteraient unanimement leurs votes sur un seul candidat. Ils n'ignoraient certes pas que, s'ils pouvaient empêcher une élection, ils avaient en revanche peu de chances qu'un Pontife fût choisi dans leurs rangs. Ils finiraient probablement par devoir accepter un accommodement – et c'est pourquoi certains d'entre eux me soutenaient – mais ç'aurait été affaiblir leur position que d'en parler déjà ouvertement.

Ce fut le cardinal irlandais Sean Greene qui prit la parole après Fournier. Lui aussi allait exprimer des vues communes à un groupe de cardinaux. J'estimais leur nombre à trente et un : quatorze Italiens, deux Espagnols, deux Portugais, deux Français, deux Latino-Américains, trois Nord-Américains, les trois cardinaux irlandais, un Anglais, et deux hommes d'Europe de l'Est. On pouvait leur ajouter de cinq à dix membres du conclave apparentés aux traditionalistes, mais moins rigoristes.

Allora, à l'instar de Fournier, Greene alla droit au fait – erreur que ne commettrait jamais un Italien. Le primat de Belgique avait bien formulé la question. L'Église était confrontée à une crise, crise suscitée par ceux qui abandonnaient les traditions sacrées, prétendaient réécrire la sainte doctrine et niaient cette autorité même sur laquelle le Christ avait bâti Son Église. Pour sa part, il ne pouvait croire qu'un seul membre du conclave pût sciemment prendre part à d'aussi infâmes menées. Mais en se voulant publiquement compréhensif vis-à-vis de ceux qui revendiquent le débridement sexuel, prétendent mettre le rituel au goût du jour ou veulent que des non-croyants aient licence de participer à la sainte Eucharistie, le clergé donne à des lubies individuelles la prééminence sur les commandements explicites de Dieu.

– Nous ne devons pas oublier, insista Greene, que les êtres humains sont faibles. Notre ferme direction leur est nécessaire. Des expressions utopiques telles que la « liberté de conscience » dissimulent l'abandon de ce qui revient à Dieu, mais ne le justifient pas. En ne redressant pas de tels errements, nous attaquons l'Église du Christ de façon aussi sacrilège que si nous mettions directement en doute la validité des sacrements ou la primauté du successeur de Pierre.

Puis Greene nous rappela que son groupe, lui aussi, opposerait une exclusive dans la mesure où ses membres ne soutiendraient qu'« un homme fermement et indéfectiblement attaché à nos saints et historiques enseignements. Son devoir sera de ramener notre peuple dans la dure et étroite voie du salut, et non de le conduire en enfer par des promesses de liberté ici-bas et de bonheur matériel ».

– Nous assurons nos révérendissimes collègues, poursuivit Greene, que ceux qui partagent ces vues sont, eux aussi, prêts à délibérer de façon prolongée, en implorant aussi longtemps qu'il le faudra l'Esprit Saint d'illuminer les esprits de Ses fidèles ici réunis en conclave. Nous voulons choisir un Pontife qui préserve et restaure notre Église, et non qui la détruise sous prétexte de la réformer, et non qui personnifie cet esprit de modernisme condamné comme la synthèse de toutes les hérésies par saint Pie X.

Il était inutile que Greene précisât qu'il soutiendrait le cardinal Paolo Fieschi, comme il l'avait laissé entendre lors du déjeuner, le vendredi précédent. Le patricien archevêque de Milan avait la stature d'un Souverain Pontife : grand, droit, animé d'une énergie et d'un zèle ardents. De vrai, Fieschi n'avait pas la vivacité de son cadet napolitain, le cardinal Chelli; c'était un homme d'une intelligence profondément avisée plutôt que brillante. Il possédait cette qualité que l'antiquité romaine estimait essentielle à la grandeur : la *gravitas.* Non seulement était-il sérieux, mais il se composait un personnage sérieux, et ne doutait pas que le monde le vît ainsi. Au surplus, avec la condescendance de son charme aristocratique, il n'était pas aussi ancré dans son conservatisme que LaTorre. Il était également moins provincial que notre fils de paysans siciliens, sans doute en raison de son éducation patricienne et de ses nombreux voyages.

En tant qu'évêque et cardinal, il témoignait de hauts talents d'administrateur, mais il manquait d'intérêt et de patience pour la dispute théologique. Il suivrait le mode traditionnel précisément parce qu'il existait et avait fait ses preuves. Quant aux suggestions de changements doctrinaux, il les accueillerait avec la tranchante fermeté d'un proviseur à qui les étudiants demandent de supprimer les examens.

N'ayant, comme je vous l'ai dit, nulle intention d'accepter moi-même la tiare, sauf si cela devenait l'unique recours pour sauver notre sainte Mère l'Église de ses fils, j'estimais que les deux candidats sérieux étaient Corragio et Fieschi. Des votes se porteraient sur le nom de Gordenker, mais pas en nombre suffisant pour laisser entrevoir une victoire. Quant aux autres noms, à l'exception du mien, ils n'attireraient que quelques suffrages symboliques. En ce qui me concernait, j'estimais que j'aurais un soutien initial faible, mais qui augmenterait à mesure que l'impasse entre Fieschi et Corragio serait plus marquée.

Ecco, après les harangues, nous procédâmes au premier scrutin.

Chaque cardinal prit sur la petite table devant lui un bulletin de vote et y inscrivit le nom de son candidat, en s'efforçant de déguiser son écriture. Puis LaTorre se dirigea vers l'autel, en tenant bien en évidence son bulletin plié. S'agenouillant devant l'autel, il se recueillit en une courte prière, puis récita à haute voix le serment : « Je prends à témoin le Christ qui me jugera, que j'élis celui que j'estime selon Dieu devoir être élu. » Il posa alors son bulletin sur une patène d'or d'où il le fit glisser dans un grand calice placé sur l'autel.

Lorsque, selon l'ordre général de préséance, nous eûmes tous accompli ce même rite, un des scrutateurs couvrit le calice de la patène et le secoua vigoureusement pour mélanger les petits papiers. Il remit le calice à un deuxième scrutateur qui déposa un par un les bulletins dans un autre calice en les comptant, pour s'assurer que tous les cardinaux avaient voté. Puis le comptage commença. Le premier scrutateur dépliait un bulletin, en prenait connaissance, le passait au deuxième scrutateur qui en prenait également connaissance et le remettait au troisième, lequel le lisait tout haut. Chaque cardinal notait le vote sur une liste de tous les membres du Sacré Collège. Puis les trois scrutateurs annoncèrent les totaux. *Allora*, comme je le subodorais, le conclave était gravement divisé. Il y avait vingt-six suffrages pour Fieschi, dix pour Gordenker, vingt pour l'archevêque de Bologne, et treize pour moi, le reste se partageant entre quatre autres.

Les réviseurs comptèrent encore une nouvelle fois les suffrages. Cette vérification opérée, les bulletins furent embrochés en guirlande sur un cordon, prêts à être brûlés.

Comme aucun des candidats n'avait reçu les cinquante-six votes nécessaires pour l'élection, on procéda immédiatement à un second scrutin. La règle ne nous permet que deux scrutins de suite. Les résultats furent sensiblement identiques. Chacun des quatre principaux candidats reçut un ou deux suffrages de plus, aux dépens des quatre autres. Comme les premiers, ces bulletins furent enfilés sur un cordon et, sous les yeux de tous, LaTorre déposa les deux guirlandes dans un poêle de fortune, y mêla une pastille de produit chimique pour produire la fumée noire, et y porta une allumette enflammée.

A onze heures quarante-cinq minutes, les volutes de fumée furent visibles de la place Saint-Pierre. A dix-sept heures cinquante minutes, un autre nuage de fumée sombre dérivait lentement au-dessus de la Sixtine, et le Collège, pratiquement aussi divisé que le matin, clôturait sa séance. Pendant toute la soirée les discussions non officielles allèrent bon train. Les arguments étaient surtout théologiques et moraux.

Deux fois encore le mardi, et pareillement le mercredi, la fumée noire s'étira en paresseuses volutes au-dessus de la Sixtine, ce qui donnait un total de douze scrutins infructueux. La constitution de Paul VI prescrivait, si l'élection n'était pas acquise au bout de trois jours, une suspension de nos séances pendant au maximum un jour, qui serait consacré « à la prière, la libre discussion parmi les électeurs, et une brève exhortation spirituelle délivrée par le cardinal doyen dans l'ordre des cardinaux-diacres ». Celui-ci nous exhorta simplement à prier Dieu de nous donner la grâce de reconnaître Sa volonté et de discerner ce qui importait vraiment pour Son Église.

Le vendredi, un peu reposés, nous reprîmes les scrutins, mais toujours sans résultat. Nous continuions à être nettement divisés. Il y avait eu peu d'interventions, depuis le mardi, mais, par accord tacite, plutôt des discussions personnelles. Les séances avaient surtout entendu monter des prières. Il ne demeurait plus vraiment en lice que trois candidats, le Hollandais Gordenker ayant déclaré qu'il souhaitait l'élection du cardinal archevêque de Bologne. Le samedi, à l'issue du premier scrutin de l'après-midi, Fieschi avait trente suffrages, Corragio, trente-huit, et moi-même quatorze. Seul Corragio approchait de la majorité simple. Mais souvenez-vous qu'il fallait la majorité extraordinaire de cinquante-six votes pour emporter l'élection.

Le dimanche matin, le septième scrutin depuis notre jour de prière, de discussion, de réflexion, donna un vote identique. La règle prévoyait, dans ce cas, un nouveau répit et un examen, par le conclave, de son déroulement ultérieur. Mais, avant de nous expliquer les options, LaTorre donna la parole au cardinal Greene. Je sentis que notre trêve tacite touchait à sa fin.

La voix de l'Irlandais, habituellement chantante, était sèche et un peu incertaine. C'était tout de même un homme de soixante-seize ans, et une semaine d'incarcération avec quatre-vingts prélats revêches, jointe à la cuisine de nos saintes religieuses, aurait eu de quoi fatiguer même un jeune athlète.

– Messeigneurs cardinaux, dit-il, nous sommes dans une impasse. L'Église du Christ est paralysée. Au nom de Dieu Tout-Puissant et de son Bien-Aimé Fils, je demande – le « nous » d'usage était victime de la fatigue – ce que veulent nos soi-disant libéraux. Détruire notre Église? Nous rendre la risée des communistes et des protestants?

– Nous voulons avancer, répondit le cardinal Gordenker, et non reculer, servir le Christ en servant Son peuple.

– Ce que vous voulez, dit âprement Greene, c'est que les gens se laissent aller à leurs débordements sexuels. Vous prétendez les servir en servant leurs faiblesses. Vous ne pouvez supporter de leur dire que si un plaisir est coupable, ils ne doivent pas le prendre. Que ce monde soit un lieu d'épreuve, de douleur, de souffrance, vous vous refusez à le reconnaître. Vous visez à détruire la moralité, à transformer leurs vies en orgies de fornication.

– Mensonge éhonté! riposta furieusement Gordenker.

LaTorre sursauta violemment.

– C'est la vérité, la vérité de Dieu! hurla Greene. Non seulement vous êtes un hérétique, mais vous cautionnez personnellement une vile débauche qui cherche à détruire la sainte pureté.

– Pour vous la moralité ne concerne que le sexe, toute la moralité se ramène au sexe, au sexe, au sexe, lança Gordenker d'une voix forte. Vous condamnez les péchés des autres, mais vous vous vautrez dans l'idolâtrie, vous adorez l'Église en tant qu'institution, vous ignorez sa mission qui est de prêcher à l'humanité l'amour et la justice. C'est vous-même que vous servez, et non votre prochain et certainement pas le Christ.

LaTorre avait vigoureusement agité sa clochette pour les faire taire, mais les deux cardinaux n'en avaient tenu aucun compte. Finalement, la sainte Mule abattit son gros poing sur la table devant son trône.

– Silence! Silence! hurla-t-il. Nous ne tolérerons pas de telles paroles dans ce saint lieu. Frères, nous sommes tous las, mais nous devons conserver notre sang-froid. Une telle attitude confine au sacrilège. Si la chose se renouvelait, nous userions de notre pouvoir de dictateur *pro tem* pour excommunier les coupables. A présent, que nos deux révérendissimes frères se demandent mutuellement – et à Dieu – pardon de leurs paroles offensantes, pour eux-mêmes et pour l'Esprit Saint.

Greene et Gordenker se levèrent et se tournèrent l'un vers l'autre comme deux écoliers surpris à se battre mais satisfaits de s'être battus. Ils marmonnèrent quelques mots de regret et se rassirent précipitamment.

– Dans ces conditions, annonça LaTorre, nous ajournons la séance jusqu'à demain matin. Étant donné que, depuis notre répit, nos sept séances n'ont pas obtenu de résultat, nous devrons décider si nous continuons sur le même mode. Je vous rappelle les autres modes : par inspiration et par compromis. La quatrième possibilité, ouverte après une semaine de scrutins, c'est, par consentement unanime, d'accepter l'élection à la majorité absolue, ou encore de réduire les candidats éligibles aux deux qui ont obtenu le plus grand nombre de votes. D'ici là, l'exhortation spirituelle sera donnée à dix-sept heures, par le doyen des cardinaux-prêtres.

(Pour ne pas pécher contre la charité, je ne vous dirai rien de cette exhortation, délivrée par le cardinal coréen Su. C'était un salmigondis de christianisme des origines, de confucianisme et d'épistémologie de Teilhard de Chardin. Son unique effet fut de dissuader tout cardinal sain d'esprit de voter pour Su.)

Le lundi matin, lorsque nous eûmes pris place dans la chapelle, mon vieil ami de Trieste, le vénérable Virgilio Trentin, se leva.

– Mes chers frères, commença-t-il, pensant et parlant à la première personne, comme il en est coutumier, cela fait sept jours que nous siégeons – aussi longtemps qu'il fallut au Tout-Puissant pour créer le monde – au début discutant avec aménité, puis se querellant âprement. Avec la fatigue, les caractères se sont aigris. J'aurai bientôt quatre-vingts ans. Je sais que je ne participerai pas une nouvelle fois à l'élection d'un Pontife. Mais si nous allons au même train que la semaine passée, je ne vivrai peut-être pas assez longtemps pour voter cette fois-ci. (Le doux sourire de Trentin aida à relâcher les tensions subsistant depuis l'altercation entre Gordenker et Greene.) Je suis le plus âgé de tous ici, mais trois d'entre vous sont également dans leur quatre-vingtième année. Dix-sept autres ont dépassé soixante-quinze ans, et neuf d'entre nous seulement ont moins de soixante ans. Je crains que règne bientôt ici l'esprit de fatigue, plutôt que celui de Dieu. Je suis aussi vigoureux qu'il y a trente ans, mais uniquement pendant une heure ou deux par jour – et à condition de me reposer en fin de semaine. Nous ne devons pas continuer de la sorte, à échanger de méchantes paroles au lieu de faire croître toujours plus l'amour de Dieu. Je propose que nous adoptions le mode d'élection par compromis, en laissant à une commission le soin de nous amener le prochain pape.

Tout en écoutant le débat, je retournais mentalement ma décision – *ebbene,* ma semi-décision. Je vous ai avoué qu'en arrivant à Rome je songeais déjà à mon plan. Dans les Abruzzes, j'avais médité dessus, en priant Dieu de me guider. Bien que ce plan fût à présent bien ancré dans ma tête, il me faisait peur. Peur qu'il ne se révélât pas bon pour l'Église, ce qui me rendrait objet de dérision – et vous savez que nous autres Italiens craignons moins le Jugement dernier que de faire ici-bas une *brutta figura.* Je décidai de laisser Dieu décider si l'idée était bonne ou mauvaise pour son Église. J'attendrais de voir l'issue de la proposition de Trentin.

Le vote sur cette proposition n'intervint qu'à dix-neuf heures trente. Elle fut adoptée à l'unanimité. Si l'idée venait de Trentin, la formule même sur laquelle nous votâmes était due à Chelli. La commission se composerait de neuf cardinaux, avec Trentin pour président. Les huit autres constitueraient un échantillonnage du conclave. Il y aurait Bisset, pour les traditionalistes, José Martin, archevêque de Buenos Aires, pour les serviteurs, et trois Européens : un Allemand, un Espagnol et un Polonais. Ces trois derniers avaient une réputation de ferme orthodoxie en même temps que d'ouverture d'esprit; en bref, ils étaient modérés. Il y aurait également trois hommes du tiers monde : un Africain noir, un Chinois et un jésuite occidental ayant vécu si longtemps en Inde qu'il était plus indien que les Indiens. (Je m'empresse d'ajouter que, bien qu'Anglais, il n'était pas homosexuel.) Pour ces trois hommes du tiers monde, les disputes entre traditionalistes et serviteurs, encore qu'intelligibles, n'offraient aucun intérêt; chacun avait en tête son propre modèle de l'Église. A part Bisset, ce groupe était excellemment composé de saints hommes, à la fois éprouvés et charitables.

La résolution de Chelli prévoyait que la commission procéderait à l'élection sans plus nous en référer; que le suffrage requis serait de six voix sur neuf; que le choix serait limité aux membres du Sacré Collège; que la commission avait cinq jours pour parvenir à une décision.

Allora, la commission alla siéger dans une partie de la galerie des Cartes géographiques, cloisonnée précisément à cet usage. Ses membres y resteraient enfermés jusqu'à l'élection ou l'expiration de leur délai. Pendant les quatre jours qui suivirent, nous attendîmes, en perdant peu à peu patience. La nourriture empirait encore. La seule bonne chose, encore que mineure, c'est que la balance m'apprit que j'avais déjà rendu à Dieu quatre kilos.

Le jeudi matin, beaucoup de bruits coururent – vous appelez ça des rumeurs, non? Selon les uns, la commission avait élu un traditionaliste de la Curie; pour d'autres, le successeur de saint Pierre était un Noir. L'un affirmait que j'avais été choisi, tandis que l'autre niait que l'on soit parvenu à un choix. Je crois avoir prié avec plus de ferveur que mes frères, mais sans être vraiment sûr de l'objet de ma prière.

Le vendredi matin, nous nous réunîmes dans la Sixtine, pour y entendre le résultat de la commission. Ce fut son président, Trentin, qui en rendit compte :

– Révérendissimes frères, nous vous informons avec affliction qu'en dépit de nos longs efforts et ardentes prières nous n'avons pas réussi à choisir un Pontife. Concluant à l'inutilité de reconduire notre commission, nous recommandons respectueusement, si la volonté du conclave est toujours l'élection par compromis, de choisir une nouvelle commission.

Le cardinal Paddraigh O'Failoin, archevêque d'Armagh et primat d'Irlande, se leva :

– Nous avons entendu le révérendissime président avec tristesse. Nous pressons nos frères de reprendre nous-mêmes le fardeau du choix. Si les neuf membres de la commission, dont il n'est pas parmi nous de plus pieux et de plus éclairés, n'ont pu s'accorder, c'est que la volonté de l'Esprit Saint est que nous nous remettions à l'ouvrage.

Gordenker fit alors la plus courte intervention du conclave :

– Nous adhérons entièrement à cette idée.

Mais il y avait des opinions divergentes. Un groupe assez nombreux, comprenant beaucoup des cardinaux les plus âgés, souhaitait désigner une nouvelle commission. Ces cinq jours de repos dans notre prison avaient aiguisé les langues, sinon les esprits, et le débat fut vite empreint d'acrimonie. LaTorre proposa sagement de remettre le vote sur la question au samedi matin. Et ce samedi matin-là, la nomination d'une nouvelle commission ayant été repoussée par quarante-deux voix contre trente-huit, plus quatre abstentions (dont la mienne), nous reprîmes collectivement la responsabilité d'élire un nouveau Pontife.

LaTorre nous rappela une fois encore les autres options, mais personne ne se déclara en leur faveur. Il proposa alors de procéder immédiatement à un scrutin. *Senta,* le résultat fut ce qu'on en pouvait attendre : trente votes pour Fieschi, trente-deux pour Corragio; j'en obtins moi-même seize, et Trentin quatre. Le second scrutin qui suivit se révéla peu différent, si ce n'est que trois des votes de Trentin se portaient sur moi et le quatrième sur Fieschi. Nous atteignions de nouveau une impasse, beaucoup plus grave que six jours auparavant, puisque nous ne pouvions plus, cette fois, placer notre espoir dans une commission. Personne ne semblait penser sérieusement que nous pourrions nous contenter de la majorité plus une voix; et pas plus les serviteurs que les traditionalistes n'osaient demander que l'on restreignît les candidatures à deux noms : Corragio et Fieschi.

4.

Allora, j'étais de plus en plus pénétré de mon idée au fur et à mesure que se succédaient les scrutins stérils. Nous passâmes encore de la sorte deux séries de trois jours, chacune suivie d'un répit d'une journée employée à prier Dieu de nous guider. Je me souviens que, d'un bout à l'autre du deuxième jour de répit, je ne fis que prier Dieu pour que mon idée fût dans l'intérêt de l'Église. Et, comme d'habitude, je ne recueillis rien de Sa volonté. Je crois vous avoir déjà dit qu'en ce qui me concerne Dieu avait accoutumé de garder le silence. D'un autre côté, s'Il n'indiquait pas que j'avais raison, Il ne laissait pas non plus entendre que j'avais tort.

Ecco, et voici que je me trouvais au pied du mur. Puisque, aussi bien, il fallait sortir de l'impasse, l'avantage irait au premier à offrir une solution. Je regardai une ultime fois le doigt du Dieu de Michel-Ange communiquant la vie au genre humain et priai pour que mon idée participe vraiment de cette transmission divine.

– Messeigneurs cardinaux, révérendissimes frères, dis-je, bien qu'il se trouve parmi nous tant de saints hommes, tant d'hommes capables, nous sommes irrémédiablement bloqués. (De préférence au latin, j'avais choisi de parler en anglais, puis de me répéter en français, sachant que tous les cardinaux connaissaient bien l'une ou l'autre de ces deux langues.) Un groupe, soutenant notre très saint et très capable frère de Bologne, veut nous faire aller dans une direction; un deuxième groupe, soutenant notre très saint et très capable frère de Gênes et Milan, veut nous faire suivre une autre voie. Bien que pénétrés de la sainteté et des compétences de nos deux frères, beaucoup d'entre nous doutent de l'une et l'autre route. Et comme ces princes de l'Église qui les soutiennent respectivement représentent plus d'un tiers du conclave, nous ne parvenons pas à élire l'un des deux, à moins d'accepter à l'unanimité – ce qui ne semble pas être le cas – la règle de la majorité plus une voix. Poursuivre les scrutins sur cette base, c'est prolonger une impasse qui ne pourrait être dénouée que par un miracle ou par des trépas en nombre suffisant pour permettre une élection. (Ma remarque suscita quelques sourires, dont certains plutôt pincés.)

» Certains d'entre vous ont été assez bons pour donner vos suffrages à monsignor Galeotti. Nous en sommes profondément honoré, mais nous ne pensons pas que les circonstances en soient arrivées à un tel point qu'il nous faille accepter l'élection, dans le cas très improbable où elle nous serait offerte. C'est pourquoi nous nous sentons fondé à dire très franchement le fond de notre pensée et de notre cœur. Nous ne parvenons pas à départager entre les principaux candidats, ni non plus à choisir un membre du Sacré Collège, à choisir quelqu'un des nôtres. Nous sommes intellectuellement divisés, et nous restons honnêtement sur nos positions. En conséquence nous vous proposons une démarche qui peut sembler, à première vue, radicale, mais dont nous sommes convaincu qu'elle est judicieuse.

» *Allora,* repris-je après une pause de quelques instants, pour m'assurer que l'on m'avait bien compris, je propose que nous nous tournions à l'extérieur du conclave. Je propose que nous nous tournions vers un simple moine, qui a pris l'habit dans son âge mûr, après une éminente carrière séculière. Il n'a pas encore reçu l'ordination, mais il a prononcé les vœux temporaires de pauvreté, de chasteté et d'obéissance, préparatoires aux vœux perpétuels. (LaTorre agita sa sonnette pour calmer les murmures de ceux qui comprenaient l'anglais, afin que l'on entendît ma traduction en français.) Plutôt que de repousser cette suggestion comme la divagation sénile d'un vieil homme fatigué, souvenons-nous de ces temps anciens où l'Esprit Saint passa par-dessus d'éminents cardinaux et évêques pour choisir un moine qui devait sortir l'Église d'une crise. Nous nous en tiendrons au plus notable exemple : celui de saint Grégoire VII, au XIe siècle. Et, si la fatigue oblitère quelque peu dans nos cerveaux l'histoire ecclésiastique, rappelons pour mémoire que les saints ordres de l'épiscopat, ni même ceux de la prêtrise, ne sont une condition requise pour l'élection d'un Pontife, Innocent III, le plus grand de tous, n'était pas prêtre, encore qu'ayant reçu quelques ordres mineurs. En vérité, selon nos lois, des moines et même des laïcs sont éligibles au trône de saint Pierre. Ce qu'il faut à l'Église, c'est un Pontife qui matérialise le bien implicité dans maintes promesses encore inaccomplies de Vatican II, un Pontife qui nous aide à faire mieux – et donc plus utilement – répondre l'Église aux souffrances des gens de notre temps, tout comme les grands pontifes du passé firent mieux répondre l'Église aux gens de leur époque. En effectuant cette transformation, *il Papa* doit avoir la capacité de maintenir intact notre héritage traditionnel. Il faut qu'il préserve l'intégrité de notre sainte doctrine.

» Voilà de difficiles tâches, poursuivis-je, et beaucoup de ceux qui sont ici en parlent comme si elles étaient incompatibles. Pour notre part, nous ne le pensons pas. Mais les devoirs du nouveau Pontife transcenderont ces difficultés. Car il devra aussi restaurer dans l'esprit des laïcs la légitimité de l'œuvre de l'Église. *Allora,* nous, les princes de l'Église, sommes confrontés à deux faits, simples, fâcheux et prédominants. Le premier, c'est que les hommes modernes, et même les jeunes prêtres, se méfient de nous, de la hiérarchie. Si nous examinons nos consciences, nous y découvrirons peut-être que, si cette méfiance est exagérée, elle n'est pas sans fondement. Il n'y a pas à se dissimuler que l'homme moderne, non seulement répugne à être dirigé, mais qu'il s'y refuse. La crise de l'Église dans le monde moderne est essentiellement une crise de légitimité, de légitimité de *notre* direction, de la direction par une hiérarchie cléricale. Cette crise exige que nous cherchions une solution spectaculaire et cependant prudente, une solution qui préserve l'intégrité de notre sainte tradition tout en nous permettant de servir le peuple de Dieu.

» *Ecco*, le second fait fâcheux, c'est que les hommes doivent être dirigés. Même sans confondre autonomie et anarchie, il nous faut un Pontife qui soit notre chef, qui nous maintienne dans la tradition de la Sainte Église romaine et apostolique. Quelle vanité serait la nôtre de croire que nous seuls, les cardinaux, pouvons aimer l'Église et la conduire. Nul d'entre nous ne peut revendiquer cela comme un droit que lui vaudrait une vie sainte et entièrement vouée à l'Église. Le trône de saint Pierre est un don de Dieu – et peut-être serait-il plus juste de dire « un fardeau ». Nous n'avons nulle autorité pour l'employer comme une récompense; il ne peut être donné qu'au profit de l'Église elle-même. Saint Paul nous dit que « nul homme ne s'arroge à soi-même cet honneur, on y est appelé par Dieu, absolument comme Aaron. De même, ce n'est pas le Christ qui s'est attribué à soi-même la gloire de devenir grand prêtre... ».

» Mes frères, hors de ce conclave, hors des saints ordres, des hommes sont appelés par Dieu. Saint Paul nous dit que l'Esprit Saint distribue « Ses dons à chacun en particulier comme Il veut ». Comme *Il* veut, mes frères, non comme *nous* voulons. Comme *Il* veut. En reconnaissant que l'appel de l'Esprit Saint dépasse notre fraternité princière de cardinaux, nous pouvons voir dans l'impasse où nous sommes une grâce divine, la possibilité d'une vague neuve d'inspiration de l'Esprit Saint.

(Ici, je m'interrompis encore quelques instants. Je vous avoue avoir voulu dramatiser le moment, mais aussi m'assurer que mon message était reçu. Je crois qu'il l'était. Tous les visages que j'apercevais étaient tendus, attentifs.)

» Le moine que nous élirions est américain. Il se nomme Declan Patrick Walsh, il a été émissaire extraordinaire auprès du pape Pie XII et président de la Cour suprême des États-Unis. C'est aujourd'hui un humble trappiste. (LaTorre agita sa clochette pour obtenir le silence. Je décelais, dans les murmures, la surprise, mais sans discerner s'ils étaient approbateurs ou critiques.) Nous doutons que l'on puisse tenir notre suggestion pour radicale. N'avons-nous pas eu récemment un Pontife non italien, alors que Walsh est partiellement romain. Il est né ici, il a été baptisé à Santa Susanna – c'est-à-dire à moins de quatre kilomètres de cette chapelle. Il a été élevé à Rome et, adolescent, à Dublin.

(Je ne vous confesse pas sans quelque honte que j'espérais ainsi rallier les trois cardinaux irlandais.)

» Après s'être acquis la plus haute décoration de son pays pour sa vaillance dans une guerre contre l'agression communiste en Corée, repris-je, il est revenu chez nous en 1951, en qualité de représentant particulier de son Président. Nous sommes nombreux, ici, à avoir eu d'étroites relations avec lui pendant ces dix-huit mois qu'il a passés parmi nous. Nous-même le connaissions depuis son enfance, pour avoir été lié avec ses parents, mais nous ne l'avons vraiment découvert qu'en 1951. Tous ceux qui œuvrèrent avec lui au Vatican furent frappés de sa sagesse, de sa sincérité, ainsi que de son courage et de sa capacité à mener des hommes professant des opinions différentes.

» En sa qualité de président de la Cour suprême des États-Unis, il a mené son pays dans le sens de la justice, pour les pauvres comme pour les riches, pour les Noirs comme pour les Blancs. C'est, avant tout, pour la justice raciale qu'il a combattu dans sa charge de magistrat suprême. (Je tenais à ce que les Asiatiques et les Africains saisissent bien cela.) Au surplus c'est lui, et pratiquement seul dans la Cour suprême, qui a refusé de cautionner l'avortement – attitude courageuse qui lui a suscité bien des inimitiés, mais qui lui a aussi valu, quoi qu'ils en aient, le respect des plus intelligents adversaires de la sainteté de la vie humaine. Pour nous qui connaissons bien les affaires intérieures des États-Unis, deux choses nous ont frappé chez lui. D'abord sa façon d'amener son tribunal, le plus éminent du monde séculier, à un vote unanime. Il n'exerçait nul despotisme, il respectait les opinions des autres, et cependant il les dirigeait avec une douce et efficace fermeté. Il n'a ni sapé ni radicalisé cette institution; au contraire, il l'a préservée en la forçant à faire face aux problèmes qui agitaient son pays. Ensuite, le fait qu'il ait renoncé aux plus prestigieux avantages du monde pour chercher Dieu dans la solitude et le sacrifice d'un monastère de trappistes.

» Permettez-nous d'être absolument franc, révérendissimes frères, nous nous intéressons à lui, il nous est cher. Mais nous ne pensons pas que ce fait infléchisse notre opinion. Nous prions pour qu'il n'en soit pas ainsi, car cette pensée nous a beaucoup préoccupé. Permettez-moi simplement de dire, terminai-je en passant du « nous » au « je », devant Notre Seigneur Jésus-Christ qui me jugera, que voici l'homme que nous devrions élire.

Il y eut bientôt un grand brouhaha. Soixante voix au moins se mêlèrent, mais ce fut LaTorre, avec sa profonde basse, qui se fit entendre. Parlant en latin, et de façon précipitée, il prit, pour la première fois depuis le début du conclave, une attitude partisane :

– Voilà qui est incroyable! Nous ne savons rien de ce Walsh. Nous demandons au seigneur cardinal comment on peut répondre de la compréhension doctrinale, et à plus forte raison de l'orthodoxie d'un tel homme, laïc ou moine? Le catholicisme du Nouveau Monde, même dans le clergé, semble faire assez bon marché des dogmes sacrés de notre Église.

Apparemment l'Esprit Saint, à Son habituelle façon indirecte, avait poussé LaTorre à intervenir contre ma proposition d'une manière qui la servait. Je vis Chelli tressaillir, et je remarquai également que deux cardinaux latino-américains, pourtant traditionalistes, semblaient aussi offensés que les trois ou quatre cardinaux américains que je pouvais observer de ma place. Je me levai lentement, pour laisser bien assimiler ces remarques méprisantes à l'égard du catholicisme du Nouveau Monde.

– Le moine Declan Walsh n'est pas un théologien, répondis-je, mais beaucoup de nos plus agissants pontifes n'étaient pas non plus théologiens. Nous avons même entendu dire, bien que nous n'y ajoutions nullement crédit, que certains membres de ce Sacré Collège ne sont pas non plus théologiens, du moins, bon théologiens. (Les traditionalistes eux-mêmes ne purent se retenir de sourire, à cette référence au penchant de LaTorre pour qualifier, en ne plaisantant qu'à demi, ses collègues d'hérétiques s'ils se trouvaient en désaccord avec lui.) Dans nos conversations avec Walsh, nous ne l'avons jamais entendu s'exprimer d'une manière hérétique. Nous doutons que le Saint-Office lui-même eût jamais pu le prendre en défaut. Ajoutons encore que nous ne voyons pas un désavantage dans le fait qu'il appartienne au Nouveau Monde. Il nous semble qu'au contraire il offre l'avantage de participer des deux mondes.

– On ne peut douter, intervint suavement notre frêle cardinal Chelli, que la proposition du cardinal Galeotti, pour radicale qu'elle soit, porte sur un homme extrêmement capable, dont l'Ancien Monde peut autant s'enorgueillir que le Nouveau. Dans sa haute charge séculière, il a œuvré pour Dieu et pour l'humanité. Aujourd'hui simple moine, il mène une sainte vie de prière. Mais il n'a pas pour autant titre au trône de saint Pierre. Le successeur de Pierre doit être revêtu de sainteté. Et cela, croyons-nous, ne peut être que le produit de *nombreuses années* de formation, de discipline personnelle, de sacrifice et de dure mise à l'épreuve. Seule une longue carrière dans le clergé peut attester de ces qualités. Comme le dit le proverbe napolitain : *Le capuchon ne fait pas le moine*. Nous doutons qu'un laïc, aussi compétent, aussi fervent soit-il, puisse revêtir cette sainteté personnelle aussi facilement qu'il revêt l'habit monacal.

Le cardinal Pritchett, évêque de Detroit, qui était intervenu bien des années auparavant en faveur de Declan, nous parla dans son latin aisé, superbement accentué, unique parmi les cardinaux américains :

– Avec la permission de monseigneur cardinal Chelli, j'interviendrai à ce sujet. Je crois que Walsh possède ces qualités de sainteté personnelle. J'ai fait sa connaissance ici, à Rome, et il a appartenu, par la suite, à mon archidiocèse. J'ai senti en lui précisément ces qualités dont monseigneur cardinal Chelli fait si légitimement état. J'en ai un jour parlé à Walsh, et il en a témoigné de la gêne. Cette gêne est une preuve de son humilité, et nous ne devons pas oublier que l'humilité est une des grandes vertus du chrétien, même si elle fait défaut (et Pritchett tourna directement son regard vers LaTorre) chez certains de nous, qui portons le chapeau rouge.

Un autre Américain, le cardinal Philip O'Brien de la Nouvelle-Orléans, intervint à son tour d'un ton agacé. Il parlait en anglais et Chelli traduisait en latin pour le conclave :

– Entendons-nous sur la sainteté! Devant l'injustice raciale, devant le meurtre sous la forme de l'avortement, Walsh n'a pas pris la tangente. (Je me souviens de l'expression parce que Chelli me demanda comment la traduire en latin. Je suggérai : *Sine fuco a fallaciis dicere.*) Il a pris position sans équivoque, tout comme il a agi courageusement pendant la guerre. Moi j'appelle ça la sainteté personnelle – de donner sa vie pour son prochain. Il me semble que l'on en parle dans les Écritures, et il est malheureux, poursuivit O'Brien en regardant Chelli, que l'un de vos derniers papes italiens, formé selon les traditions de discipline personnelle de votre Ancien Monde, et après une longue carrière de sacrifice et de mise à l'épreuve dans le clergé et la Curie, ait estimé devoir assister silencieusement, honteusement, au massacre de six millions de Juifs.

Chelli eut la sagesse de ne pas chercher à justifier le refus de Pie XII, pendant la guerre, de condamner les camps de la mort nazis. Le jeune cardinal préféra porter son attaque ailleurs :

– Est-ce que cet homme n'a pas été marié?

– Il le fut, répondis-je. Sa femme est morte il y a plus de deux ans.

– Combien d'enfants a-t-il? reprit Chelli d'un ton qu'il voulait candide.

– Tragiquement, sa femme n'a jamais pu porter ses enfants jusqu'à leur terme, sauf une fois, et cet enfant-là est mort à quelques semaines. Nous nous trouvions auprès d'elle en une de ces tristes occasions où elle avait prématurément perdu son fruit, et nous fûmes témoin de son chagrin. Peut-être Dieu avait-il un dessein en permettant qu'il lui échût tant de douleur.

– Pour nous, dit alors le patriarche Aspaturian, le fait que le candidat ne soit pas cardinal nous inquiète moins que sa nationalité. Ne peut-on craindre que la guerre froide ne se ranime, avec un pape américain? Comment ce Walsh serait-il un médiateur entre les Chinois, les Américains et les Russes?

– Monseigneur cardinal soulève ici un point grave...

La voix qui venait de s'élever était celle du cardinal Jozef Grodzins, archevêque de Varsovie. Parce qu'il comptait un grand-père juif, et bien qu'il fût prêtre catholique, les nazis avaient déporté Grodzins, et toute sa famille, à Auschwitz; ses parents et ses deux sœurs cadettes avaient fini dans les fours crématoires, mais Jozef avait survécu. Les communistes s'étaient montrés plus cléments : pour avoir critiqué le gouvernement, alors qu'il était déjà évêque, il avait fait cinq ans de prison et vécu ensuite pendant de nombreuses années virtuellement en résidence surveillée. Il était à présent atteint d'un cancer du poumon, et le régime s'estimait assez fort pour tolérer un homme si près de la mort. Mais, pour Grodzins, la mort était une vieille ennemie qu'il fallait combattre le plus longtemps possible, et cela faisait trois ans qu'il s'accrochait avec ténacité à la vie et à sa charge.

– ... un point grave, dit Grodzins, mais qui, de nos derniers papes, a pu être un médiateur du conflit Est-Ouest? Au cours de la crise des missiles cubains, en 1962, le pape Jean n'est pas resté inactif, mais il n'a joué qu'un petit rôle. Nous devons reconnaître avec tristesse que la voix de Paul s'est rarement fait entendre, et que ses successeurs n'ont pas survécu assez longtemps pour prendre une part prépondérante dans la question. Nous concédons qu'un Américain sur le trône de saint Pierre susciterait quelques problèmes, mais sa longue expérience séculière pourrait par ailleurs l'aider à en résoudre quelques-uns. En Pologne, nous voyons notre jeunesse s'éloigner de l'Église, non à cause du communisme mais parce qu'ils nous trouvent ennuyeux. Nous avons perdu la capacité de retenir assez longtemps leur attention pour importer à leurs yeux. En ce qui nous concerne, nos jours sont comptés, mais nous sommes prêt à tenter quelque chose de neuf, de spectaculaire. C'est un principe de prudence politique que de coopter les meilleurs de ceux qui sont à l'extérieur. Et nous nous remémorons aussi une formule souvent entendue au séminaire : contempler la Curie convaincrait même un athée de la nature divine de l'Église. Qui d'autre qu'un Dieu bienveillant et omnipotent aurait conservé en état de marche, pendant dix-neuf cents ans, une institution aussi déplorablement administrée. Nous avons survécu à près de vingt siècles d'incompétence professionnelle cléricale. Si nous avons vraiment une Église contre laquelle les portes de l'enfer ne prévaudront pas, nous survivrons à un quart de siècle sous le gouvernement d'un moine.

– Nous survivrons à jamais, mon révérendissime frère, glissa Chelli, mais il est écrit : *Tu ne tenteras pas le Seigneur ton Dieu.*

– Il est aussi écrit que le maître fut mécontent du serviteur qui avait gardé son talent enveloppé dans un linge, riposta Grodzins.

La discussion continua pendant plusieurs heures. Il devenait de plus en plus évident que ma suggestion avait fait jaillir une étincelle. Elle plaisait à certains des Européens du Nord et des Africains, à qui elle fournissait une échappatoire pour abandonner l'archevêque de Bologne au reste valeureux vaincu, bien qu'il fût évident que plusieurs de ses partisans étaient décidés à le soutenir jusqu'au bout. Les Américains, tant serviteurs qu'assimilés aux traditionalistes, et même les trois Irlandais, paraissaient perplexes. Pritchett et O'Brien, les deux plus intelligents Américains – il faut bien reconnaître que la hiérarchie catholique aux États-Unis n'est pas une pépinière de grands esprits – s'étaient immédiatement ralliés à la candidature de Walsh. Les partisans italiens de Fieschi et les quelques Espagnols qui faisaient cause commune avec eux restaient intraitables, mais on observait des vacillements parmi les latino-Américains.

Ecco, les traditionalistes reprirent les objections de LaTorre et de Chelli. Ces objections me paraissaient graves. LaTorre, Bisset et Greene se répandaient en attaques acerbes. En revanche, je détectai chez Chelli un curieux intérêt pour ma proposition. Il s'y opposait, mais à la différence de ses collègues, il était intrigué par la perspective d'une solution neuve à un vieux problème.

Et ce fut lui qui posa la question cruciale. Je vous avoue que je l'y avais amené. J'aurais pu inclure l'information dans le portrait que j'avais fait de Walsh, mais je l'avais délibérément omise en espérant que quelqu'un soulèverait la question, ce qui donnerait beaucoup plus de portée à la réponse. Comme je le subodorais, l'esprit bien organisé de Chelli avait remarqué la lacune. Et ce fut lui qui demanda :

– En admettant – pure hypothèse d'école – que le gouvernement d'un laïco-moine soit profitable à l'Église, pourquoi spécifiquement celui-ci? N'y en a-t-il pas des centaines, et même des milliers, aussi qualifiés que lui, sinon plus qualifiés?

– La question est juste, commençai-je, mais il est difficile d'y répondre étant donné qu'aucun de nous ne connaît tous les moines, pas plus d'ailleurs que tous les laïcs. Mais, essayons de répondre de façon plus positive à une question aussi importante. Pourquoi Walsh? Nous offrons deux groupes de raisons, le premier non dénué d'intérêt, le second, fondamental. Voyons ces raisons dans l'ordre. Pour commencer, il y a ses hautes capacités, démontrées dans le monde séculier, et son excellente connaissance de notre monde. Ses anciennes fonctions à la magistrature suprême des États-Unis et sa réputation sans tache lui confèrent une stature qu'ont peu de laïcs et même d'ecclésiastiques. Au surplus nous savons qu'il s'est battu, valeureusement et publiquement, alors qu'il n'avait, personnellement, rien à y gagner, sur une question fondamentale pour notre code moral, la question de l'avortement. Ajoutons encore qu'il a prouvé son amour de l'Église en prononçant ses vœux monastiques.

» Voyons maintenant le second groupe de raisons, à la fois plus importantes mais aussi plus difficiles à cerner. Walsh a été éffleuré par le doigt de Dieu. Il a été un héros, et un héros blessé dans sa chair, au cours de deux guerres, l'une contre le fascisme, l'autre contre le communisme. Il est né ici, il a grandi parmi nous, et il nous est revenu, homme dans la force de l'âge, en tant que représentant de son gouvernement. Puis il fut choisi pour la plus prestigieuse charge judiciaire du monde séculier. Et il a renoncé à celle-ci non pour s'acquérir de plus grands avantages matériels mais pour entrer dans un monastère, au service de Dieu. Ces événements ne nous paraissent pas fortuits. Nous y voyons le doigt de Dieu traçant lumineusement la forme d'un homme qui doit nous mener. Nous ne prétendons pas parler par inspiration. Mais si vous avez la charité d'écarter la possibilité que nous fussions sénile, nous ne pouvons pas vous offrir d'autre explication satisfaisante au fait que nous songeons à cet homme depuis la mort du Pontife, au fait que, parmi tant de candidats capables et saints, le conclave n'a pas réussi à élire un Pontife. Nous pensons que Dieu est en train de donner à son Église l'occasion de sauver des âmes.

» Très chers et révérendissimes frères, en examinant cette proposition, songeons aux paroles du prophète Joël :

Il se fera dans les derniers jours, dit le Seigneur, que je répandrai de mon Esprit sur toute chair. Alors leurs fils et leurs filles prophétiseront, les jeunes gens auront des visions et les vieillards des songes. Et moi, sur mes serviteurs et sur mes servantes, je répandrai de mon Esprit.

» Ce sont les paroles que cita saint Pierre dans son premier sermon après la Pentecôte. Il est bon de se les remémorer. L'Esprit de Dieu dans tous les hommes. Nous, les vieillards, pouvons bien rêver, mais si nous ne parvenons pas à atteindre notre peuple, les jeunes continueront à entretenir des visions de matérialisme, et non de l'évangile du Christ. Nous offrons à l'Église un homme qui, au-delà de nous tous, peut atteindre notre peuple.

Nous avions commencé à huit heures et il était près de midi lorsque je me tus. Nous avions discuté sans interruption, car l'heure du dernier vol direct Rome – États-Unis approchait rapidement. Je regardai Corragio. Il me sembla déceler quelque chose dans ses yeux. Saisissant la chance, je déclarai :

– Messeigneurs cardinaux, nous apprécierions l'opinion de l'archevêque de Bologne.

Corragio se leva lentement, d'un air las. Il promena ses regards sur la chapelle où les membres du conclave avaient fait silence, et dit simplement :

– *Eligam* Walsh.

En vérité, je vous le dis, s'il y eut un choix par inspiration dans le conclave, ce fut à ce moment. Chacun de nous savait ce que représentaient ces mots : pour l'archevêque, la troisième défaite dans sa courageuse vie; pour l'Église, le premier Pontife choisi hors du Sacré Collège des cardinaux depuis des siècles; pour Declan Walsh, le pouvoir et la souffrance.

– Nous entrevoyons maintes difficultés pratiques, intervint LaTorre. Il n'est pas évêque, ni même prêtre. Et nous ne savons pas s'il acceptera l'élection.

– Sous la compétente direction du cardinal camerlingue, ripostai-je, nous ne pourrons que suivre le protocole ecclésiastique. Les articles 88-90 de notre constitution prévoient ce que nous devons faire en cas d'élection d'un Pontife extérieur au conclave. La chose s'est déjà produite. Le cardinal doyen le consacre *immédiatement* évêque, s'il ne l'est pas encore. Quant à l'acceptation de Walsh, nous avons prévu un plan très simple. Une fois que nous aurons procédé au scrutin – je tenais à régler cette question avant d'aller plus loin – et si Walsh est élu, avec la permission du conclave je m'envolerai pour l'Amérique, et ce soir même je l'en informerai. Il est presque midi. Il y a un vol à quatorze heures trente. Nous vous communiquerons aussitôt sa réponse par téléphone, et nous reviendrons, avec lui ou seul. S'il accepte, notre problème cesse. S'il refuse, alors il nous faudra reprendre notre croix.

– Mais la question des bulletins qu'il faut brûler, comment la résoudre? demanda LaTorre, réduit à arguer sur des détails mineurs.

– Nous savons, repris-je, qu'aux termes de la constitution de Paul VI nous avons obligation de les brûler aussitôt après le scrutin, mais c'est seulement la tradition, et non la constitution sacrée, qui demande une fumée blanche si l'on a élu un Pontife, ou noire dans le cas contraire. Tradition n'est pas règle. Si Declan Walsh est choisi, nous brûlerons dûment les bulletins mais en leur ajoutant le produit chimique qui donne la fumée noire. S'il accepte, nous brûlerons à son arrivée du papier quelconque en lui ajoutant le produit chimique qui produit la fumée blanche. (Je n'avais pas pour rien étudié pendant de longues années le droit canonique.) Nous demandons à présent que l'on procède à un nouveau scrutin, avec le nom du moine Declan Patrick Walsh parmi les candidats.

– Nous n'avons pas pouvoir de nous y opposer, se résigna LaTorre, mais nous estimons de notre devoir de voter contre cette proposition, et nous adjurons tous ceux qui aiment l'Église de se rallier à notre opposition.

Tandis que mes frères se dirigeaient en file vers l'autel et déposaient leur bulletin plié dans le grand calice, il régnait une atmosphère d'expectative telle que nous n'en avions pas connu depuis notre entrée en conclave. J'avais l'impression que le vote s'éternisait. J'essayai vainement de compter les votes au fur et à mesure que les scrutateurs les annonçaient. Mais la tête me tournait, l'émotion était trop forte et mon corps trop fatigué. Je posai mon crayon, fermai mes yeux et mes oreilles, et priai encore et encore : « Que Votre volonté soit faite. »

Les bulletins étaient déjà enfilés en guirlande que j'étais sûrement le seul dans la chapelle à ignorer encore le résultat. Comme dans un rêve indécis, confus, j'entendis le scrutateur annoncer :

– Le révérendissime cardinal Fieschi, vingt-deux votes; le révérendissime cardinal Corragio, un vote; Sa Sainteté le patriarche Aspaturian, un vote (ce devait être celui de Fieschi : son honneur lui défendait de voter pour lui-même, il ne pouvait voter pour Corragio, et il se refusait à élire un moine qu'il considérait comme un laïc); le moine Declan Walsh, cinquante-huit votes. Il y a la majorité des deux tiers plus une voix pour l'élection du moine Declan Walsh. Le moine Declan Walsh est élu.

5.

Je me rendis dans ma cellule, revêtis un complet foncé emprunté à un des aides de l'architecte et, dix minutes plus tard, une voiture m'emmenait à l'aéroport de Fiumicino. J'y pris le vol T.W.A. sans escale pour New York d'où, avec une attente de deux heures, je devais prendre un autre vol pour la Caroline du Sud. En première classe, on peut pratiquement toujours embarquer à l'improviste.

Le 747 décollait à peine que déjà l'hôtesse me proposait une boisson. Je refusai, mais demandai un déjeuner léger. En raison de ce qu'on nous avait servi depuis trois semaines, je m'accordai des coquilles Saint-Jacques arrosées d'une demi-bouteille de pouilly-fuissé (les compagnies aériennes américaines ignorent les vins italiens), un joli châteaubriant *al sangue* – ce que vous appelez « saignant » – et une *insalata mista,* accompagnés d'un bon saint-julien. Mon repas terminé, je pris un cachet soporifique et demandai qu'on ne me dérangeât plus jusqu'à New York.

Notre appareil ayant pris du retard à cause des vents dans les parages de la Nouvelle-Écosse, mon attente du vol pour la Caroline du Sud en fut écourtée. A peine installé dans mon fauteuil, je me remis à sommeiller et me réveillai à Charleston, alors que l'appareil roulait déjà sur la piste d'atterrissage, devant une rangée de gigantesques avions cargos.

Dehors, c'était le crépuscule. Au sortir de l'appareil climatisé, l'air ambiant me claqua le visage comme un linge mouillé. Il était peut-être encore plus *umido.* Heureusement, l'abbé du monastère avait envoyé à ma rencontre un moine à l'imposante stature, fra Stefano, non, je me trompe, Steven. Nous sortîmes de la lépreuse aérogare et fîmes quelques pas dans l'atmosphère épaisse, fra Steven portant ma mallette tel un fétu. J'avais peine à retrouver mon souffle sous cette chape d'air. Celui qui a connu les étés de Rome et de Washington n'ignore pas ce qu'est un climat cruel, mais là-bas, l'air était épouvantable.

Fra Steven n'en semblait nullement affecté, et je le suivis docilement jusqu'à la machine de l'abbé. Une fois que nous fûmes installés dans ce petit paquebot – car, comment décrire autrement une automobile américaine? – il enclencha une série de touches et un air bienheureusement réfrigéré ranima en moi l'espoir de retrouver ma respiration.

Le saint frère lança son paquebot; contrairement aux Italiens, il s'arrêtait aux feux rouges et attendait patiemment le vert. Nous nous engageâmes bientôt sur une large *autostrada*, en direction du nord. Quelques kilomètres plus loin nous obliquâmes sur une route plus étroite et assez vide.

La nuit était tombée. Au bout d'une trentaine de kilomètres, nous tournâmes sur une petite route et, quelques kilomètres plus loin, nous en prîmes encore une autre. Dans la clarté de la pleine lune qui venait de se lever, nous nous engageâmes enfin dans une voie bordée d'arbres barbus, chênes et cyprès balançant des guirlandes argentées de mousse espagnole, comme ils l'appellent là-bas. La chaussée devint chemin de terre, et nous arrivâmes devant un large portail. A gauche, j'aperçus par une échancrure du terrain un large fleuve scintillant sous la lune.

Fra Steven m'invita à descendre de voiture et souleva ma mallette entre deux doigts. Nous nous trouvions sur une butte, ou plutôt un escarpement, dominant un large fleuve. Il s'élevait un bruit incroyable, non de l'homme mais de la nature. Un million de grillons grésillaient et des centaines de grenouilles coassaient – je pensais à leurs cuisses charnues; de temps en temps montait un cri d'oiseau, et d'invisibles insectes vrombissaient à mes oreilles.

Fra Steven tira vigoureusement la corde d'une cloche suspendue au sommet d'un poteau, à plus de trois mètres du sol. Son tintement était assourdissant. Quelques instants plus tard, précédé de deux moines portant des torches, arrivait pour nous accueillir le révérendissime père abbé, dans l'habit blanc et noir de son ordre. Il tint à baiser mon anneau, chose à laquelle les Américains ne m'ont pas accoutumé. (Au Vatican, le bas clergé passe ainsi plié en deux une bonne partie de son temps.) Puis il me mena dans son bureau.

En chemin, il me raconta qu'avant votre guerre d'Indépendance le terrain qu'ils occupaient était une rizière. Pour abriter leur communauté, les moines avaient construit de leurs mains un groupe de bâtiments sans étage. Il comprenait quarante cellules individuelles, dont vingt-huit seulement étaient alors occupées. Il y avait donc, m'assura le révérendissime père abbé, amplement place pour me loger.

En entrant dans son bureau, je le vis enfin en pleine lumière. Ses traits burinés me parurent familiers, mais j'étais si fatigué que je ne m'y arrêtai pas. Il dut remarquer ma fatigue, car il me demanda si j'aimerais d'abord me rafraîchir et manger quelque chose. Je répondis que mon affaire avec Walsh était trop pressante. Son regard doux mais pénétrant m'apprit qu'il savait exactement l'objet de ma visite. Et je ne sais si ce fut dans ses yeux ou dans ma propre conscience que je crus aussi lire un reproche.

Il m'introduisit dans une haute chapelle. Un moine encapuchonné entra silencieusement et déposa sur l'accoudoir d'une stalle une bouteille de verdicchio frappé, deux verres glacés et une assiette de gâteaux secs.

– Je vais chercher frère Declan, me prévint le père abbé, qui ajouta avec douceur : Lorsqu'il est venu chez nous, il y a un peu plus de deux ans, c'était une âme gravement tourmentée. Aujourd'hui, c'est un homme régénéré. Mais soyez miséricordieux, Éminence. Qui sait si on pourra encore longtemps le briser et le réparer?

Je répondis d'un signe de tête, sans autrement m'engager. Souvent notre Dieu réserve Sa miséricorde pour l'autre monde, et il arrive qu'Il nous torture ici-bas bien plus cruellement que les hommes. Il me déplaisait d'être l'instrument de cette torture. Je suis sûr que l'abbé me comprenait et m'absolvait. J'entendis sa robe de laine bruisser contre l'herbe mouillée tandis qu'il s'éloignait pour aller chercher Declan. Je n'avais pas terminé mon premier verre de verdicchio qu'il pénétrait dans la chapelle, vêtu du froc foncé et bourru de son ordre. Sous l'effet de la fatigue, je revis pendant quelques secondes un Declan plus jeune, Kate à son bras, assistant à une réception diplomatique. Ils formaient un couple extraordinaire. Elle était grande, bien faite, un peu mince selon nos goûts italiens, mais épanouie selon celui des Américains. Ses longs cheveux avaient la couleur du soave blanc. Declan la dépassait d'une tête et, avec son épaisse barbe aux reflets roux, il faisait une figure imposante qui rehaussait la beauté de Kate.

Et voici qu'il était là devant moi, dans la chapelle. D'une certaine façon, seules les teintes avaient changé en lui avec l'âge : les cheveux plus argentés sur les tempes, la barbe plus grisonnante, plus désordonnée aussi. Des plaques brunes subsistaient dans le poil blanc, d'où émergeait ici ou là un fil roux. Les autres changements étaient moins extérieurs, mais évidents : dans ses yeux, une nouvelle profondeur de sentiment, non, le mot est inexact, plutôt de souffrance, teintée d'une compréhension tout intime. Il me découvrit brusquement.

– Ugo! Vous, ici! Je pensais que vous étiez renfermé en conclave avec les autres princes de l'Église, à enfanter un pape, dit-il en me libérant de son *abraccio* d'ours.

Au moins subsistait-il quelque chose de son ancien humour.

– Vous avez raison, répondis-je, j'y étais. (J'avais soigneusement considéré la façon dont j'aborderais Declan. Après y avoir consacré des heures de réflexions nocturnes, durant le conclave, j'avais décidé d'aller droit au fait. Ce n'était pas la manière italienne, mais un Américain pouvait s'impatienter de détours esthétiquement agréables.) Nous avons élu un nouveau Pontife. Le conclave a choisi Declan Walsh comme évêque de Rome.

Il recula comme si je l'avais frappé. Pendant un instant il resta raidement silencieux, puis il rit, mais sans trace d'humour.

– Vous plaisantez, *il mio vecchio,* mais vous n'êtes pas drôle.

– Je ne plaisante pas, *caro,* Le Sacré Collège vous a élu pour être le successeur de saint Pierre, le Vicaire du Christ.

Declan planta ses yeux dans les miens. Son teint boucané au-dessus de sa barbe vira au gris, et sa cicatrice ressortit comme une blessure fraîche. Il ne me croyait pas totalement, mais il ne doutait pas non plus totalement.

– Et voulez-vous me dire comment s'est produit ce miracle? demanda-t-il âprement. Trois rois mages sur leurs chameaux qui sont apparus place Saint-Pierre, peut-être?

– Sous peine d'excommunication immédiate et automatique, nul participant au conclave ne peut révéler quoi que ce soit de ce qui s'y est passé sans une permission expresse du nouveau Pontife. *Ecco*, il vous faut accepter avant de savoir, dis-je en affectant un ton léger qui démentait mon cœur.

– Vous ne plaisantez pas.

(Cette fois, Declan ne m'interrogeait plus mais constatait une évidence.)

– Non, je ne plaisante pas... commençai-je.

Mais Declan ne m'écoutait plus. Il se leva et fit le tour de la chapelle avant d'ouvrir la porte sur la lune et le fleuve. Pendant quelques minutes, nous restâmes à écouter la discordante symphonie des grenouilles, des oiseaux et des insectes. Et puis Declan nous ramena à la réalité.

– Je contemple ce qui est devenu mon monde, donc cela n'est pas un rêve; ce n'est qu'un cauchemar vivant. Il est des moments, soupira-t-il, où Kate me manque tellement. Elle aurait dit ce qu'il fallait pour m'éclaircir les idées.

(Il avait raison. Je n'ai jamais connu de femme plus directe qu'elle, et elle avait l'esprit encore plus aiguisé que la langue.)

Declan revint vers ma stalle. Il se tenait raide, imposant, devant moi, mais ce fut d'un ton doux qu'il me parla :

– Ugo, je sais que ma formule n'est pas neuve, mais je ne suis pas digne. Il y a dans ma vie des péchés dont vous ignorez tout. La mort de Kate fut le résultat de plusieurs d'entre eux.

– Vous avez failli, dis-je en tournant la tête vers le rideau rouge du confessionnal, mais le premier Vicaire, lui aussi, avait failli, et infiniment plus gravement que vous. La perfection, c'est ce vers quoi nous tendons, non ce que nous atteignons en ce monde. Je crois, je crois sincèrement devant Notre Seigneur Jésus-Christ qui me juge, dis-je en soutenant le regard de Declan, que vous êtes celui qui doit conduire l'Église.

Et lui saisissant la main, je la baisai. Il la retira comme sous une brûlure. Je sentais la chapelle irradiée de douleur.

– Concevez-vous bien ce que vous me demandez de faire? dit-il.

– Oui. Je vous demande d'accepter la plus terrifiante responsabilité qu'il soit donné à un être humain de revêtir, et qui ne peut cesser qu'avec la mort.

– Et personne avec qui partager cette responsabilité.

– Personne sauf Dieu. Il y pourvoira. Ayez foi en Sa miséricorde. Si vous acceptez le pouvoir de lier et de délier dans le ciel comme sur la terre, soyez sûr qu'Il vous donnera la grâce de décider sagement.

Il me regarda d'un air railleur, comme s'il allait ajouter quelque chose à ce que je venais de dire. Mais il s'en abstint, et j'en fus soulagé. J'aurais eu peine à justifier maintes décisions papales, passées et présentes. Mais, déjà, il revenait à la charge, plus, me semblait-il, contre lui-même que contre moi :

– Ugo, comment pouvez-vous me demander cela?

Jamais je n'avais entendu ce ton implorant chez Declan le Marine, le diplomate, le juge. Peut-être s'était-il imprégné de quelque humilité au contact de ses humbles et laborieux frères trappistes.

– C'est Dieu qui vous le demande, *caro,* et non monsignor Galeotti.

– Soit, il se peut. Mais je viens de passer deux ans ici dans la pénitence. J'ai sacrifié Kate à mon ambition. J'ai dû en sacrifier d'autres en Corée, ou dans ma charge à la Cour, et peut-être même par mes ouvrages universitaires. Je me suis vu tel que j'étais. J'abhorre ce dont je comprends maintenant que c'était une ambition forcenée, une impitoyable propension à me servir d'autrui. Voilà une attitude qui ne s'accorde pas avec le christianisme. J'ai prié pour être pardonné, et je me suis soustrait à la tentation.

» Je ne crois pas que vous puissiez comprendre, poursuivit-il en se levant et en marchant de long en large. Une partie de moi-même est assoiffée du pouvoir sur les autres comme un alcoolique est assoiffé d'alcool. Vous ne concevez pas la griserie, la satisfaction quasi sexuelle qu'on éprouve en désignant un point sur la carte où l'on va lancer un millier d'hommes à l'assaut sous un déluge d'artillerie et de bombes, ou en donnant un ordre et en regardant l'homme obéir, tout en sachant que le salaire de son obéissance sera probablement une douloureuse mort. Imaginez la satisfaction personnelle qu'on éprouve à avoir l'oreille du Président, ou à présider une Cour qui façonne le droit et la politique d'une grande nation. Et tout cela n'est *rien,* comparé à l'influence potentielle de la papauté.

» Ugo, s'écria-t-il en interrompant sa marche, est-ce que vous ne comprenez pas ce que je suis en train de vous dire? Perverti ou non, j'aimais être en Corée. Je me délectais du jeu d'intrigues à la Maison-Blanche, parmi les diplomates – et, Dieu sait, même dans l'Université. A la Cour, parvenir à enlever une majorité en retournant un ou deux juges originellement en désaccord avec moi, voilà ce qui me comblait, ou du moins le croyais-je.

– Pour moi, intervins-je, l'ambition n'est pas la question importante.

– Alors, quelle est la question importante? demanda-t-il, d'un air décidé à prendre de toute façon le contrepied de ma réponse.

– *Caro,* vous souvenez-vous du matin de la mort de Kate? Vous avez défié Dieu de vous combattre ouvertement, comme Il avait lutté avec Jacob. Et puis, dans la semaine, vous me demandiez d'user de l'influence que je pouvais posséder pour vous faire entrer dans un monastère.

– Pensez-vous que je puisse avoir oublié?

– Non, je vous le rappelle simplement parce que, pour moi, la question critique est de savoir si vous avez à présent pardonné à Dieu, si vous L'avez accepté.

– Ugo, il est difficile...

– Je ne veux pas savoir la réponse, l'interrompis-je, je n'y ai aucun droit.

– Si. Vous méritez une réponse. Je ne sais si je parviendrai à la formuler clairement, mais je vais m'y efforcer. Je n'ai jamais été un homme de grande foi. Cela, vous l'avez plus que fortement soupçonné. J'ai même entretenu de sérieux doutes sur l'existence de Dieu, la divinité du Christ et pratiquement tout ce qui fait le dogme. Mais j'accepte totalement, sans aucune réserve, les enseignements sociaux et moraux du christianisme. Il n'existe pas, à ma connaissance, d'autre ensemble de règles que les hommes puissent suivre pour mener une vie pacifique, et empreinte, jusqu'à un certain point, d'une véritable justice. Là-dessus, ma foi n'a jamais vacillé.

– Vous avez toujours trop intellectualisé. Je vous en ai déjà fait le reproche.

– C'est vrai, et d'autres me l'ont fait aussi. C'est peut-être que je *sens,* lorsqu'il s'agit de l'éthique sociale chrétienne, alors que, s'agissant de questions théologiques abstraites, je *pense*. Ici, la théologie est d'une autre sorte. Vous avez vu l'abbé?

Et soudain, tout me revint à l'esprit : si le visage de l'abbé m'était connu, c'est parce qu'il s'agissait de Roger Pryce, le poète mystique. Declan m'expliqua que l'abbé l'avait initié à ses formes personnelles de méditation. Il en parlait avec respect et confiance, mais sans fougue, ce qui me rassurait. J'étais plus sceptique que lui. Ce sont là des modes non sans mérites pour certains, mais qui n'opéreraient jamais chez lui. Être simplement passif était déjà une expérience étrange pour Declan. Il était fondamentalement un homme d'action et de froide raison. Certes, j'admirais chez lui l'esprit brillant, l'auteur lumineux. Mais, quel que soit le support philosophique de ses écrits, la vision d'un monde meilleur ici-bas qui les sous-tendait, Declan n'était pas un philosophe, et certainement pas un mystique. Sauf juste après la mort de Kate, il avait toujours exsudé l'énergie, en homme qui s'efforce de transformer la réalité plutôt que de la transcender et, à cet égard, il n'avait pas changé.

Nous conversâmes pendant une dizaine de minutes, et puis il revint à ma question :

– Il y a une trêve entre Dieu et moi; elle est chancelante, mais elle existe. Vous m'avez dit qu'on ne doit pas condamner un étranger et que Dieu peut avoir besoin d'être pardonné. J'ai élaboré à partir de là toute une théologie. Je vous en ferai grâce. Mais l'essentiel, c'est que j'en suis arrivé à croire que nous avions tous deux raison ce matin-là. Dieu ne veut pas que nous rampions devant Lui, et Il peut avoir besoin de notre compréhension et de notre pardon. Il m'est plus facile de Lui pardonner que de me pardonner à moi-même.

– *Bene,* il en va souvent ainsi, l'approuvai-je. Nous nous estimons parfois si haut que nous exigeons plus de notre propre humanité que de la divinité de Dieu. Mais vous croyez maintenant avoir trouvé Dieu?

– Je ne suis pas sûr de ce que je crois, mais vous, vous croyez qu'Il m'a trouvé. Ugo, vous m'offrez un choix terrifiant. Si je refuse, je rejette ce que vous croyez être un appel divin. Si j'accepte, je risque de me détruire, dans ce monde et dans l'autre – s'il y en a vraiment un autre.

Quelque chose, au moins, demeurait inchangé chez Declan : à aucun moment il n'évoqua le danger qu'il ne menât pas l'Église dans la bonne direction. Ses seules craintes portaient sur l'effet que pourraient avoir sur lui ses devoirs, et, à travers lui, sur les autres.

– Il est vrai, convins-je, que vous êtes devant un choix terrifiant. Dieu ne vous demande pas de risquer votre vie pour autrui. Vous l'avez déjà fait, et maintes fois. Il vous demande infiniment plus : de risquer votre âme pour les autres.

Declan s'était progressivement calmé. Il me semblait n'être pas loin de se résigner à accepter son sort. Mais, juste au moment où je croyais la partie gagnée, il repartit vers la porte ouverte. Et sa voix s'éleva, de nouveau révoltée :

– Pourquoi moi, Ugo? Pourquoi moi?

– Pour l'amour de Dieu, *caro.*

– Pour l'amour de Dieu? Mais, pour l'amour de Dieu, pourquoi moi?

– Pourquoi vous? Pourquoi l'un de nous? Pourquoi sommes-nous nés? Dieu marque la chute du passereau et les jours de notre vie. Pourquoi ai-je voué ma vie à l'Église, renonçant à l'amour d'une femme qui m'aurait réconforté, aux enfants qui m'auraient consolé de mes échecs? Pourquoi? Pour l'amour de Dieu. Mais Il ne m'a jamais parlé directement, et Il n'a pas toujours écouté mes prières. S'il les a écoutées, Il y a répondu de façon très sélective. Mais Il a parlé en moi.

» Pourquoi *vous* pour être *il Papa?* Mais ne vous êtes-vous pas mille fois demandé pourquoi vous en tant que héros de guerre, pourquoi vous en tant que président de la Cour suprême? (Je ne sentais plus la fatigue et j'étais passé de l'anglais à l'italien.) Vous m'avez raconté qu'il y avait eu coïncidence : le Président devait beaucoup à un astucieux sénateur, et ce sénateur craignait de n'être pas réélu. Coïncidence, ou la main de Dieu? *Caro,* vous possédez d'immenses dons, peut-être du génie. Cela, c'est Dieu qui vous l'a donné. Encore et encore, Il vous effleure de Son doigt. Là est le « pourquoi vous » de la Corée, le « pourquoi vous » de la Cour suprême, le « pourquoi vous » de la papauté. Dieu vous a donné la compétence et Il vous a donné Son occasion. Il exige un prix, *Son* prix. Vous devez, nous devons tous, le payer. On n'échappe pas à Dieu ni à Sa justice.

– J'ai payé pour ce que les gens appellent ma compétence et mon succès, dit Declan.

– Je connais certains de vos chagrins, et votre sentiment de culpabilité – que j'estime, pour ma part, exagéré. Pourquoi vous?

répétai-je. Qui connaît la pensée du Seigneur? D'où lui est venu le conseil? L'amour de Dieu est un pesant fardeau. C'est une croix. Vous devez la porter.

– Vous savez être éloquent, dit Declan d'un ton radouci, mais c'est que vous êtes italien. Vous autres, vous apprenez l'art oratoire à la place du baseball.

Après s'être interrompu pendant une bonne minute, il reprit :

– Combien de temps ai-je pour me décider?

– Très peu.

– Quel délai représente « très peu »?

– J'espère que vous aurez décidé ce soir, et que nous nous envolerons pour Rome demain matin. Il y a un 747 de la T.W.A. qui part de New York à neuf heures quarante. J'ai deux réservations en première classe, et un second passeport diplomatique à votre intention. L'avion pour New York décolle d'ici à six heures cinquante.

– Je vois que vous avez tout prévu. M'est-il permis de prendre conseil auprès de quelqu'un?

– Mon serment de secret absolu ne vous engage pas, mais je préférerais que vous n'en parliez à personne.

– Même pas à l'abbé?

– Même à lui, mais la décision vous appartient.

– Très bien, dit-il, à personne.

Dans la profonde nuit, un éclair zébra le ciel au-dessus d'un petit bois, à quelques kilomètres sur l'autre rive du fleuve.

– Le doigt de Dieu, dis-je, sans démêler si j'étais mélodramatique ou facétieusement sacrilège.

Et là, protégés de la grosse pluie d'orage par le porche, nous contemplâmes le majestueux spectacle.

– J'ai toujours aimé les orages des pays du Sud, remarqua songeusement Declan. Je me souviens qu'à trois ou quatre ans le fracas d'un orage sur Rome me réveilla, et je me mis à pleurer. Ma mère m'emmena sur la terrasse pour me montrer combien pouvait être beau un orage nocturne.

Je restai muet, me remémorant sa mère et, malheureusement, son père, un brillant diplomate devenu alcoolique. J'étais alors un jeune prêtre attaché à la Secrétairerie d'État. Je me souvenais des nuits où nous battions les dégoûtantes ruelles du Trastevere et du Borgo pour le retrouver – généralement ivre mort. Nous devions le traîner jusqu'à son automobile. Nous étions très liés, alors, tous les trois, trop liés même. Je vous l'avoue, elle fut la seule femme pour qui j'aie songé à abandonner la prêtrise. Mais Dieu n'a pas permis que je m'égare loin dans la tentation, car elle me fit comprendre de maintes façons subtiles qu'elle ne quitterait jamais son mari. Heureusement, les *Fascisti* désapprouvant certains de mes propos et de mes actes, le pape Pie XI m'avait envoyé en Turquie pour me protéger physiquement de leurs méfaits. Je fus interrompu dans mes pensées par la voie de Declan :

– L'orage s'éloigne. Je vais marcher un moment.

Une heure plus tard, alors que je lisais mon bréviaire non sans somnoler un peu, la porte de la chapelle s'ouvrit brusquement et Declan entra d'un pas ferme. Rejetant en arrière son capuchon mouillé, il déclara d'une voix légèrement voilée :

– Je crois que la formule est *« accepto »*, mais après votre discours je préfère dire : « Mon âme exalte le Seigneur. »

– Dieu vous aide, murmurai-je, et, m'agenouillant, je lui baisai la main.

– *Via, via,* répondit-il en italien, pas de ça entre nous.

L'aube n'était pas levée que de nouveau nous roulions sur l'*autostrada,* dans le paquebot de fra Steven. Declan était en pantalon, avec une vieille veste de sport et une cravate en laquelle je reconnaissais un cadeau de Kate. Tout cela flottait. La vie à la Trappe affine miraculeusement la silhouette.

Les avions décollèrent exactement à l'heure. Une fois dans les airs, je demandai un solide petit déjeuner « à l'américaine », après quoi je m'endormis sans le secours d'un cachet. Declan se contenta de café. Tout en sombrant dans le sommeil, je le vis qui tantôt lisait le *New York Times* et tantôt regardait par le hublot. Je me demandais quelles pouvaient être ses pensées, mais j'étais trop fatigué pour faire l'effort de parler, et lui-même ne semblait pas souhaiter se confier.

Je me réveillai lorsque l'appareil se posa à Paris, et je passai le temps jusqu'à Rome en dînant. Declan ne mangea que du bout des dents. Comme nous voyagions dans le sens opposé à la course du soleil, nous débarquâmes à Rome à vingt-trois heures trente. Ma pendule intérieure me semblait définitivement détraquée. Walsh empoigna son petit sac de voyage et disparut dans les lavabos; par la suite, au Vatican, il devait se révéler qu'en dehors de quelques livres qui arrivèrent plus tard, ce sac contenait tout ce qu'il possédait. Lorsqu'il revint, il portait le froc à capuche des trappistes. Un petit groupe du service d'ordre du Vatican, en civil, nous mena rapidement vers une conduite intérieure Fiat. Deux des policiers montèrent avec nous; trois autres s'enfournèrent dans la voiture qui nous précédait. L'homme assis à côté du chauffeur était armé d'une mitraillette.

Laissant derrière nous les lumières de l'aéroport, nous nous engageâmes sur l'*autostrada* 201 en direction de Rome. Le chauffeur de la police vaticane, en bon Italien, ne connaissait qu'une façon de conduire : le pied au plancher. Sur l'*autostrada,* nous fîmes du cent soixante à l'heure. Étant donné l'heure tardive, il y avait peu de circulation, même lorsque nous tournâmes dans la via della Magliana qui, à travers une banlieue résidentielle, conduit jusqu'aux faubourgs du quartier Portuense. Le chauffeur ralentit à quatre-vingt-dix kilomètres à l'heure pour négocier le piazzale della Radio et le tunnel sous la voie ferrée jusqu'au large viale Trastevere. Nous reprîmes alors de la vitesse, laissant allégrement derrière nous feux jaunes et feux rouges. *Allora,* comme nous foncions vers le pont Garibaldi, Declan déclara au chauffeur :

– Nous aimerions couper par le Trastevere et monter jusqu'à la place Garibaldi sur le Janicule.

– C'est impossible, *Padre*. Nous devons suivre un itinéraire strict, et d'ailleurs je ne crois pas pouvoir trouver de nuit mon chemin dans le Trastevere.

– Voilà que ça commence, soupira Walsh. Ugo, je ne suis pas encore prisonnier. Dites à cet homme de stopper, je vais conduire. Sinon, nous descendons et nous prenons un taxi.

Il s'exprimait en italien; l'homme à la mitraillette informa par radio la voiture de tête, et nous stoppâmes dans un grand crissement de pneus sur la place Sidney Sonnino. Declan descendit et changea de place avec le chauffeur. Nous repartîmes en trombe, laissant une traînée de caoutchouc brûlé et de gaz d'échappement, virâmes illégalement à gauche derrière une rangée d'autocars garés et nous engageâmes dans une ruelle tortueuse qui sinuait parallèlement aux courbes du fleuve. A haute vitesse, mais avec une grande habileté, Declan négocia les labyrinthiques rues du Trastevere, manquant de peu quelques piétons éméchés qui sortaient d'une *taverna*. Nous débouchâmes brusquement sur la délicieuse petite place Trilussa, tournâmes à gauche puis tout à fait à droite, passâmes comme une flèche derrière la fontaine et surgîmes à l'antique Porta Settimiana où la rue s'élargit pour devenir la via Garibaldi. Brusquement, Declan se rangea sur le bas-côté et se retourna vers moi :

– Vous vous souvenez de la Vespa de Kate?

Assurément, je m'en souvenais. Les gens du Département d'État américain s'inquiétaient suffisamment de voir un envoyé extraordinaire et sa femme circuler à Vespa. Ils craignaient les retombées néfastes d'un accident de la circulation. Ils imaginaient déjà la photo en première page de *l'Unita*, le quotidien communiste. Mais Declan – à moins que ce ne soit Kate – soutenait que c'était la seule façon intelligente de naviguer au milieu de la circulation romaine.

– Vous vous souvenez de ce qui est arrivé contre ce mur? reprit Declan avec un sourire.

– Je m'en souviens.

Tandis que Declan restait silencieux, je revoyais Kate sur sa Vespa, véritable déesse viking avec ses cheveux blonds volant au vent, sous le casque que Declan lui imposait de porter. A cet endroit précis, devant l'ancienne école de la police, une voiture surgissant en trombe l'avait évitée de justesse. Le conducteur lui avait crié quelque chose et Kate, le menaçant du poing, l'avait traité de *« Stufa di gas! »* Cela signifie simplement « réchaud à gaz », mais elle trouvait que cela sonnait comme une grossièreté. Le pauvre homme ne put en croire ses oreilles. Il se pencha par la portière pour regarder Kate et sa voiture vint riper – est-ce bien le mot exact? – contre le mur de l'école. Kate trouvait que c'était un effet de la justice divine, mais Declan, inquiet, se porta vers la voiture du pauvre diable, pour voir s'il n'était pas blessé. L'homme était simplement un peu étourdi, et il ne savait que répéter : *« Signore, stufa di gas? »*

J'appelai les voitures du geste. Elles arrivèrent en rugissant.

Declan prit de nouveau place près de moi, à l'arrière. Nous poursuivîmes notre sinueuse route sur la crête de la colline, passant devant le phare, étrangement incongru en ce lieu, devant l'hôpital des enfants et le Collège nord-américain, puis nous tournâmes pour redescendre. Le feu rouge au pied de la colline nous vit passer sans ralentir et, après un nouveau virage illégal à gauche, nous nous engouffrâmes dans le tunnel. A l'autre bout, juste après le palais du Saint-Office – l'ancien *palazzo* de l'Inquisition sur lequel régnait à présent LaTorre – nous pénétrâmes dans le Vatican par une petite porte, afin d'éviter la place Saint-Pierre et les portes principales, certainement encombrées de journalistes et de curieux.

Dans la cité du Vatican, les automobiles contournèrent la gare, franchirent le palais du gouvernorat, empruntèrent le passage sous les musées et s'arrêtèrent dans la cour Saint-Damase. Là, de serviables mains s'empressèrent de nous aider à descendre, recueillirent nos deux modestes bagages, nous poussèrent dans l'ascenseur et nous installèrent finalement dans le vaste appartement du cardinal Alfredo Monteferro, qui se trouvait inoccupé.

Allora, nous y passâmes ce qui restait de la nuit. A sept heures on nous apporta le petit déjeuner dans la salle à manger du cardinal. Et, à sept heures trente, deux archevêques nous escortèrent dans le labyrinthe du palais pontifical jusqu'à la Sala Regia, la « salle royale » ornée de fresques Renaissance qui jouxte la Sixtine. C'est là que Declan devait rester à attendre, tandis que la suite du prince Chigi m'escortait jusqu'au conclave.

Allora, une fois entré, je me rendis aussitôt dans les appartements Borgia, où je trouvai LaTorre. Il m'accueillit maussadement – ce qui m'étonna, car nous étions très amis en dépit de nos fréquentes divergences – mais il accepta de réunir le Collège en séance à huit heures.

– Messeigneurs cardinaux, déclara-t-il lorsque nous fûmes assemblés dans la Sixtine, Declan Patrick Walsh, ancien juge séculier et présentement moine, a indiqué qu'il pourrait accepter l'élection.

– Veuillez m'excuser, monseigneur cardinal, intervint Pritchett dans son si beau latin, je crois que votre syntaxe est incorrecte. Le mode qui convient est l'indicatif. Nous *avons* élu Declan Walsh évêque de Rome, et il *a* accepté son élection. *Habemus Papam.* (C'est la formule historique : « Nous avons un pape. »)

– Monseigneur cardinal Pritchett n'ignore pas, riposta LaTorre, que règne dans ce conclave le sentiment que notre action de samedi fut précipitée, mus que nous étions par la fatigue et le désespoir plus que par l'Esprit Saint. Nous sommes certains que monseigneur cardinal connaît ce sentiment puisqu'il s'est très éloquemment élevé contre lui. C'est pourquoi nous proposons...

– Très révérends frères, l'interrompis-je de ma voix la plus forte, *Habemus Papam.* Celui qui met simplement en doute l'autorité d'un nouveau Pontife entre le moment de son élection et celui de son couronnement encourt automatiquement l'excommunication. Ce qui a été fait l'a été au nom de Notre Seigneur Jésus-Christ qui nous juge. Tel est le serment qu'ont prononcé samedi cinquante-huit d'entre nous. Nous sommes astreints à respecter ce serment et l'autorité du nouveau Pontife aussi strictement que nos vœux à notre sainte Mère l'Église. Ayant eu le privilège personnel de proposer son nom au conclave, nous sollicitons le privilège spécial de l'introduire dans cette chapelle.

– Monseigneur cardinal, révérendissime doyen, dit alors Chelli, nous apprécions tous vos efforts pour vous assurer que la volonté du conclave et les injonctions de l'Esprit Saint sont exécutées. Il nous semble que tel est au moins le cas pour la volonté du conclave. Nous sommes certains que le cardinal doyen accordera au cardinal Galeotti le privilège spécial qu'il sollicite. Nous sommes également certain que le cardinal doyen tiendra à se joindre au cardinal Galeotti pour escorter le nouveau Pontife ici, où il va recevoir notre hommage d'obédience. En notre qualité de plus jeune cardinal-diacre, nous sollicitons le privilège de convoquer dans la chapelle le secrétaire du conclave et les autres ecclésiastiques qui seront témoins aux cérémonies d'acceptation et d'adoration.

LaTorre jetait autour de lui des regards de taureau attendant dans l'arène le « coup de grâce ».

– Si le conclave le veut, dit-il, ainsi ferons-nous.

– *Allora*, la grande porte de la Sala Regia s'ouvrit, et LaTorre et moi invitâmes Declan à se placer entre nous pour pénétrer dans la chapelle Sixtine. Arrivés devant les trônes des cardinaux, LaTorre demanda en latin :

– *Acceptasne electionem de te canonice factam in Summum Pontificem?* (Acceptez-vous votre élection, faite selon les règles canoniques, au Souverain Pontificat?)

– *Accepto*, répondit Declan.

LaTorre parut déconcerté que le nouveau Pontife comprît même un minimum de latin, mais il se ressaisit et lui demanda de quel nom il désirait être appelé.

– Nous serons appelé François, répondit Declan, parlant cette fois en italien.

Jamais un Pontife n'avait porté ce nom. Declan Walsh devenait donc le pape François Ier. J'avoue que son choix me surprit. Certes, c'était le prénom de son père, mais j'avais assez déploré qu'ils fussent toujours si peu unis. La compréhension de ce geste ne me viendrait que progressivement. Je vous en parlerai en temps voulu. Cette surprise ajoutait encore un élément au souci plus vaste que j'éprouvais à propos de ce que j'avais orchestré, avec l'aide de Dieu.

Conformément à nos stipulations, nous procédâmes rapidement – et brièvement – à la consécration de François à l'épiscopat. Ce fut LaTorre qui officia, en sa qualité de cardinal doyen. Cette cérémonie terminée, il s'agenouilla et baisa la main *del Papa*. Au même moment, les baldaquins surmontant nos quatre-vingt-deux trônes s'abaissèrent. Nous défilâmes derrière LaTorre et baisâmes à tour de rôle la main du nouveau Pontife. François reconnut au passage plusieurs cardinaux qu'il avait connus lorsqu'il était envoyé extraordinaire à Rome, et il leur parla en termes chaleureux.

(Comme tout bon prêtre ou politicien, il possédait un grand charme dont il savait user au moment opportun, mais aussi, comme bien des cardinaux le découvrirent par la suite, se dispenser.) Pour clôturer cette cérémonie, nous chantâmes le *Te Deum*, le plus solennel hymne à la joie de notre liturgie.

Sur un signal de LaTorre, on enflamma dans le poêle les notes prises en conclave par les cardinaux, avec le procédé chimique produisant la fumée blanche. Quelques instants plus tard, Rome et le monde savaient que nous avions enfin choisi un nouveau Pontife. Aussitôt, la place Saint-Pierre commença à se remplir de milliers de personnes : journalistes, touristes, ecclésiastiques, mais surtout Romains.

Allora, on conduisit François dans le sanctuaire de la chapelle où se tenait un tailleur de la famille Gammerelli. Il attendait patiemment, depuis le début du conclave, avec quatre soutanes de tailles différentes. Pendant ce temps, les cardinaux se dirigeaient vers les appartements pontificaux où François allait briser devant eux les scellés placés sur les portes après la mort de son prédécesseur. Après quoi nous nous rendrions à travers le palais jusqu'à la *loggia* de Saint-Pierre, d'où l'élection du nouveau Pontife serait annoncée à la foule d'au moins cent mille personnes massées sur la place Saint-Pierre.

Le drapeau pontifical marron, or et blanc était déjà déployé sur la balustrade de la *loggia*. Le cardinal Alfredo Monteferro, doyen des cardinaux-diacres, saisit le microphone et s'adressa à la foule devenue subitement silencieuse :

– Je vous annonce une grande joie. Nous avons un pape. C'est mon Éminentissime et Révéré Seigneur Declan Patrick Walsh, un saint moine des États-Unis d'Amérique. Il a choisi de régner sous le nom de François.

Ecco, les applaudissements furent maigres. Nous autres Italiens ne sommes pourtant pas un peuple taciturne, mais beaucoup paraissaient déçus que le Pontife de l'Église universelle fût de nouveau un étranger.

– Saint-Père, votre peuple attend que vous paraissiez, dit LaTorre sans dissimuler son sourire.

Les yeux de François lancèrent des éclairs mais il s'abstint de répondre. Il s'avança, empoigna le microphone et parla dans son italien si clairement romain :

– Mon peuple, particulièrement mon peuple de Rome, en ce jour et dans tous les jours à venir, nous vous demandons de prier pour nous. Un ecclésiastique rompu aux responsabilités de l'Église a besoin de beaucoup d'aide lorsqu'il devient pape. Quelle aide infiniment plus grande ne faudra-t-il pas à un simple laïc, moine seulement depuis deux ans et qui se trouve brusquement propulsé au milieu de tant de saints prêtres?

Le tour était extrêmement habile. Malgré leur amour de la pompe et leur farouche revendication d'un pape né parmi eux, les Italiens s'enorgueillissent de leur anticléricalisme. Au surplus, un Pontife parlant avec l'accent romain, voilà qui flattait la fierté locale.

La foule réagit à la tactique de François par un délire d'acclamations. Alors, il ouvrit ses bras en croix et dit en italien la formule traditionnellement prononcée en latin :

– Que le Dieu Tout-Puissant vous bénisse, le Père, le Fils et le Saint-Esprit.

Un tonitruant « ainsi soit-il » secoua le silence recueilli, puis montèrent des acclamations et des cris scandés : *« Evviva il Papa! 'Viva il Papa! 'Viva il Papa!* François se recula et, « à l'américaine », éleva ses bras en V. L'annonce de l'élection s'étant répandue dans la ville, par la radio, la télévision, et la simple rumeur, la foule atteignait près de deux cent cinquante mille personnes. A présent entièrement ralliés au pape François, les Romains ne cessaient plus de réclamer d'une seule voix : « *Il Papa! Il Papa!* » pendant une heure après chaque apparition du nouveau Pontife à la *loggia*.

Lorsque ce fut terminé, François, le visage creusé de fatigue et d'épuisement spirituel, s'adressa à LaTorre :

– Veuillez demander aux cardinaux d'Amérique latine de rester encore quelques jours à Rome. Je souhaite les voir demain matin à onze heures, et j'aimerais voir le cardinal Martin cet après-midi même. Il me serait également agréable que vous-même et le cardinal Yañez veniez conférer avec nous dans la bibliothèque privée.

6.

Nous passâmes tous les quatre – François, LaTorre, le cardinal Yañez y Domingo, primat d'Espagne, et moi-même – dans le bureau de l'ancien Pontife, immense salle de vingt mètres sur treize, froide malgré les deux beaux tapis d'Orient qui en masquaient le pavement et couraient jusque sous le bureau. Ce meuble lui-même, petit et vide, à l'exception d'une grande Bible, était placé à environ un mètre du mur lambrissé de bois clair. Derrière, un plateau supportait une machine à écrire électrique. Au-dessus du bureau était accroché un tableau Renaissance représentant la sainte Famille – exactement le style qui agaçait Kate – flanqué, de part et d'autre, d'une porte donnant accès aux appartements pontificaux privés. De lourds rideaux de damas d'or encadraient les fenêtres donnant sur la place Saint-Pierre, qui étaient munies de stores vénitiens pour filtrer le soleil matinal. Sur le mur opposé pendait un grand crucifix au-dessus d'une crédence de style méditerranéen. Une douzaine de sièges tapissés de cuir ivoire étaient rangés en fer à cheval autour d'une longue table faisant face au bureau du Pontife.

– Installez-vous, dit François en désignant les sièges. Je suis profondément troublé et j'ai besoin de vos conseils. Voici ce qui m'inquiète, poursuivit-il en tendant à Yañez et à LaTorre la première page de son *New York Times* de la veille – dimanche. Pouvez-vous me fournir d'autres détails?

Yañez parcourut l'article en première page. Il connaissait assez l'anglais pour en comprendre la teneur. L'affaire était la suivante : une centaine de jeunes prêtres catalans s'étaient massés devant la magnifique cathédrale de Barcelone pour protester contre la prolongation du concordat entre l'Église et le régime fasciste. Ils voulaient défiler jusqu'à la via Layetana puis revenir à la cathédrale où certains d'entre eux concélébreraient la messe dans ses chapelles. L'archevêque leur avait refusé la permission d'officier dans la cathédrale, mais il avait également dit qu'il ne les en empêcherait pas.

Selon le *Times,* la police espagnole n'avait pas vu les choses de la même façon. Dès que les prêtres se furent rassemblés dans l'avenida de la Catedral, plusieurs phalanges de police les avaient entourés de toutes parts. Selon la police, les prêtres s'étaient mis à les injurier et à leur jeter des pierres. Pour protéger ses forces, la police avait dispersé les manifestants. La version des prêtres était différente : sans la moindre provocation la police avait chargé sur eux à coups de gourdin. Ils s'étaient réfugiés dans la cathédrale, mais la police les y avait poursuivis. D'où que soit venue l'initiative de la violence, quatorze prêtres avaient dû être hospitalisés, trois étaient morts (par fracture du crâne, indiquait le *Times*) et plusieurs dizaines d'autres blessés. Personnellement, je pensais que les prêtres n'étaient pas innocents sous le chapitre des insultes, mais les policiers étaient des nervis facistes.

Yañez tendit le journal à LaTorre et répondit à François :

– Votre Sainteté, j'étais enfermé en conclave. J'apprends seulement à présent cette tragédie. Dès ce matin j'en obtiendrai de l'archevêque un compte rendu complet.

– Obtenez-le dans l'heure, Éminence. Le temps presse. J'aimerais particulièrement savoir pourquoi l'archevêque n'a pas excommunié tous les policiers qui ont pris part à l'attaque et tous les fonctionnaires espagnols qui ont eu là-dedans la moindre responsabilité. J'aimerais que vous posiez nettement la question à Son Excellence, mais précisez bien que je ne veux pas qu'il prenne, pour l'instant, de mesures. D'ailleurs, jusqu'à ce que je sois convaincu qu'il avait des raisons majeures pour manquer à prendre ces mesures, qu'il se considère suspendu de tous les pouvoirs de sa charge archiépiscopale. Je dis bien tous, y compris son pouvoir de célébrer la messe. Monsieur le cardinal LaTorre adressera une dépêche à cet effet. Avez-vous une hypothèse sur cette carence de l'archevêque?

Yañez pâlit. Le geste papal, pour être probablement temporaire, n'en était pas moins d'une extrême sévérité.

– Une seule chose, Votre Sainteté : l'évêque n'est pas le plus énergique de nos bergers en Espagne. Il est chargé d'années. En fait, il a dépassé l'âge de la retraite, mais il est resté parce que le Vatican et le gouvernement ne parvenaient pas à s'entendre sur un successeur. Je crains également que beaucoup de ce qui a pris place dans l'Église depuis Vatican II n'ait guère plu à Son Excellence. Au surplus, comme tant de nous, il s'inquiète des changements politiques dans notre pays. Après la mort du generalissimo Franco, le régime s'est orienté vers une certaine libéralisation, mais a récemment montré quelques régression, face aux revendications d'une réforme accélérée. Le prince n'est pas un homme fort, et beaucoup d'anciens fascistes sont encore en place. Les dissidents de tout bord, communistes, socialistes, anarchistes, radicaux, libéraux, étudiants et vieux monarchistes, menacent depuis peu le pays d'anarchie, de révolution, ou des deux ensemble. La violence s'installe : terreur, exécutions, enlèvements, meurtres. Je crains que l'archevêque ne se remémore – de façon peut-être trop vivace – nos troubles des années trente, et il traite tous les opposants au régime de communistes ou d'anarchistes. Permettez-moi de dire à sa décharge qu'il est parfois difficile de distinguer...

– Le compte rendu du journal m'avait plus ou moins laissé subodorer cela de Son Excellence, intervint François. Je pense que nous accepterons dans quelques jours qu'il résigne sa charge. De toute façon, soyez assez bon pour me remettre en début de soirée le maximum de détails que vous aurez pu recueillir. Cardinal LaTorre, qui est notre nonce à Madrid?

– Monsignor Orsini, un homme habile et de grande valeur.

– Veuillez lui téléphoner en lui demandant d'être à Rome cet après-midi. Je veux lui parler dès son arrivée. En attendant, recueillez tout ce que vous pouvez comme informations. Vous devez avoir des sources de renseignement. Il se peut que j'en utilise une qui m'est personnelle. Conviez l'ambassadeur d'Espagne en audience à dix-huit heures trente. Je veux que vous y soyez tous présents, ainsi que monsignor Orsini. Et je tiens à être aussi informé que possible avant cette rencontre.

» A présent, révérendissimes pères, sachez que le cardinal Galeotti et moi avons peu dormi depuis vendredi soir, et il est déjà quatorze heures. Je pense que vous avez également besoin de repos. Je m'efforcerai de vous préciser dans les semaines qui vont suivre, une fois mieux averti de la situation, quels changements j'envisage parmi mes collaborateurs. Pour l'instant, je veux que chacun conserve son poste.

LaTorre ne put dissimuler son chagrin de ce congé abrupt, mais il répondit simplement :

– Bien, Très Saint-Père.

Au moment où le groupe se retirait, Valerio Anguillara, le *maestro di casa* du Pontife, vint demander s'il manquait quelque chose à notre installation. Nous inspectâmes les appartements privés : le maigre bagage de François avait été défait, la salle de bains était munie de linge de toilette et le couvert était mis pour une personne.

(Je remarquai également que le mobilier de l'appartement privé convenait aussi peu au goût de François que celui du bureau.) François demanda qu'on installe un second couvert, et Angillara nous envoya un maître d'hôtel qui prit nos ordres pour le repas.

François se contenta d'un minestrone, de cannelloni et d'une *insalata,* me laissant le choix du vin. Je me rendis dans le cellier pontifical et m'y munis, faute de mieux, de deux bouteilles de lacrima d'arno, un blanc sec de Toscane relativement courant. Étant plus fatigué qu'affamé, je me limitai à demander en entrée *prosciutto* et melon, ainsi que des ravioli et, comme plat de résistance, de l'agneau rôti aux épinards froids, citron et champignons. Une miette de fromage et une pêche suffiraient pour terminer.

Allora, lorsque je rentrai dans le bureau, je trouvai *il Papa* en conversation avec monsignor Luigi Bonetti, le secrétaire de l'ancien Pontife.

– *Monsignore,* disait François, je sais que vous avez bien servi mon prédécesseur, et que la coutume veut qu'un nouveau pape conserve le secrétaire du précédent. Mais nos méthodes – les siennes et les miennes – diffèrent sans doute beaucoup, de même, certainement, que nos idées, et il se peut que vous préfériez servir l'Église en une autre capacité. J'ai l'intention d'inviter à venir travailler ici mon ancienne assistante administrative à Washington, Mrs. Falconi. Elle s'occupera de maintes choses qui dépendaient jusqu'à présent de votre juridiction. Vous aurez des responsabilités neuves, plus larges à certains égards, plus restreintes à d'autres. Je ne puis être plus précis pour l'instant. Je puis simplement dire que votre travail sera très différent.

» Si vous pensez que ces disparités de style, de tempérament et d'idées, ainsi que les nouvelles formes de votre autorité, risquent de rendre difficile l'exercice de vos fonctions, n'hésitez pas à le dire. Je vous installerai à un poste qui récompense vos services passés et ménage votre avenir.

Mis à part que ce fumeur invétéré n'avait plus de papilles gustatives, j'avais toujours eu de la sympathie pour Bonetti. C'est une lourde fonction que d'être le secrétaire *del Papa.* Sa tâche essentielle est de veiller à ce que le Pontife puisse jouir de quelques moments consacrés à la réflexion et à la prière. Et il ne peut y parvenir qu'en disant fermement non aux gens – qui sont habituellement des cardinaux, des archevêques, des évêques et des monsignori. Comme ces refus suscitent souvent des ennemis au bon secrétaire, il est d'usage que le nouveau Pontife le protège en le conservant à un poste important. Mais Bonetti avait su dire non avec fermeté mais aussi amabilité.

– Je m'interroge, Votre Sainteté, dit Bonetti. J'ai pu bien servir votre prédécesseur parce que je connaissais sa pensée comme la mienne. Je ne connais pas du tout Votre Sainteté, mais je serai honoré d'essayer de continuer mon service.

– Très bien. J'en suis heureux. Essayons de travailler ensemble au moins un mois ou deux. Mais n'oubliez pas ma promesse, car vous verrez que qui travaille avec moi a la tâche difficile.

Allora, on nous apporta le repas, et nous mangeâmes en silence. François laissa son assiette à moitié pleine.

– Je ne sais comment vous vous sentez, dit-il, mais moi, je vais faire un somme, et au réveil, quinze minutes sous la douche. Anguillara vous trouvera une chambre pour vous reposer, Ugo. A quelle heure arrive le cardinal Martin?

– A dix-huit heures, pour une audience d'une demi-heure, après quoi vous voyez l'ambassadeur d'Espagne.

A dix-huit heures précises, je rejoignis *il Papa* dans son bureau où fut introduit le cardinal José Martín, archevêque de Buenos Aires. Il était grand, élancé, avec une calvitie qui lui dessinait une tonsure luisante. Il s'exprimait dans ce vilain espagnol d'Amérique latine, qui est esthétiquement au castillan ce que le *romanaccio* est à l'italien parlé par les Siennois. Mais Martín n'était pas hispanique d'aspect, ni même hispano-indien, comme tant de Sud-Américains. Je devais apprendre par la suite qu'il descendait des « Oies sauvages », ces officiers irlandais qui avaient fui leur pays après l'échec de la rébellion de Wolfe Tone, à la fin du XVIIIe siècle. De fait, Martin était un nom irlandais.

En entrant, le cardinal esquissa le geste de s'agenouiller pour baiser l'anneau *del Papa,* mais François le prévint et lui serra les mains dans les siennes.

– Merci d'avoir accepté de prolonger votre séjour à Rome, Éminence. Nous avons beaucoup de choses à nous dire et bien peu de temps, dit François dans un laborieux espagnol. Mais je parle trop mal votre langue. Préférez-vous que nous parlions en anglais ou en italien?

– En anglais, Saint-Père. Nous autres Latins apprenons précocement la langue impériale, répondit Martín en souriant.

– Fort bien. La langue convient au sujet, dit François en contenant lui-même un sourire. Nous projetons quelque chose d'impérialiste. Éminence, je crains que l'Église se désagrège en Amérique latine. Il paraît que vous le pensez aussi. Pourquoi?

– Votre Sainteté souhaite-t-elle mon sermon de deux heures ou mon homélie de dix minutes?

– J'aimerais que vous dictiez un sermon de deux heures et que vous me le laissiez. Mais ce qu'il me faut tout de suite, c'est votre homélie de dix minutes, car j'ai à recevoir d'autres gens dans moins d'une demi-heure.

– Saint-Père, en Amérique latine nous avons été, de bien des façons, une Église entretenue. Pour commencer, les Espagnols se sont servis de nous. Notre arrivée dans ces pays était moins destinée, comme nous le croyions, à apporter le salut aux Indiens qu'à aider les Espagnols à exploiter ces pauvres diables. Nous avons failli en étant aveugles à la réalité politique, en étant moins énergiques que nous ne l'aurions dû dans nos efforts missionnaires, et moins que courageux dans nos exhortations à la justice sociale. Mais le système nous a été profitable – du moins à la hiérarchie. Le gouvernement nous allouait des fonds pour édifier églises, hôpitaux, écoles, orphelinats, et même les résidences de nos évêques, ainsi que pour payer le clergé et acheter des biens de rapport qui devaient augmenter nos ressources, notre prestige, notre influence politique et nos œuvres de charité. Le monopole de prêcher l'évangile nous fût reconnu. Et lorsque, avec l'aide de mon arrière-arrière-grand-père, le peuple jeta dehors les Espagnols, les nouveaux gouvernements virent qu'il pouvaient nous utiliser aussi bien que l'avaient fait les Espagnols, tandis que nous persistions à croire, faussement, que nous les utilisions.

» De la fin du XIXe siècle, où les libéraux ont commencé à s'en prendre aux régimes conservateurs, jusqu'à nos jours, où libéraux, communistes, anarchistes, socialistes et Dieu sait qui d'autre s'en prennent aux oligarchies qui gouvernent la majeure partie de l'Amérique latine, on s'en prend aussi fréquemment à nous. Et nous sommes beaucoup, dans la hiérarchie, à le mériter, parce que nous avons généralement défendu le *statu quo.* Depuis peu d'années, un grand nombre d'entre nous ont tenté de mener l'Église dans des voies nouvelles, mais trop de souvenirs ternissent notre image. Il est mauvais que l'Église soit identifiée à un régime. Mais c'est bien pire lorsque ce régime, comme il y en a tant en Amérique latine, ne pratique pas, et prône encore moins, la justice sociale. Trop de ceux qui aspirent à la justice et à la paix nous considèrent encore comme les associés de systèmes injustes pour que l'on nous écoute. Notre histoire leur prouve que nous sommes les alliés naturels de tous ceux à qui profite l'injustice sociale.

– Il en est, tout de même, qui nous écoutent, intervint François, sans cela nous ne susciterions ni soutien ni haine.

– Oui, Saint-Père, j'exagère. Il en est qui nous écoutent, mais ils sont de moins en moins nombreux dans les régions où nous restons sur nos positions. Seuls les catholiques fervents nous demeurent soumis, mais leurs rangs s'éclaircissent, même si cela n'est pas sensible dans le nombre de pasteurs que nous envoyons à Rome. Mais là où nous prônons un changement social, nous réussissons à ramener à nous certains de ceux qui nous avaient désertés.

– Vous voulez parler du militarisme de ces nouveaux prêtres guérilleros?

– Eux aussi, mais seulement dans l'immédiat. Les prêtres qui adhèrent à des mouvements révolutionnaires et qui légitiment, qui prônent même la violence pour changer la société, ceux-là nous ramènent quelques brebis égarées. Mais, à long terme, ils répètent simplement d'anciennes erreurs. S'ils gagnent, ils se sont inféodés à un régime politique spécifique. Ce sera peut-être, pour commencer, un régime plus juste, mais nous savons que l'homme est faible et les tentations du pouvoir plus fortes que celles de la chair. Il est donc hautement probable que le nouveau régime en viendra bientôt à commettre ses péchés spécifiques, et que ses nouveaux dirigeants sauront comment utiliser l'Église – une fois de plus entretenue – de ces naïfs jeunes prêtres. Les idéologies seront différentes, mais les résultats seront les mêmes pour les peuples.

– Alors que faire? demanda François.

– Je ne puis répondre qu'en termes généraux, Saint-Père. Il faut d'abord un renouveau dans notre Église, une réorientation de nos principes fondamentaux d'amour d'autrui et de justice. Nous devons nous libérer de nos liens étroits avec les régimes politiques existants et avec les ordres économiques et sociaux. Cela sera déchirant et cher, car nos populations ne soutiennent pas l'Église de leurs contributions. Dans l'ensemble elles ne le pourraient pas, et sans doute ne le voudraient pas, si même elles le pouvaient. Les problèmes sont évidents, puisque ce sont les finances gouvernementales qui nous permettent d'avoir des écoles, des hôpitaux, des orphelinats, mais aussi des palais et des limousines. Voilà pourquoi le réseau qui nous lie aux gouvernements est si solide. Nos populations sont si pauvres et ont besoin de tant de choses. Nous ne pouvons les aider sans l'aide des gouvernements, et ceux-ci fixent évidemment leur contrepartie.

– Vous parliez de renouveau.

– Oui, Saint-Père, car il nous faut une direction neuve et forte, depuis Rome, et chez nous. Nous n'avons pas grand-chose de ce genre là-bas, sauf quand il s'agit d'interdire la contraception. Et, malheureusement aussi, nous avons peu de chefs.

– Est-ce tout? demanda François.

– Non, Saint-Père, loin de là. Nous devrions prêcher une justice sociale dégagée de toute idéologie politique. En bref, il nous faudrait revenir aux pures questions religieuses en encourageant – et même en créant – dans notre peuple un enthousiasme à appliquer ces principes dans sa vie quotidienne. Nous devons fournir une direction morale et non une direction politique spécifique. Je sais qu'en ce monde rien ne peut garantir un succès immédiat, mais là où nous avons tenté d'exercer quelque influence, comme au Chili après le coup d'État des généraux, nous avons fait quelque progrès. Mais je crains d'avoir dévié sur mon sermon de deux heures, Saint-Père.

– Ce que vous dites m'intéresse considérablement. Je veux que Rome reprenne une part de l'initiative et vous aide à fournir là-bas votre propre part. L'Église d'Amérique latine va être, pendant ces premières années, l'objet principal de mes efforts. C'est pourquoi j'ai demandé à vos collègues de rester au Vatican pour les rencontrer demain. Je veux lancer quelque chose dans le genre des Volontaires de la Paix. Le mouvement devra être largement l'œuvre des laïcs, mais l'élan moral viendra de nous. Et j'aurai besoin que vous m'y aidiez, que vous me conseilliez sur les réformes de structure dans l'Église même. Je crois que l'épiscopat verra mes projets d'un œil critique, et pas seulement en Amérique latine. Y a-t-il assez de prêtres capables qui pensent comme vous, et qui pourraient, en temps voulu, constituer un nouvel épiscopat?

– Suffisamment, Saint-Père, non point en abondance, mais suffisamment.

– Accepteriez-vous de devenir le préfet de la Congrégation pour les évêques, ici, au Vatican? C'est surtout par le moyen de cet organisme que nous procéderons au difficile choix d'un épiscopat dans le monde entier.

– Je n'existe que pour servir l'Église du Christ, Saint-Père. Buenos Aires est cher à mon cœur. C'est un archidiocèse où il y a tant à faire; mais j'aurais moins de difficulté à le quitter si Votre Sainteté acceptait mes conseils sur le choix de mon successeur.

– Ce sont justement vos conseils qui motivent principalement mon souhait de vous avoir au Saint-Siège, Éminence. Mais votre nomination pourra se faire attendre des semaines, sinon des mois. Je dois d'abord relever quelques barrières politiques. Que cela reste entre nous pour l'instant.

– Bien entendu, Saint-Père.

– Je vous avertirai au dernier moment, aussi votre successeur doit-il être prêt. Le cardinal Galeotti nous servira d'intermédiaire. Transmettez-lui ce que vous avez à me faire savoir au palais de Saint-Callixte où il réside. Enfin, une dernière chose : j'ai entendu dire qu'un évêque chilien, et l'archevêque brésilien de Recife – leurs noms m'échappent – avaient donné aux paysans des terres appartenant à l'Église et qu'ils offraient, dans les villes, des bâtiments pour loger les pauvres. Connaissez-vous ces hommes?

– Je les connais très bien, Saint-Père. Ce sont des hommes jeunes, capables, et qui pensent comme moi. Comme vous le savez, dans ces deux pays les juntes militaires sont plus que mécontentes à leur sujet. L'archevêque de Recife a même été plusieurs fois virtuellement assigné à résidence.

– Oui, je le sais. Que diriez-vous si mon premier acte officiel était de leur conférer le chapeau rouge?

Allora, Martín rayonnait. Il avait parlé sincèrement mais avec réserve, ne sachant pas jusqu'à quel point *il Papa* prenait ses paroles au sérieux. A présent, il s'exprimait avec enthousiasme :

– Ce serait un geste spectaculaire, un message auquel on ne pourrait se méprendre. Certains de mes collègues en seront horrifiés, et les juntes militaires à Santiago et à Brasilia entreront en fureur.

– Cela va de soi. Nous ne conférerons pas le cardinalat en consistoire, comme il est d'usage. Dans la semaine, je l'annoncerai d'une façon particulière.

(A mon sens, et comme j'aurais voulu alors le dire, l'initiative ne serait pas avisée. Il n'est jamais prudent d'alerter ses ennemis. Mais *il Papa* ne me demanda pas mon avis.)

Dès que Martín fut parti, on introduisit le nonce du pape en Espagne, les cardinaux Yañez et LaTorre et l'archevêque Cencio Candutti, *segretario* du Conseil pour les affaires publiques de l'Église. (Il faut que je vous explique la position de Candutti. La Secrétairerie d'État commande deux grandes divisions : le secrétariat d'État, qui coordonne les activités de la Curie et des autres organes du Saint Siège; le Conseil pour les affaires publiques de l'Église, qui traite essentiellement les affaires étrangères du Vatican. En bref, Candutti était le diplomate en chef du Pontife, équivalant plus ou moins à votre secrétaire d'État américain.) *Ebbene,* où en étais-je. Ah! oui, l'audience. Donc, François était assis à son bureau. Il se leva, laissa le nonce, Candutti et l'ambassadeur baiser son anneau, mais fit signe au reste d'entre nous de prendre place autour de la table.

– Excellence, dit François sans préambule, nous aimerions que vous nous informiez sur cette affaire.

– Votre Sainteté n'ignore pas, répondit suavement l'ambassadeur, que l'Espagne voit en ce moment croître ses difficultés. Après la mort du généralissime Franco, nous avions choisi une voie lente et continue vers la démocratie constitutionnelle. Mais nous sommes un peuple bizarre, épris du tragique et peu initié au fonctionnement d'une démocratie représentative, aux manipulations et manœuvres parlementaires qu'elle suppose. Certains libéraux de bonne foi, mais fourvoyés, ont essayé de nous faire avancer trop vite; ils ont fait le jeu d'éléments radicaux qui veulent saper la stabilité du pays et revenir au genre de régime communiste dont Dieu, l'Église et le *generalissimo* nous ont protégés dans les années trente. Le gouvernement a estimé nécessaire d'interrompre – pour peu de temps – notre marche vers la démocratie constitutionnelle. Sa Sainteté ignore peut-être que les Catalans sont notoirement turbulents. Barcelone est le centre de cette agitation. Parmi ces gens, dont certains sont simplement nationalistes, d'autres communistes ou anarchistes, on compte nombre de jeunes ecclésiastiques. Je ne dis pas que ces jeunes prêtres et religieuses sont mauvais; je suis sûr que leurs intentions sont bonnes. Mais ils sont utilisés par des forces nuisibles.

» Mon gouvernement, poursuivit l'ambassadeur d'Espagne, regrette l'action qui a eu lieu contre les prêtres. Nous voulons l'ordre, non l'oppression. Mais la police était contrainte de répondre à la provocation. Ses forces ont été insultées, assaillies, et elles ont riposté. Personnellement, je pense qu'elles ont réagi de façon excessive. Mais tel est généralement le cas. Officieusement, Saint-Père, mon gouvernement exprime ses excuses sincères et ses fermes assurances que nous prendrons toutes mesures pour qu'une telle tragédie ne puisse se reproduire. Nous transférerions volontiers sur un compte du Vatican une petite somme en témoignage de nos véritables regrets.

– Merci, Excellence, repartit François. Nous acceptons l'offre d'une indemnité, mais non d'une petite indemnité. Toutefois, il faut que votre gouvernement témoigne autrement de ses regrets. Notre nonce, monsignor Orsini, souhaite-t-il ajouter quelque chose sur ce point?

– Je puis simplement attester, Saint-Père, que le clergé catalan et basque est libéral et nationaliste à l'excès – certains de ses membres sont proprement radicaux, politiquement et théologiquement. L'Espagne est présentement menacée de désordres, et son gouvernement estime nécessaire une reprise en main. Je pense, moi aussi, que la police s'est montrée excessive, et je ne dirai pas « probablement », mais « nettement », cependant j'ai l'assurance que le gouvernement fera preuve de plus de ménagement dans l'avenir.

– Cardinal Yañez?

– Je me déclare, dans l'ensemble, d'accord avec monsignor Orsini, encore que j'incline beaucoup plus vigoureusement à condamner l'inutile violence de la police. Le fait qu'elle ait chargé dans la cathédrale me préoccupe gravement. A ce que je sais, c'est dans la cathédrale même que les policiers ont fracassé le crâne à deux jeunes prêtres. Toutefois, aussi tragique que soit cet incident, nous ne devons pas oublier que le gouvernement en a exprimé ses regrets et veillera à ce qu'il ne se reproduise pas. Si nous nous montrions plus rigide et qu'il en découle la chute du gouvernement, nous nous retrouverions devant des hommes qui persécuteraient l'Église.

– Merci, Votre Éminence. Cardinal LaTorre?

– J'en défère au jugement de monsignor Candutti.

– Très bien. A vous, monsignor Candutti.

– L'Église a été outragée, des meurtres commis sur son saint territoire. Toutefois, il faut bien comprendre la situation. L'Église peut survivre à maintes formes de gouvernement; je ne crois pas qu'elle puisse survivre à l'anarchie.

– Et vous, cardinal Galeotti? dit François.

– Je suis beaucoup plus troublé par cette tragédie que mes collègues ne paraissent l'être. Il me semble que nous devrions obtenir publiquement les regrets du gouvernement.

– Je crains que le moment ne s'y prête pas, répondit l'ambassadeur. Des regrets, des assurances, une indemnité, oui, mais rien de public. Les répercussions en seraient dangereuses. Que Sa Sainteté m'excuse, termina l'ambassadeur en se levant et en s'inclinant devant François, mais je dois prendre congé.

– Son Excellence est libre de prendre congé à sa guise, mais il va se passer ici pendant quinze minutes quelque chose qui peut l'intéresser. Cardinal LaTorre, soyez assez bon de demander au projectionniste de nous passer le film. Si l'un de vous veut bien tirer les rideaux, ce mur gris servira d'écran. Pour votre information, Excellence, il s'est trouvé qu'un prêtre américain a assisté à toute la scène d'un balcon de l'hôtel Colon, et, possédant une caméra, il l'a filmée. Il a été assez avisé pour apporter ce film à Rome par avion. Sa projection doit être instructive.

Un opérateur installa vivement son appareil et le mit en marche. (Nous étions tous pareillement surpris de l'apparition de ce film, même Candutti.) *Ecco,* et voici que défilaient des images atroces. Un groupe de jeunes prêtres tournoyaient devant la cathédrale, sur la place du Christ-Roi. Puis la caméra balayait la scène et l'on voyait, à droite et à gauche, des policiers casqués remontant l'avenue de la Cathédrale et chargeant les prêtres à coups de trique. Certains tombaient à genoux et priaient; d'autres escaladaient les marches de la cathédrale. Mais aucun n'échappait aux coups de trique, sur la tête, sur le corps. Un tout petit nombre seulement ripostaient physiquement. Et puis la caméra se portait sur un groupe de personnages officiels se tenant près d'une boutique de souvenirs, sur l'avenue. Sur un signe de l'un d'eux, une troisième escouade de policiers chargea les prêtres qui fuyaient et pénétra dans la cathédrale.

– Arrêtez la projection ordonna François, et passez-nous les agrandissements des visages. Votre Excellence reconnaît-elle l'homme qui donne l'ordre de violer le sanctuaire de la cathédrale?

– C'est notre ministre de l'Intérieur, répondit l'ambassadeur.

– Image suivante, s'il vous plaît. Et ce gros homme court à sa gauche, au sourire si approbateur, vous le reconnaissez?

– Bien sûr, Saint-Père, c'est notre ministre de la Justice.

– Qu'on nous donne de la lumière, s'il vous plaît.

Il ne nous semble pas, dit François tandis que LaTorre tirait les rideaux, qu'il s'est simplement agi là d'un déplorable incident imputable à une police locale trop zélée. Et quant au prétexte d'une provocation par les prêtres, c'est un tissu de mensonges. (L'ambassadeur pâlit et crispa ses mains sur ses accoudoirs.) Nous considérons cela comme un défi direct à l'Église, poursuivit François, un défi clairement signifié par des meurtres ordonnés personnellement et froidement par deux membres de votre gouvernement. Votre fallacieuse explication ou votre offre d'excuses officieuses et d'indemnité ne nous apaisent pas.

» Votre Éminence, dit alors François à LaTorre, nous souhaitons que votre service prépare un décret d'excommunication contre tous les membres de la police et du gouvernement qui ont participé ou coopéré à la préparation et à l'accomplissement de ces meurtres. Nous voulons qu'y soient spécifiquement nommés le ministre de la Justice et celui de l'Intérieur. En outre, nous voulons que ce décret figure en appendice à une courte encyclique exprimant une grave préoccupation de la situation en Espagne et dissociant expressément l'Église d'un gouvernement qui semble suivre le chemin de Hitler. Nous préciserons également que si, d'ici à sept jours, tous ceux qui sont responsables de l'attaque contre les prêtres – et en désignant encore ici nommément les deux ministres – n'ont pas été dûment châtiés, nous délierons tous les catholiques de leur serment d'allégeance au gouvernement. Au surplus, nous déclarerons excommunié tout catholique continuant de travailler pour le régime actuel, qu'il soit civil, policier ou militaire. Outre cela, si ce gouvernement ou l'un quelconque de ses membres se trouve encore en Espagne dans six semaines – sauf si c'est en prison – nous jetterons l'interdit sur le pays. On ne célébrera plus une messe, plus un baptême, plus un mariage, on n'entendra plus en confession, on ne donnera plus la communion, et l'interdit durera jusqu'à ce que ce gouvernement disparaisse.

– Mais, Saint-Père, c'est médiéval, dit l'ambassadeur avec un sourire amène, mais les mains toujours crispées sur son siège. Pas un pape n'a osé prononcer une telle sentence depuis des siècles. Je me permets humblement d'invoquer l'atrophie de ce pouvoir par désuétude.

– *Nous* osons exercer ce pouvoir historique de la papauté pour défendre les droits de la sainte Église de Dieu. On verra s'il est atrophié.

– Saint-Père, intervint LaTorre, l'Église doit prendre les gouvernements tels qu'elle les trouve.

– Votre Éminence a peut-être raison, mais nous n'avons pas obligation de les laisser tels que nous les trouvons.

L'ambassadeur d'Espagne continuait à sourire, mais à présent d'un air extrêmement contraint.

– Saint-Père, mon gouvernement pourra peut-être se laisser convaincre d'exprimer publiquement ses regrets. J'ajouterai que nous songions à une indemnité d'un demi-million de pesetas.

– Nous ne songions nullement à l'argent, Excellence, mais aux révisions ultérieures du concordat entre le Vatican et l'Espagne. Nous accepterions ces changements comme une démonstration suffisante de bonne foi s'ils s'accompagnaient de plusieurs autres conditions. La première serait le versement de quatre millions de pesetas. La deuxième le renvoi des ministres de la Justice et de l'Intérieur, et la troisième une rapide traduction en justice sur inculpation de meurtre pour ces deux dignitaires ainsi que pour les policiers qui ont tué les prêtres. Si ces actions étaient immédiatement accomplies demain à midi, nous pourrions nous suffire de promulguer un décret d'excommunication contre tous ceux qui ont eu part à l'attaque, sans désignation de personnes et en leur permettant un retour au sein de l'Église après des excuses publiques.

– Votre Sainteté négocie durement.

– Nous ne négocions pas. Vous vous méprenez sur notre position. Comme l'a dit notre prédécesseur Innocent III, nous avons été « placé au-dessus des nations et des royaumes, pour extirper et briser, détruire et renverser, édifier et planter ». (Quel ne fut pas mon étonnement d'entendre François citer Innocent III ; je n'aurais jamais imaginé qu'il connût quoi que ce soit de l'histoire de l'Église, surtout au XIIIe siècle.)

L'ambassadeur se leva, s'inclina sèchement et sortit.

– Saint-Père, dit Candutti avec solennité, je crains que nous ayons sujet de regretter cette soirée. Le gouvernement espagnol cédera. Il ne peut faire autrement. Une grave réprimande du pape peut entraîner la chute du gouvernement. Mais ces hommes n'oublieront pas ce que nous avons fait ; or, un jour, il se peut que l'Église ait besoin d'eux.

– La gratitude est un luxe que seuls les très grands gouvernements, ou ceux qui sont très justes, peuvent s'offrir, repartit François, et nul ne placerait un gouvernement fasciste dans l'une ou l'autre catégorie. Si vous voulez bien nous excuser, révérends, dit-il à l'adresse de Candutti, Orsini et Yañez, nous sommes vraiment très las, et il nous reste à discuter de quelques points avec messieurs les cardinaux.

Une fois les trois autres sortis, LaTorre dit en termes mesurés :

– Votre Sainteté, les précédents Pontifes avaient accoutumé de demander à la Secrétairerie d'État de procéder à une enquête détaillée et de présenter leurs recommandations avant de prendre une décision susceptible d'affecter aussi vitalement les relations extérieures du Saint-Siège. C'est pour cela que l'archevêque Candutti et moi existons.

– Veuillez me pardonner, répondit François avec douceur.

LaTorre hocha solennellement la tête. Assurément son autorité et celle de monsignor Candutti avaient été sévèrement court-circuitées ; mais le plus gênant, c'était que jamais leurs efforts plus officiels et organisés n'auraient produit de tels résultats.

– Saint-Père, dit LaTorre, presque tous les titulaires de charges importantes dans la Curie sont automatiquement démissionnaires à la mort d'un pape. Je pense que Votre Sainteté devrait nommer à présent mon successeur qui exécutera les projets que vous estimez devoir former.

– Je vous en prie, Éminence, ayez pitié d'une âme fatiguée. J'ai besoin de vous et de l'archevêque Candutti. Je vous demande, comme je le demanderai à chacun dans la Curie, de rester à vos postes au moins jusqu'à ce que j'aie parfaitement assimilé l'organisation du Saint-Siège. Pour m'exprimer simplement, j'ai besoin de vous. J'essaierai de voir personnellement chacun des préfets, mais je vous demande de préparer les documents officiels portant reconduction dans leur charge pour un mois à dater d'aujourd'hui.

– Très bien, Saint-Père. Cela sera fait, dit LaTorre en se levant pour prendre congé.

– A propos, ajouta François, un souhait de ma défunte femme aurait été d'habiter la villa d'été de Pie IV. J'aimerais faire de cette *casina* ma résidence. Elle a sans doute grandement besoin d'être restaurée; soyez assez bon pour alerter les services compétents. Je choisirai moi-même l'architecte, mais j'aimerais que les travaux avancent rapidement.

A peine la porte s'était-elle refermée derrière LaTorre que je demandai à François comment il était entré en possession du film. Il me sourit, ou, pour être plus exact, il eut un sourire narquois, et m'expliqua qu'il avait relevé dans le *New York Times* qu'un bon nombre des prêtres assaillis étaient des jésuites. Soupçonnant qu'ils ne s'étaient pas exposés au martyre sans se prémunir quelque peu, il avait téléphoné à un jésuite de sa connaissance, en fonction à Rome. Dans l'heure, le film arrivait au *palazzo*.

– Ugo, ai-je tort de penser que LaTorre n'aurait pas été chagriné que la foudre frappât quelqu'un d'autre que moi? me demanda *il Papa* à brûle-pourpoint.

– Je crois que vous vous méprenez sur ses sentiments; et je ne pense pas non plus que l'idée de son départ immédiat vous ait été totalement déplaisante. Cependant, même en considérant la grande divergence de vues qui existe entre vous sur maintes questions théologiques, sociales et politiques – encore que beaucoup moins que vous ne le croyez dans le domaine social et politique – si vous vous gagnez LaTorre, vous aurez en lui un ami inébranlable. *Allora, il Papa* commande, mais ses évêques ne lui obéissent pas toujours. LaTorre est le rocher des traditionalistes du monde entier. La sainte Mule manque totalement de souplesse, mais il aime l'Église de toute son âme. Lorsque nous étions beaucoup plus jeunes, il m'a un jour avoué ne pouvoir aimer Dieu directement, parce que Dieu est une abstraction. Il pouvait seulement s'efforcer de Le servir en servant Son Église.

– Je sais que je ne pourrai avoir la haute main sur tout, riposta François, mais je vois mal comment je m'accommoderai de LaTorre à la Secrétairerie d'État. Enfin, nous y penserons plus tard. Pour l'instant, j'ai quelque chose à vous demander. Lorsque vous étiez aux États-Unis, n'avez-vous pas accordé une longue interview à un certain Robert Twisdale?

Je me souvenais très bien de ce journaliste et de l'excellent article qu'il avait consacré à la délégation apostolique. François m'apprit alors qu'il connaissait également le *dottor* Twisdale de longue date. (Vous savez combien nous aimons les titres, en Italie. Un diplômé de l'université est *dottore*.) Il l'avait rencontré en Corée puis, par la suite, lorsqu'il présidait la Cour suprême. Il lui semblait que le *dottor* habitait à présent Paris, absorbé par la composition d'un roman, mais collaborant de temps à autre à l'*International Herald Tribune*, et fournissant une chronique régulière à une chaîne journalistique américaine. Il avait épousé une veuve fortunée, et n'acceptait des commandes d'articles que sur des sujets qui lui plaisaient. François voulait que je le contacte, pour en faire son *portavoce* – son chargé de presse, si vous voulez. J'acceptai la mission, bien que la nécessité de démettre l'actuel titulaire du poste m'échappât. Et puis, juste comme j'allais partir, François m'interrogea :

– Que diriez-vous si le pape donnait une conférence de presse toutes les quelques semaines? Nous l'appellerions audience spéciale à l'intention des journalistes.

Franchement, j'en fus horrifié. Je dissimulai mon émotion en répondant plaisamment :

– Je vous en prie, Saint-Père, ne croyez pas que, parce que vous êtes *il Papa,* vous pouvez peindre en blanc le *palazzo* et semer une pelouse verte tout autour. Nous autres Italiens le prendrions très mal.

Il rit de ma repartie. Il n'y avait plus trace en lui de la raideur qu'il avait manifestée envers l'ambassadeur d'Espagne.

J'avoue qu'en quittant le *palazzo* ce soir-là j'avais amplement matière à réflexion. Les Pontifes n'ont pas tous exercé le pouvoir papal avec la même célérité. Paul VI avait agi promptement, en projetant, quelques heures après son élection, le remplacement de certains membres de la Curie et la prolongation des sessions de Vatican II. Mais François avait été bien plus prompt. Alors que j'envisageais un délai de quelques semaines, ou, en tout cas, de quelques jours, un temps d'étude et de réflexion avant de prendre de grandes décisions, il n'avait pas hésité un instant. J'entrevoyais à présent ce que fra Declan avait voulu dire lorsqu'il parlait de sa soif du pouvoir.

Deux choses étaient évidentes : il aimait jouer à ce qu'il appelait le jeu du pouvoir, et il y excellait. Je démêlais mal ce qu'elles entraîneraient pour l'Église. Pour moi, il était certain que la papauté était à la veille d'un changement considérable; mais je n'entrevoyais pas la forme que prendrait ce changement, ni s'il serait bon ou mauvais pour l'Église.

7

Allora, le lendemain matin même, à huit heures trente, les quinze cardinaux d'Amérique latine qui avaient participé au conclave pénétraient dans le bureau pontifical. François m'avait demandé d'être présent. Pendant près de quatre heures, il les pressa de questions sur leurs diocèses respectifs. Ils en firent des tableaux assez différents, mais reconnurent unanimement que l'Église n'était pas forte. Des divisions tranchées et âpres se marquèrent à propos d'une solution à cet état de choses. Les traditionalistes demandaient des stipulations plus strictes, des rituels plus solennels, et encore plus de prêtres, importés si nécessaire. Les serviteurs défendaient les thèses esquissées par le cardinal Martín, la priorité majeure étant pour eux que l'Église se lave de son image d'alliée des oppresseurs.

François écoutait et interrogeait, écoutait encore et interrogeait de nouveau. On aurait dit le directeur d'un séminaire amenant des étudiants à prendre conscience de ce qu'ils savaient, tout en leur extrayant d'utiles informations. C'était un spectacle vivifiant mais épuisant. Lorsque nous levâmes la séance à douze heures quinze, François invita le cardinal Martín et moi-même à partager un médiocre déjeuner pour poursuivre la discussion.

Après le repas, j'acceptai avec gratitude l'offre de monsignor Bonetti de réserver à mon usage une pièce du *palazzo.* J'en usai aussitôt pour faire une sieste jusqu'à quinze heures trente, moment où je dus retourner dans le bureau pontifical, pour la réunion des cardinaux qui sont à la tête des dix Congrégations – ou départements – composant la Curie. Notre jeune et fluet Napolitain Mario Chelli y assistait, en sa qualité de président de la Préfecture des Affaires économiques du Saint-Siège. François avait également convié cinq autres cardinaux chefs de secrétariats et de commissions.

Il Papa redit aux cardinaux son souhait qu'ils demeurent dans leur charge administrative pendant au moins un mois, le temps qu'il s'initie au fonctionnement des divers services. Il promit que, dans les semaines à venir, il passerait quelques heures avec chaque préfet dans sa Congrégation, afin de s'initier plus rapidement. Puis il passa au véritable objet de la réunion.

– La principale raison qui nous a fait vous rassembler, c'est que nous voulons votre opinion sur nos projets pour vivifier l'Église.

Du coin de l'œil, je surpris un regard perplexe de LaTorre en direction de Bisset, lequel levait les yeux au ciel. Greene tressaillit visiblement, mais les autres cardinaux semblaient attentifs, curieux.

François expliqua qu'il souhaitait en premier lieu un renouveau spirituel du clergé, inauguré par des retraites de quelques semaines durant lesquelles les ecclésiastiques repenseraient leur rôle de témoins de l'évangile du Christ et se voueraient de nouveau à une vie simple et sainte au service de Dieu en servant leur prochain. Il voulait ensuite la mise en œuvre de programmes similaires pour les laïcs, mais, bien entendu, avec des retraites moins longues. François souligna que les membres du clergé devaient répandre l'évangile autant par l'exemple que par la parole, se faire les humbles ouvriers de la justice sociale dans leurs communautés – par exemple en donnant abri dans les bâtiments qui sont propriété de l'Église aux sans-logis, à ceux que l'alcool ou la drogue ont réduits à l'état d'épaves.

En troisième lieu, nous dit le pape François, il envisageait une campagne de masse en faveur de la justice sociale, et dans le monde entier. Il ne s'agirait pas simplement de prêcher aux autres la justice, mais de la pratiquer soi-même.

– Nous devons répandre l'évangile du Christ en nourrissant les affamés et en habillant ceux qui sont nus, comme Il nous l'a enseigné. Je sais que les œuvres de charité du Saint-Siège sont énormes et rarement reconnues, dit-il avec un geste d'apaisement devant certaines mines indignées. Dieu seul sait combien de centaines de milliers d'Africains sont aujourd'hui en vie parce que le pape Paul et le Vatican se sont occupés des Ibo et du Biafra et, plus tard, de tous ceux qui se trouvaient dans les zones de sécheresse. Cette activité, je veux la poursuivre, mais je veux également innover exemplairement en attaquant la pauvreté et la faim avec autant de zèle et de dramatique ferveur que les gens du Moyen Age partis recouvrer la Terre sainte. Bien qu'on ait usé et abusé du terme de « croisade », c'est cependant le seul mot qui corresponde exactement à ce que je conçois. Nous devrons concentrer nos premiers efforts sur l'Amérique latine. Je veux recouvrer ce qui est nôtre, puis capturer d'autres régions, telle l'Afrique.

– *Ecco,* exhala bruyamment LaTorre, nettement soulagé.

François reprit alors à son compte cette opinion du pape Paul que le développement futur de l'Église réside dans le tiers monde. Le catholicisme, dit-il, a influencé la civilisation européenne et nord-américaine, et celle-ci a également influencé l'Église au point que le christianisme est devenu une religion occidentale et non plus orientale. Pour s'épanouir au tiers monde ou recouvrer son pouvoir sur le matérialisme et l'hédonisme de l'Occident, l'Église devait cesser d'être provinciale pour devenir encore plus « catholique ». Le premier pas dans cette direction, c'était la mise en œuvre du message de fraternité universelle du Christ.

Nous n'avons que trop souvent parlé hardiment et agi timidement. Il nous faut à présent parler humblement et agir valeureusement. Je veux un renouveau spirituel du clergé, suivi d'un semblable renouveau chez les laïcs, et ensuite d'une croisade pour nourrir ceux qui ont faim – une adaptation de l'ancienne idée américaine du Corps des Volontaires de la Paix, mobilisant des gens de tous âges, qui non seulement aideront à distribuer les vivres, mais aideront à enseigner aux pauvres à utiliser et développer les ressources, à exploiter plus scientifiquement la terre, à construire des écoles et des hôpitaux. Et c'est seulement lorsque cette croisade sera largement – et peut-être perpétuellement – engagée, que notre évangile d'amour et de justice pourra être cru. Qu'en pensez-vous? conclut *il Papa* à l'adresse de ses auditeurs.

– Je crois que c'est une idée magnifique, s'enthousiasma LaTorre. Les gens arrêteront de penser au sexe et au bouleversement du rituel. Ils auront quelque chose de constructif à faire, au lieu de rester à critiquer ceux d'entre nous à qui Dieu confie le soin des âmes.

– Exactement, approuva le cardinal Greene. Dieu veuille que nous puissions nous consacrer de nouveau à notre tâche du salut des âmes. Ce monde troublé est tout prêt à recevoir l'évangile, non l'évangile de la licence mais l'exigeant évangile de la prière, du sacrifice et du salut.

– Je suis sûr que la possibilité de répandre l'évangile du Christ nous réjouit tous, convint Chelli, mais Sa Sainteté a-t-elle envisagé le budget de ce projet?

– Oui. Tout ce qui sera nécessaire.

– Cela peut monter très haut, Saint-Père. La charité est toujours une entreprise onéreuse. Nous ne sommes pas riches. Comment pourrons-nous financer une campagne de masse?

– C'est au Christ d'y pourvoir. Il nous a commandé d'aller auprès des nations et de leur enseigner ce qu'Il avait enseigné. Nous ferons ce qu'Il a commandé. Nous espérons qu'Il honorera Sa part du marché.

– Pardonnez-moi, Saint-Père, si je semble insister, dit Chelli, mais c'est exactement ainsi que s'exprimait le pape Benoît durant la Première Guerre mondiale. Sa munificente charité a laissé la papauté au bord de la faillite, ce qui a rendu encore plus tentant, pour vos prédécesseurs, d'accepter un arrangement financier avec Mussolini mais aussi avec d'autres dictatures.

– Vous faites bien de nous rappeler le manque de foi de nos prédécesseurs dans la bonté de Dieu. Je puis vous assurer que nos péchés seront tout différents.

– Saint-Père, cette insistance sur les aspects purement temporels de la justice sociale ne pourrait-elle ouvrir notre croisade à ceux qui ne sont pas de notre foi? demanda LaTorre.

– Oui, je l'espère.

– Mais alors, Saint-Père, nous risquons qu'elle soit envahie par des protestants sinon, Dieu nous en préserve, par des juifs ou même des musulmans?

– Nous le risquons, oui, mais je crois que la vraie foi survivra à la compétition. Et même, ce serait une bonne chose que les religions rivalisent à celle qui aidera le plus autrui. Mais Votre Eminence soulève ici une question importante. Nous ne voulons pas négliger le spirituel au profit du temporel. Nous pensons que nos efforts pour nourrir les affamés et les aider à s'aider eux-mêmes constitueront un exemple de l'amour de Dieu en action, un exemple qui encouragera à nous écouter ceux qui n'ont pas entendu notre message – ou qui ont cessé de l'entendre. Les effets seront indirects, mais tout aussi positifs.

– Votre Sainteté, reprit Chelli, j'entrevois là un problème immensément grave. Une attitude militante à propos des problèmes sociaux entraîne inévitablement une implication de l'Église dans la politique séculière. Votre Sainteté ne peut proposer que nous devenions dans le monde une nouvelle force politique?

– Votre question est d'importance, répondit François, et je ne prétendrai pas y répondre facilement. Nous tous, la papauté, les évêques résidentiels, les prêtres partageant les biens paroissiaux avec ceux que la société rejette, ou le laïc partageant ce qu'il possède avec le pauvre, lorsque nous militons pour la justice sociale, nous sommes, en un sens, dans la politique, car tel est l'objet de la politique. C'est dans ce monde que nous, les chrétiens, devons œuvrer. Nous devons être dans ce monde, mais non en dépendre. En donnant leur forme aux plus grandes valeurs de la société, nous nous insérons profondément dans la politique, ce qui n'implique nullement une position partisane. Je ne veux nullement des partis « religieux ». Peu m'importe le parti auquel adhèrent nos laïcs pourvu qu'ils soutiennent, en paroles et en actes, la dignité de l'homme, le caractère sacré de la vie humaine, et la nécessité de la justice parmi le genre humain.

– Votre Sainteté établit de subtiles distinctions, observa Chelli.

– J'en conviens. Les exigences de César et celles de Dieu se recoupent partiellement.

Inquiet des risques de persécutions et de martyres, je décidai d'intervenir :

– Mais qu'advient-il si un évêque voit qu'un gouvernement va mettre en œuvre une politique qui viole la loi morale? Comment peut-il prendre position sans parler de façon partisane?

– L'évêque, comme d'ailleurs le laïc, doit se prononcer clairement et fermement – l'obligation de l'évêque étant, en l'occurrence, beaucoup plus grande. Il doit être prêt à accepter le martyre, non à s'y exposer, mais à l'accepter. Dans la mesure où expliquer et appliquer la loi morale a des répercussions sur la politique partisane, nous devons nous en accommoder. Mais on peut condamner l'immoralité d'une politique sans pour autant condamner ses partisans, ou soutenir ses adversaires.

La réponse était juste, elle était juste, naïve, et très américaine.

– Nous est-il permis de revenir à une question beaucoup plus fondamentale, Votre Sainteté? demanda Bisset. Pouvons-nous apprendre de façon précise ce que vous entendez par croisade? Je veux dire au-delà d'un corps ecclésiastique de « Volontaires de la Paix ».

– Pas de façon aussi précise que vous et moi le souhaiterions, répondit François avec un sourire. En toute honnêteté, vous venez d'entendre des idées générales. La raison de notre rencontre aujourd'hui est justement leur généralité. Je veux voir si nous pouvons, collectivement, habiller de quelque chair cette grossière charpente.

Bisset ne répondit pas, mais le préfet de la Congrégation pour l'enseignement catholique demanda :

– Plus spécifiquement, Saint-Père, comment envisagez-vous la mise en œuvre de cette croisade?

– Son Éminence aurait-elle des suggestions?

– Pas dans l'instant, Saint-Père, mais j'essaierai de vous en présenter très rapidement.

– Il nous plairait que tous, ici, vous nous exprimiez votre sentiment par écrit ou de vive voix. Mais, tout d'abord, quelqu'un a-t-il une objection fondamentale à élever contre la ligne que nous avons définie? Le cardinal Chelli a fait ressortir une difficulté sérieuse. Notre réponse procédait partiellement de la foi que nous mettons dans la capacité du cardinal Chelli à financer notre vision. D'autres questions également pertinentes ont été soulevées. Mais je dois savoir immédiatement si quelqu'un estime ce programme malavisé ou inutile. (François promena ses regards sur l'assistance. Nul ne se manifesta.) Dans ce cas, poursuivons. De toute évidence, il y a de nombreux problèmes. Essayons de voir ceux qui n'ont pas encore été soulevés. Je vais aller prendre un peu d'exercice sur la terrasse pendant une demi-heure. A mon retour, nous pourrons reprendre cette discussion. Vous aurez eu ainsi le loisir d'en parler entre vous.

Une fois *il Papa* sorti, le silence régna dans le bureau pendant cinq bonnes minutes. Chelli était allé exhaler à la fenêtre la fumée de son cigare cubain. Bisset roulait machinalement son crayon sur la table. Brusquement, Chelli se retourna :

– Mon cher Ugo, dites-nous votre pensée.

– Je crois qu'il y a là maints problèmes. Le genre de rôle qu'*il Papa* veut voir jouer à l'Église renferme une pléthore de difficultés. C'est une chose que de prendre politiquement parti dans une démocratie stable comme les États-Unis et c'en est une entièrement différente dans une situation chaotique où des luttes opposent toute une gamme de forces, mauvaises pour la plupart. Mais je vois sa ligne générale. Et je vois aussi la nécessité, pour l'Église, de s'engager plus profondément, de façon à la fois plus spectaculaire et plus pratique, dans la quête de la justice sociale.

– Il me semble, dit Bisset d'un ton assez sarcastique, que notre canoniste de Naples posait une question plus subtile : jusqu'où cette affaire de renouveau spirituel est-elle sérieuse?

– *Ecco,* nous avons entendu *il Papa* exprimer sa pensée, répondis-je en m'adressant plutôt aux autres. Pour moi, nous devons répondre à sa sincérité par une non moins grande sincérité personnelle.

– Tout à fait juste, dit Greene, tout à fait juste.

Allora, après cela la discussion se déroula aussi bien qu'on peut l'attendre de gens qui n'ont pas l'habitude, si je puis me permettre l'expression, de jouer cartes sur table. Au Vatican, nous inclinons à être jaloux de nos prérogatives et à nous garder, en bons Italiens, de dévoiler le fond intime de notre être. Après le retour de François, notre séance se poursuivit encore pendant une heure. Il fut déçu de la mollesse de la discussion. Mais, selon moi, il avait semé quelques graines de confiance, et excité l'imagination de plusieurs d'entre nous. Je frissonnais à la pensée du flot d'écrits que cette réunion allait nous valoir.

8.

Le lendemain matin, à huit heures, François, assis à son bureau, traçait les grandes lignes de son projet. Un peu plus tôt, il avait rabroué monsignor Bonetti qui s'enquérait si Sa Sainteté voulait célébrer la messe. Bien qu'il ait été consacré évêque, il considérait plutôt, à ce qu'il me semble, ces choses comme des formalités. On peut dire que François fut un moine, mais jamais un prêtre – du moins dans le sens psychologique où nous le sommes tous. Il me confia un jour qu'il lui arrivait de prier avec foi, mais, à d'autres moments, seulement avec espoir. La messe, les sacrements n'eurent jamais, dans sa psychologie, la même part que dans celle d'un prêtre. Je ne dis pas que c'était un mal pour lui, mais seulement que cela le rendait différent de nous.

François s'énervait parce que le cardinal hollandais Gordenker, le chef déclaré des serviteurs, aurait dû être là depuis dix minutes. Il consulta sa montre pour la troisième fois, et m'invita à commencer mes explications sur ce qu'est la Curie, en faisant comme s'il en ignorait tout. Je commençai en disant que l'une des deux notions les plus importantes à propos de la Curie, c'est qu'en fait elle est divisée en dix curies, les « dicastères » ou Sacrées Congrégations, qui sont plus ou moins comparables à des ministères. Les secrétaires, qui sont responsables de l'administration quotidienne de chaque congrégation, sont généralement des fonctionnaires de carrière qui ont passé pratiquement toute leur vie au Saint-Siège ou, à l'étranger, dans la diplomatie. Ils ont en commun d'être des bureaucrates, mais ils ont aussi des ambitions rivales. A leur nomination, les secrétaires sont habituellement des *monsignori,* ayant déjà servi au moins une douzaine d'années au Vatican. S'ils se montrent compétents, ils deviennent bientôt archevêques, mais archevêques titulaires et non résidentiels. Les meilleurs peuvent espérer la barrette rouge, sinon même la plus haute consécration. Trois des prédécesseurs récents de François, Montini, Roncalli et Pacelli, étaient tous des fonctionnaires du Vatican, ayant fort peu d'expérience pastorale.

Dans une certaine mesure, poursuivis-je, les secrétaires sont rivaux, non seulement dans l'espoir du cardinalat, mais pour mettre en œuvre leurs idées. La juridiction de chaque congrégation recouvre partiellement celle de deux autres ou plus. Et bien qu'ils aient suivi des carrières assez voisines, les membres de la Curie divergent souvent profondément sur l'application des principes moraux et théologiques fondamentaux à des problèmes spécifiques. Au surplus, voyant le monde à travers l'institution qu'ils administrent, ils croient volontiers que leur congrégation traitera n'importe quel problème particulier avec plus d'habileté et de sagesse que les autres congrégations. D'une certaine façon, l'ambition personnelle, la fidélité institutionnelle et la dévotion à Dieu et à l'Église renforcent dans le Saint-Siège le séparatisme.

Le préfet de chaque congrégation est un cardinal, qui peut avoir les mêmes vertus et les mêmes travers que le secrétaire, encore qu'une plus grande proportion des cardinaux ne soient pas des carriéristes du Vatican. Ceux qui ont été pasteurs éprouvent plus de difficultés à gouverner leurs subordonnés, lesquels connaissent nos manières byzantines comme jamais ne les connaîtra celui qui est arrivé à Rome tard dans sa vie. *Ecco*, ces cardinaux divergent aussi entre eux sur maintes questions théologiques, administratives, diplomatiques, et sur l'application particulière des règles générales.

A chaque congrégation est également attaché un groupe de cardinaux, fonctionnant plus ou moins comme un conseil d'administration. Ils ne se réunissent qu'une ou deux fois l'an, et interviennent assez peu, les problèmes spécifiques étant résolus au jour le jour. Ils sont d'ailleurs peu susceptibles de s'exprimer en toute franchise ou de travailler en étroite coopération. La réunion de la veille avait montré combien la plupart des cardinaux répugnent à se déclarer devant leurs frères. Les raisons? Crainte italienne morbide de faire une *brutta figura*, défiance dans la capacité des autres, et peut-être rivalité inconsciente pour la papauté, sinon à son propre bénéfice, du moins à celui de son candidat.

– Mais je ne veux pas exagérer ce dernier trait, dis-je.

– Pourquoi pas? demanda François. Dresser l'une contre l'autre les ambitions, voilà le bon moyen d'endiguer le pouvoir.

A ce moment, nous entendîmes frapper discrètement, et la porte s'ouvrit pour livrer passage au cardinal Gordenker.

– Pardonnez mon retard, Très Saint-Père, dit le cardinal hollandais en pliant le genou pour baiser la main de François. Mais vos gardes ont insisté pour me faire attendre dans la *camera*.

– Il semble qu'il vous soit aussi difficile de pénétrer dans le palais qu'à moi d'en sortir. Nous discutions de la Curie.

– La Curie? N'en discutez pas, Saint-Père, abolissez-la. C'est un océan de geôliers bureaucratiques. Liquidez-la, et faites repartir l'Église à neuf dans le monde moderne.

– Il nous faudrait alors créer une nouvelle bureaucratie, dis-je.

– Au moins pour le présent, je crains que le cardinal Galeotti n'ait raison, convint François. Comprenons d'abord bien ce à quoi nous sommes confrontés. Son Éminence m'expliquait les deux plus importants traits de la Curie. Le premier, c'est l'absence de coordination. Comment mes vénérables prédécesseurs, de sainte mémoire depuis qu'ils nous ont quittés, surmontaient-ils la difficulté?

– *Ecco,* ils ne la surmontaient pas, ils apprenaient à s'en accommoder. Historiquement, c'est un immense problème de l'Église. La plupart des Pontifes se considéraient comme des empereurs absolus sur le modèle de Constantin. En réalité, ils ont plus souvent été comparables à des seigneurs féodaux, sans grande autorité sur de prétendus vassaux. Et le pape Paul que vous critiquez tant, dis-je en me tournant vers Gordenker, eh bien, il a essayé de gouverner la Curie, et il y a probablement mieux réussi que beaucoup. Il a fait du secrétaire d'État son chef d'état-major. Toutes les propositions d'actes officiels du Saint-Siège parvenaient à *il Papa* par son intermédiaire, et c'est lui qui fixait leurs directives aux congrégations. La Secrétairerie d'État examinait et coordonnait les rapports et projets, de telle sorte qu'*il Papa* n'avait nullement une vision fragmentée des choses.

– Mais Paul a tout gâché en nommant secrétaire d'État le libéral français Jean Villot, intervint Gordenker, et comme substitut son vieil ami et ancien assistant, Giovanni Benelli. Le substitut de Villot, responsable de la coordination des services de la Curie, n'en répercutait pas grand-chose au pauvre Français. Paul et Benelli le tenaient souvent à l'écart, et il en était très amer.

– Quoi qu'il en soit, dit François, cette idée d'un premier collaborateur du pape, et d'une source privilégiée d'informations, me séduit assez. Mais il faut aussi qu'il ait le contrôle financier?

– Sans doute, répondis-je, et le pape Paul a essayé d'innover, là aussi. Il a créé en 1967 la Préfecture des affaires économiques du Saint-Siège – notre frère Mario Chelli la préside depuis trois ans.

– Et cela n'a pas bien marché non plus, dit Gordenker.

– Pourquoi? s'enquit François.

– Si, cela a bien marché, mais pas parfaitement, répondis-je. Je propose que nous laissions Chelli s'en expliquer lui-même.

– Très bien, accepta François. Terminé pour le manque de coordination. A présent, quel est le second trait caractéristique?

– *Allora,* un zèle absolu, et généralement une absence non moins absolue d'humilité, fréquente chez les gens très zélés. La plupart des membres de la Curie *savent* ce que doit être, et faire, l'Église. Ce sont des hommes loyaux, mais leur certitude colore inévitablement leur vision du monde, leur évaluation des événements, leur choix des informations à transmettre, leurs propositions.

– Nous voyons tous la vie selon une optique particulière, remarqua François. Il faudra savoir exploiter ce zèle, en se prémunissant pour ne jamais dépendre d'une unique source d'informations ou de conseils. Nous devrons créer d'autres sources, afin que je me forme mon propre jugement en ayant examiné le problème de plusieurs points de vue. J'opte donc pour une stratégie mixte. Je ne dispose que d'une réserve limitée d'énergie et d'un nombre limité de jours.

– Christ n'a eu que trois ans, Très Saint-Père, rétorqua Gordenker.

– Mais Il avait l'avantage de la divinité, rétorqua François. Ne le possédant pas, je compte sur des gens comme vous et le cardinal Martín pour m'aider à réformer et harmoniser la Curie. Le secrétaire d'État sera toujours responsable de la coordination, mais je veux être informé par d'autres sources de ce qui se passe, ou ne se passe pas. Un peu plus tard dans la matinée, nous allons parler de la Préfecture des affaires économiques avec Chelli. Si j'ai le contrôle des finances de messieurs les cardinaux, je serai fort avancé dans le contrôle de leur ligne de conduite.

» Et je veux aussi une Curie beaucoup plus internationale qu'elle ne l'est, internationale non seulement par les cardinaux qui coiffent les congrégations mais par les secrétaires, sous-secrétaires et employés subalternes qui en assurent le fonctionnement. Si la Curie ressemble à toutes les administrations que j'ai connues, il importera moins de déplacer les cardinaux que de remplacer les *monsignori* qui prennent journellement les décisions. Je veux des gens à l'esprit ouvert – pas de libéraux fanatiques, pas de traditionalistes dogmatiques. Il se peut que je sois infaillible, mais je suis également inculte sur beaucoup de problèmes sociaux et spirituels du monde.

– En ce qui concerne les nominations..., commençai-je, mais François me coupa la parole :

– Pourvoir judicieusement les postes ne peut suffire. La tentation de se tailler un empire est trop irrésistible et universelle. On peut pallier en partie cette tendance en exerçant une étroite surveillance, et en partie en installant dans les charges des personnes qui nous servent tout en servant leurs ambitions, puis en les mutant avant que ces dernières nous nuisent. Et, là encore, si je puis susciter certaines rivalités de personnes, j'y trouverai des sources d'information supplémentaires – au moins dans leurs querelles sinon dans leurs rapports d'exercice. La rivalité est aussi un moyen de les forcer à trouver de meilleures idées.

– Même si cela marche, Saint-Père, reprit Gordenker, je persiste à penser que nous ferions mieux de tout recommencer. Mais je ferai tout ce qui m'est possible pour que notre projet marche.

– Ugo, voulez-vous établir avec le cardinal Gordenker une liste des noms que vous recommanderiez pour chaque haute charge du Vatican? Que cela demeure strictement entre nous trois. A propos, n'hésitez pas à désigner des hommes qui ne sont pas encore cardinaux. Comme l'Esprit Saint, nous n'estimons pas être obligé de restreindre nos choix au Sacré Collège. (Nous acquiesçâmes d'un signe de tête.) Et il m'est venu une autre idée à laquelle j'aimerais que vous pensiez : comment faire du Synode des évêques un forum ouvert aux débats, une sorte de chambre représentative et consultative, où j'entendrais exprimer toute sorte d'opinions? Je veux le mettre en compétition avec la Curie pour le pouvoir. Le Synode pourrait très bien finir par devenir un véritable parlement ecclésiastique, contester même l'autorité du pape. Mais cela sera le problème de mes successeurs. Il ne serait pas juste de les priver du plaisir de résoudre des difficultés, dit-il avec un sourire. Réfléchissez-y, et donnez-moi votre sentiment la semaine prochaine.

Gordenker quitta le bureau pontifical et François s'adressa à moi :

– Il nous reste dix minutes avant la prochaine conférence; essayons de régler quelque chose. Ugo, voulez-vous accepter le poste de secrétaire d'État?

– Saint-Père, je ne peux rien refuser à *il Papa*, mais ma santé n'est pas bonne. Je crains de ne pouvoir vous servir plus de quelques mois dans un poste aussi éprouvant.

– Vous avez consulté un docteur?

– J'en ai consulté beaucoup. Ils disent tous pareil. Vous vous rappelez votre Ovide? « Les vieillards ne sont que des hôpitaux ambulants. » Mon mal n'est pas dramatique, mais simplement sérieux : la leucémie. A Washington, j'ai été traité intensivement. Seuls mes plus proches collaborateurs en étaient avertis. Depuis plusieurs mois, je bénéficie d'une rémission. Nul ne peut prédire combien de temps cela durera, bien que les médecins aient été moyennement encourageants. Il semble que mon mal soit vulnérable à une combinaison de chimiothérapie et de radiothérapie. Cependant, on n'a plus beaucoup d'années à espérer – ou à craindre – quand on a passé soixante-quinze ans.

Le visage de François s'assombrit. Je savais qu'il était sincèrement inquiet, et je ne puis dire combien j'en fus touché.

– Soixante-quinze ans? dit-il d'une voix légèrement balbutiante d'émotion. Je ne vous ai jamais demandé votre âge, mais je pensais que vous en aviez dix de moins.

– *Ecco*, ce qui montre le résultat d'une vie de prière et de jeûne, dis-je en tapotant mon ventre rebondi. Je suis prêt à vous servir, Saint-Père, mais je ne pense pas que je vous servirais bien en qualité de secrétaire d'État.

– Mais certainement. Faites comme vous l'entendez. Je ne me serais jamais douté... Et comme conseiller personnel et ami?

– J'en serai honoré, répondis-je.

– Parfait. Donc, qui sera secrétaire d'État? poursuivit-il avec quelque impatience. Gordenker est trop engagé dans une ligne pour coordonner efficacement. Il appliquera sa ligne, non la mienne, involontairement d'ailleurs. Il faudra aussi que je place LaTorre quelque part. Il ne faut pas que je m'aliène les traditionalistes. Mais je ne peux pas l'avoir pour secrétaire d'État, pas plus qu'un de ces Irlandais réactionnaires comme Greene, ou que ce faux jeton de Bisset, le Français.

– Non, reconnus-je, LaTorre ne peut convenir. De toute façon, il n'occupe ces fonctions qu'à titre intérimaire. Vous avez raison en ce qui concerne Gordenker et Greene. Ils diviseraient, et même ils fractureraient l'Église. Mais avez-vous songé à un Africain ou à un Asiatique, ce qui témoignerait de la véritable catholicité de l'Église?

– Oui, mais je ne pourrais plus jamais m'en démettre. Qu'il soit intelligent, et il sera parfaitement conscient de ce fait; et, s'il n'est pas intelligent, sa charge le dépassera. Si je ne puis vous avoir, je veux quelqu'un qui adhère à l'image de l'Église des serviteurs, mais qui soit moins publiquement identifié à cette faction que Gordenker ou Fournier. Martín serait parfait, mais, pour l'instant, j'ai beaucoup plus grand besoin de lui ailleurs. Il me faut quelqu'un en qui je puisse avoir implicitement toute confiance, ou que je puisse renvoyer aisément. Il me faut un homme *à moi.*

– Les cardinaux se considèrent plutôt comme les hommes du Christ.

– C'est probablement vrai, et il faut tracer une fine démarcation entre la loyauté envers Lui et envers Son Vicaire. Très bien, j'accepte la leçon. Me proposez-vous quelqu'un?

– Oui, Saint-Père, un de vos rivaux majeurs devant le conclave, le cardinal Paolo Fieschi, archevêque de Milan.

– Il est trop traditionaliste, objecta François.

– A mon sens, uniquement dans la mesure où il ne comprend pas grand-chose du monde hors du droit canon et de l'administration ecclésiastique. De façon plus générale, c'est un homme intelligent, une forte personnalité, et un remarquable administrateur. Il sait commander et obéir. Il est, de tout le Sacré Collège, celui qui s'apparente le plus à un Marine. Si vous voulez de la coordination dans la Curie, il vous donnera de la coordination – et avec cette souplesse que seuls les Italiens savent y mettre.

– Il se peut qu'il convienne, concéda François. Il faut que j'y réfléchisse. Je ne sais pas si j'estime si haut la coordination. Je n'ai vu l'homme qu'à deux reprises, mais je le sais arrogant. Vous souvenez-vous du commentaire de Kate?

Je m'en souvenais parfaitement. Ayant constaté avec quelle froide assurance il menait une réception diplomatique, elle l'avait dépeint comme « traversant la vie en sachant toujours que, dès qu'il voudrait s'asseoir, quelqu'un glisserait une chaise entre son derrière et le plancher ».

– Je reconnais qu'il peut paraître arrogant à un Américain, dis-je. Il était normal qu'il se conduisît de la sorte à votre égard. Vous n'étiez ni son supérieur ni son pair. Après tout, c'est un aristocrate italien. Vous avez réagi en Américain égalitaire. Mais il aura surtout affaire aux Européens. Qu'il manque d'arrogance leur paraîtrait étrange.

– Ugo, ménagez-vous, m'interrompit brusquement François.

– Mais bien sûr, Très Saint-Père, je n'ai guère autre chose à faire qu'à me ménager.

Ces paroles, j'allais les regretter.

9.

Je reprends le récit de cette journée de travail, pour vous montrer à quel point François voulait aller au fond des choses. Au surplus, les finances du Vatican inspirent généralement une curiosité morbide aux laïcs; je vais donc la satisfaire.

Cinq minutes après le départ de Gordenker, monsignor Bonetti introduisait les cardinaux Chelli, LaTorre, Greene et Bisset, l'archevêque américain (simplement titulaire) George Sullivan, et un laïc, le chevalier Carlo Gaetani, frère du recteur de l'Université du Latran. Les quatre cardinaux étaient membres de la Préfecture des affaires économiques; parmi les rares modifications qu'avait apportées le successeur du pape Paul à la Curie, il avait porté leur nombre de trois à quatre pour y inclure, *ex officio*, le président de l'Administration du patrimoine du Siège apostolique. L'archevêque Sullivan était secrétaire de l'Institut pour les œuvres de religion, et le chevalier Gaetani, ancien directeur de la banque du Saint-Esprit (dans laquelle nous détenons une participation), était l'un des hauts conseillers parmi les « hommes de confiance » qui gèrent beaucoup d'investissements du Saint-Siège.

– Veuillez prendre place, dit François. L'objet de cette visite, c'est que vous m'expliquiez ce qu'il en est des finances de l'Église. Nous comprenons, cardinal Chelli, que si nous détenons les clefs du royaume des cieux, vous-même détenez les clefs du trésor du Vatican.

– En réalité, Très Saint-Père, ma fonction est plus restreinte. En qualité de président de la Préfecture des affaires économiques, il me revient d'établir le budget et de surveiller les comptes. C'est surtout une tâche de coordination que la nôtre. Vers la fin de l'année, nous recevons de chaque service du Saint-Siège ses prévisions budgétaires, nous les insérons dans un projet de budget général, que nous soumettons à l'approbation du pape, accompagné d'un résumé descriptif et de nos avis. C'est le Pontife qui décide lui-même en dernier ressort.

Puis Chelli expliqua que l'Institut pour les œuvres de religion, fondé en 1942 pour protéger les avoirs des organismes religieux européens de la confiscation par les nazis, en était progressivement venu à faire office de banque du Saint-Siège, encore que le Vatican plaçât des fonds et détînt des participations dans d'autres établissements financiers. Comparé aux grands groupes bancaires américains, l'Institut était de taille très inférieure – ses dépôts ne dépassant guère les deux milliards de dollars.

Au passage, François indiqua que trois points lui déplaisaient : la promesse arrachée au Vatican par les ordres religieux, sous Pie XII, de ne jamais contraindre l'Institut à révéler les comptes ouverts chez lui à quiconque, même au pape; le fait qu'il échappait à la surveillance de la Préfecture des affaires économiques; et la facilité laissée à certains financiers séculiers de faire des opérations par l'intermédiaire de l'Institut, donc à l'insu de leurs gouvernements. François remarqua, autant pour lui-même qu'à notre intention, que si, par diplomatie, il ne pouvait rien changer au premier, il ne supporterait certainement pas les deux autres.

Puis Chelli définit, sans les chiffrer, quelles étaient les plus grosses dépenses du Vatican. C'était parfois les aides et charités qui venaient en premier, mais, d'une manière générale, cette place revenait à l'œuvre missionnaire, où la part des salaires, églises, transports et autres était très inférieure à celle des œuvres charitables. Après ces deux catégories, que l'on pouvait chiffrer annuellement à cent millions de dollars, le troisième gros poste de dépenses concernait les subsides aux églises et organisations religieuses qui ne pourvoyaient pas elles-mêmes à leurs besoins. Il y avait enfin l'administration du Saint-Siège, c'est-à-dire le coût de fonctionnement du Vatican et de ses services diplomatiques dans le monde entier. Ce poste se chiffrait en millions et en millions de dollars, en dépit d'efforts draconiens pour y faire régner l'austérité.

– Évidemment, Votre Sainteté, conclut Chelli, nous pratiquons des classifications arbitraires. Ainsi, une partie des frais de Radio-Vatican devrait être ventilée sur le poste des dépenses missionnaires.

– D'où vient l'argent? demanda François.

– Principalement de l'Administration du patrimoine du Saint-Siège, répondit LaTorre. En tant que secrétaire d'État intérimaire, j'en suis le président, mais le chevalier Gaetani en connaît infiniment mieux que moi le fonctionnement.

Ecco, Gaetani nous expliqua que les revenus du Vatican provenaient essentiellement de six sources. (Je vous rappelle que le Saint-Siège n'a aucun droit de regard sur les finances des évêques résidentiels ou des ordres religieux tels que les dominicains ou les franciscains. Cependant, s'ils se trouvent en difficulté, nous essayons d'éponger partiellement, ou même totalement, leur déficit. Ainsi, leur argent n'est pas le nôtre, mais notre argent peut devenir le leur.)

La première source, ce sont les intérêts des investissements de la capitale historique du Saint-Siège, principalement des fonds donnés par Mussolini à l'Église aux termes du traité du Latran, en 1929, en tant qu'indemnité d'expropriation, par l'État italien, de biens fonciers et bâtis appartenant aux anciens États pontificaux. La somme promise par Mussolini équivalait à près de quatre-vingt-dix millions de dollars, mais la majeure partie était en obligations d'État. Lorsqu'elles sont arrivées à échéance, elles étaient loin d'atteindre leur valeur nominale de 1929. En outre, une partie des sommes effectivement versées avait dû être affectée à la construction ou à l'agrandissement de bâtiments pour remplacer ceux dont s'était emparé le gouvernement italien.

La deuxième source de revenus du Vatican, c'était l'offrande annuelle des fidèles du monde entier que l'on appelle le denier de Saint-Pierre. La troisième se trouvait dans les collectes spéciales, par exemple pour les missions. La quatrième venait des loyers et ventes d'appartements et autres biens fonciers appartenant au Vatican, et sis surtout à Rome. La cinquième était constituée par les rentrées de l'État du Vatican : vente de timbres et de médailles aux collectionneurs, d'aliments et d'essence aux citoyens du Vatican, de livres et de journaux à tout un chacun, et entrées perçues pour la visite des musées. Venait, pour terminer, un *misto*, comprenant par exemple des legs de riches catholiques ou des dons transmis par les évêques.

– Et comment sont distribués vos investissements, *cavaliere?* demanda François.

– Pendant un temps, ils consistaient principalement en propriétés foncières, surtout en Italie. Mais nous nous sommes défait de la majeure partie, en ne conservant que des propriétés bâties à Rome. Autrement, notre portefeuille est assez conservateur. Environ un quart de nos biens est en titres rémunérateurs et solides. Il y a aussi, à la fois plus spéculative mais d'un plus haut rapport, notre réserve d'or. Je dis « d'un haut rapport » parce que nous l'avons constituée en grande partie au moment où il valait trente-cinq dollars l'once. Ce matin, à Zurich, il cotait trois cent sept dollars. La moitié environ de notre portefeuille est en « placements de père de famille », comme vous dites : Italgas, A.T. & T., Olivetti, I.B.M. Enfin, quinze à vingt pour cent sont investis dans des valeurs plus spéculatives. Dans l'ensemble nos gains dépassent considérablement nos pertes. J'estime le taux de croissance annuel réel entre sept à dix pour cent, l'inflation le faisant paraître plus élevé.

» Enfin, une toute petite fraction de notre capital est consacrée à la spéculation sur les monnaies étrangères. Nous nous y livrons depuis des décennies. Le taux de change évolue de jour en jour, parfois d'heure en heure. Nous achetons et vendons régulièrement. En 1973, lorsque le dollar était faible, nous en avons acheté des millions contre de la lire, au taux de cinq cent soixante à six cents lires pour un dollar. Quelques mois plus tard nous aurions pu vendre tout ce que nous voulions – au cours minimum non homologué de sept cents lires le dollar. Mais, ayant peu confiance dans l'économie italienne, nous avons surtout employé nos dollars à acheter d'autres monnaies, notamment du franc suisse, lequel, en 1978, avait presque doublé par rapport au dollar. Dans l'ensemble, nous sommes toujours bénéficiaires.

– Quel est le montant total des fonds investis ou disponibles à l'investissement?

– Saint-Père, il est très difficile de donner une réponse, et cela pour deux raisons. Il varie d'heure en heure sur une douzaine de places boursières étrangères. Je puis toutefois dire que ce que racontent les journaux sur les « finances du Vatican » est tout à fait exagéré. Nous ne sommes certainement pas riches, à peine à l'aise.

– Vous parliez de deux raisons, intervint François.

– Le cardinal Chelli pourrait expliquer, répondit Gaetani non sans une certaine gêne.

– Mais oui, dit Chelli, encore que de façon non entièrement satisfaisante, Votre Sainteté. Le second problème tient à ce que, si nous possédons bien un état complet du capital productif géré par l'Administration du patrimoine du Siège apostolique, nombre des autres organes, par exemple Propaganda Fide ou le gouvernorat de la cité du Vatican, procèdent à leurs propres investissements, sans toujours nous dire de quelle façon et pour quel montant. Nous nous efforçons d'en savoir un peu plus d'année en année, mais personne ne pourrait produire sur l'instant un état de la totalité du capital productif du Saint-Siège.

– Incroyable, murmura François. Nous y reviendrons dans une minute, mais pouvez-vous me donner immédiatement une estimation grossière de la valeur nette de nos investissements?

– Mon estimation très grossière, Saint-Père, dit Gaetani, c'est que si nous devions tout réaliser en quelques semaines, nous obtiendrions environ un milliard de dollars; en disposant de deux ans, nous obtiendrions beaucoup plus, entre cinquante et cent pour cent de ce chiffre.

– Dans le monde moderne, c'est effectivement loin de constituer la fortune, dit François, et ce n'est même pas une grande aisance. Plusieurs universités américaines ont des dotations proches ou mêmes égales – et des dépenses très inférieures au nôtres.

– C'est vrai, Saint-Père, répondit Gaetani, mais nous n'avons pas encore entièrement compensé les pertes entraînées par les scandales Sindona. Nous en avons comblé quelques-unes, mais nous y avons tout de même laissé plusieurs centaines de millions de dollars. Le cardinal Chelli lutte pour réduire nos dépenses, et, avec le denier de Saint-Pierre, les collectes spéciales et les legs, nous n'avons pas à puiser entièrement dans les revenus de nos investissements.

– Combien obtenons-nous avec le denier de Saint-Pierre?

– Je puis vous donner un chiffre approximatif, Saint-Père, proposa LaTorre. L'année dernière, pas tout à fait cinquante millions de dollars.

– Notre peuple entend de façon trop littérale le terme « denier », se renfrogna François. Rappelez-moi d'aviser à ce sujet.

– Cet argent vient principalement des États-Unis et du monde de langue anglaise, Saint-Père, dit LaTorre. Ce sont les Italiens qui entendent le mot de façon littérale. Rare est l'Italien qui donne plus qu'une pièce de cent lires à la quête dominicale.

– Évidemment, il sait que son gouvernement subventionne l'Église grâce aux impôts qu'il paie, remarqua François. Je doute que nous gagnions financièrement beaucoup à de tels arrangements. Il est sûr que nous y perdons beaucoup en pouvoir moral. Mais cela aussi est un problème à voir plus tard. Si je me souviens bien, la création de la Préfecture des affaires économiques avait notamment pour objet de doter le Saint-Siège d'un budget centralisé.

– C'est exact, Saint-Père, confirma Chelli.

– Vous y avez tout de même réussi dans une très grande mesure. Votre état budgétaire montre où passe l'argent, sauf, bien entendu, dans la banque de Son Excellence, dit François en souriant à Sullivan. Un autre objet était de mettre le Saint-Siège à même d'organiser ses ressources et de décider rationnellement des opérations et des investissements. Il ressort de ce que vous nous dites que nous n'en sommes pas là.

– Nous avançons, Saint-Père, répondit Chelli, mais mes frères cardinaux ont été indépendants pendant trop de siècles pour céder sans bruit et rapidement.

– Pourquoi pas un fonds central d'investissement contrôlant tous les avoirs du Saint-Siège? Il pourrait prendre des décisions plus intelligentes et peser financièrement beaucoup plus qu'une douzaine de petits groupes?

– Mais, Saint-Père, c'est exactement ce que je recommande depuis plusieurs années. Hélas! comme je le disais, tous mes frères ne sont pas prêts à échanger l'indépendance contre l'efficience.

– Même si le pape le leur ordonne directement?

– Très Saint-Père, le Vatican doit se manier comme une vieille dame, dit Chelli. On peut la faire avancer à petits pas en la tenant d'une main douce, mais si on la pousse, ou bien elle tombe ou bien elle devient très butée.

– Espérons que la Curie avance, dit François. S'il le faut, je porterai la vieille dame à bras-le-corps. Je place votre service, cardinal Chelli, immédiatement après la Secrétairerie d'État, pour ce qui regarde la coordination des lignes d'action du Saint-Siège et la collecte de données à partir desquelles nous pouvons agir. Je souhaiterais que vous prépariez, si possible cette semaine, un train de mesures permettant de regrouper les budgets et de créer une commission centrale chargée de surveiller les investissements. Je veux que tous les services du Saint-Siège, congrégations, commissions, secrétariats et autres me fournissent sous trente jours un état complet de leurs finances : valeurs, biens fonciers, dépôts bancaires, avoirs sous n'importe quelle forme. Tous les services. Sans aucune exception. Et sans retard.

» Nous allons diriger, messeigneurs cardinaux. Dieu nous a donné une Église, et nous la gouvernerons. Nous espérons le faire, poursuivit François en souriant, avec plus de douceur, de correction et de permanence qu'Olivier Cromwell, que nous venons de plagier.

10.

Comme le souhaitait François, j'avais retrouvé ce journaliste américain, le doctor Roberto Twisdale. Il se trouvait tout simplement à Rome, en reportage sur le conclave pour l'*International Herald Tribune.* Lui ayant expliqué ma mission, je le conduisis auprès de François. Une heure plus tard, *il Papa* avait un *portavoce,* un porte-parole. Et ils projetaient déjà tous les deux une conférence de presse sous quelques jours.

L'idée ne me paraissait pas prudente. *Il Papa* n'ayant ni armée ni forces quelconques, son autorité repose entièrement sur des fondements moraux, psychologiques, si vous préférez le terme séculier. D'où la pompe du cérémoniel pontifical et l'existence relativement peu extérieure du Pontife. Plus le voile de mystère entourant le pape est opaque, et plus il est revêtu de ce que Charles de Gaulle appelait la mystique du chef. Il doit demeurer, chez le chef, beaucoup de choses inaccessibles à son peuple et même à ses collaborateurs. S'il apparaît trop fréquemment comme un simple mortel, son ascendant psychologique sur l'esprit populaire s'affaiblit. Voilà pourquoi, entre autres, l'Église traite la personne du Pontife avec tant de respect. Il y a aussi, bien sûr, notre révérence pour celui qui marche dans les pas du grand Pêcheur et aussi dans ceux du Christ. En Américain qu'il était, le pape François se défiait de la révérence et en décourageait les marques à son endroit, sauf s'il les estimait de mise, comme pour la cérémonie du couronnement. Lorsque je lui expliquais ces choses, il en convenait, mais souvent, il n'intériorisait pas mes paroles. Il se conduisait avec simplicité, et il n'apprit que lentement à modifier cette attitude.

Allora, le samedi de la semaine qui suivit son élection, à onze heures, le nouveau Pontife, monsignor Bonetti, le doctor Roberto – *mi scusi,* vous l'appelez Robert – Twisdale et moi-même pénétrâmes dans la chapelle Sixtine pour la « conférence de presse ». Seul de tous je ne m'y trouvais pas en poste officiel. Mais je voulais voir cet événement historique, même si je le désapprouvais. Les quelque quatre-vingts journalistes avaient été introduits par l'entrée des musées, encore fermée au public pendant que l'on démantelait les installations du conclave. François portait la soutane blanche, mais non le *zuchetto*, la petite calotte blanche qui coiffe habituellement *il Papa*.

Deux Gardes suisses se figèrent au garde-à-vous lorsque nous franchîmes la porte de la chapelle. Le murmure de voix et de rires cessa instantanément. François se plaça sur les marches de l'autel, debout devant un petit pupitre sur lequel il déposa ses notes, et prit la parole, avec ce débit nerveux et direct qui était celui de ses conférences – style qui faisait ressortir son accent romain.

– Je sais la rareté que constitue une grande conférence de presse du pape. Nous avons l'intention de les faire croître et multiplier, selon le commandement de Yahvé. Il nous faudra des règles. Je vais déjà en fixer quelques-unes; l'expérience nous venant, nous pourrons les modifier. Si nous voulons un modèle, ce sera celui des conférences de presse présidentielles aux États-Unis. Premièrement, aucune question n'est exclue. Nous ne garantissons pas que nous y répondrons directement, ni même simplement que nous y répondrons, mais les réponses sont de mon ressort, les questions du vôtre. Deuxièmement, sauf indication contraire, il n'y aura pas de citation directe ni d'attribution directe des propos. On se contentera de la formule « selon une source éminente du Vatican ». (Seuls les journalistes américains trahirent la déception. Leurs confrères européens n'avaient pas espéré tant de générosité.)

» Nous essaierons d'organiser régulièrement des conférences, tous les quinze jours si possible. Nous vous encourageons à soumettre à l'avance vos questions écrites. Mais la conférence ne se limitera pas uniquement à elles. Nous répondrons en anglais ou en italien. Veuillez décliner votre nom et celui de votre journal lorsque vous prenez la parole. Au bout de quelque temps, nous vous connaîtrons tous nommément. La conférence sera enregistrée pour la postérité, dit François en se tournant vers monsignor Bonetti qui installait un petit magnétophone. Les bandes seront conservées dans la bibliothèque apostolique. Ne craignez donc pas que vos perles, ou les miennes, soient perdues pour l'histoire. Nous envisageons des durées de quarante à soixante-quinze minutes. Nous nous limiterons aujourd'hui à quarante minutes. Le représentant de *l'Osservatore romano* aura le privilège de poser la première question et de signaler la fin de la conférence.

» Nous commencerons usuellement par quelques annonces. Aujourd'hui, il y en a trois. La première, c'est l'intention que nous avons notifiée aux évêques de Recife et de San Carlos de Ancud de les élever au cardinalat lors d'un consistoire extraordinaire qui se tiendra le plus tôt possible après le couronnement. Vous noterez que cette création de cardinaux constitue le premier acte officiel de mon pontificat. Deuxième annonce : nous avons nommé chargé de presse – *portavoce* – M. Robert Twisdale, un Américain qui a collaboré au *St. Louis Post Dispatch*, au *Chicago Tribune* et à l'*International Herald Tribune*. Il a surtout vécu en Europe et en Asie. Il sera à la tête de l'ancien bureau de presse qui est dans le palazzo delle Congregazioni, via della Conciliazione, juste au débouché de la colonnade. Il mettra au point un système d'autorisations – Dieu seul sait comment – pour que vous puissiez pénétrer dans cette forteresse au moment des conférences.

» La troisième annonce, c'est que lors de notre couronnement, dimanche, nous ferons une importante déclaration. M. Twisdale en tiendra le texte photocopié à votre disposition samedi en fin d'après-midi ou au tout début de la matinée de dimanche. Nous ne pourrons vous fournir à ce moment-là que des traductions semi-officielles. C'est la version anglaise qui fera foi, car nous rédigeons notre proclamation dans cette langue. Le texte lui-même ou vos articles à son sujet ne devront pas être transmis avant dimanche dix-sept heures. Mais vous pouvez déjà avertir vos rédacteurs en chef et également publier que des indiscrétions laissent prévoir une importante déclaration du Vatican. Nous mettons actuellement la dernière main à la rédaction définitive du texte. Comme, au Vatican, même un simple déplacement de virgule peut s'interpréter, nous préférons ne rien vous en dire de plus, si ce n'est que nous espérons engager l'Église dans une voie ancienne mais toujours exaltante. (François s'interrompit quelques instants pour laisser à l'assistance le temps de bien assimiler ses propos ambigus.) Passons à présent aux questions. *Monsignore?* dit-il au robuste Suisse italien de *l'Osservatore romano*.

– Votre Sainteté, euh! va-t-elle, euh! bégaya le rougissant *monsignore*, projette-t-elle, comme ses prédécesseurs de sainte mémoire, de nourrir l'âme des fidèles de l'Église en accordant de nouvelles indulgences?

– Non, répondit sèchement François qui semblait n'en pas croire ses oreilles. Question suivante!

– *Frankfurter Zeitung*. Votre Sainteté a-t-elle été ordonnée prêtre et consacrée évêque?

– Nous l'avons été ici, dans la Sixtine, immédiatement après avoir accepté notre élection. L'officiant était le cardinal doyen.

– *Le Monde*. Pouvez-vous nous parler des cérémonies du couronnement?

– Assez peu, si ce n'est qu'elles seront simples, dans la mesure où peut l'être un tel événement. Le cardinal LaTorre s'occupe de tout le détail. Il a l'entière direction du cérémonial.

– *Reuters*. Votre Sainteté a-t-elle pu suivre la situation en Espagne? Je fais allusion au fait que des prêtres ont été brutalisés et tués à Barcelone, et aux sentences de mort rendues par un tribunal militaire contre deux ministres et trois membres des forces de police.

– Oui, nous en sommes quelque peu informé. Vous pouvez dire officiellement que Sa Sainteté a été horrifiée par la brutalité de la police barcelonaise, et qu'elle partage le deuil du peuple espagnol pour ses prêtres martyrs. Elle a cependant été réconfortée par les fermes assurances du gouvernement espagnol qu'il respectait hautement les droits des citoyens, et que ces faits étaient imputables à des éléments fanatiques désobéissant à leurs ordres explicites. Sa Sainteté a également hautement apprécié la rapidité apportée par le gouvernement espagnol à châtier les coupables, même ceux qui appartenaient à son cabinet. Mais Sa Sainteté est opposée à la peine capitale. C'est pourquoi elle a télégraphié au Prado un appel à la clémence au nom du Christ pour les accusés passibles de la peine de mort. Son espoir fervent est que le gouvernement espagnol tempère de miséricorde sa justice.

» Voilà ce que vous pouvez citer ou m'attribuer. Ajoutons à présent, pour votre seul profit, que notre décret d'excommunication contre les coupables exige seulement qu'ils confessent leurs péchés et fassent publiquement acte de contrition s'ils veulent être réadmis dans l'Église et recouvrer leur droit à recevoir les sacrements. Nous devons également dire notre plaisir de l'offre du gouvernement, comme geste de bonne foi, d'abandonner les droits qu'il conservait aux termes de l'ancien concordat. Nous avons accepté cette offre. Nous espérons que d'autres nations prendront exemple sur ce désintéressement.

(*Ecco*, j'ai compris seulement alors que j'avais sous-estimé Declan Patrick Walsh. Il était capable de dissimuler sa pensée à un point qui l'aurait fait envier de tout Italien, et certainement de tout carriériste du Vatican.)

– *Time Magazine*. Votre Sainteté est-elle toujours vêtue ainsi?

– Non, nous portons un pyjama la nuit, et un short lorsque nous jouons au tennis.

Les journalistes rirent plus bruyamment que ne le méritait la repartie, mais l'homme du *Time* revint à la charge :

– Votre Sainteté vient de parler du tennis. Continuerez-vous à y jouer, à présent que vous êtes pape?

– Chaque fois que nous le pourrons. Question suivante, dit François avec impatience en faisant un signe en direction des derniers rangs de journalistes.

– *The Irish Times*. Votre Sainteté souhaite-t-elle parler des récents meurtres en Ulster?

– Non. Le cardinal Greene, ici, à Rome, et le cardinal O'Failoin, archevêque d'Armagh, nous informeront à ce sujet. Nous avions espoir que le monde dépasserait la haine religieuse et raciale. Nous ne pensons pas devoir en parler publiquement pour l'instant, de crainte d'augmenter cette haine. Nous pouvons simplement dire que si jamais l'Ulster a un gouvernement catholique, nous ne résiderons pas à Belfast.

De nouveau des rires fusèrent.

– *Il Tempo*. Votre Sainteté forme-t-elle des projets concernant l'Italie?

– Des projets, non; des espoirs, oui.

– *De Amsterdam Telegraaf*. Votre Sainteté projette-elle de faire une déclaration sur la contraception ou le célibat des prêtres?

– Voilà une question à laquelle il est difficile de répondre sans être naïf ou retors. Nous pouvons répondre sincèrement que, pour l'instant, nous ne songeons pas à réexaminer ces questions. Mais, dans l'Église, certains nous presseront de dire une chose, d'autres de dire l'inverse. Vous, qui êtes ici, vous nous harcèlerez pour nous faire dire n'importe quoi qui vous fournisse de la copie. Il y a là des pièges dans lesquels, quoi que nous en ayons, nous ne pourrons éviter de tomber. Lorsqu'on compare les promesses de l'Écriture et les réalités du Vatican, il apparaît que les souhaits du pape ont souvent plus de vertu au Ciel que sur la Terre.

Ayant consulté sa montre, le prêtre de *l'Osservatore romano* se leva brusquement et clôtura « à l'américaine » la conférence :

– Merci, Votre Sainteté.

François sourit, salua l'assistance d'un signe de tête, et sortit par la porte postérieure de la chapelle, suivi par le doctor Twisdale, monsignor Bonetti et moi-même.

– Comment cela a-t-il marché, à votre avis? demanda François au doctor Twisdale.

Le *dottore* s'arrêta et tira sa pipe de sa poche de veste. On entendait encore le murmure étouffé des journalistes qui sortaient de la Sixtine par la salle de Paul III.

– Pas mal, pas mal du tout, Votre Sainteté. En vérité, beaucoup mieux que je l'espérais. Vous avez été incisif; eux, non. Ils ne savaient pas ce qui les attendait. Mais ils s'amélioreront. Par ailleurs, des gens de la télévision demandent s'ils peuvent escompter par la suite une retransmission de conférence.

– Attendons de voir la tournure que prendront les conférences de presse. Pour l'instant, si nous envisagions une retransmission télévisée, il nous faudrait nous limiter aux questions soumises préalablement. De gros problèmes pourraient naître d'une remarque inconsidérée, et je ne sais si je serais capable de résister longtemps à la tentation d'une repartie cavalière. Et qu'en est-il des retransmissions radiodiffusées et télévisées de dimanche?

– Je suis en train de faire le point. Il ne devrait pas y avoir de problèmes. Pour le son, aucune difficulté, à part l'écho autour de la piazza. Pour l'image, nous pouvons placer une demi-douzaine de caméras avec des zooms là où on ne peut être assez rapproché. Nous enregistrerons votre allocution en anglais samedi soir, pour la passer en doublage tandis que vous parlerez en italien. Telstar nous assurera un public mondial.

11.

Pour le couronnement, François laissa la haute main à LaTorre, sachant que celui-ci s'attacherait à restaurer les splendeurs d'une pompe que les derniers Pontifes avait estimée trop ostentatoire. En reconnaissant ouvertement le rôle de LaTorre, François espérait gagner un peu de terrain auprès des traditionalistes, tout en laissant le ressentiment des serviteurs se déverser sur la sainte Mule. La restauration rituelle la plus importante, c'était l'imposition réelle de la tiare à la triple couronne sur la tête du Pontife, symbolisant son pouvoir sur les nations, sur l'Église, et dans les cieux. En ce qui concernait cette allusion spécifique au pouvoir pontifical, la volonté de François rejoignait celle des traditionalistes. Qu'il eût une conception impériale – les traditionalistes allaient bientôt dire « impérieuse » – du pouvoir, son attitude dans l'affaire espagnole l'avait prouvé. Et les serviteurs assourdiraient leurs objections à la pompe pontificale, si elle était employée à leur avantage. François voulait que nul n'oublie dans l'Église que, le chef, c'était *lui*.

LaTorre avait sagement fixé la cérémonie au soir, afin d'éviter la chaleur accablante. Qu'elle débutât à dix-huit heures convenait éminemment à François, car elle serait ainsi retransmise en Europe de l'Ouest au moment le plus propice – un dimanche, en début de soirée – et passerait sur les écrans de télévision américains, en raison du décalage horaire, ce même dimanche, à midi. LaTorre avait également proposé que le pape François soit porté dans l'historique *sedia gestatoria. Il Papa* s'était également montré d'accord, mais, selon moi, plutôt par une concession aux traditionalistes, car un homme aussi impatient que lui préférait forcément son propre pas rapide au lent cheminement des porteurs.

LaTorre avait choisi pour cadre des cérémonies la piazza, afin d'y admettre la plus large foule – ce qui n'aurait pas été le cas dans la basilique – et de simplifier les problèmes de prises de vues télévisées. Et là, François ajouta quelque chose de son cru. Le cortège se formerait dans le palais pontifical et pénétrerait sur la piazza non depuis la basilique, mais par la Porte de bronze, ce qui permettrait à la foule de voir *il Papa* de beaucoup plus près. S'il pleuvait, LaTorre avait préparé une solution de rechange, les cérémonies devant alors s'accomplir dans la basilique. Mais, personnellement, je ne craignais pas le mauvais temps. Je savais que LaTorre faisait prier toutes les religieuses de Rome pour que nous ayons une belle soirée.

En revanche les questions de sécurité se révélaient plus difficiles. Non seulement la Garde suisse aurait à maintenir l'ordre parmi près d'un quart de million d'individus se bousculant sur la piazza, à ménager un couloir au cortège à partir de la Porte de bronze jusqu'à l'autel installé sur le parvis de la basilique, mais il lui faudrait encore protéger la dignité et la vie de plusieurs dizaines de chefs d'État. Il y aurait sûrement des manifestants pour s'en prendre oralement à leur personne, plus les risques d'assassinat encourus par chacun d'eux.

Cette question de sécurité prenait des proportions encore plus graves, dans la mesure où François voulait – comment dire? – désitalianiser le Vatican. (Je reviendrai là-dessus, mais, à mon sens, c'était, comme le dit votre proverbe : « à vouloir blanchir un nègre... ») LaTorre trouva la solution : les quelques milliers de policiers que le gouvernement mettait à notre disposition arboreraient, en brassard, les couleurs du Vatican – marron et or.

A dix-sept heures, ce dimanche-là, les dalles chaudes de la piazza étaient déjà foulées par deux cent mille spectateurs, et cinquante mille autres allaient bientôt se joindre à la bousculade pour arriver au premier rang. Peu à peu les chaises pliantes disposées à gauche de l'autel temporaire seraient occupées par les représentants de soixante-treize nations. Il y aurait le prince et la princesse de Monaco, l'ancien roi de Grèce, le nouveau Fayçal d'Arabie et trois cheiks (sans doute reconnaissants de la précédente froideur papale à l'égard d'Israël, et confiants dans la prolongation de cette attitude); des chefs d'État : Guatemala, Irlande, Italie, Suisse, France, République fédérale d'Allemagne, Uruguay, et même Union soviétique (mais pas un dignitaire espagnol, à l'exception de l'envoyé de ce pays auprès du Saint-Siège); et toute une brochette de premiers ministres, membres de cabinets, ambassadeurs et vedettes de cinéma. Les États-Unis étaient représentés par votre ambassadeur en Italie ainsi que par le sénateur Harwood Trimble et les juges Albert et Walker flanqués – geste œcuménique – du juge Jacobson.

Sidney Michael Keller, le vieil ami de François, était également arrivé des États-Unis. Il accompagnait la signora Elena Falconi, l'ancienne assistante administrative de François; *il Papa* avait trouvé le temps (j'ignore comment) de la persuader de venir exercer la même fonction au Vatican. J'avoue avoir entretenu de graves préventions contre cette nomination. Ce n'était pas parce qu'il s'agissait d'une femme. Après tout, n'était-ce pas une religieuse allemande, la sœur Pasqualina Lenhart, qui régentait le bureau de Pie XII (encore que son style autoritaire et ses idées arrêtées sur le fonctionnement de l'Église n'aient pas rendu ce précédent particulièrement heureux)? En vérité, mes craintes naissaient de la beauté de la signora

Falconi. Je n'entends pas par là qu'elle pût induire en tentation François ou aucun de nous, mais elle pouvait être source de calomnies contre la papauté. La presse italienne satisfait le goût de mes compatriotes pour les ragots licencieux. Le journaliste italien qui ne déniche nulle trace du péché de chair entre un homme et une femme séduisante en conclura à l'homosexualité d'un côté ou de l'autre, sinon des deux. C'est un danger dont on peut difficilement se préserver, mais à propos duquel il convient d'être vigilant.

Allora, je vous parlais du couronnement. Donc, tandis que la piazza s'emplissait de monde, nous, les dignitaires ecclésiastiques nous nous rassemblions. A dix-sept heures trente *il Papa* pénétra dans la Sixtine et s'installa sur la *sedia gestatoria,* le trône processionnel porté par huit hommes vigoureux. Sous la direction de LaTorre, nous fîmes une courte prière avec le pape. Puis, traversant la magnifique Sala Regia, le cortège se dirigea vers la Porte de bronze et sortit sur la piazza. Dès que la foule nous aperçut, les applaudissements crépitèrent, bientôt suivis par les acclamations et les cris de : *« Il Papa! Il Papa! »*

Ecco, la procession constituait un spectacle haut en couleur, fort éloigné de la simplicité de nos dernières cérémonies. En tête venaient les Gardes suisses, resplendissants dans leurs uniformes Renaissance jaune, marron et cramoisi; puis le Grand Hospitalier, et les procureurs des divers ordres religieux, chacun dans l'habit consacré, de la bure des franciscains au souple drap blanc des dominicains. Après eux venait l'assistant de la garde-robe pontificale, portant sur un coussin de velours noir une tiare de fer uni. Venait ensuite en file le clergé en camails rouges et violets; les juges de la Rote, des canonistes, des théologiens et des fonctionnaires subalternes de la Curie. Suivait alors le Sacré Collège des cardinaux, du moins les soixante-trois d'entre nous qui étions restés à Rome après le conclave ou qui y étions revenus. Nous portions la chasuble d'or sur le surplis blanc, et la mitre blanche.

Derrière les cardinaux marchait le maître des cérémonies, monsignor Dell'Aqua, le seul homme dont LaTorre savait qu'il remplirait bien son office. Et, derrière monsignor Dell'Aqua, avançait la *sedia gestatoria.* François portait simplement la soutane blanche et le camail rouge – ensemble plaisant à l'œil, mais selon moi peu judicieux par une telle chaleur. Il était coiffé de la mitre épiscopale et tenait de la main gauche une simple crosse – un bâton de berger. De la main droite il bénissait la foule. Contrairement à beaucoup de ses prédécesseurs, il ne portait pas de gants.

De part et d'autre du trône, marchaient deux dignitaires portant chacun la *flabella,* énorme éventail de plumes d'autruche et de paon. Des Gardes suisses en cuirasse d'argent et munis de l'épée ou de la hallebarde encadraient le trône. Puis, derrière la *sedia gestatoria,* marchait le commandant de la Garde noble en uniforme cramoisi et or, ses hautes bottes noires aussi polies que l'acier de son casque de cavalier du XVIIIe siècle. Le cortège se terminait par un *misto* de dignitaires de robe violette et rouge : archevêques, évêques, patriarches et généraux des ordres religieux. Des Gardes suisses fermaient la marche.

Il fallut quinze minutes au cortège pour s'écouler par la Porte de bronze. Au moment où les Gardes suisses de tête arrivèrent sur la piazza, au pied des marches, deux trompettes sonnèrent du haut du balcon de la loggia; les deux chœurs rangés de part et d'autre de l'autel entonnèrent *Tu es Petrus* (« Tu es Pierre »). Comme la *sedia gestatoria* entrait sur la place Saint-Pierre, le maître des cérémonies s'en approcha et fit brûler par trois fois un morceau d'étoupe en disant à voix forte : *« Pater Sancte, sit transit gloria mundi »,* c'est-à-dire : « Très Saint-Père, c'est ainsi que passe la gloire du monde. » Pour moi cette formule, de même que les paroles : « Tu n'atteindras pas l'âge de Pierre » sont une adaptation chrétienne de l'avertissement que murmurait l'esclave dans l'oreille du général romain pendant les célébrations de son « triomphe » : « Souviens-toi que tu es mortel. » Il n'était pas mauvais de le rappeler au Pontife.

En arrivant devant l'autel temporaire dressé sur le parvis de la basilique, le cortège se divisa; nous, les dignitaires de l'Église, allâmes prendre nos places disposées parallèlement à la façade de Saint-Pierre. *Il Papa* descendit de la *sedia* et resta quelques instants tourné vers la basilique. Et puis plusieurs diacres et sous-diacres, tout cardinaux, revêtirent le Pontife des ornements sacrés sous l'œil vigilant et les remontrances de Dell'Aqua. La grand-messe dura trente-cinq minutes.

François reçut alors l'obédience des cardinaux. Chacun s'avançait vers lui, s'agenouillait et baisait son anneau. Ce retour à un ancien rituel était dû à François lui-même, et non à LaTorre. Ce serait, m'avait-il dit, un rappel utile aux cardinaux de la Curie que là était détenue l'autorité suprême. Ensuite, *il Papa* dépouilla les ornements sacerdotaux et, accompagné de quelques cardinaux et de l'assistant de la garde-robe, il pénétra dans la basilique. Bientôt, il apparaissait dans la loggia qui surplombe la place. Devant la foule et les caméras de télévision, le Pontife prit place sur un trône de bois sculpté surmonté d'un baldaquin de velours rouge. A sa gauche, un Garde suisse déploya le drapeau pontifical sur la balustrade du balcon.

La cérémonie fut courte. Elle comporta une légère mais heureuse modification. Traditionnellement, il revenait au premier des cardinaux-diacres de couronner *il Papa,* mais François, comme il en avait le droit, avait demandé que ce rôle échût au membre le plus âgé du Sacré Collège, en l'occurrence Simon de Brion qui avait quatre-vingt-dix ans. Tout d'abord, le cardinal tendit sur les épaules du Pontife un simple pallium de laine, symbole de son titre d'évêque de Rome. Puis il prit sur le coussin la tiare à la triple couronne, l'éleva pour l'offrir à la vue de la foule, et la plaça sur la tête de François. En même temps, le vieillard prononçait la vénérable formule, d'une voix chevrotante mais assez forte pour porter dans les microphones qui la diffusait sur la piazza et l'enregistrait pour les radios et télévision :

Accipe thiarum tribus coronis ornatum et scias te esse patrem principum regum rectorem orbis in terra, Vicarium Salvatoris Nostri Jesu Christi, cui est honor et gloria in saecula saeculorum.

Recevez la tiare à la triple couronne et sachez que vous êtes le père des princes et des rois, le guide du monde, le Vicaire sur la terre de notre Sauveur Jésus-Christ, à qui reviennent l'honneur et la gloire dans les siècles des siècles.

Allora, il Papa leva son bras droit et donna la bénédiction *urbi et orbi,* c'est-à-dire à la ville et au monde. Pendant quelques instants il laissa se déchaîner le tumulte des ovations : « *Evviva il Papa! Viva Viva il Papa! Viva il Papa!* » Puis il reposa la tiare sur le coussin de velours, et se dirigea vers la batterie de micros installés sur la balustrade. Il leva la main pour demander le silence.

– Peuple de Dieu, commença-t-il en italien, peuple de Dieu, nous existons dans un monde où la vie nous semble souvent amère. Partout l'on nous dit que nous ne pratiquons pas les valeurs que nous professons, poursuivit-il d'un débit moins précipité, pour tenir compte de l'écho renvoyé par la colonnade, que nos enfants ne respectent pas ces valeurs, que le monde se moque de ces valeurs, et de nous. Voilà de graves, de douloureuses accusations. Dans la mesure où elles sont exactes, elles font ressortir un fait : nous avons oublié le dessein central qui ordonne nos vies et nos valeurs. Nous conservons l'ouïe, mais nous n'écoutons pas le message, notre message. Peut-être avons-nous aussi conservé la vue, mais perdu notre vision.

» Nous voyons un monde au bord de la révolution, et nous avons peur. Pourquoi? Pourquoi le peuple de Dieu aurait-il peur du changement, de la révolution? Christ était un révolutionnaire. Il prêchait le changement, un changement pacifique, certes, mais un changement moral complet, rapide, révolutionnaire qui ne pouvait qu'entraîner en même temps un changement social. A cause de son message il fut cloué sur une croix, peine que les Romains réservaient aux séditieux. Notre Sauveur a donc été convaincu de sédition. Ses idées révolutionnaires, c'était l'amour, le partage des biens matériels, le pardon des offenses, le sacrifice de nos vies et, ce qui est souvent plus difficile encore, de nos fortunes au bénéfice de nos prochains.

» Cette doctrine était subversive par rapport aux valeurs du monde païen. Elle pourrait bien être non moins subversive par rapport aux valeurs du monde moderne. Si notre civilisation exige plus la compétition que la coopération, plus la guerre que la paix, la haine et l'envie que l'amour, alors il faut transformer cette civilisation. Il faut la transformer totalement. Il faut la transformer tout de suite. Cette transformation est notre devoir, le devoir de tous, pas seulement de nos prêtres, de nos politiciens, de nos enfants, mais le devoir de chacun de nous. La transformation doit d'abord s'effectuer en nous-mêmes. Nous devons réorienter nos valeurs, en les dirigeant non plus vers les éphémères choses de ce monde mais vers des choses plus simples et durables, vers l'amour du prochain et non la primauté sur lui, vers la justice sociale et non l'ascension individuelle.

» Lorsque nous aurons réorienté nos valeurs, nous devrons vivre de telle façon que nos existences réalisent cette même transformation dans la société. Les chrétiens que nous sommes ne peuvent user de violence pour imposer leurs valeurs aux autres, mais nous pouvons donner l'exemple dans ce que nous faisons et dans ce que nous nous refusons à faire, en pratiquant les vertus de justice et de charité dans notre existence individuelle, en refusant de soutenir les systèmes politiques et sociaux qui conquièrent, assaillent, oppressent, torturent ou privent délibérément des êtres de la justice, qu'il s'agisse d'étrangers ou de leurs citoyens.

» Je sais que ces conseils sont durs et qu'à les suivre on suscitera l'agitation. Mais nous devons nous remémorer les paroles du Christ à propos de son enseignement : *N'allez pas croire que je suis venu apporter la paix sur la terre; je ne suis pas venu apporter la paix mais le glaive.* En tant que Vicaire du Christ, je viens apporter ce même « terrible glaive » de l'amour de Dieu à un monde qui ne veut que jouir de la prospérité matérielle. Je viens prêcher cette même doctrine révolutionnaire pour laquelle Jésus-Christ fut crucifié. Vous, peuple de Dieu, je vous exhorte à devenir des séditieux, à vous engager dans une croisade, une croisade nouvelle non *contre* votre semblable mais *pour* votre semblable. Vous, peuple de Dieu, je vous exhorte à participer à un renouveau spirituel, à réfléchir à notre véritable objet sur cette terre et à accepter notre héritage légitime, celui de la croix, à devenir un élément d'une révolution mondiale de l'amour contre la haine, l'envie, la pauvreté, l'ignorance, la maladie et la souffrance.

» C'est une croisade physique que je prêche, une véritable marche, comme l'enjoignent les Évangiles, pour aller enseigner la parole du Christ autant par l'action que par la doctrine. A un niveau, nous voulons organiser des groupes de spécialistes – médecins, infirmiers, enseignants et techniciens – mais plus encore des groupes de jeunes, hommes et femmes, qui iront dans les régions les plus déshéritées du monde partager avec leurs habitants le savoir, la compréhension et même la souffrance. Entendre cet appel à la révolution, c'est courir le risque d'être la risée de ses concitoyens, d'être abandonné par ses proches, harcelé, emprisonné, peut-être même torturé, tué par des gouvernements ennemis de ces idées. Mais je vous demande de vous engager auprès de nous, vos semblables, et d'affronter ces risques.

» Je demande à tous ceux qui restent chez eux de continuer à pratiquer – et à exhorter les autres à pratiquer – les doctrines de la justice sociale et de la charité chrétienne. Ces principes sont définis dans des encycliques pontificales de Léon XIII jusqu'à Paul VI : *Rerum Novarum, Quadragesimo Anno, Pacem in Terris, Populorum Progressio.* Le devoir de chacun de nous est de traiter son prochain comme un frère aimé, avec justice et charité; le droit de chacun de nous est d'avoir un juste salaire pour son travail, un niveau de vie correct pour lui et les siens, et d'être traité comme un être humain égal en dignité et en valeur à tout autre être humain. Le devoir de chacun de nous est non seulement de pratiquer ces commandements dans sa vie privée mais aussi de s'assurer que la société à laquelle il appartient les pratique.

» Nous exhortons tous les gens de bonne volonté à s'engager dans notre croisade. Nous ne nous embarquons pas dans une étroite entreprise sectaire en vue de convertir d'une religion à une autre. Ce que nous voulons, c'est prêcher de la façon la plus positive possible – par des actions salutaires – la bonne nouvelle que Dieu est amour, et que, participer de cet amour en aidant notre prochain, en partageant avec lui les joies et les peines, est le seul moyen de donner à la vie ici-bas son véritable sens et d'atteindre le bonheur qui pourra nous récompenser dans l'autre vie.

» Pouvons-nous nous permettre de subtils débats théologiques tandis que des enfants ne sont pas aimés, des affamés ne sont pas nourris, des nus ne sont pas vêtus, des ignorants ne sont pas instruits, des malades ne sont pas soignés, des vieillards sont rejetés et solitaires? Les disputes sur la conception virginale ou la primauté du pape peuvent être un moyen d'occuper les soirées d'hiver, mais les réponses n'aident nullement à nourrir les affamés, à soigner les malades, à vêtir les nus, à apporter à l'humanité l'amour et la justice. Et voilà les choses que le Christ nous ordonne d'accomplir. Nous avons ordre d'aller parmi les nations prêcher et mettre en pratique un évangile d'amour. En accomplissant ces choses, il se peut que nous découvrions que les hommes donnent souvent plus que leur part pour vivre entre eux dans la paix, la grâce, la dignité, et dans la diversité comme dans l'harmonie.

» Nous vous apportons le message du prophète Ezéchiel : *Et je vous donnerai un cœur nouveau, je mettrai en vous un esprit nouveau, j'ôterai de votre chair le cœur de pierre et je vous donnerai un cœur de chair.*

» Peuple de Dieu, j'ai pris le glaive du Christ avec la croix du Christ. C'est un fardeau étrange mais doux. Venez, suivez-moi. Pour l'amour de Dieu et pour l'amour de nos enfants et de leurs enfants, avançons d'un cœur neuf dans la paix et la justice.

Il Papa leva sa main droite, fit le signe de croix, et psalmodia : *« Benedicat vos, Omnipotens Deus, Pater et Filius et Spiritus Sanctus »* (Le Dieu Tout-Puissant vous bénisse, le Père, le Fils et le Saint-Esprit).

Allora, sur la piazza la foule resta d'abord sans voix; je crois qu'elle ne savait si elle devait s'agenouiller, acclamer ou simplement partir en silence. Et puis éclatèrent quelques traditionnels : *« Il Papa! Il Papa »,* bientôt repris par toute l'assistance. Les applaudissements de plus de deux cent mille Italiens auraient dû être assourdissants, mais ce n'était pas le cas ici : c'était un bruit tranquille qui montait, soutenu mais contenu. Je n'avais encore jamais vu un pape susciter une telle réaction, ni d'ailleurs parler pendant si peu de temps.

Francesco coiffa une nouvelle fois la tiare et accepta les ovations pendant quelques minutes. Puis il reprit la parole :

– Un nouveau cœur de chair à la place du cœur de pierre; la justice éternelle à la place du matérialisme éphémère; l'amour à la place de la haine. Venez, suivez-moi.

Cette fois, la foule tomba à genoux. François fit au-dessus d'elle le signe de croix et quitta la loggia.

Selon moi, c'était une prière que nous venions d'entendre. Plus même, nous avions assisté au début d'un miracle. Sans vouloir m'exprimer de manière mélodramatique, je comprends nettement aujourd'hui ce que je n'avais alors qu'entrevu : en voulant guider l'Église, François allait se guider lui-même, et se transformer.

12.

Le lendemain du couronnement, après la sieste, le doctor Twisdale et moi nous rendîmes auprès de François pour accueillir l'*avvocato* – non, je me trompe, vous n'usez pas des titres chez vous – pour accueillir M. Keller. Je l'avais souvent rencontré à Washington, chez Declan et Kate, dont il était l'ami intime. Il serait plus exact de dire qu'il les vénérait, et qu'eux le traitaient plutôt comme d'indulgents parents. Mais l'apparente gaminerie de M. Keller dissimulait un esprit superbement analytique.

Bien qu'il affectât un air dégagé, le « Flambeur » était mal à l'aise. Je sentais que lui et le docteur Twisdale sympathisaient peu; mais surtout, il était troublé devant l'élévation de son mentor. François était en train de l'interroger à propos des réactions à sa croisade.

– C'est une idée stimulante, Saint-Père. (En fait, il allait dire « Declan », mais il se rattrapa juste à temps.) Voilà ce qu'on attendait. Depuis la suppression du Peace Corps américain, il n'y avait plus rien. Mais pouvez-vous la mener à bien?

– Seul, non. Tous ensemble, oui. Les catholiques sont près de cinquante millions aux États-Unis, et environ deux cent cinquante millions en Europe. Que nous parvenions à en inspirer même une faible fraction, que nous parvenions à persuader de se joindre à nous même un tout petit pourcentage des gens de bonne volonté dans les autres religions, que nous incitions à l'action une faible proportion de Latino-Américains instruits et spécialisés, et nous réunirons une immense armée. Que nous réussissions en Amérique latine, et nous serons inondés de recrues d'Afrique et d'Asie. Notre plus grand réservoir, ce seront les jeunes. L'idée devrait séduire leur idéalisme, et, si nous savons utiliser leur énergie, il y aura peu de limites à ce que nous pourrons accomplir.

– Le recrutement se fera sans difficulté, observa M. Keller, mais les deux très gros problèmes, c'est l'argent et l'organisation. La tâche que vous définissez est extraordinairement ambitieuse. Lorsque j'ai travaillé avec le Peace Corps, en 1962, nous estimions le coût annuel d'un volontaire à dix mille dollars. Avec l'inflation, le coût correspondant aujourd'hui serait au minimum du double, et il serait même plus exact de l'estimer à vingt-cinq mille dollars. Or il faut ajouter à ce chiffre, qui vous donne, pour quatre mille volontaires, cent millions de dollars à débourser annuellement, le prix des médicaments, des engrais, des matériaux de construction, etc.

– J'espère que nous obtiendrons des compagnies pharmaceutiques le don des médicaments et la fourniture gratuite par d'autres firmes de tout ce dont nous avons besoin. Quant à l'argent, il viendra. Le Vatican n'est pas opulent, mais pas pauvre non plus – du moins pas aussi pauvre qu'il le deviendra, et devrait l'être. Ce soir, à vingt et une heures trente, après la réception diplomatique, nous recevons à dîner six multimillionnaires, des hommes qui valent chacun plus de cent millions de dollars. Comme toute institution charitable bien organisée, nous sommes attentifs aux gens fortunés susceptibles de donner de l'argent; dans ce cas précis, nous nous limiterons aux catholiques. Demain, je les entreprendrai individuellement.

M. Keller s'enquit alors de l'organisation de la croisade.

– Là est le premier gros problème, répondit François. Pour le renouveau spirituel, je m'en remettrai plus ou moins aux jésuites et aux franciscains, mais je tiens à les garder, eux et les autres ordres religieux, à l'écart de la croisade. Ils ne résisteraient peut-être pas à la tentation de convertir les populations. Je veux avoir ici, à Rome, un organisme central chargé de la direction globale. Et je le veux international; il devra également compter des Latino-Américains à de grands postes de responsabilité. J'aimerais que soient créées des ramifications qui ne s'adressent pas directement aux déshérités, bien que cela demeure leur finalité, mais aux milieux professionnels et aux cadres afin qu'ils enseignent aux petites entreprises des procédés simples pour augmenter leur efficacité. Je voudrais que les chefs syndicaux latino-américains aident des groupes provinciaux et ruraux à exprimer leurs doléances, et ainsi de suite. En bref, il ne faut pas que cela tourne à l'impérialisme yankee – ou pontifical. Mike, j'aimerais que vous veniez ici diriger la croisade, conclut François avec simplicité.

M. Keller sursauta, et se mit à rire pour masquer sa réaction.

– Le Flambeur au Vatican? Moi pas vouloir. La dernière fois que ces païens de Romains ont attrapé un Juif sur cette colline, ils l'ont crucifié, et la tête en bas. Je ne marche pas.

– Sérieusement, Mike, insista François, j'ai besoin de vous. J'ai besoin de vous parce que je suis sûr, parce que le monde sera sûr que vous ne tenterez pas de transformer cette croisade en une initiative missionnaire.

– Ça, vous pouvez être tranquille, répondit plaisamment M. Keller. Convertir les gens à la religion des *goyim*, ce n'est pas ma partie. (Il s'interrompit et reprit d'un ton grave.) Depuis que j'ai fait la connaissance de Declan Walsh à l'Université de Chicago, il y a de cela deux ou trois siècles, son « j'ai besoin de vous » a toujours tout primé pour moi. Et je crois que ça continue. Qu'il me demande n'importe quoi, et je le ferai, mais pas de lui nuire. Ecoutez, rien que dans l'avion qui m'amenait des États-Unis, je ne sais pas comment j'ai réussi à rester chaste. En deux semaines, vous pataugeriez dans mes histoires de femmes. Vous n'en avez pas besoin.

– Croyez-vous que je n'ai pas pesé les risques?

– Vous avez pesé ce que vous *estimez* être les risques. Moi, je parle de quelque chose de sûr. Le Flambeur court après les femmes, et il aime ça, et il ne s'en est jamais caché. En fait, cela attire les femmes, si bien que je n'ai pas à courir trop fort. Je ne puis faire ce que vous me demandez. C'est la première fois que je vous oppose un refus. Mais si vous voulez, je viendrai vous conseiller chaque fois que vous le souhaiterez. Je vous aiderai pour les projets à court terme, qui ne me retiendront ici que quelques jours, sans rétribution et sans poste officiel. Je vous aiderai à trouver de l'argent, à en donner, à en emprunter, à en voler même – nous autres juristes sommes faits pour ça.

– Mike, je..., commença François.

Mais M. Keller fit une chose inouïe au Vatican : il coupa la parole à *il Papa*.

– Non, si je venais ici, je démolirais ce que vous construisez. Vous savez que je ne ferai jamais ça. Je ne vous ai jamais mis dans l'ennui.

– Seulement quand vous tentiez de déchiffrer une carte, dit François avec un sourire.

– Je n'ai jamais prétendu être parfait, rétorqua M. Keller. Mais, écoutez, je vais vous suggérer quelqu'un d'autre. Pourquoi pas l'abbé, votre ami Pryce? Je suis aussi athée que tout homme ayant eu deux rabbins dans sa famille, mais si Robert Pryce affirme qu'il n'y aura pas de micmacs missionnaires, moi, je le croirai, et tout le monde en fera autant. Il était déjà œcuméniste quand ces gars du Vatican laissaient entendre que le catholique disant « mon révérend » à un pasteur protestant irait droit en enfer. Et le fait que vos bonshommes du Saint-Office lui aient interdit tout discours public renforce encore sa crédibilité.

– Je n'avais pas songé à lui, dit François, l'air rasséréné. Au surplus, il n'a pas toujours été prêtre, et sa première profession va nous être utile : il était sous-directeur chez I.B.M. avant d'entrer au monastère.

Quatre jours plus tard, Robert Pryce, ancien sous-directeur, présentement trappiste, poète mystique, œcuméniste, théologien radical et serviteur extraordinaire, s'installait au palazzo. C'était un homme peu banal, un travailleur efficace, qualité que l'on n'attendrait pas d'un abbé internationalement connu pour son œuvre poétique – tout au moins connu en un temps, avant que LaTorre ait flairé l'hérésie dans sa prosodie. J'avoue cependant que je ne trouvais pas l'abbé *simpatico*. Je me défiais de l'étrange feu de ses yeux. Pourtant, il parlait toujours avec amabilité et mesure, autant dans ses rapports personnels avec les gens que dans ses sermons, lorsque François eut fait lever l'interdiction du Saint-Office.

François, en revanche, était très lié avec lui. Ils étaient proches par l'âge, sinon par le tempérament, et, pendant ses deux années au monastère, l'abbé avait été son confident. Il connaissait François aussi bien que moi, et, à certains égards, peut-être mieux. Je crois vous avoir déjà fait remarquer cette chose curieuse que le pape François, avant tout homme d'activité pragmatique, était puissamment attiré par les mystiques et le mysticisme. C'était un peu comme s'il essayait de construire une dimension dont son âme était dépourvue.

Allora, je n'enviais certes pas la position de l'abbé. A son arrivée, nous n'avions pas la moindre amorce d'organisation à lui offrir : ni bureau, ni collaborateurs, ni téléphone, pas même de machine à écrire ou de papier à lettres. Pire, nous n'avions ni argent ni plan défini – rien qu'une idée générale, et, certes, exaltante. François lui précisa formellement qu'il ne relèverait que de la seule autorité pontificale. Pas un organe de la Curie n'aurait juridiction ou droit de regard sur ce qu'il ferait. En soi, la déclaration d'intention était belle. Mais qui peut empêcher, quelque volonté qu'il en ait, d'empêcher les bureaucrates d'être jaloux et expansionnistes lorsque leurs prérogatives sont en question? Nul n'ignorait que chaque lire destinée à la croisade n'irait pas toujours aux missions, ou aux efforts pour promouvoir l'unité des chrétiens et se rapprocher de nos frères non chrétiens. Je dis cela pour vous indiquer que des forces non négligeables seraient à l'œuvre, et pas forcément dans notre sens.

13.

Quelques jours après la nomination de l'abbé à la tête de la croisade, Bisset et Chelli furent invités à déjeuner par LaTorre, dans son appartement au Saint-Office. Comme je n'y étais pas prié (mais j'appris, par la suite, beaucoup de ce qui y fut dit), le menu était celui d'un riche paysan sicilien qui aurait eu de la famille à Rome.

Au moment où ils s'asseyaient à table, Chelli observa que le cardinal Greene était en retard.

– Je doute que Son Éminence se joigne aujourd'hui à nous, dit Bisset en riant. Hier, j'ai quitté le palais en sa compagnie, et je ne serais pas étonné qu'il souffre en ce moment de « la maladie ». Les événements l'ont rendu mélancolique.

– Je me demande, reprit Bisset, ce que le nouvel évêque de Rome dirait des Irlandais s'il pouvait voir en ce moment notre frère Sean. Hier, Sa Sainteté vantait chez les Irlandais « cette rare combinaison de la foi et de l'idéalisme qui fera triompher la croisade ».

– Pensez-vous vraiment qu'il a été choisi par l'Esprit Saint? demanda LaTorre d'un air songeur.

– Il le faut bien, répondit Bisset, car il ne l'a pas été par moi.

– Ni par moi, gronda LaTorre.

– Peu importe à présent, dit Chelli, il est le Souverain Pontife. Acceptons cette évidence au plus vite, aussi déplaisante soit-elle, afin d'agir plus efficacement et au mieux des intérêts de l'Eglise.

– En parlant de la croisade et de Sa Sainteté, dit Bisset sans relever la remarque de son jeune collègue, j'ai senti une sorte de flottement dans la foule, lors du couronnement. Je ne crois pas que nos Romains aient eu la plus vague notion de ce sur quoi notre raisonneur de laïc-devenu-moine discourait.

– Pas étonnant, grinça LaTorre. Vous avez entendu l'homélie du couronnement. Nous aurions dû être prévenus qu'il introduirait cet abbé hérétique au Vatican même.

– Non, je ne l'ai pas écoutée, répondit Bisset. L'accent romain m'est trop pénible. Lorsque l'on a été élevé à Paris, on est assez exigeant en matière de langue parlée. Mais j'en ai lu le texte. Et je me demande si l'un de nous ne devrait pas avertir Sa Sainteté que le

Messie est déjà venu. Mais Votre Éminence avait sans doute raison, la semaine dernière : si cette « croisade » suffit à détourner sa pensée des problèmes graves tels que la contraception et le célibat sacerdotal, nous aurons fait un grand pas. Mais, à vrai dire, j'en doute. Tout de même, comment notre révérendissime frère Galeotti l'a-t-il laissé dire que la question de la conception virginale était triviale?

– Ugo a protesté, dit LaTorre, mais *il Papa* n'en a pas tenu compte. Et c'est précisément cette attitude que je redoute. Il n'a consulté aucun d'entre nous, il n'a même pas écouté un cardinal qui est son familier.

Chelli, qui avait, à son habitude, mangé du bout des dents, prit un de ses longs cigares cubains, le roula entre ses doigts pour le réchauffer et en huma l'arôme en marmonnant quelque chose à propos du communisme et des impénétrables voies de Dieu.

– Vous vous trompez, dit-il alors. Il nous a consultés. Il nous a réunis et nous a demandé notre avis. Puis il nous a invités à lui soumettre individuellement nos idées, par écrit ou de vive voix. Mais nous n'avons pas réagi aussi intelligemment que nous l'aurions dû. Je crains, Dieu me pardonne, que nous ne soyons pas accoutumés à tant de franchise.

– Mais ses questions étaient plutôt des devinettes, protesta Bisset, et peu lui importaient nos réponses.

– Il se peut, mais sans doute plus que vous le pensez. D'après ce que je sais, il fait son profit des conseils – sans, pour autant, toujours les suivre. Si nous n'avons pas été assez avisés pour lui en donner, nous ne devons nous en prendre qu'à nous.

– *Allora,* intervint LaTorre, la semaine dernière les idées de croisade et de renouveau spirituel me paraissaient bonnes en elles-mêmes, mais après son discours, je crains que ce ne soit là des moyens de nous faire dériver sur des questions morales. Nous, l'Église, nous devons avant tout prêcher le royaume de Dieu, un royaume qui n'est pas de ce monde. Notre mission, c'est le salut des âmes dans l'autre monde, non le bonheur terrestre. Le Christ est notre véritable pain de vie. (LaTorre s'interrompit pour avaler quelques bouchées. Il commençait à s'étrangler de colère, le visage empourpré.) Cette homélie, ou harangue, ou discours, aurait dû nous alerter. Et voilà qu'il introduit au cœur du Vatican un abbé hérétique, mi-hindou, mi-protestant. J'en parle en connaissance de cause, car j'ai lu ses poèmes. Cet homme est hérétique, et je l'ai fait taire. Et maintenant cet homme qui porte la tiare amène cet hérétique au sein de l'Église, le met à la tête de la croisade. Nous savons maintenant que ce sera une croisade en faveur de l'hérésie, une tentative organisée d'anéantissement de notre sainte doctrine.

– Je crains moins l'action que peut avoir l'abbé à la tête de la croisade que le retentissement de sa nomination dans le renouveau spirituel, intervint Bisset. Que restera-t-il du catholicisme authentique lorsque *il Papa* et ses amis, des amis comme l'abbé, nous auront débarrassés de l'« accessoire » et ramenés aux « principes fondamentaux »? Plus j'y pense et plus je redoute cet homme.

– Moi aussi, reconnut LaTorre, et la crainte est une désagréable émotion pour un vieillard.

– En l'occurrence, elle relève de la prudence, dit Bisset. Ce « pape du peuple » ne repousse pas à l'arrière-plan le célibat sacerdotal ou la contraception ou aucun des grands problèmes moraux; il prépare le terrain de telle façon que, lorsque ces problèmes viendront au premier plan, leur force nous pousse dans la direction où il veut que nous nous engagions. Lorsque nous aurons des centaines, peut-être des milliers de jeunes prêtres et religieuses vivant et travaillant côte à côte dans les campagnes et les villages d'Amérique latine, nous aurons probablement plus qu'une camaraderie spirituelle; alors, la suppression du célibat des prêtres pourra sembler une issue facile.

– Il en parle comme d'un mouvement de laïcs, repartit Bisset, mais croyez-vous qu'il y aura suffisamment de volontaires? Pour ma part, j'en doute, et je soupçonne que Sa Sainteté en doute aussi. Hier, il a accordé deux heures d'audience au « Pape noir ». Le chef des Jésuites est toujours un homme dangereux – et plus encore celui-là, qui se targue d'être un serviteur. Souvenez-vous bien de ce que je vous dis, il en viendra bientôt à persuader le Pontife d'employer des jésuites pour grossir les rangs laïcs, et alors, il faudra leur incorporer d'autres ordres.

– Peut-être, dit Chelli après s'être fortifié d'une gorgée de cet affreux vin blanc sicilien, peut-être, mais je crois que, tous deux, vous sous-estimez l'homme. Je ne pense pas qu'il aurait formé son projet s'il n'avait été convaincu qu'il y aura des volontaires plus qu'en suffisance. Declan Walsh peut parfois paraître agir avec précipitation, mais c'est parce qu'il présente comme instantanées des décisions qui sont en réalité soigneusement préparées. Dieu seul sait pour quelles raisons il aime à donner de lui une image inversée.

– En parlant d'images, glissa Bisset, il paraît qu'il explique en privé qu'il a choisi le nom de François pour signifier un mélange de la simplicité de saint François d'Assise et du zèle de saint François Xavier.

– Tout à fait concordant, dit Chelli. Le registre de la vertu chrétienne qu'il vise, c'est la « simplicité zélée », et vous avez certainement noté son choix des franciscains et des jésuites pour guider le renouveau spirituel. Ici encore, François d'Assise et François Xavier.

– Mais, intervint Bisset, si le dessein majeur de l'Église devient la liquidation de la pauvreté, et non plus le salut des âmes, alors la contraception est aussi inévitable qu'elle est logique. Si tout le soin de l'Église ne tend plus à l'autre monde mais à celui-ci, la sainte pureté deviendra superfétatoire.

– Soyez tout de même justes envers cet homme, repartit Chelli, il a dit que ce qu'il voulait, ce n'était pas seulement une croisade contre la pauvreté, mais une croisade qui témoigne de l'amour de l'homme pour Dieu de la seule façon dont il peut vraiment exprimer cet amour, en aidant son semblable.

– Quoi qu'il en soit, persista Bisset, je prédis que cet Américain ne sera pas long à transformer notre doctrine sur la contraception.

Voyant que les autres avaient terminé de déjeuner, Chelli prit le temps d'allumer un second cigare avant de répondre.

– Je me demande, dit-il enfin, si cette transformation n'aurait pas dû survenir dans les derniers temps de Vatican II ou postérieurement, lorsque Paul VI a empoigné la question.

– Voilà des propos hérétiques, trancha sèchement LaTorre. Vous connaissez notre doctrine traditionnelle.

– Il n'y a pas de doctrine infaillible sur la contraception. Au surplus, dit malicieusement Chelli, vous souvenez-vous du texte de l'encyclique *Humanae Vitae* préparé par le Saint-Office? Non point celui qui a été publié, et qui réitérait la stricte interdiction des méthodes « artificielles » de régulation des naissances, mais celui qu'avaient mis au point les théologiens mêmes du Saint-Office. Souvenez-vous, il énonçait pratiquement – pas positivement mais pratiquement – que si la contraception soulève de sérieuses questions morales, celles-ci doivent plutôt être résolues par la prière et la consultation du confesseur.

– Ah mais! ah mais! bredouilla LaTorre, c'était avant que j'en devienne préfet. Il arrive que de jeunes *monsignori* exercent une influence indue. Mais ce qui compte, c'est la version finale, celle qu'a émise le pape, et qui condamne les moyens contraceptifs artificiels. Le magistère de l'Église n'englobe pas tout ce qu'énoncent les groupes de théologiens (et, ici, LaTorre ne put retenir un sourire), même s'ils travaillent pour le Saint-Office.

– Certes. Cependant, le conseil consultatif du Pontife, composé d'ecclésiastiques et de laïcs, préconisait un assouplissement. Mais certains de nous – et vous et moi comptions dans ce nombre – ont persuadé Paul de rester ferme. Il m'arrive de me demander si nous n'avons pas été malavisés.

– Nous avions raison alors, et nous avons raison aujourd'hui, insista LaTorre.

– Je crains cependant, dit Chelli, que la position officielle de l'Église sur la contraception se transforme, sinon sous ce pape, du moins sous le suivant. Les Pontifes que nous avons eus depuis Paul étaient éloignés de ses préoccupations, de son angoisse. Nous aurions peut-être témoigné de prudence en effectuant un changement au moment où nous en avions le pouvoir et où nous pouvions en garder le contrôle.

– Que voulez-vous impliquer par là? s'enquit LaTorre avec inquiétude.

– Rien sur ce Pontife, si c'est à quoi vous pensez. Mais je suis impressionné par le fait que tant de nos frères du clergé, théologiens et, en nombre beaucoup plus grand, pasteurs, objectent à *Humanae Vitae*. Et ce sont, dans leur majorité, non des radicaux, mais des hommes intelligents et saints.

– Voilà une appréciation dont je doute, ricana Bisset. Par définition, ils ne peuvent objecter à *Humanae Vitae* sans être stupides ou pécheurs, et, dans bien des cas, ils sont américains, donc les deux à la fois.

Chelli allait rétorquer, mais LaTorre le prévint :

– Notre devoir est de veiller à ce que ce changement et d'autres du même genre ne se réalisent pas aussi longtemps que nous administrerons l'Église du Christ. J'estime que nous devons prendre une position ferme et n'en plus déroger d'un pouce. Il faut l'empêcher de toucher à des questions telles que la contraception, le célibat sacerdotal et la doctrine de la sainte Eucharistie.

– Mon cher Vanni, dit Bisset d'un air réfléchi, je penche pour une méthode plus subtile. Il dit qu'il a besoin de nous. Et il en a besoin, s'il veut diriger l'Église ou croire qu'il la dirige. Écoutons-le, conférons avec lui, et agissons comme avec tous les autres Pontifes – en faisant ce que nous estimons juste.

– Ce ne sera pas si facile, riposta Chelli. Cet homme a l'esprit plus délié et infiniment plus sagace qu'il n'y paraît, et ce sourire débonnaire...

– Cet insipide sourire fendu des Américains, le coupa Bisset.

– ... ce sourire dissimule quelque chose d'implacable. Il avait derrière lui une longue carrière politique, lorsqu'il est entré au monastère. Si nous nous opposons à lui, il nous renverra et nous remplacera par des hommes comme Gordenker. Si nous l'ignorons, il ne tardera pas à nous ignorer.

– *Ecco,* que proposez-vous donc, alors? demanda LaTorre.

– Je propose la loyauté. Je ne suis pas sans entretenir quelque espoir. A ce que je sais, il a bien dirigé la Cour suprême; il écoutait les arguments des autres et en tenait compte. C'était un chef qui faisait appel au raisonnement, et non à la contrainte, pour obtenir l'unanimité; vraisemblablement, il aura la même attitude avec nous. Comme il tient à l'impression d'unité, nous conserverons nos postes, donc notre pouvoir pour protéger l'Église. Si nous le soutenons sincèrement lorsqu'il le mérite, tout en déclarant notre opposition lorsque nous l'estimons dans l'erreur sur les questions de principe, et en lui expliquant pourquoi, il y a tout lieu de croire qu'il nous fera confiance et respectera notre jugement dans les domaines où il ne se prétend pas expert – lesquels comprennent, évidemment, la théologie.

– Mais s'il arrivait, à simple titre de supposition, qu'au lieu de respecter notre jugement sur une question morale, il écoute l'abbé, ou Gordenker et ses amis radicaux? demanda Bisset.

– Je crois que si nous nous montrons avisés, il nous consultera, et si nos arguments sont bons, il s'y rendra. A tout le moins, nous respectant, il coopérera ou transigera, ce qui minimisera les dégâts éventuels. Et s'il se mettait à prendre des décrets dangereux pour la foi ou la morale, nous disposons d'autres moyens d'action.

– De quelle sorte? s'enquit LaTorre.

– De très nombreuses sortes, répondit sèchement Chelli. Voyons-en quelques-uns, à tout hasard.

– Il y aurait le procès en hérésie, dit Bisset. S'agissant du pape, la chose serait assez terrible, mais elle n'est pas absolument sans précédent dans l'histoire ecclésiastique. L'idée est tentante.

– C'est unc possibilité, reconnut Chelli, mais je souhaite que nous n'ayons jamais à en arriver là. Dans l'immédiat, je suggère une tactique moins brutale pour éviter l'affrontement direct.

– Nous pourrions offrir une neuvaine pour que le Tout-Puissant estime devoir prochainement rappeler Sa Sainteté dans son sein, proposa Bisset de son ton le plus sarcastique.

– Ce à quoi je songeais, expliqua Chelli, c'était à tenir utilement compte de sa personnalité et de sa façon d'opérer. Il est, fondamentalement, un politicien américain. Bien que perspicace et extrêmement intelligent, il est animé de cette naïve croyance américaine qu'en cédant un peu à chacun tout le monde travaillera de concert. Il n'a pas l'habitude des principes immuables. Il sera prêt à transiger sur ses idées, et nous, en retour, devons être prêts à transiger sur des détails. Mais, sur ce qui regarde les principes, nous resterons fermes, en lui fournissant l'explication raisonnée de notre position.

– C'est précisément là notre comportement, dit Bisset, froide logique et amène raison.

– En deuxième lieu, poursuivit Chelli, il aime prendre lui-même les décisions, sentir qu'il dirige une machine. Ces deux traits s'accompagnent d'un troisième : son sens de l'équité l'oblige à prendre conseil. Et je vois là un moyen pour nous de ralentir son allure, sinon de la régler. Nous discuterons et argumenterons autant qu'il le faudra, en adhérant fermement aux principes tout en cédant sur les points de détail. Et, en même temps, nous lui trouverons quantité de décisions à prendre.

– Ah! certes, intervint Bisset, nous savons depuis assez longtemps, au Saint-Siège, que le cerveau désœuvré d'un pape est l'atelier du diable.

– Exactement. Je suis sûr que nous sommes tous capables de découvrir toute une série de problèmes épineux qu'*il Papa* est le seul à pouvoir résoudre. Pour ma part, j'estime nécessaire un minutieux examen de mon état budgétaire. La semaine prochaine, des directeurs de banques centrales du Marché commun se rencontrent à Rome. Ils solliciteront une audience et souhaiteront que le pape François s'adresse à eux sur le thème des banques centrales et de la justice sociale. Je suis également certain qu'il existe une multitude de problèmes touchant le clergé et la foi qui requièrent l'attention personnelle de Sa Sainteté. Naturellement, il faudra d'abord qu'il prenne connaissance des copieux rapports établis sur ces sujets. Si nous nous acquittons au mieux de nos offices, conclut Chelli, il nous accordera bientôt sa confiance. Et au surplus, il n'aura pas de trop-plein d'énergie à consacrer à de pernicieuses actions. C'est notre devoir sacré que d'aider cet homme intelligent, plein de bonne volonté, mais mal instruit, à trouver le bon chemin.

– Exactement, comme dirait Son Éminence le cardinal Greene.

– Et voilà comment la papauté gouvernera le Pontife? demanda Bisset.

14.

Lorsque je repense à ces premiers mois, je m'aperçois qu'ils furent les plus remplis de toute ma vie, et les plus heureux depuis mon enfance. Mon mal connaissait une rémission, mais mon énergie était durement éprouvée, car François transformait le palazzo en un maelstrom. On avait l'impression de se trouver pris dans un gigantesque séchoir à linge. Les événements et les gens tournaient et s'entremêlaient; il y avait une exaltante pulsation de mouvement, de progrès même, mais jamais suffisante pour satisfaire François. Il se trouvait constamment frustré par les lenteurs du Vatican.

Ce fut une période d'action et d'exaltation. L'abbé commença par nous soumettre de nouvelles idées, puis des plans, puis des budgets. Pritchett, Gordenker et Martín se présentèrent à plusieurs reprises pour discuter des hommes à placer à la tête des divers services de la Curie et préparer une session du Synode mondial des évêques. LaTorre, Chelli et une quantité d'autres cardinaux étaient reçus régulièrement, et la Secrétairerie d'État nous transmettait des monceaux de documents. Mais l'énergie de François était proprement extraordinaire, de même que son savoir. Il manquait parfois de patience, mais se montrait généralement de bonne humeur.

L'affaire des banquiers internationaux de Chelli constitue un excellent exemple de la promptitude de François à agir. Chelli avait sollicité d'*il Papa* qu'il les reçoive et leur adresse quelques mots, en nous rappelant que les banquiers seraient utiles pour le financement de la croisade. François y consentit immédiatement. Il téléphona à un de ses vieux amis, professeur d'économie à Yale, lui exposa le problème et lui demanda de lui préparer une allocution contenant le maximum de données empiriques sur la nécessité d'une réforme des pratiques bancaires internationales.

Dix jours plus tard, François donnait une audience d'une demiheure aux banquiers. Selon moi, Chelli fut aussi étonné que les banquiers d'entendre une savante allocution bourrée d'un jargon économique dont je ne saisis pas un mot. Mais surtout, François leur parla de leurs péchés dans un style qui ne pouvait les laisser indifférents. Il mêla en un *capriccioso* les données économiques, le Sermon sur la Montagne et l'appel de saint Jean-Baptiste à la repentance. *Il Papa* alla jusqu'à énumérer les quatre méthodes qui pourraient présider à un changement de la réglementation afin de protéger non seulement les nations pauvres mais également le simple citoyen de n'importe quel pays. En bon professeur, il réserva dix minutes aux questions. Mais pas une main ne se leva. Je n'avais jamais entretenu beaucoup d'espoirs quant au salut de l'âme des banquiers, mais ceux de ce groupe-là ne quittèrent pas Rome avec une conscience tranquille.

Il ne pouvait, à chaque fois, témoigner d'une telle virtuosité, mais le fait se répéta assez souvent pour créer une vaste aura de respect. Cependant, des dizaines d'affaires courantes l'absorbaient : lettres aux cardinaux et archevêques prenant leur retraite, condoléances aux familles et aux diocésains des prélats défunts, ou aux pays dont les chefs d'État étaient morts, félicitations au clergé et aux laïcs célèbres à l'occasion d'un anniversaire de naissance ou d'événement faste, apparitions à la fenêtre du palazzo le dimanche et les jours de fête à midi (et, en Italie, nous avons une pléthore de jours de fête), audiences aux ambassadeurs accrédités auprès du Saint-Siège, aux nonces revenant de mission, aux évêques en visite à Rome (et porteurs de cadeaux). Tant d'autres choses encore le requéraient : – bénédiction annuelle des troupes de la garnison de Rome; – pèlerinage de l'Union autrichienne des familles catholiques; – sessions du chapitre général des missionnaires clarétins, conventions de l'Organisation internationale de l'aviation civile, de l'Association internationale des conférences de Saint-Vincent- de-Paul, et ceci, et cela, et encore cet autre. Et, à chacune de ses audiences, le Saint-Père devait prononcer une courte homélie.

Au début, François laissa la Secrétairerie d'État ou la Congrégation compétente de la Curie rédiger lettres, messages et homélies, mais après avoir lu les premiers textes dans un silence horrifié, il téléphona au cardinal archevêque de Dublin pour lui emprunter un jeune prêtre, Conor K. Cavanaugh, qui enseignait la littérature à l'university College de Dublin. Ayant rencontré le père Cavanaugh quelques années plus tôt, *il Papa* avait été impressionné par sa vivacité d'esprit. François se souvenait que le jeune prêtre était réputé pour ses spirituelles reparties en latin. Après l'arrivée de monsignor Cavanaugh – comment aurait-il pu, dans ces circonstances, rester simple prêtre? – les lettres de François revêtirent un ton qui faisait sursauter LaTorre. J'estime, pour ma part, que la joie n'est pas déplacée dans l'Église du Christ, mais je reconnais qu'il y avait parfois dans la correspondance de François plus de légèreté qu'il n'est séant.

En raison de mes nombreuses tâches – dont souvent j'ignorais tout avant que François me les assignât lorsque je me présentais au palazzo, à huit heures du matin – je ne pouvais être instruit de tout ce qui se passait. Permettez-moi d'interrompre mon récit pour vous parler de l'amitié que je nouai avec la signora Falconi. Je l'avais rencontrée en une unique occasion à Washington. C'était souvent elle qui me transmettait ce qu'*il Papa* souhaitait me voir faire. A son arrivée à Rome, elle s'était installée dans un vieil appartement de la via Giulia, à petite distance du Vatican.

J'éprouvais pour elle de l'intérêt, parce que ses parents étaient de Trente. Évidemment, elle parlait fort bien l'italien, et encore mieux en très peu de temps, une fois qu'elle se fût retrempée dans l'ambiance de cette langue. C'était une femme remarquable, efficace et belle en même temps. Extérieurement, elle était de ces femmes autoritaires que les hommes, instinctivement, n'aiment pas. Je ne la voyais pas sans sourire faire sauter les *monsignori*. Mais ce n'était qu'un masque professionnel. Une fois sa carapace protectrice enlevée, elle se révélait charmante, à la fois extrêmement intelligente et extrêmement féminine.

Je me souvenais vaguement que Kate s'était montrée désagréable avec elle, et je comprenais parfaitement qu'elle pût susciter la jalousie d'une épouse (je m'empresse de dire que rien ne permettait de penser qu'il existât une relation illicite entre elle et François). Mais, au palazzo, c'était monsignor Bonetti qui était jaloux d'elle. *Il Papa* lui confiait assez de travail pour occuper une douzaine de personnes, mais il ne retrouvait pas avec lui l'étroite entente qu'il avait connue avec l'ancien Pontife. A présent, c'était la signora qui prévenait les souhaits *del Papa*. Comme M. Keller, elle était entièrement dévouée à François. Elle mettait sa vie dans son travail, et elle effectuait celui-ci avec compétence, énergie et, contrairement à François, avec ordre. Elle ne fut pas longue à savoir virtuellement où se trouvait au Vatican le moindre papier, alors que le bureau pontifical restait constamment couvert de fouillis.

Comme je vous le disais, j'étais empêché d'assister à toutes les séances de travail de François et de l'abbé sur la croisade, mais je pouvais constater qu'une organisation prenait forme à l'incessant défilé au palazzo de gens de toute sorte : plusieurs hommes d'affaires d'Amérique latine, un ancien ministre chilien de l'Agriculture, un ancien ministre des Finances du gouvernement irlandais, un laïc américain, président d'une compagnie aérienne de charters, un médecin canadien, *direttore* d'un grand hôpital de Montréal, le doyen de la faculté de commerce de l'Université de Chicago, un *monsignore* italiano-américain à la retraite, du nom de Ligutti, qui avait travaillé pendant des décennies sur les problèmes agricoles dans le Midwest américain, aidé à nourrir les populations affamées d'Europe pendant la Seconde Guerre mondiale, et enfin fait la liaison entre le Vatican et l'Organisation des Nations unies pour l'alimentation et l'agriculture.

Je garde mémoire d'une conversation entre *il Papa* et la Préfecture des affaires économiques. Comme je vous l'ai dit, elle avait pour président Chelli, et pour membres LaTorre, Bisset et Greene. L'abbé et moi y assistions. C'était l'une de nos premières réunions dans le bureau pontifical.

Installés autour de la table de conférence, *il Papa* et ses six visiteurs étudiaient le compte dont monsignor Bonetti nous avait remis à chacun un exemplaire : il s'agissait du projet de budget de l'abbé pour la croisade – cent vingt-cinq millions de dollars pour la première année.

LaTorre, Greene et Bisset restaient silencieux. Je crois que Bisset jugeait inutile de parler à un homme susceptible à tout moment d'être foudroyé. De toute façon, pas plus lui que LaTorre ne souhaitaient s'adresser à un homme qu'ils tenaient pour hérétique. Mais Chelli questionna l'abbé :

– Est-ce là, à votre sens, un budget anormalement élevé, parce qu'il concerne la première année?

– Non, Votre Éminence. En réalité, il est anormalement bas. Il tient compte des hypothèses suivantes : nous nous en tenons à six mille volontaires seulement par an; nous n'opérons que dans trois pays (je propose Panama, le Pérou et la Bolivie); des compagnies pharmaceutiques américaines et européennes nous font don de tous les produits et équipements médicaux nécessaires; l'Organisation des Nations unies pour l'alimentation et l'agriculture nous fournit en partie des aliments, des semences, des engrais et des experts; enfin, la compagnie aérienne John Carpentar acheminera nos volontaires, ce qui réduira le poste « transports ». Pour l'accueil, nous envisageons d'employer le plus possible les établissements religieux, couvents et séminaires. Mais il faudra, pour cela, négocier avec les évêques locaux. Ayant déjà précédemment eu affaire à ces révérends personnages, je pense qu'une intervention de la Curie, sinon du pape lui-même, sera nécessaire. (Bisset pinça les lèvres.) Pour nous résumer, conclut l'abbé, lorsque nous élargirons nos opérations, et compte tenu de l'inflation continue, notre budget augmentera.

– Cardinal Chelli, demanda François, que pouvons-nous prélever sur nos ressources?

– Cela dépend, Saint-Père. Si nous n'employons que l'excédent, c'est-à-dire de l'argent non déjà destiné à d'autres usages, très peu. En y affectant tous nos fonds de réserve, et en retranchant ici ou là, par exemple sur nos secours en Afrique occidentale, et en dépensant ce que, normalement, nous réinvestirions afin de pallier l'inflation, nous assurerions environ un cinquième de ce que demande l'abbé. Bien entendu, nous serions en mesure de financer la totalité du projet pendant plusieurs années, mais au prix d'une ruine totale.

– Incroyable, dit Bisset. Notre mission n'est pas là.

– Nourrir les affamés, soigner les malades, prendre soin de la veuve et de l'orphelin, là est notre mission.

– Mais, insista Bisset, nous le faisons, Sa Sainteté le sait. Nous envoyons de la nourriture et des médicaments à ces infidèles d'Indiens qui engloutissent des millions de francs dans l'armement atomique tout en venant pleurer auprès de nous qu'ils sont trop pauvres pour lutter contre le choléra, la variole et la famine. La mise en œuvre du plan de l'abbé anéantira notre capacité à aider d'autres populations pendant au moins une génération, sinon pendant un siècle.

– Pas nécessairement, Éminence, repartit François. Vous

devriez avoir plus de foi dans la largesse de Dieu. Je vous ai déjà dit que notre devoir était de faire ce qui est bien; l'argent nécessaire, c'est à Dieu d'y pourvoir, non à nous. Et, à propos de la largesse de Dieu, j'ai parlé avec des hommes possédant de très grosses fortunes. Il est possible qu'ils assument une bonne partie des frais de la croisade. Qui sait quels autres dons nous réserve Dieu? Une fois que nous aurons démarré en Amérique latine, je compte que nous pourrons persuader les Nations unies de financer la plus grande part de nos opérations. Mais c'est l'Église qui doit entreprendre la croisade. Les autres n'en ont pas la volonté, bien qu'ils en possèdent les moyens.

Bisset resta muet, mais avec une expression railleuse. LaTorre et Greene semblaient consternés. Chelli demeurait impassible.

Allora, François jeta un regard circulaire. Je suis sûr qu'il déchiffrait aussi bien que moi les expressions.

– Il me faut, dit-il, un inventaire raisonnablement concis des moyens de réunir des fonds définis par le cardinal Chelli : financement total, financement minimal à partir des réserves, et moyen terme entre les deux. Je dois pouvoir parler en toute connaissance de cause à certains de nos donateurs potentiels. Et je voudrais justement vous interroger sur une question annexe. Comme vous le savez, le Synode mondial des évêques doit normalement se réunir à la fin septembre. Je songe à convoquer un peu plus tard en automne les évêques d'Amérique latine en assemblée extraordinaire, ainsi que les prélats auxquels la constitution du synode reconnaît le droit d'assister à toutes les catégories d'assemblées. J'aimerais avoir votre sentiment, oralement et par écrit, sur les sujets spécifiques dont pourraient discuter les évêques lors cette session extraordinaire, dans la perspective du renouveau spirituel et de la croisade. Et voilà déjà une question que je vous soumets : faut-il que les évêques se réunissent à Rome ou en Amérique latine? Et, dans ce dernier cas, où?

– Saint-Père, dit LaTorre, vous voulez un renouveau spirituel, cela, je le comprends, mais les modalités précises m'échappent. Vous avez parlé d'une vivification de la hiérarchie qui gagnera les laïcs, ainsi que d'un travail en commun des laïcs et du clergé. Quelles initiatives concrètes envisage Votre Sainteté?

– Pour être sincère, répondit François, avec un sourire, j'ignore encore précisément comment nous – cardinaux, évêques, prêtres – atteindrons ce but. J'ai parlé aux jésuites de l'organisation d'une série de retraites pour les évêques. Je veux aussi la participation des franciscains. Ce serait une parfaite combinaison d'éléments que celle du zèle et de l'intelligence jésuites avec la simplicité franciscaine. (Bisset retint difficilement un ricanement. J'avoue que cette idée des jésuites œuvrant en commun avec les franciscains ne me serait jamais venue – pas plus, probablement, qu'à un franciscain. Et pour qu'un jésuite l'envisageât, il aurait fallu qu'il fût en état d'ébriété.) Que nous suggérez-vous, pour votre part?

– Je songerais, Très Saint-Père, à une encyclique mettant en garde les évêques contre les dangers d'une récurrence du modernisme, né dans le sillage de Vatican II.

– Et ranimant la dévotion mariale, ne croyez-vous pas? demanda Greene.

– En bref, un nouveau *Syllabus,* poursuivit LaTorre, et bien entendu, comme l'a indiqué Votre Sainteté, une nouvelle formulation de ce que les derniers Pontifes ont énoncé sur les questions de justice sociale. Je verrais un document qui pourrait faire l'unanimité dans la hiérarchie et tout le clergé en tant que rempart contre le communisme et le fascisme à l'extérieur de l'Église, et, dans nos propres rangs, contre le modernisme.

François avait écouté LaTorre d'un air impassible, en prenant quelques notes au passage.

– Merci, Éminence. Et vous, cardinal Bisset?

– Je partage l'avis de Son Éminence. J'ajouterai peut-être quelques suggestions dans un mémorandum.

(*Senta,* je savais d'expérience que ce mémorandum n'existerait jamais. Bisset n'était pas homme à s'aventurer.)

– C'est cela, merci. Cardinal Greene?

– Exactement, Très Saint-Père. Il faut ramener Marie dans l'Église. Le peuple du Christ a besoin d'elle. Ce retour rouvrirait d'anciens chemins du ciel et en ouvrirait de nouveaux.

– Cardinal Chelli?

– Saint-Père, je diverge de mes frères plus sur les orientations que sur le fond, dit Chelli qui, les mains jointes, tapotait ses longs doigts. Encore que le monde doive périodiquement être convaincu de péché, je crois que nous devrions cette fois procéder de façon plus positive. Les retraites semblent une excellente idée si, et ce *si* est vital, si donc elles sont conduites de manière à donner une véritable nourriture spirituelle. Je souhaiterais que Votre Sainteté songe, pour cet office, aux dominicains. Avec tout le respect dû aux jésuites, ils s'intéressent depuis quelques années beaucoup au monde et fort peu aux entreprises spirituelles; et pour ce qui est des franciscains, la culture des capacités intellectuelles si nécessaires face à des experts en théologie et en pastorale n'a jamais été leur fait.

– Certes, et c'est justement pour cela que j'ai voulu faire œuvrer en commun les deux ordres. Maintenant, comme toujours avec les hybridations, il faudra attendre la naissance pour constater si nos manipulations génétiques ont été heureuses.

Chelli parut perplexe, LaTorre, Bisset et Greene totalement perdus, mais le jeune cardinal poursuivit :

– Saint-Père, l'espoir que je mettrais dans ces retraites, c'est qu'elles restaurent la foi dans la machine et dans les méthodes traditionnelles de l'Église. Une encyclique serait également une bonne chose, mais seulement si elle soulignait la vitalité de notre doctrine traditionnelle et sa pertinence dans le monde moderne. Faire valoir ce qui est positif me semble préférable à énumérer les erreurs, aussi nombreuses et graves soient-elles.

– Et que penseriez-vous d'inviter les évêques à une série de synodes régionaux sur leurs propres continents, et de me rendre en personne à ces assemblées?

Les implications d'une telle initiative n'échappaient à aucun de nous. Loin de Rome, et libéré de la Curie, *il Papa* aurait des contacts directs avec les évêques sur leur propre terrain, et ils pourraient déterminer de concert ce sur quoi devraient porter leurs discussions, sans que s'interposent entre eux les cardinaux préfets et les fonctionnaires de la Curie.

– Non, Très Saint-Père, laissa échapper LaTorre, de tels voyages seraient trop éprouvants, physiquement et spirituellement, et tant d'autres affaires de l'Église vous réclament. Et il existe aussi un risque que, la fatigue aidant, le Pontife, comme tout être humain, laisse échapper des propos qui pourraient être faussement, désastreusement même, interprétés.

Greene hocha affirmativement la tête. Bisset prit une expression excédée, comme devant un enfant qui propose un jeu inepte. François tourna ses regards vers Chelli.

– Je crois que Son Éminence a raison, dit Chelli, mais pour un motif différent. Le Pontife doit rester à distance, au-dessus des factions qui s'opposent dans l'Église. Il doit diriger tous ces gens, leur permettre la discussion, le débat même, mais se tenir au-dessus des luttes pour pouvoir intervenir au moment opportun en fixant la ligne juste. Mais il y a encore un autre motif. Le pouvoir pontifical est d'essence charismatique, au sens classique du terme; le Pontife est touché par la grâce. La mystique entourant sa charge et sa personne est absolument essentielle à son autorité. Ce n'est pas le Pontife qui doit aller aux évêques, mais les évêques qui doivent aller au pape. A trop voyager, le Pontife affaiblirait son aura mystique. Sans manquer au respect dû à Votre Sainteté, nul de nous, ici, ne détient toutes les réponses à tous les problèmes. Cependant, l'autorité d'hommes tels que Pie XI et Pie XII résidait pour une bonne part dans leur isolement, qui semblait garant de leur sagesse. Le pape Jean avait d'excellentes intentions, mais il avouait son humanité. Les réactions à Vatican II et à sa tendance à l'anarchie théologique et morale en sont les résultats évidents. On ne peut imputer tous ces événements au fait que Jean a dévoilé son visage humain, mais ce dévoilement a beaucoup compté dans la rupture de l'unité de l'Église et dans l'affaiblissement du pouvoir pontifical.

– Voilà un excellent cours de *realpolitik,* dit François en consultant sa montre. Nous songerons à vos suggestions. Si vous en concevez d'autres, veuillez nous les transmettre. Nous devons à présent lever la séance, car nous recevons en audience un autre bienfaiteur potentiel.

15.

L'été venu, nous allâmes à Castel Gandolfo, vers la fin juillet. François, l'abbé, la signora Falconi, monsignor Bonetti et moi-même passions de longues heures au travail, soit dans les bureaux qui donnent sur le charmant lac, ou dans le parc, à l'ombre d'immenses baldaquins.

Dans les monts Albains les journées sont chaudes mais sèches, et les nuits délicieusement fraîches. Les truites du lac sont exquises et, Frascati étant tout proche, son vin ne souffre pas du transport. J'avoue cependant avoir enjoint à l'intendant d'acheter surtout du trebbiano, qui provient des vignobles d'Aprilia, également proches.

Autant l'été est agréable à Castel Gandolfo, autant, à Rome, il est torride, bruyant, et empli de pollution par les autocars qui déversent des centaines de milliers de touristes sur la piazza di San Pietro et par les échappements des vespas des *scippatori,* ces voleurs à la tire motorisés qui s'abattent sur les touristes comme des mouches sur des quartiers de viande pour les soulager du fardeau de transporter argent et passeports aux quatre coins de la Ville éternelle.

Et pourtant, *il Papa* décida bientôt de notre retour à Rome. Selon moi, le véritable motif, c'était son intoxication du travail. Je commençais à entrevoir vraiment ce qu'il avait essayé de m'expliquer là-bas, dans son monastère trappiste. Je comprenais pourquoi il n'avait jamais connu la paix. En Italie, nous dirions que pour lui un problème n'était pas seulement un défi intellectuel, mais une menace contre sa *virilità.* Il y a là une véritable maladie de l'esprit. En vérité, Dieu n'aurait pas donné au monde sa beauté, s'Il n'avait pas voulu que nous jouissions de la contempler. Mais le pape François travaillait jour et nuit, et sans jamais faire une pause pour se donner le plaisir de contempler l'œuvre accomplie. Pour lui, à peine une tâche était-elle terminée qu'une autre le défiait – ou le menaçait. Et, après celle-ci, se présentait un nouveau défi.

Le matin, je n'avais pas encore célébré ma messe que je le voyais marcher de long en large devant le château, du côté du lac, l'air absorbé dans ses pensées; lorsque j'éteignais ma lampe, à minuit, je l'apercevais au jardin, dans la clarté de quatre flambeaux insectifuges américains, écrivant sur un bloc jaune ou dictant dans un magnétophone portatif de marque allemande. Il me semble pourtant qu'il se plaisait à Castel Gandolfo, mais qu'une voix intérieure lui soufflait qu'il ne travaillait pas vraiment si ce n'était dans des conditions pénibles.

Les choses avançaient moins vite qu'il ne l'avait prévu, mais, comme je l'ai indiqué, rapidement pour le Vatican. Une phase, au moins, était close. Au tout début d'août s'étaient tenues à Castel Gandolfo nos dernières consultations avec les cardinaux Martín, Pritchett et Gordenker au sujet des nouvelles nominations à la Curie. Nous en avions également longuement conféré avec LaTorre et Chelli. François tenait Chelli en haute estime, mais ce que pensait LaTorre lui indifférait assez. D'un autre côté, *il Papa* comprenait l'affection des cardinaux de la Curie pour LaTorre.

Il avait accordé une audience privée à chacun des préfets qu'il ne maintenait pas dans leur charge en leur offrant les postes, honorifiques ou non, qu'ils manifestaient le désir d'occuper. Et il les avait également flattés en leur demandant de rester quelques semaines à Rome afin d'initier leurs successeurs, et de demeurer membres de leur Congrégation pour que l'on pût les consulter régulièrement.

Le pape Paul avait placé aux plus hautes charges des hommes qui lui étaient fidèles, et le pape François souhaitait l'imiter. Et, de fait, il ne parvenait pas à se résoudre à nommer Fieschi secrétaire d'État jusqu'à ce que je lui présentasse, comme éventuel substitut de la Secrétairerie d'État, l'évêque polonais Jean Zaleski, qui exerçait son ministère parmi ses compatriotes exilés à Rome. Celui-ci avait travaillé pendant onze ans à la Secrétairerie d'État mais, sous le pontificat de Paul VI, il s'était heurté à plusieurs reprises avec monsignor Giovanni Benelli, nommé substitut par Paul VI pour contrebalancer les opinions libérales de son secrétaire d'État, le cardinal français Jean Villot. Monsignor Benelli n'était pas le genre d'homme à qui l'on s'oppose si l'on n'a pas d'abord fait la paix avec Dieu et avec *il Papa*. Dans l'année, Zaleski accédait à la dignité épiscopale. (Au Saint-Siège, on écarte des postes importants les ennemis et les incompétents en leur accordant des promotions. Ne cherchez pas ailleurs l'origine du « principe de Peter ».)

Je pensais que Zaleski et François s'apprécieraient mutuellement, et tel fut le cas. Zaleski était un saint homme. Doué d'une extraordinaire intelligence, n'ignorant rien du monde tel qu'il est, au Vatican ou à l'extérieur, il gardait un cœur de simple prêtre. Pour moi, il était un serviteur, pour la presse, un libéral. Mais il n'était nullement animé d'un zèle réformiste. Il possédait un esprit ouvert, curieux – ce que j'ai rarement vu chez les Polonais. Un tel homme ne se livrerait ni à des intrigues, ni à des représailles contre les traditionalistes. En revanche, il ne leur permettrait pas de se manifester de façon trop éclatante. Et l'amitié personnelle qui se développa entre lui et François allait faciliter la communication. Ainsi pourrait-on contrecarrer efficacement Fieschi s'il usait de son pouvoir pour entraver la politique du Pontife.

Dans la nouvelle Curie, François maintint LaTorre au Saint-Office, Chelli à la Préfecture des affaires économiques, Aspaturian, le patriarche d'Arménie, à la Congrégation pour les Églises orientales, et Greene à la Congrégation pour les sacrements et le culte divin. *Il Papa* déplaça Bisset de la Congrégation pour le clergé à la Congrégation pour les causes des saints. François considérait d'importance mineure les sacrements et les saints.

Tous les autres préfets et présidents étaient des hommes neufs. Le cardinal Martín devint préfet de la Congrégation pour les évêques; le Coréen Chi Goon Su, ami de François depuis la guerre de Corée, fut promu à la tête de la Propaganda Fide. Et le préfet de la Congrégation pour l'enseignement catholique fut l'Américain Harold Buckley, un passioniste qui avait été recteur du séminaire de l'Université de Notre-Dame dans la période où ce genre d'institutions connaissaient les plus grandes difficultés.

A la Congrégation pour le clergé, François plaça Peter Rauch, archevêque de Cologne. Un Espagnol, Arriba y Enrique, reçut la Congrégation pour les religieux. Au Secrétariat pour l'unité des chrétiens, nous choisîmes l'archevêque chinois James Liu. Jeune prêtre lorsque Chang Kai-check s'était replié à Formose, il était encore resté deux ans en Chine avant que les communistes ne l'expulsent à Hong Kong. C'est là qu'il avait exercé son ministère, ainsi qu'à Singapour, comme pasteur des autres exilés chinois. Le Secrétariat pour les non-chrétiens échut au célèbre érudit français Maurice Duval, qui avait dirigé l'Institut biblique pontifical, et celui des non-croyants à un Tanzanien au nom imprononçable : Danielo Mwinjamba.

Pour diriger le secrétariat du Synode des évêques, François avait demandé, après le conclave, à Pritchett de demeurer à Rome. Il avait soixante-huit ans, c'est-à-dire la moyenne d'âge du Sacré Collège, mais période de la vie bien tardive pour apprendre nos manières byzantines. Cependant, ce domaine l'intéressait, et François tenait à placer à ce poste un cardinal, afin d'en rehausser le prestige. Mais il voulait aussi que ce cardinal fût proche de lui, car il concevait alors de grands desseins pour cet organisme.

Nous avions également beaucoup réfléchi aux hommes qui assumeraient le secrétariat des divers organes. François savait l'influence que peut avoir, sur la façon dont un préfet et *il Papa* lui-même envisagent les problèmes, le secrétaire qui régente le personnel hautement qualifié des Congrégations. Mais il réussit moins bien à donner à ces postes une coloration internationale. Les Italiens dominaient toujours les plus hauts échelons de la Curie, comme ils dominaient le collège des cardinaux sous le pape Jean. Cela découle principalement, selon moi, du fait que le Vatican est une institution italienne. Elle l'est par sa langue, sa situation, son histoire et, plus que tout, par ses méthodes. Un Américain, un Africain, un Allemand s'y sentent étrangers et, Dieu nous le pardonne, nous autres Italiens le leur faisons aussi sentir.

Allora, non que cette image italienne du Vatican ait été délibérément créée. En tant que siège de l'évêque de Rome, il a revêtu plus ou moins naturellement cet aspect au long des siècles. D'autres facteurs intervinrent également pour rendre les efforts de François stériles : l'attraction des postes de la Curie pour le clergé italien, dans un pays foncièrement anticlérical et qui, pour cette raison, respecte dans le Vatican son influence séculière et non spirituelle; la répugnance des évêques des autres pays à laisser partir au Saint-Siège leurs brillants sujets. Non d'ailleurs que les évêques italiens acceptent de gaieté de cœur que les leurs gravitent autour du Vatican, mais ils préfèrent encore cela à voir la Curie dirigée par des étrangers. J'avoue que certains de mes compatriotes ont essayé d'enrayer la promotion d'étrangers qui grimpaient les échelons sans être d'abord « acculturés » à l'Italie.

Vous connaissez bien maintenant LaTorre, Bisset, Greene et Chelli. Je vais vous en dire un peu plus sur les autres, les nouveaux collaborateurs du Pontife. Originaire du Michigan, Pritchett était un homme modeste, à la voix douce, mais capable de flambées de colère. Sa modestie faisait oublier sa rare érudition. Bien que voûté et le cheveu clairsemé, il ne faisait pas ses soixante-huit ans. Un pétillement allumait parfois ses yeux verts. On comprenait aisément que François et lui eussent sympathisé, d'autant que le penchant de Pritchett pour les plus détestables calembours égalait, sinon surpassait, celui de François. Il parlait un latin superbe et pouvait faire des jeux de mots bilingues et même parfois trilingues, car, mis à part son accent prononcé, il possédait une solide connaissance de l'italien.

Je vous ai déjà décrit Martin, le nouveau préfet de la Congrégation pour les évêques (les évêques résidentiels devaient jouer un rôle majeur dans la vaste transformation de l'Église que François voulait promouvoir). Il ne possédait ni l'esprit acéré d'un Chelli, ni l'aiguillon d'un Bisset, ni le pesant savoir et la revêche sincérité d'un LaTorre, mais il était sagace, sachant percer les tempéraments à jour plus peut-être qu'aucun de nous. Et son zèle pour l'Église égalait le nôtre. Martin avait une façon personnelle de regarder les gens – comment dire? – « en coin ». Il pouvait, tout en conversant avec quelqu'un, détourner la tête et garder pourtant les yeux rivés sur lui.

Je dois maintenant m'attarder quelque peu sur le cardinal Paolo Fieschi, parce qu'il joue un rôle important dans le reste de mon récit. Il était né soixante-cinq ans plus tôt dans une vieille famille génoise ayant produit plusieurs Pontifes. Physiquement, le cardinal avait une allure imposante. Cela ne venait pas de sa taille – avec son mètre soixante-quinze, il se situait dans la moyenne, et il était mince. Mais il intimidait par son maintien, sa *gravitas* de véritable aristocrate italien. Il possédait au suprême degré ce que les militaires appellent une attitude de commandement, encore renforcée par sa voix de basse, qui rendait majestueuse la plus triviale remarque.

Le cheveu gris, l'œil noir ajoutaient encore à son portrait de prince de l'Église. Bien que doué d'une mémoire peu commune et d'un esprit subtilement analytique, Fieschi était, comme tant d'ascètes, dépourvu de curiosité intellectuelle, donc d'imagination. Il menait une existence étrange dans un cadre somptueux et raffiné comme seule peut en procurer une vaste et ancienne fortune, mais qu'il dédaignait, dont il ne jouissait pas et peut-être même ne remarquait pas. On découvrit après sa mort qu'il portait un cilice sous sa soutane du meilleur faiseur.

Allora, Fieschi constituait d'une autre façon une énigme. Je crois qu'il n'aimait pas ses semblables et aurait préféré être moine (ou plutôt abbé), docte exégète biblique, ou même Pontife; or, après quinze années dans la diplomatie pontificale, il avait décidé de se consacrer à la pastorale. Selon moi, ce contact étroit avec les diocésains et avec leurs peines, c'était son cilice spirituel.

Lorsque, à sa sortie de l'Académie diplomatique pontificale, le jeune Fieschi avait accédé à la Curie, il avait fait l'acquisition d'une villa un peu en retrait de l'antique voie Aurélienne, que sa famille eut bientôt meublée de magnifiques antiquités et pourvue d'une merveilleuse cave. (Un soir, j'y prélevai une bouteille de barolo 1912.) Mais je ne pense pas que Fieschi ait jamais contemplé ses antiquités ni, encore qu'il les ait bus, qu'il ait vraiment goûté ses vins.

C'était moi qui avais poussé François à prendre Fieschi comme secrétaire d'État, et pourtant je n'étais pas sans quelques réserves. Parmi les aspects positifs, il y avait ce fait que son identification avec la faction traditionaliste contribuerait à prévenir une cassure irréparable dans nos rangs et à renforcer la légitimité de certaines décisions critiques. Également, il pouvait transmettre à *il Papa* des informations et des opinions qui équilibreraient le jugement du Pontife, plus enclin à écouter les serviteurs.

Et il y avait aussi les très réelles capacités de Fieschi. Ayant passé quinze ans à la Curie, il en connaissait tous les rouages. A cela s'ajoutait l'attitude de commandement que j'ai évoquée. Les autres organes de la Curie déféreraient à ses ordres autant à cause de son ascendant de patricien que de son autorité officielle.

Ecco, passons aux réserves. Elles étaient de trois ordres. Il y avait d'abord les styles en présence. Les manières ouvertes et simples de François étaient l'antithèse du raide et condescendant formalisme de Fieschi à l'égard des gens et des problèmes. Je ne craignais pas tant que Fieschi irrite François – *il Papa* m'avait un jour confié que ce genre de personnage n'était pas sans l'amuser, pourvu qu'il soit lui-même dans la situation de force – mais Fieschi risquait de se scandaliser de ce qu'il estimerait déplacé chez François, au point de ne pas être envers lui aussi totalement loyal qu'il le devait.

Et cette question de loyauté me tracassait pour une autre raison : jusqu'où irait-elle chez Fieschi à l'égard d'un étranger et, psychologiquement sinon canoniquement, un laïc, qui lui avait ravi la tiare et sympathisait avec ses adversaires, Fournier et Gordenker?

A cela s'ajoutait la question de la transformation de l'Église. Fieschi était traditionaliste beaucoup moins en raison de distinctions théologiques que parce qu'il s'accommodait bien du *statu quo* dans l'Église comme dans la vie économique et sociale. Sa hauteur aristocratique l'empêchait de percevoir, et, à plus forte raison, d'épouser les raisons qui faisaient militer les gens pour une transformation de l'Église. Or il était lumineusement évident que le pape François comprenait le tourment auquel était en proie l'Église et qu'il était déterminé à transformer les institutions qui pouvaient être génératrices de graves conflits.

C'est le préfet de la Congrégation pour le clergé que nous eûmes le plus de mal à trouver. François voulait là, comme à la Congrégation pour les évêques, un homme qui partage ses vues et avec qui il se sente à l'aise. Avec l'approbation, à défaut du retentissant soutien, de Gordenker, nous choisîmes un Allemand relativement jeune (cinquante-sept ans), Peter Rauch, archevêque de Cologne, qui n'était pas encore cardinal. C'était un Rhénan, fils de vignerons du Rheingau, entre Mayence et Rüdesheim. (Les premiers vignobles ont été plantés là par les troupes de Jules César.) Entre lui et moi, ce fut immédiatement l'amitié. Tout en lui concédant que pas un vin blanc italien n'égalait le Johannisberger Kabinett que produisait sa famille (et dont il allait, de temps à autre, enrichir ma cave), j'affinai son goût en lui faisant apprécier nos vins rouges italiens, si supérieurs aux français.

Pendant la Seconde Guerre mondiale, Rauch avait été officier dans les sous-marins, encore que je ne comprenne pas comment cet homme mesurant près de deux mètres arrivait à s'enfourner dans ces petits bâtiments. Ses auxiliaires italiens l'avaient baptisé l'« Asperge », car il ne devait guère peser plus de soixante-dix kilos. Il était encore musclé, et sa chevelure en bataille avait viré du blond paille au blanc sans modifier sa physionomie. Homme calme et cultivé, il se contentait souvent d'écouter, mais il était capable, comme il le faut souvent en Italie, d'enfler sa voix de baryton pour créer plus de décibels que ses collègues. Et, bien qu'il fût ouvert à la discussion, une fois qu'il s'était fait une opinion il s'y tenait avec une opiniâtreté teutonne, imperméable à l'élégance toute latine d'un recul savamment ménagé.

Comme Fieschi et Zaleski, Rauch n'était pas un novice dans la Curie et il possédait pareillement une vaste expérience pastorale. Formé à l'Université grégorienne puis à l'Académie diplomatique pontificale, il avait travaillé pendant six ans à la Secrétairerie d'État, puis il était rentré en Allemagne pour y exercer son ministère. Son élévation, moins de quinze ans plus tard, au siège archiépiscopal de Cologne témoignait de ses hautes capacités intellectuelles et de ses talents politiques.

16.

Allora, les événements se déroulèrent plus vite que ne tourne la bande de votre magnétophone. Au début d'août, nous en avions fini avec les nominations des nouveaux préfets de la Curie. Mais notre cadence ne se ralentit pas. Pour François, c'était toujours le projet suivant qui prenait une place capitale dans sa vie – et donc dans la vie de son entourage.

Le sujet important, à présent, c'était le Synode mondial des évêques, qui devait se tenir durant les trois premières semaines de septembre. Le Synode se compose en majeure partie de délégués élus par les conférences épiscopales de chaque pays ou région (en nombre qui varie, selon les cas, de un à quatre). Outre ces délégués, (qui étaient cent quarante-cinq dans ce Synode précis), il comprend aussi dix représentants désignés par l'Union romaine des supérieurs généraux (qui groupe les chefs de plus de quatre-ving-dix ordres religieux).

Le Synode comprend aussi des membres *ex officio :* les seize cardinaux qui coiffent les grands organismes de la Curie, et les quinze plus hauts dignitaires du rite oriental. A ceux-ci s'ajoutent les prélats désignés par *il Papa,* certains afin de compenser des inégalités dans la représentation, et d'autres afin que les vues auxquelles il tient aient des porte-parole. Ils devaient être vingt-sept dans ce Synode-là (la proportion observée étant de quinze pour cent des autres membres), mais l'ancien Pontife en avait déjà désigné vingt-deux. François choisit les cinq derniers en Amérique latine, en Afrique et en Asie – symbole de l'intérêt qu'il portait à ces régions. Et l'un de ceux-ci était le cardinal archevêque de Recife – marque du souci de François pour la justice sociale, en même temps qu'avertissement au régime brésilien.

L'ancien Pontife avait placé à l'ordre du jour des discussions un projet de loi fondamentale (ou constitution) de l'Église universelle. Cela faisait plus d'une décennie qu'une commission pontificale œuvrait à ce document et, depuis plusieurs années, cette commission était présidée par Chelli. Vers 1970, un projet en avait circulé officieusement, mais il avait suscité une levée de boucliers. On lui reprochait de ramener à la tête de l'Église un pouvoir centralisé, tendance qu'avait combattue Vatican II, en défendant la collégialité. A mon sens, le nouveau projet de Chelli prêtait le flanc à la même critique.

François n'appréciait pas ce projet, bien qu'une centralisation du pouvoir au Vatican ne fût pas pour lui déplaire. Mais ses réserves tenaient au fond : il estimait imprudent de vouloir fixer rigidement les relations entre *il Papa*, la Curie, les évêques et les laïcs à un moment où elles évoluaient rapidement. Toutefois, il ne tenait pas à imposer ses vues sur une question à laquelle il n'attachait pas une importance capitale. En revanche, il en attachait beaucoup aux débats dans le Synode. Qu'il pût devenir une sorte de législature, voilà, comme je vous l'ai dit, l'idée naïve et typiquement américaine qu'il entretenait. Le succès de votre système de gouvernement colore la pensée de tous les Américains, aussi intelligents et ouverts au monde qu'ils puissent être. François ne voulait pas que la première session du Synode sous sa papauté se limitât uniquement à une question relativement mineure.

Je me souviens de ce brûlant après-midi de juillet où nous étions installés dans le parc de Castel Gandolfo avec *il Papa*, Pritchett, monsignor Zaleski, l'archevêque Konrad Schaufele, secrétaire sortant du Synode mondial des évêques, et moi. L'archevêque disait qu'il était beaucoup trop tard pour modifier le programme de l'assemblée qui allait s'ouvrir dans six semaines, programme que l'ancien Pontife avait annoncé cinq mois auparavant.

– Nous ne voulons pas de deux cents évêques siégeant à Rome pendant trois semaines pour débattre d'un document qui ne recevra pas notre approbation, dit sèchement François. Alors que le Synode doit devenir une institution significative, ce serait le meilleur moyen de retarder ce développement.

– Alors, que faire, Très Saint-Père? demanda Schaufele. Annuler la session?

– Le cardinal Chelli serait partagé là-dessus, intervins-je. En qualité de président de la Commission pontificale pour la révision du code de droit canonique, il souhaite voir ses propositions approuvées. En tant que président de la Préfecture des affaires économiques, il préférerait que les évêques restent chez eux.

– Pourquoi l'argent entre-t-il en ligne de compte? questionna François.

– C'est que le coût du Synode sera considérable, Très Saint-Père, répondit l'archevêque, et nous, le Vatican, en assumerons une large part. Le pape Paul avait des idées arrêtées sur cette question d'argent. Il disait que l'Église doit être pauvre et doit paraître pauvre. Il a dissuadé les évêques d'apporter des dons lorsqu'ils venaient le voir. Il a supprimé la plupart des taxes que la Curie exigeait des diocèses pour traiter de leurs requêtes. Et il estimait qu'il incombait au Saint-Siège de couvrir les dépenses administratives du Synode : traductions simultanées, enregistrement des débats, impression des documents, relations publiques et, bien entendu, fonctionnement et entretien des locaux. Le pape Paul était même allé plus loin. Il voulait que nous assumions les frais de transport et de séjour de tous les prélats dépourvus des moyens nécessaires.

– Voilà une façon rapide d'appauvrir l'Église. Combien d'évêques allons-nous aider de la sorte?

– Je n'ai pas les chiffres exacts, Très Saint-Père, répondit l'archevêque, mais nous devrons prendre entièrement en charge au moins trente évêques, chacun nous revenant, au minimum, à deux mille dollars. Quant aux aides partielles, je ne peux même pas en estimer le total.

– Que d'affamés on pourrait nourrir avec tout cet argent, dit pensivement François en regardant Pritchett, le nouveau secrétaire du Synode. Mais une annulation de dernière heure ne saurait se mesurer en termes financiers. Ni non plus sauver des êtres humains de la famine. De toute façon, si je veux un Synode fort, il faut payer le prix. En revanche, il n'est pas trop tard pour modifier l'ordre du jour.

– Comment cela? demanda Pritchett.

– Conservons pour cadre le projet de constitution. Nous annoncerons que Chelli souhaiterait recevoir à ce sujet des commentaires écrits. En revanche, le Synode centrera ses discussions sur un aspect du document : les rapports entre les évêques pastoraux et le Vatican dans la perspective du renouveau spirituel et de la croisade. « Collégialité, Papauté et Justice sociale » ferait un bon titre. Parmi les sujets en discussion, nous placerons les questions financières : comment les évêques et le Saint-Siège peuvent-ils œuvrer en commun et employer nos ressources pour l'assistance aux pauvres, aux vieillards, aux malades et aux affamés.

– Sa Sainteté pourrait-elle me montrer plus précisément les articulations entre ces sujets? demanda timidement Schaufele.

– Si mes idées semblent décousues, Excellence, c'est parce qu'en fait elles le sont. Je veux que ces gens débattent des choses importantes, qu'ils aident l'Église à répondre aux besoins du vingt et unième siècle avec l'évangile du premier siècle. Je suis sûr que vous-même et ceux qui sont ici saurez organiser nos idées en un tout cohérent, conclut-il avec un sourire.

Et nous passâmes au problème suivant : l'ancien Pontife avait nommé LaTorre coprésident du Synode, nomination que le pape François contestait, bien que, selon moi, la sainte Mule fût qualifié pour présider le bureau. Je réussis à le persuader d'y remédier en adjoignant à LaTorre trois autres coprésidents, choisis respectivement dans les Églises orientales, en Afrique et en Amérique latine. L'intention n'échapperait pas à la sainte Mule, mais sa fierté serait ainsi ménagée.

Quelques semaines plus tard, les hordes barbares s'abattaient sur Rome. Je n'ai pas l'irrespect d'employer ce mot pour désigner les évêques, lesquels ne constituaient qu'une fraction réduite – et civilisée – des envahisseurs. Mais il y avait tous les autres : les observateurs envoyés en capacité non officielle par certaines conférences épiscopales, les collaborateurs des évêques nord-américains et européens, théologiens, secrétaires, et même chargés de presse. Et puis l'armée des journalistes, assiégeant le bureau de presse du Saint-Siège, devant la place Saint-Pierre, envahissant les cabines téléphoniques des cafés et restaurants voisins, sinon celles du bureau de presse lui-même, pour questionner des amis ou relations au Vatican et parmi les délégués, ou faisant la navette entre les hôtels du Borgo où les groupes dissidents avaient établi leurs quartiers généraux.

Ecco, ces groupes dissidents! Ils devaient sembler pittoresques aux journalistes. Mais, moi, je les estimais surtout déments. Il y avait le « Laïcat engagé » revendiquant une plus large participation laïque au gouvernement de l'Église, ainsi que divers groupes de serviteurs et de traditionnalistes, les uns et les autres affirmant que l'Église était en voie de perdition, mais pour des raisons diamétralement opposées. Il y avait le clergé noir – prêtres, frères et nonnes – cherchant à élargir les fondements culturels de l'Église; les réfugiés hongrois réclamant la béatification du cardinal Mindszenty en expiation de sa destitution sommaire par Paul VI; les Arabes, qui exigeaient la reconnaissance des droits des Palestiniens sur Jérusalem et une partie d'Israël; les Juifs demandant l'établissement de relations diplomatiques avec Israël et la condamnation du terrorisme arabe; et, les plus amusantes, les religieuses et les laïques revendiquant l'accession des femmes à la prêtrise et même à la hiérarchie écclésiastique. Dans la Curie, même les plus libéraux serviteurs se divertirent à la lecture des revendications de ces dames.

Mais, parlons du Synode. A la demande de François, j'y assistai de bout en bout, mais sans avoir voix consultative ou délibérative. Les assemblées générales se tinrent dans la salle spécialement construite pour le Synode dans la salle d'audiences. Elle est garnie de trois cent cinquante superbes *poltrone* de cuir, chacun muni d'un pupitre escamotable et, dans un accoudoir, d'un micro – afin que les délégués puissent parler de leur place – et d'écouteurs, reliés à un système d'interprétation simultanée en cinq langues. Vatican II nous a appris l'importance de ce matériel car, bien que le latin soit toujours officiellement le langage universel de l'Église, hormis les évêques pastoraux de France, d'Espagne et d'Italie, nombreux sont ceux qui le comprennent difficilement.

Le bureau de la présidence contient neuf sièges. Les quatre coprésidents y prirent place, ainsi qu'*il Papa,* qui est le président du Synode. François choisit symboliquement de prononcer l'allocution inaugurale dans la Sixtine, après avoir concélébré la messe avec les coprésidents. (Ce fut une des rares fois où je le vis célébrer la messe.) L'allocution fut courte :

> Nous vous accueillons dans ce Synode, et nous prions avec vous pour qu'il rapproche le peuple de Dieu de l'évangile et du salut promis par cet évangile. Vous avez tous reçu un exemplaire de notre discours officiel, que vous pourrez lire à votre gré. Il définit, avec les circonlocutions et l'emphase qui conviennent à la Curie...

(Je vis Fieschi s'empourprer. Le texte de ce discours avait été fourni par ses services, et il y avait même personnellement mis la main. Je concède, toutefois, que l'emphase n'y manquait pas.)

> ... les raisons de notre assemblée. Pour m'exprimer en termes plus simples, comme je vous l'ai dit, je veux remettre l'Église dans une ancienne voie; je veux qu'elle soit une incarnation vivante de la justice sociale. Comme le déclarait le Synode de 1971 : « Celui qui veut parler de justice aux hommes doit d'abord être juste à leur égard. » J'ajouterai que nous devons également *paraître* justes à l'égard de tous, et, comme chacun de nous le sait, il est souvent plus difficile de paraître juste que de l'être.

Il expliqua alors qu'en raison du changement qui était en train de se produire dans l'Église, il estimait que l'heure n'était pas à la discussion du projet de constitution de Chelli dans son ensemble; il avait préféré modifier l'ordre du jour afin que le débat se concentre sur le problème des rapports entre le Vatican et les diocèses, particulièrement dans la perspective du renouveau spirituel et de la croisade contre la faim.

– J'espère, dit-il, que nous montrerons dans la discussion cette même charité que nous recommandons aux autres de pratiquer. Nous n'avons pas le temps d'exhumer les péchés passés des préfets ou des pasteurs, même si l'amour que nous nous portons mutuellement n'interdit pas de telles récriminations.

Dans ce contexte, il évoqua le perpétuel problème financier, et la façon dont le Vatican et les évêques pourraient continuer à s'entraider, à maintenir leurs œuvres charitables et à soutenir la croisade. Parlant sans notes, François captiva son auditoire, las des sermons et exhortations conventionnels. Il arrivait à ces hommes quelque chose de rare, pour ne pas dire unique : un Pontife s'adressait à eux comme à des adultes intelligents et non comme à des enfants.

Selon moi, ces trois semaines constituèrent pour François une expérience mémorable, mais on ne pourrait dire qu'elle lui fut agréable. Siégeant au bureau à côté du président de séance, il suivit les débats, d'abord avec attention, puis avec une déception croissante. Les traditionalistes, menés par Chelli, Greene et Bisset, s'ingénièrent à éluder le sujet que François voulait placer au centre des discussions. Bisset réussit assez vite à provoquer les serviteurs à la riposte en décochant des flèches contre les pasteurs et la collégialité.

Pendant trois jours, François supporta les débats stériles mais âpres, et puis il donna à tous indistinctement une leçon de parlementarisme. Le soir, il convoqua dans son bureau un groupe de serviteurs : Gordenker; le Belge Fournier; le cardinal archevêque de Recife; Pritchett; un jeune Américain nommé Long, qui était évêque de Charleston; Rauch, de la Congrégation pour le clergé; Martín, de la Congrégation pour les évêques; Buckley, l'Américain qui était à la tête de la Congrégation pour l'enseignement catholique; et moi-même, ainsi que Mwinjamba, le grand et massif Tanzanien à la peau d'un noir bleuté, qui était président du Secrétariat pour les non-croyants, et qui devait le lendemain présider le Synode en remplacement de LaTorre.

En termes très nets, François leur expliqua qu'ils étaient en train de se laisser – comment dirai-je? – piéger. Il était essentiel de s'en tenir aux points qu'il avait définis dans son allocution inaugurale à la Sixtine. Le cardinal Mwinjamba devrait écarter toute intervention n'ayant pas trait à ces points.

Puis le pape François nous remit à chacun une liste photocopiée de tous les participants, et demanda à Martín de nous assigner respectivement une douzaine de noms de délégués favorables dont nous obtiendrions, en les contactant individuellement, qu'ils soutiennent la conduite des débats de Mwinjamba, si elle venait à être contestée. Et il nous remit aussi un projet qu'il avait ébauché tout en écoutant, ou feignant d'écouter, les orateurs. Le premier stade de ce projet consistait à obtenir des recteurs des séminaires du monde entier qu'ils communiquent annuellement au secrétaire d'État une liste des séminaristes les plus brillants dans leur classe (à concurrence de vingt-cinq pour cent des effectifs), assortie de renseignements biographiques. Ces informations seraient conservées en mémoire dans un ordinateur. On demanderait aux évêques de fournir des rapports semestriels sur les progrès de ces jeunes gens, et ceux-ci devraient également remplir périodiquement des questionnaires qui permettraient de tenir à jour le dossier de leurs capacités : études supérieures, langues étrangères. Lorsqu'un poste serait vacant à la Curie, l'ordinateur fournirait au secrétaire d'État une liste de ceux qui seraient le plus qualifiés pour le remplir.

La deuxième partie du projet de François devait avoir des résultats plus immédiats. Les évêques communiqueraient également au secrétaire d'État tous renseignements sur les clercs de leur diocèse les plus doués intellectuellement, en fondant leurs dossiers sur les résultats obtenus au séminaire et sur l'opinion écrite des pasteurs sous lesquels ces hommes servaient. Là encore, ces informations seraient mises sur ordinateur.

Nul ne serait contraint d'accepter un poste à la Curie, mais le secrétaire d'État aurait obligation, pour le pourvoir, de le proposer aux clercs désignés par l'ordinateur comme ayant les capacités requises.

– Je ne sais trop, Saint-Père, dit Gordenker. L'idée est intéressante, mais je ne tiens pas tellement à ce que la Curie me prenne mes plus brillants sujets.

– Éminence, repartit François, vous ne pouvez tout à la fois reprocher à la Curie de ne pas être représentative et empêcher vos meilleurs sujets d'y travailler.

– Il y a là un problème, reconnut Fournier. Eh bien, tout en comprenant les réserves de mon collègue, je m'accorde avec Sa Sainteté. Ou nous essayons de transformer la Curie, ou nous cessons de la critiquer.

– Je m'incline devant votre logique, concéda de mauvaise grâce Gordenker.

– Si la présidence donnait tout de suite la parole à l'un de nous demain matin, dit Pritchett à Mwinjamba, celui-ci pourrait proposer le projet.

– Je serais honoré de le faire, s'offrit l'évêque Long. Je n'ai encore jamais pris la parole, et je ne suis identifié à aucune faction (excluant ainsi habilement Gordenker et Fournier).

– Parfait, répondit *il Papa*. Il faudrait que la motion soit appuyée par un membre de la Curie.

– J'en serai honoré, Très Saint-Père, dit Buckley. Les séminaires sont du ressort de ma congrégation.

– Excellent. Mais il faudrait que l'orateur suivant soit un Asiatique ou un Africain, pour qu'on ne puisse qualifier le projet d'« américain ».

– J'y veillerai, Très Saint-Père, dit solennellement le cardinal Mwinjamba (lequel ne s'exprimait d'ailleurs jamais que solennellement).

– Mais il nous faut de la grosse artillerie pour repousser les attaques, dit François. Qui saura le mieux les déjouer tout en parlant en expert? Notre secrétaire d'État, le cardinal Fieschi, qui a notamment dans ses fonctions le recrutement pour la Curie et, par ailleurs, n'a pas une coloration de serviteur. Nous lui en parlerons nous-même.

Lorsque nous nous séparâmes, une heure plus tard, chacun connaissait précisément sa mission : qui contacter, que dire, et que faire le lendemain matin.

Comme les trains sous Mussolini, tout démarra selon l'horaire. Les membres de la Curie furent réduits à l'impuissance. Après avoir déclaré sa détermination de maintenir les débats dans le cadre de l'ordre du jour du Pontife, Mwinjamba donna la parole à l'évêque Long puis au cardinal Buckley. Quels que soient les défauts du projet, il était difficile de le battre en brèche. Qui serait allé déclarer aux évêques qu'ils n'avaient pas à jouer de rôle dans le recrutement du personnel de la Curie? Mwinjamba donna ensuite la parole à Fieschi qui monta proprement à la charge en faveur du projet. Je ne sais ce que lui avait soufflé le pape François, mais il se conduisit en véritable Marine. Il présenta une brillante argumentation, mais ce fut surtout sa double appartenance à la Curie et aux traditionalistes qui démoralisa les adversaires.

Est-il besoin de préciser que la motion fut adoptée par une majorité très supérieure aux deux tiers? François en fut profondément satisfait. Il avait donné une impulsion au Synode et fait triompher un projet cher à son cœur étranger. L'eût-il proposé lui-même que les évêques auraient fait poids mort. Mais c'était un des leurs qui l'avait proposé, et ils l'avaient adopté à une écrasante majorité. Il n'en revêtait que plus de légitimité.

Lorsque le Synode se sépara, *il Papa* accusait une grande fatigue. Il avait siégé au bureau d'un bout à l'autre des dix-neuf séances. En trois semaines, nous n'avions eu de répit que les dimanches. Chiffres en main, nous avions entendu cent vingt-sept interventions, dont six de plus d'une heure et treize de plus de quarante minutes. En outre, François avait consacré toutes ses soirées à l'expédition des affaires courantes, et maintenu ses audiences générales du dimanche midi et du mercredi après-midi.

Il lui restait à présent à étudier les résolutions définitives, afin de déterminer les modalités de leur mise en œuvre. Vous savez certainement que le Synode n'émet que des recommandations à *il Papa*. Les décisions à leur sujet sont entièrement siennes, encore que la Curie contribue notablement à leur donner forme. Mais François tenait à rehausser le prestige du Synode en tenant le plus grand compte des propositions des évêques, particulièrement en ce qui touchait le recrutement pour la Curie.

Je m'aperçois rétrospectivement que ce Synode fut beaucoup plus important que je ne le pensais alors. Et cette importance tint dans son échec, lequel convainquit le pape François que si l'Église devait être dirigée, c'était lui qui devrait assumer cette direction. Pour des raisons fort différentes, pas plus la Curie que le Synode mondial des évêques ne pouvaient la fournir. Mais ce message ne découragea pas François.

17.

Les évêques regagnèrent leurs diocèses, les membres de la Curie leurs dicastères, les journalistes leurs pays, les divers groupes contestataires leurs tanières, et la paix revint dans Rome. Ou du moins, le pensions-nous. Mais une autre crise, celle-là infiniment plus grave, allait requérir le pape François.

Ce fut au début du mois d'octobre, alors que le Vatican et le Borgo commençaient à respirer après le départ des évêques et avec l'arrivée d'un temps agréablement frais, que survint cette crise. Il était huit heures du matin, et j'arrivais juste au bureau *del Papa* lorsque monsignor Candutti (vous vous souvenez qu'il était en quelque sorte ministre des Affaires étrangères) fit irruption : les forces syriennes et égyptiennes venaient de nouveau d'envahir Israël, des missiles de fabrication russe s'abattaient sur Tel-Aviv. Heureusement, ils n'étaient chargés que d'explosifs classiques; mais il y avait l'abominable possibilité d'une guerre nucléaire. Depuis quelques semaines circulait le bruit que, comme les Israéliens, les Égyptiens avaient à présent la capacité de fabriquer un armement atomique. Au demeurant, les naïfs Américains avaient fourni à l'ancien régime de Sadate la technologie nécessaire pour un emploi de l'atome à des fins pacifiques, mais, à partir de là, c'était un jeu d'enfant que de fabriquer un armement dévastateur.

A leur tour entrèrent l'abbé et la signora Falconi; celle-ci apportait un poste de radio portatif. *Il Papa* prit un fauteuil bleu près de la fenêtre. L'abbé et la signora Falconi s'installèrent sur le canapé. Monsignor Candutti, moi-même et, un peu plus tard, monsignor Bonetti, prîmes place à la table de conférence. LaTorre, qui devait être reçu en audience hebdomadaire en sa qualité de préfet du Saint-Office, arriva sur ces entrefaites et s'assit à côté de nous.

La nouvelle était grave. Il ne s'agissait pas simplement d'un « incident » après tant d'autres. Selon le commentateur italien, les radios du Caire et de Damas annonçaient que, les pourparlers de paix directs et indirects avec les Israéliens ayant tous échoué, il ne restait plus que le recours à la force. Les chefs arabes appelaient l'Islam à la *djihad,* la guerre sainte. Ils avertissaient que leurs missiles anéantiraient toutes les villes d'Israël, à l'exception des régions encore occupées par l'armée israélienne depuis la guerre des Six Jours en 1967.

– Que nous conseillez-vous de faire, Excellence? demanda François à Candutti.

– Nous ne pouvons pas faire grand-chose, Saint-Père. Notre diplomatie au Proche-Orient n'a pas eu d'effet. Nous pouvons appeler les deux camps à un cessez-le-feu, et demander que tous les pays respectent le caractère sacré de Jérusalem. Et aussi offrir des fonds pour les secours.

– Il doit y avoir autre chose. Éminence, demanda François à LaTorre, votre expérience de secrétaire d'État intérimaire vous suggérerait-elle une autre initiative?

– Uniquement que Votre Sainteté appelle le monde à prier pour la paix.

– Mais cela ne peut suffire.

– Les problèmes n'ont pas toujours de solution, Très Saint-Père. Ici, je n'en vois pas. Au moins, Dieu montre peut-être par là quelque miséricorde. Si les Juifs sont battus – et la menace d'un nouvel embargo sur le pétrole poussera certainement les Européens à faire pression sur les États-Unis pour qu'ils s'abstiennent de ravitailler Israël – les pertes en vies humaines seront moindres et nous aurons enfin la paix au Moyen-Orient.

– La paix du tombeau pour des millions de Juifs, intervint l'abbé.

– Je ne le pense pas, dit doucereusement LaTorre. Les Arabes sont un peuple de haute civilisation. Et nous ne devons pas oublier que l'Église serait en bien meilleure situation en Terre sainte si la région était sous le contrôle des Arabes. Encore dix ans de souveraineté juive, et plus un chrétien ne sera reçu à Jérusalem.

– Mais c'est totalement ridicule, Éminence, rétorqua l'abbé avec colère. Les Juifs ont été trop persécutés pour persécuter les autres. Le meurtre de quelques millions de Juifs ne vous dérange pas plus que pendant la guerre. (Toute douceur avait disparu chez l'abbé et ses paroles étaient aussi brûlantes que ses yeux.)

– *Ecco,* c'est inexact, intervins-je. Il y eut au Vatican quelques personnes pour implorer le pape Pie XII de s'élever contre les nazis et leurs carnages, et le cardinal LaTorre, alors jeune *monsignore,* était du nombre. Le pape Pacelli a choisi de rester silencieux, pour des motifs qui lui étaient propres, et que ni le cardinal LaTorre ni moi-même n'approuvions alors, pas plus qu'aujourd'hui. Et sachez qu'en 1943-44, le cardinal LaTorre a caché pendant plus de six mois une famille juive dans son appartement du Borgo. Si la Gestapo en avait eu vent, lui et ses protégés auraient fini à Auschwitz.

– Je vous présente mes excuses, Éminence, dit l'abbé, qui bouillait encore. J'ai été injuste à votre égard, mais je flaire au Vatican une odeur générale d'antisémitisme.

– N'oubliez pas que les Arabes sont aussi des Sémites.

– Éminence, c'est là jouer sur les mots. Quand on parle d'antisémitisme, on parle d'une attitude antijuive. Je sais aussi que vous devez prendre en compte le fait qu'il y a beaucoup de chrétiens dans les pays arabes, notamment au Liban; et je sais que vous pensez aux intérêts de l'Église en Terre sainte; Mais vous songez encore aux Arabes comme du temps où ils étaient faibles, désunis. S'ils gagnent, vous ramperez bientôt devant eux, parce que ces chrétiens seront leurs otages. Et vous ramperez dans le sang des Juifs, aussi civilisés que vous trouviez les Arabes.

– Messieurs, le moment n'est pas aux querelles, déclara François du ton pontifical qu'il adoptait depuis peu pour parler aux traditionalistes. Nous ignorions les actions du cardinal LaTorre pendant la Seconde Guerre mondiale. Voilà l'œuvre du Christ. Des hommes comme vous ont sauvé l'Église de la honte de Pie XII. Mais nous sommes encore troublé par ce qu'a évoqué l'abbé. Je me souviens avoir senti de l'antisémitisme au Vatican en 1952, et j'en sens encore. C'est une odeur qui nous affecte profondément. Nous nous en occuperons plus tard. Pour l'instant, nous avons un problème plus tangible. Nous ne pouvons nous suffire de la prière. Nous devons proposer notre arbitrage.

– Je me souviens d'un éminent juge, dit la signora Falconi qui se manifestait pour la première fois, qui disait : « Heureux les artisans de paix car ils seront méprisés. » Votre Sainteté aurait-elle oublié?

– Non, soupira François, mais je suis prêt à payer ce prix. L'Église ne peut avoir en un même siècle deux papes qui ont gardé le silence. Monsignor Candutti, pouvons-nous convoquer les ambassadeurs d'Égypte et de Syrie ce matin même? Et aussi quelqu'un de l'ambassade d'Israël, l'ambassadeur si possible. Et veuillez prévenir le cardinal Fieschi. J'aimerais qu'il assiste aux entretiens.

– Je préviendrai Son Éminence dès que j'aurai pu joindre les ambassadeurs, répondit Candutti. Mais je crois que l'espoir est vain, Votre Sainteté, et je pense que la papauté ne devrait pas risquer son prestige pour de vains espoirs.

– La plupart de mes espoirs sont vains, *monsignore*. Cela me donne quelque chose à attendre de l'autre monde.

Il apparut que Candutti avait correctement apprécié la situation. Les ambassadeurs syriens se montrèrent inflexibles, non sans une légère condescendance. François leur avait offert de but en blanc sa médiation ou son arbitrage.

– Cette fois, répondit le Syrien, la guerre doit être livrée jusqu'à une solution finale.

Pour moi, l'expression « solution finale » était délibérément employée. Nous ne pûmes retenir un frisson.

– En tout état de cause, le bombardement de Tel-Aviv peut être suspendu, dit *il Papa* à l'ambassadeur d'Égypte. Nous vous demandons de transmettre notre requête, non, notre adjuration pour une cessation du lancement des missiles. Nous vous demandons aussi, non, nous vous prions de reconsidérer notre offre d'aider à ramener la paix.

– Très Saint-Père, dit en souriant l'Égyptien, les mains levées dans le classique geste levantin d'impuissance, mon gouvernement a prévenu votre requête. Je dois vous transmettre son regret de ne pouvoir déférer à la moindre volonté de Sa Sainteté, mais sur cette question il lui faut demeurer intransigeant. Les Juifs doivent soit capituler, soit mourir. Des années de négociations stériles nous ont convaincus qu'il n'existe pas de troisième voie. C'est une *djihad.*

– Nous ne pouvons admettre cette réponse, Excellence. Nous devons nous élever publiquement contre cette guerre et la condamner devant le monde.

– Mon gouvernement est tout aussi épris de paix que Votre Sainteté. Mais l'impérialisme sioniste est un cancer dans les entrailles du monde, et il faut opérer. Sans doute quelques tissus sains seront-ils tranchés en même temps, mais c'est la vie du patient qu'il faut sauver. Il apparaîtra par la suite que notre opération lui aura été bénéfique. Nous demandons que Sa Sainteté reconsidère ses vues sur la question; nous demandons aussi qu'en préparant sa déclaration elle songe à l'excellent traitement réservé chez nous à la minorité chrétienne. Ces gens ne vivent pas dans la fange et le dénuement des camps, comme nos frères palestiniens déracinés en Palestine. Nous ne voulons pas que notre majorité musulmane se retourne contre ces chrétiens parce que Sa Sainteté n'aurait pas totalement appréhendé notre cause.

– Nous vous donnons deux messages à transmettre à votre gouvernement, dit François en se levant. Tout d'abord, notre proposition de servir de médiateur ou d'aider à trouver un médiateur sensible à la triste condition des Palestiniens; en second lieu, notre absence de crainte du martyre, pour nous comme pour notre peuple.

Une demi-heure plus tard, à l'arrivée de l'ambassadeur d'Israël, il régnait encore une lourde atmosphère de chantage. En contraste avec la froide urbanité des Arabes, le Juif était fatigué et irritable. Il accueillit l'offre de médiation de François avec moins de diplomatie.

– Très Saint-Père, pourquoi mon gouvernement aurait-il confiance dans la papauté? Nous nous souvenons trop bien du silence de Pie XII pendant la Seconde Guerre mondiale. Nous nous souvenons depuis lors de l'aménité du Vatican à l'égard des pays arabes et de sa froideur, de son hostilité même, à l'égard d'Israël. Nous nous souvenons également du dialogue peu heureux entre le pape Paul et Mme Meir, ainsi que des propos insultants du porte-parole du Vatican après cette rencontre.

– Nous espérons que vous vous souvenez aussi qu'il y a maintenant un nouveau pape et la possibilité d'une optique neuve.

– Nous ne l'oublions pas, Votre Sainteté. Il nous reste peu d'amis dans le monde, mais aussi bien les Juifs n'ont-ils jamais eu beaucoup d'amis lorsque le chemin devenait difficile. Je transmettrai votre offre à mon gouvernement, mais je doute qu'il l'accepte. La guerre se déroule mal pour nous en ce moment, et même si tous nos doutes sur la partialité du Saint-Siège étaient levés, il ne serait pas opportun pour nous d'accepter en ce moment une médiation. Et, bien entendu, nous ne pourrions l'accepter à aucun moment sans l'assurance d'une acceptation simultanée des Arabes.

– Très bien. Le bombardement de Tel-Aviv a-t-il diminué d'intensité?

– Il est difficile de le dire d'une minute sur l'autre, mais, il y a une demi-heure, l'intensité augmentait. On a déjà recensé au moins trois cents morts et le chiffre des blessés est probablement dix fois supérieur.

Après le départ de l'ambassadeur d'Israël, François chargea le doctor Twisdale d'organiser une conférence de presse impromptue dans la chapelle Sixtine. Le *dottore* dut certainement lancer les convocations par téléphone, car, en dépit de la nouvelle attitude du Vatican vis-à-vis des médias, lorsqu'il ne s'y produit pas d'événements particuliers, tel le Synode, peu de journalistes hantent notre bureau de presse, surtout quand il se passe quelque chose de grave dans le monde.

Peu après douze heures trente, nous entrâmes dans la chapelle, François, le doctor Twisdale, monsignor Bonetti, monsignor Candutti et moi-même. Aucun de nous ne savait ce qu'allait dire *il Papa*.

– Mesdames et messieurs les journalistes, commença François, nous vous remercions d'être venus dans un aussi court délai. Les nouvelles du Moyen-Orient sont graves, elles sont bouleversantes. Il y a moins de deux décennies, le pape Paul VI lançait à la tribune des États-Unis : « Plus jamais la guerre! » Son adjuration n'a pas été entendue. Nous l'avons réitérée ce matin aux représentants des gouvernements israélien, égyptien et syrien, et nous nous sommes proposé en médiateur ou arbitre dans ce conflit. Aucun des camps n'a accepté notre offre, et, pour être franc, nous n'escomptons pas une acceptation immédiate. Mais notre offre demeure, aujourd'hui, demain, à tout moment dans un futur proche ou lointain. Nous appelons dans le monde entier les hommes de bonne volonté à prier pour la paix. Mais nous avons obligation de faire plus que cela. (Candutti m'interrogea du regard, mais j'étais aussi étonné que lui.)

» Nous nous envolons aujourd'hui pour Tel-Aviv où nous nous installerons temporairement. Nous espérons que, par respect pour notre personne, le gouvernement égyptien suspendra ses tirs de fusées sur la ville.

Ecco, les journalistes restèrent muets. Selon moi, ils n'arrivaient pas à assimiler l'information.

– Nous ne pouvons consacrer que quelques minutes aux questions, reprit François, car il nous reste encore à régler les préparatifs du voyage avec monsignor Candutti.

Il y eut encore une minute de silence, puis un journaliste italien leva la main :

– *Il Tempo.* Cette décision procède-t-elle des avis d'un préfet de la Curie, du secrétaire d'État, par exemple?

– Non. Elle est uniquement et entièrement nôtre. L'expression de monsignor Candutti vous prouve qu'il vient lui-même de l'apprendre. Et nous laisserons à d'autres le soin d'en informer le cardinal Fieschi, ajouta en souriant François.

– *L'Unita.* Comment Votre Sainteté peut-elle prétendre à l'impartialité, offrir sa médiation, et en même temps prendre le parti des bellicistes sionistes?

– Nous ne prenons le parti de personne. Nous nous engageons, dans le cas où Israël exercerait des représailles contre les populations égyptiennes ou syriennes, à nous rendre pareillement dans la ville ainsi attaquée. Nous allons à Tel-Aviv parce qu'à notre connaissance seule sa population est visée par le bombardement.

– *Time Magazine.* De quelle façon Votre Sainteté vivra-t-elle à Tel-Aviv?

– Frugalement. Il paraît que la vie est chère là-bas. Mais, pour vous répondre sérieusement, nous avons un vieil ami d'Amérique qui possède un appartement en ville. Nous nous y installerons et nous partagerons les dangers auxquels sont exposés les habitants.

– *Der Spiegel.* Et si vous étiez tué?

– Eh bien, nous aurons un nouveau conclave, peut-être même un nouveau pape de votre vivant, répondit François en souriant. Mais la question mérite une réponse plus sérieuse. Notre mort pourrait constituer dans la politique mondiale un facteur de bouleversement, mais nous espérons pour notre part qu'elle serait plutôt stabilisatrice. Il arrive que la mort nous ramène à la raison en nous faisant voir toute la brutale absurdité de la violence. Au surplus, ajouta ironiquement François, quel autre lieu pourrait mieux convenir au trépas du Vicaire du Christ que la Terre sainte?

Et, sur cette touche toute italienne de mélodrame, la conférence de presse prit fin. Monsignor Bonetti courut au palazzo préparer les bagages *del Papa,* tandis que monsignor Candutti gagnait son bureau presque au pas de course, pour y prendre les dispositions diplomatiques et logistiques nécessaires. François décida de se faire accompagner uniquement de monsignor Galeotti, de monsignor Candutti et de l'abbé. J'insistai pour être du voyage. Ce n'était point héroïsme de ma part : simplement, l'idée de goûter une nouvelle fois de la cuisine du conclave m'était insupportable.

Fieschi nous attendait dans le bureau pontifical, le visage empourpré. *Ecco,* c'était la première fois que je le voyais trahir une véritable émotion.

– Très Saint-Père, commença-t-il dès notre entrée, dites-moi que cette rumeur de votre départ pour Israël est fausse.

– Elle est vraie, monsignor Candutti s'occupe en ce moment même des préparatifs.

– Très Saint-Père, c'est de la folie, s'écria Fieschi. Vous pouvez être tué. Il faut voir plus loin que vous-même, plus loin que la crise. Vous risquez le prestige de l'Église. Si votre autorité est défiée là-bas, elle n'aura plus d'effet dans n'importe quelle autre situation, et cela pendant des années, sinon des générations.

– Si nous ne risquons pas notre autorité, elle n'aura jamais d'effet. A quoi bon un prestige et une autorité qui ne servent jamais?

– Saint-Père, supplia Fieschi laissez-moi partir à votre place. J'emmènerai des préfets. Nous risquerons ainsi beaucoup moins.

– Il faut que ce soit moi, dit François avec douceur, mais peut-être devrez-vous me suivre, Éminence. La mort est un libre don de Dieu.

Fieschi s'inclina et sortit. Il s'était un peu repris, mais il était encore en proie à la colère et à la frustration. Je ne sais pour quelle part entrait dans sa frustration le fait de ne pas avoir été préalablement consulté par François.

Dans l'après-midi, un hélicoptère nous prit dans les jardins pontificaux et nous déposa à l'aéroport de Ciampino, non loin de Castel Gandolfo, où nous embarquâmes dans un avion à réaction militaire mis à notre disposition par le gouvernement italien. Notre plan de vol avait été établi par Israël et diffusé par les stations de radio italiennes et israéliennes. Le voyage se passa sans incident. François dormit pendant presque tout le trajet, et je somnolai également, car nous avions dû nous passer de sieste ce jour-là.

Allora, nous survolâmes la côte israélienne après le coucher du soleil. Au-dessous de nous se dessinaient dans le noir des îlots de lumières bleues, blanches et jaunes. Il n'y avait pas de couvre-feu, mais je suppose qu'il aurait été inutile contre les fusées. Autour de la ville, nous vîmes des dizaines d'incendies. Nous atterrîmes sur l'aéroport Ben Gurion; l'avion roula jusqu'à l'arrière des bâtiments administratifs, d'où l'on nous dégagea prestement le chemin au milieu d'une petite troupe de journalistes. Une voiture de police nous emmena rapidement – mais moins rapidement que ne l'aurait fait la police italienne – jusqu'à l'appartement, déjà protégé par une garde armée. Les rares passants que nous entrevîmes dans les rues nocturnes nous parurent curieux mais réservés. Assurément, les missiles dominaient leurs pensées. Et peut-être estimaient-ils aussi qu'il était bien tard, pour un Pontife romain, de faire quelque chose *pour* eux et non à leur encontre.

L'appartement était spacieux : quatre chambres à coucher, un bureau et une grande salle de séjour précédée d'une terrasse avec vue sur la mer. Les journées étaient plus chaudes qu'à Rome, mais les nuits agréablement fraîches. De la nourriture, je dirai peu de chose, sinon que je n'ai jamais apprécié la cuisine juive. Je n'ai jamais compris non plus comment une région qui cultive du si merveilleux raisin pouvait produire d'aussi médiocre vin. Je dus m'en tenir au latroun (rouge et rosé) que produisent les trappistes.

Le voyage eut aussitôt le résultat escompté. Le dernier missile à atteindre Tel-Aviv explosa un quart d'heure après notre atterrissage. Le soir même, la radio du Caire annonçait que, par respect pour la sécurité du Pontife romain, les bombardements sur Tel-Aviv étaient suspendus, mais que d'autres villes pourraient en être la cible. Malgré l'heure tardive, François rédigea une déclaration à la presse dans laquelle il renouvelait ses appels en faveur de la paix et annonçait son intention de se rendre partout au Proche-Orient où des populations civiles seraient bombardées.

La menace d'attaques contre d'autres villes ne fut pas mise à exécution, et la presse en reconnut hautement le mérite à *il Papa*. Dans le privé, François disait que l'arrêt des bombardements devait surtout être imputé à la contre-attaque israélienne qui, deux jours plus tard, repoussa les Égyptiens jusqu'au canal et amena leur capitulation. Il se montrait toujours réaliste.

Chaque jour, le Pontife réitéra son offre de médiation. Les Israéliens étaient silencieux et, selon moi, gênés; les Arabes étaient silencieux et, selon tout le monde, furieux. Le cessez-le-feu fut, comme tous les précédents, arrangé entre la Russie et les États-Unis, et exprimé sous la forme d'une résolution adoptée par le Conseil de sécurité des Nations unies.

Mais le voyage eut encore un autre effet, et ce fut sur François lui-même. Je vous ai dit tout à l'heure qu'au couronnement nous avions assisté, sans nous en rendre compte, aux débuts de sa transformation. Cette crise fut un catalyseur supplémentaire. A mon sens, la première personne convertie lors du couronnement de François, ce fut lui-même. Au surplus, je crois qu'il fut aussi surpris que quiconque de s'entendre annoncer qu'il se rendait à Tel-Aviv

Ce que je veux dire, c'est que François avait quitté le monastère ayant recouvré son intégrité physique, et presque guéri spirituellement; pendant ses premiers mois au Vatican, il avait été un habile chef politique américain, voué à une éminente cause. Il comprenait certains problèmes de l'Église et il était décidé à les résoudre. Mais, comme mon frère Chelli l'avait bien pressenti au conclave, il était un chef séculier porté à une charge ecclésiastique.

Pour être bref, en tant que chef religieux, il lui manquait une dimension. C'était un être de qualité, parfois un peu vif et certainement orgueilleux, mais probe, juste et d'une totale droiture morale, mais ce n'était pas un saint homme. Lorsqu'une créature s'est donnée entièrement à Dieu, cela se voit. Si cela se voit rarement c'est parce que cela arrive rarement. Mais quand cela arrive, nous le reconnaissons. Une aura enveloppe ces gens-là. Je ne veux pas dire qu'ils deviennent automatiquement patients, aimants ou sages. Tout au contraire, ils peuvent devenir très impatients, irritables et, selon les critères du monde, absurdes. Mais tout cela, selon la formule des jésuites, c'est pour la plus grande gloire de Dieu.

Cette aura, François commençait à l'acquérir. Je m'en aperçois aujourd'hui, rétrospectivement. Comprenez-moi bien. Il n'était pas devenu un saint. Il en était encore fort éloigné. Et il n'était pas encore voué totalement à Dieu – à l'Église de Dieu, oui, il l'était, parce que c'était son Église, ce qui est tout différent. Il y a encore là-dedans beaucoup d'orgueil humain, et je vous ai dit que François n'en manquait pas. Mais je veux dire qu'il n'était plus simplement un manieur d'hommes et d'idées au profit de la justice sociale. Sans en avoir conscience, il était en train de se former un dessein autrement élevé, qui l'entourait déjà d'une certaine aura de sainteté.

L'abbé décela cette transformation avant moi. A Tel-Aviv, nous avions eu de longues conversations tous les trois, puisque la paperasserie nous était miséricordieusement épargnée. En y repensant, je m'aperçois que l'abbé s'efforçait de nourrir le développement de François. Encore que je n'aie jamais pu me prendre de sympathie pour l'abbé, j'en vins à comprendre l'affectueuse admiration que lui portait François. C'était une âme douce, capable de vous faire aborder à de passionnants domaines de la spéculation théologique. J'avoue, cependant, que sa terminologie m'échappait souvent et que je me défiais un peu de ce flamboiement dans ses yeux.

Dix jours après le début des bombardements, des représentants israéliens et arabes à Genève signaient un accord de cessez-le-feu, et le lendemain matin, nous recevions l'autorisation de visiter Jérusalem. Ce ne fut pas une entrée aussi triomphale que celle du pape Paul en 1964, mais l'événement fut solennel. Encadrés par des agents de la sécurité israélienne, nous gravîmes la Via Dolorosa depuis l'emplacement du palais de Pilate jusqu'au lieu où la tradition place le Calvaire, aujourd'hui à l'intérieur de l'église du Saint-Sépulcre. Les serviles et insistantes demandes d'argent des prêtres grecs orthodoxes qui sont propriétaires de l'église nous furent épargnées. N'est-ce pas pure simonie que de conférer des bénédictions pour aussitôt quémander des aumônes? Et pire encore, ils sont un objet de scandale pour les croyants comme pour les non-croyants. *Ebbene,* ils sont hors de la juridiction de Rome.

François tenta encore une fois de rencontrer le Premier ministre, mais sans plus de succès que précédemment. La note de refus vantait l'action humanitaire du Pontife – les mots « aide » ou « assistance » étant soigneusement évités – et exprimait les regrets du Premier ministre de ne pouvoir quitter le front. (Les Premiers ministres syrien et égyptien, à qui il avait fait transmettre une demande similaire, s'étaient également dérobés.)

– Cela me rappelle la parabole du festin nuptial auquel les invités firent défaut, en prétextant de leurs occupations, grogna François. Eh bien, nous verrons ce qu'il en est.

Il n'évoqua plus la question jusqu'au moment où nous repartîmes pour Tel-Aviv en voiture. La route est fort intéressante. Les Israéliens ont construit une *autostrada* entre Tel-Aviv et Jérusalem, mais ils ont laissé sur place (tout en les repeignant de temps en temps) les camions et les chars détruits le long de cette voie lors de la « guerre de Libération » en 1947-48. Se penchant vers l'agent de la sécurité qui était au volant, François lui dit :

– Nous modifions nos plans. Ramenez-nous à la Knesset. Nous voulons parler au Premier ministre.

– Mais nous devons aller à l'aéroport. J'ai des ordres formels.

– Nous savons quels sont vos ordres, mais nous avons changé d'avis. Ramenez-nous.

– C'est impossible, monsieur. Je dois suivre les ordres.

– Alors, nous allons sauter en marche au risque de nous casser la jambe – dans le meilleur des cas. Cela peut mettre votre gouvernement dans une situation extrêmement gênante. De nos jours, on n'enlève plus les papes. Et n'oubliez pas que les Arabes croyaient que nous bluffions en parlant d'aller à Tel-Aviv.

Le policier rendit compte par radio et, toutes sirènes hurlantes, le convoi fit demi-tour et rentra dans Jérusalem. Le Premier ministre nous attendait à l'entrée du bâtiment de la Knesset. Malgré le déplaisir qu'il éprouvait de nous rencontrer, il se montra cordial. François le prit par le bras, et ils s'isolèrent dans une petite salle. Ils en émergèrent un quart d'heure plus tard, se serrèrent chaleureusement la main, comme le font souvent ceux qui se respectent malgré leurs désaccords, et le Premier ministre nous raccompagna aux voitures.

François resta silencieux jusqu'à l'aéroport, saluant simplement les quelques groupes de curieux massés le long de la route. Près de l'avion, il posa pour les photographes de presse en compagnie du président de la Cour suprême d'Israël. Et puis, à peine à bord, il ordonna au pilote de se diriger sur Le Caire.

Le pilote, un colonel italien, me regarda d'un air interrogateur, mais je détournai les yeux, craignant qu'ils soient trop éloquents.

– Il faut au minimum plusieurs heures pour obtenir les autorisations, Votre Sainteté, à supposer qu'on nous les accorde.

– Elles ne tarderont pas. Les Égyptiens sont déjà informés de notre venue par le gouvernement israélien. La tour vous donnera toutes instructions. Prenez le contact radio avec Le Caire dès le décollage.

François prit alors place dans un siège, et ferma les paupières. Il aurait au moins dû mettre monsignor Candutti dans la confidence, lui demander conseil; mais *il Papa* ne s'en était ouvert à aucun de nous. *Ecco*, dès que l'appareil se fut immobilisé sur le terrain du Caire, des agents de la sécurité arabe montèrent à bord, nous examinèrent soigneusement, puis appelèrent par radio la limousine qui amenait le Président et le ministre de la Défense. François les accueillit à la porte de l'appareil, et emmena le Président dans le compartiment à l'avant. Comme à Jérusalem, l'entrevue ne dura pas plus d'un quart d'heure. Après de cordiales poignées de main, les Arabes quittèrent l'appareil, et celui-ci roula vers la piste d'envol. François demeurait muet. Ce fut l'abbé qui rompit le silence :

– Que s'est-il passé?

– Je ne sais pas s'il s'est passé quelque chose, répondit François d'un ton morose.

– Qu'avez-vous dit?

– Manifestement pas assez de choses, ni assez bien. J'ai fait valoir que l'on gaspillait inutilement les vies et les ressources, mais pas plus l'un que l'autre ne tenaient à parler de cet aspect. Je n'ai pu formuler que deux suggestions, qui ne sont nullement neuves : internationalisation de Jérusalem et création d'un État palestinien le long du Jourdain.

– Qu'ont-ils répondu?

– L'un et l'autre ont opposé un refus absolu.

– Au moins avez-vous tenté quelque chose, dit l'abbé en posant sa main sur l'épaule de François.

– Tenter ne suffit pas, riposta sèchement le Pontife, et ne me touchez pas, pour l'amour du ciel!

L'abbé fit un bond en arrière. Je vous raconte cela en confidence; ne le mentionnez que si vous le placez bien dans le contexte. Il est vrai que nul ne touche un Pontife, mais l'indifférence de François à l'étiquette pontificale encourageait une réaction humaine à sa tristesse. A sa décharge, il était en train de subir une transformation sans doute douloureuse, et il était par ailleurs en proie à un profond sentiment de frustration. En vérité, il était habituellement beaucoup plus affectueux avec nous.

18.

N'est-il pas étrange que le souvenir d'un voyage s'estompe si rapidement que l'on a l'impression d'en avoir vécu les événements en rêve ou dans des lectures, et non dans la réalité? Ainsi en fut-il, à tout le moins pour moi, de notre équipée à Tel-Aviv.

J'appris que Fieschi était encore extrêmement bouleversé. Je ne sais si c'était parce que François avait risqué sa vie ou si son orgueil d'aristocrate demeurait blessé de ce qu'il avait, au fond, été traité en quantité négligeable. J'en parlai à François, lui expliquai que, si Fieschi avait des torts, lui-même ne facilitait pas la collaboration. Je lui rappelai la sincère inquiétude de Fieschi au sujet de sa sécurité, et son offre d'aller à Tel-Aviv à sa place. Pour finir, François accepta d'essayer de nouveau d'employer les compétences de son secrétaire d'État.

Chelli avait réagi beaucoup plus calmement que LaTorre et Fieschi à l'affaire israélienne, mais aussi bien le Napolitain était-il naturellement flegmatique. Il remarqua simplement qu'il avait sousestimé *il Papa*. A vrai dire, telle était aussi mon erreur, car je croyais alors que tout l'épisode avait été un échec.

Allora, nous étions débordés de travail. La croisade continuait de créer des problèmes. Certains évêques locaux refusaient d'affecter leurs séminaires à moitié vides au logement des volontaires (à supposer que nous ayons des volontaires). Quant au renouveau spirituel, de façon prévisible et peut-être inévitable, il était déjà l'objet d'empoignades entre les franciscains et les jésuites. Aux États-Unis, des prêtres faisaient campagne pour l'abolition de l'obligation du célibat sacerdotal, tandis que se poursuivait l'agitation en faveur de l'ordination des femmes. L'œuvre missionnaire en Afrique suscitait des frictions avec le cannibale qui gouvernait l'Ouganda. Et voici que le président de la Conférence épiscopale nationale du Portugal débarquait à Rome et sollicitait une audience. Il se plaignait que, dans son ultime lettre en qualité de préfet de la Congrégation pour le clergé, Bisset l'ait insulté en dénaturant sa pensée au sujet de la contraception et de l'avortement. Le cardinal archevêque menaçait de démissionner s'il n'obtenait pas d'excuses.

Mais il y avait aussi de bonnes nouvelles. Ainsi, la remise en état de la *casina* de Pie IV était presque achevée. C'est un endroit délicieux, juste en bordure des jardins pontificaux. La façade donnant vers les musées du Vatican était précédée d'une grande fontaine dont les eaux viennent de Tivoli. Au-dessus de la fontaine se dessinait une grande terrasse ovale pavée de marbre, protégée à la vue depuis les musées par un belvédère de pierre et de marbre. Dans la *casina* elle-même, l'architecte hongrois engagé par *il Papa* avait aménagé le bureau pontifical au-dessus de la terrasse. Il avait conservé partout les plafonds à fresque, dont, pour ma part, je n'aurais pas déploré la disparition. Bien qu'ils soient l'œuvre de grands artistes, je n'y vois qu'un fouillis de martyrs chrétiens au milieu des supplices et de dieux païens au milieu des plaisirs.

La signora Falconi et l'architecte en étaient à l'ameublement de la *casina.* Ils avaient opté pour du moderne italien, que personnellement je ne goûte pas. Le cardinal Pritchett et moi-même la visitâmes en compagnie de la signora par une chaude journée d'octobre, après quoi nous déjeunâmes sur la terrasse. (C'était un repas très simple *risotto alla pescatora, calamari, gamberi fritti* – calamars et crevettes frits – et salade. Le vin était un orvieto quelconque. Nous eûmes, pour terminer, fruits et *caffè.)*

Notre principal sujet de conversation, pendant le repas, avait été François. Jamais la signora Falconi n'avait été aussi loquace. Elle craignait que François ne s'exténuât de travail au point d'en tomber malade. Le cardinal Pritchett et moi en convînmes, et nous promîmes de l'encourager à prendre du repos, bien que nul de nous n'imaginât que nous aurions gain de cause. Sans que nous l'eussions évoqué, l'incident de l'avion nous inquiétait. Cet éclat n'était nullement dans le caractère de François, et je démêlai de ce qui fut dit, et, plus encore, de ce qui fut tu, qu'il n'avait pas été le seul ces derniers mois.

Quelques jours plus tard, je fus appelé, en milieu d'après-midi, pour une conférence avec *il Papa,* ayant pour objet les évêques d'Amérique latine et le renouveau spirituel. En entrant dans le bureau pontifical, je trouvai Fieschi, Pritchett, Martín et l'abbé siégeant à la table avec François.

– Comme d'habitude, commença-t-il, nous avons besoin de vos conseils. Si nous voulons vivifier spirituellement l'Église, nous devons avoir le soutien sans réserve des évêques et des prêtres. Ce sont eux qui devront d'abord mener les choses en attendant le moment, que j'espère proche, où les laïcs assumeront certaines responsabilités. Ce que j'ai vu au Synode et ce que j'ai appris par d'autres sources ne m'apparaît guère encourageant.

– Je suis sûr que, dans l'ensemble, les évêques sont tout prêts à coopérer, dit Fieschi.

J'appréciai que, s'il ne parlait pas intelligemment de cette affaire, il ne montrât du moins nul ressentiment.

– Dans l'ensemble, oui, convint le pape François, mais quelques-uns ne le sont pas du tout. Seul un petit nombre s'y refuseront ouvertement, mais une minorité non négligeable n'ira pas au-delà d'une coopération théorique.

– C'est exact, intervint Martín. Aussi mes collaborateurs essaient-ils de prévoir les réactions des évêques et de leur trouver d'éventuels successeurs.

– Nous aurons de toute évidence à manier la hache, remarqua François, mais nous y viendrons dans quelques minutes. Pour commencer, nous pensons qu'il faut prolonger certains aspects positifs du Synode. Cardinal Fieschi, nous souhaiterions votre aide dans la rédaction d'une encyclique mettant en relief la priorité immédiate du renouveau spirituel, spécifiant les dispositions que doivent prendre en ce sens les évêques. Pour vous assister, nous nommerons un détachement spécial, si tant est que le mot soit approprié.

– Une commission, proposa Fieschi.

– Très bien, une commission consultative sur le problème du renouveau spirituel. En qualité de secrétaire d'État, vous la présiderez, et elle devrait comprendre parmi ses membres le général des jésuites, le ministre général des franciscains, le cardinal Rauch en tant que préfet de la Congrégation pour le clergé et le cardinal Galeotti, qui sera notre représentant personnel.

– Ne faudrait-il pas aussi demander au cardinal LaTorre d'y siéger? demanda Fieschi, ainsi que d'autres préfets, par exemple le cardinal Arriba, préfet de la Congrégation pour les religieux?

– Peut-être, peut-être. Nous en laissons la latitude à Votre Éminence, mais nous voulons que ce soit un comité qui travaille effectivement et rapidement, pas une grande assemblée. (Fieschi hocha la tête et prit des notes.) Ensuite, il y a la question de la persuasion. Nous pensons que le meilleur moyen serait une série de conférences régionales des évêques d'Amérique latine. Nous assisterions nous-même pendant plusieurs jours à chaque conférence. Nous tenons essentiellement à parler individuellement à chaque évêque, ou au minimum à de petits groupes. Notre erreur, au Synode, fut d'en rester trop distant et de les laisser tenter de développer leurs idées. Nous ne répéterons pas cette erreur. Le cardinal Pritchett s'occupera de l'organisation de ces conférences.

» Revenons maintenant au problème fondamental. La persuasion seule ne peut suffire. Souvenons-nous de la parabole du semeur. Cardinal Martín, parlez-nous du terrain stérile parmi nos évêques d'Amérique latine.

– Il y a environ six cents diocèses concernés. Nous avons quinze cardinaux. Deux d'entre nous sont ici, à Rome. Sur le reste, quatre tiennent au renouveau. Les autres peuvent plus ou moins être poussés à coopérer, sinon à s'enthousiasmer. Mais il en est deux qui n'accueilleront pas nos idées, dont l'un est un vieillard ennemi de tout changement, conclut Martín.

– De qui s'agit-il? demanda François.

– De l'archevêque de Lima; il a soixante-dix-huit ans. C'est au fond un excellent homme, mais il est dépassé.

– Très bien, acceptons la démission de l'archevêque, avec les regrets et les remerciements appropriés, bien entendu. Et l'autre cardinal?

– Celui-là n'a que soixante-deux ans, mais, comme vous dites en Amérique, il a peur de secouer le bateau. Il entretient à présent de bonnes relations avec son gouvernement, mais seulement après des années d'antagonisme, de haine et même de persécution. Certes, il ne désobéira pas, mais il est convaincu que l'Église ne doit pas pour l'instant faire quoi que ce soit dans son pays qui suscite la suspicion du gouvernement. Aussi n'obtiendrons-nous de lui qu'une coopération minimale.

– C'est, de toute évidence, l'archevêque de Mexico. Nous le pensions capable.

– Il est très capable, Saint-Père, et très zélé. Mais il est déterminé à consolider la position de l'Église et il redoute de toute activité ecclésiastique d'envergure qu'elle ressuscite les préventions et les antagonismes passés. Il se peut qu'il n'ait pas tort.

– Oui, probablement, dit François. Nous voulons faire de l'Église une force indépendante, et tout politicien redoute une force indépendante. Mais aussi avons-nous averti que nous n'apporterions pas la paix mais le glaive. Nous devons secouer le bateau. Qu'allons-nous faire du cardinal archevêque?

– Je suis trop neuf au poste de secrétaire d'État pour parler avec une grande autorité, dit Fieschi (toute son arrogance était là, dans cette affectation d'humilité), mais je connais l'archevêque depuis de nombreuses années. Je pourrais lui faire tenir un message, afin de préparer le terrain. Ensuite, Votre Sainteté lui parlerait personnellement. Il a toujours été réceptif aux arguments fondés.

Je fus heureux de l'intervention de Fieschi. Il s'efforçait sincèrement d'être utile.

– Je crains que ce ne soit pas le cas ici, dit Martín. Néanmoins, j'ai pour lui un grand respect, et c'est pourquoi la suggestion du secrétaire d'État me semble devoir être suivie.

– Très bien, consentit François, mais je veux que votre congrégation songe à un remplaçant éventuel, au cas où l'archevêque ne se laisserait pas ébranler. Après les cardinaux, voyons les archevêques et les évêques.

– Je ne puis vous donner autant de précisions, Très Saint-Père, répondit Martín, car leur nombre est grand. Je crois cependant pouvoir dire qu'environ soixante-quinze évêques, sans s'opposer ouvertement au projet, s'efforceront sérieusement de le faire échouer. Leurs motifs varient de ceux de l'archevêque de Mexico à un profond conservatisme politique et social, qui les convainc que leurs diocèses sont déjà des lieux hautement moraux dans ce monde immoral. Voici la liste que j'en ai dressée.

– Trois noms seulement me sont connus, dit François après l'avoir parcourue. Il y en a deux qui, au début des années soixante-dix, étaient très favorables au régime brésilien et s'efforçaient de faire taire les prêtres qui dénonçaient l'emploi de la torture contre les opposants politiques. Le troisième a tenu à saluer le coup d'État militaire chilien en 1973. Jamais sa voix ne s'est élevée pour réclamer des réformes sociales ou dénoncer la sauvagerie de la police.

– Plusieurs autres entrent dans la même catégorie, dit Martín.

– Il faut qu'ils s'en aillent. Ont-ils l'âge de la retraite?

– Un seul.

– Acceptez sa démission et son départ en retraite, et transférez les autres à des postes sans importance.

François parlait de ces hommes comme s'ils étaient des pièces sur un échiquier. Comme vous le voyez, la transformation amorcée entre le couronnement et Tel-Aviv n'était pas terminée.

– La mise à la retraite est simple, intervint Fieschi, le sourcil en bataille, mais les déplacements posent des problèmes délicats. La très ancienne tradition de l'Église, remontant à saint Grégoire de Naziance au IVe siècle, veut que l'évêque soit marié à un évêché; l'accent mis par Vatican II sur la collégialité renforce cette indépendance historique.

– Il nous souvient que dans *Inter Corporalia*, notre grand prédécesseur Innocent III énonçait qu'il pouvait annuler le mariage de l'évêque avec son évêché, remarqua François. (Fieschi demeura muet, abasourdi par cette référence précise. J'avoue avoir réagi comme lui.) Certes, la collégialité complique les choses. Faites de votre mieux, cardinal Martín. Amenez-les à Rome s'il le faut; envoyez-les dans des monastères tibétains si possible. Attendez donc, et si nous leur adjoignions des coadjuteurs munis de tous pouvoirs?

– Pour des hommes en pleine possession de leurs moyens, ce serait ressenti comme un camouflet.

– Oui, bien sûr. Cardinal Fieschi, nos nonces dans ces pays ne pourraient-ils informer discrètement Leurs Excellences que nous sommes disposé à accepter leur démission et à les affecter dans d'autres charges, à moins qu'ils ne préfèrent être flanqués d'un évêque coadjuteur ayant tous pouvoirs.

– La chose est faisable, Très Saint-Père, mais c'est leur réserver un sort bien dur.

– Nous ne pouvons garder des bergers qui ne protègent pas leur troupeau. Choisissons donc cette solution. A présent, cardinal Martín, combien d'évêques sont-ils proches de la retraite, disons, âgés de plus de soixante-dix ans?

– Une vingtaine, Très Saint-Père.

– Désignons-leur des coadjuteurs qui les aideront et leur succéderont de droit. Ce sera ménager leurs sentiments tout en montrant où se trouve la réalité du pouvoir. Les autres saisiront sans doute rapidement le message.

– Très Saint-Père, intervint Fieschi, la tâche du cardinal Martín va être plus compliquée qu'il n'y paraît.

– Mais oui, nous le savons, le coupa François. (*Il Papa* sentait de fortes réticences chez Fieschi – que je partageais d'ailleurs. Il en était contrarié.) Et c'est une des raisons pour lesquelles nous vous avons convoqués. Nous savons très bien que là où existent des concordats, les gouvernements disposent d'un droit de veto, et qu'ailleurs la tradition équivaut plus ou moins à ce droit. Vos nonces n'auront pas la partie facile avec les dictateurs militaires, mais l'affaire espagnole a tout de même dû s'ébruiter suffisamment dans les milieux diplomatiques pour que l'on sache jusqu'où nous pouvons aller lorsque notre volonté est arrêtée. Ces concordats doivent disparaître. Cardinal Fieschi, nous vous demandons, ainsi qu'à monsignor Candutti, d'en faire une de vos tâches primordiales dans les années qui vont venir. Nous devons nous libérer de tout contrôle par un pouvoir séculier.

– Je le pense aussi, Très Saint-Père, dit Fieschi. Nous nous attacherons à y parvenir.

Là-dessus, au moins, les deux hommes s'accordaient entièrement.

La conférence terminée, je restai seul avec *il Papa.*

– Ugo, me demanda-t-il, quand l'Église a-t-elle subi une telle saignée en si peu de temps?

– Probablement pas depuis Dioclétien, marmonnai-je.

– J'aurais dit depuis Pie X et les modernistes, remarqua-t-il en riant, mais ce carnage prit plus d'une journée. Je suis sûr que beaucoup, et en tout cas les évêques eux-mêmes, y verront une nouvelle persécution. Mais ce qui va en transpirer inspirera une divine crainte à maintes Excellences.

– Je souhaite que l'Église en devienne un instrument plus efficace, car le remède est assurément énergique.

– A propos d'instrument, que pensez-vous des réactions de notre secrétaire d'État?

– Eh bien, il est compétent, et il semble maté. Laissez-lui encore un peu de temps.

– Un peu, rien qu'un peu. Nous n'en avons pas beaucoup à accorder.

19.

Cette horrible chose qu'est l'argent fut un problème constant, en cet automne qui suivit l'élection de François, et il nous créa des complications alors que nous en avions déjà plus qu'à notre suffisance. La nécessité où se trouvait *il Papa* de trouver un financement de ses nouveaux programmes pour l'Église lui suscita encore plus d'antagonisme chez les traditionalistes, et surtout lui dicta sa fatale décision de s'arrêter aux États-Unis sur le chemin des conférences épiscopales régionales d'Amérique latine. Cette nécessité distrayait en outre son attention d'autres problèmes urgents, situation qu'il déplorait plus que quiconque. Comment pouvait-il en être autrement? *Ecco,* je vais reprendre ma narration, en vous parlant pour commencer de ce perpétuel problème qui menaçait l'Église.

Malgré ses réserves sur la croisade, Chelli s'acharnait à en réunir le budget, retranchant sur tels postes, dénichant un fonds caché dans les dossiers d'une congrégation, refusant de nouvelles dépenses. Dans le courant de la troisième semaine d'octobre, ses efforts proprement herculéens avaient réussi à nous procurer trente millions de dollars.

Pour sa part, François avait reçu en audiences privées huit Américains multimillionnaires, trois Italiens, deux Allemands, un Irlandais, et les directeurs de quatre fondations. Nous reçûmes des Américains quatorze millions de dollars, un peu plus d'un million des Allemands et de l'Irlandais, la promesse d'examiner la question, de la part des directeurs de fondations, et, des Italiens, rien du tout.

Pour opportuns que fussent ces quinze millions de dollars, s'ajoutant aux trente millions de Chelli, on était encore bien loin des cent vingt-cinq millions du budget prévu par l'abbé, même si, comme nous le soupçonnions, il avait gonflé ses chiffres.

Mais un désastre survint. Le jour même où Chelli nous faisait part de son succès, le dernier ouragan tropical sur les Antilles se déplaçait vers l'ouest et atteignait cruellement le Honduras, faisant un millier de morts et détruisant l'économie côtière. Le Vatican allait forcément devoir venir en aide à ces malheureuses gens, d'abord pour parer au danger d'épidémies, et ensuite pour la reconstruction des habitations et des entreprises génératrices d'emplois.

François convoqua ce qu'il appelait un conseil de guerre : Pritchett en qualité de secrétaire du Synode mondial des évêques, Martín, en tant que président de la Congrégation pour les évêques, mais surtout en tant que Latino-Américain, Chelli, président de la Préfecture des affaires économiques, et Fieschi, à la fois en qualité de secrétaire d'État et, *ex officio,* de président de l'Administration du patrimoine du Siège apostolique.

Pendant quatre heures, nous passâmes au crible nos problèmes financiers. Nous pressâmes l'abbé de revoir ses chiffres. Mais il s'en tenait avec une douce obstination à cent vingt-cinq millions de dollars, en faisant valoir que l'ouragan ne faisait qu'aggraver la situation puisqu'il faudrait inclure le Honduras dans la liste des bénéficiaires. Finalement, à force d'amicales objurgations, l'abbé admit que l'on pourrait faire du bon travail avec quatre-vingt-dix millions de dollars.

Nous avions déjà trouvé la moitié de cette somme, mais à la condition, inacceptable, de ne pas secourir les malheureuses populations du Honduras. François suggéra alors une collecte spéciale dans toutes les églises du monde pour un fonds de secours au Honduras. Le cardinal Pritchett, cependant, s'y déclarait opposé, pour des raisons pragmatiques. La majeure partie de l'argent, faisait-il valoir, serait recueillie au Canada, en Allemagne, et aux États-Unis, trois pays alors en proie à une récession économique. Au surplus, d'ici que cette requête soit transmise par les canaux appropriés, on serait déjà dans la période des achats de Noël, peu propice aux quêtes.

– Est-il vraiment si long d'organiser une collecte spéciale? demanda François. Il suffit d'un ou deux jours pour préparer une lettre la fixant au premier dimanche de décembre. Nous encouragerions les gens à faire, cette année, des cadeaux de Noël spirituels plutôt que de gaspiller leur argent pour des biens matériels. Ils pourraient associer leur nom à l'achat d'un lit d'hôpital ou d'une salle de classe. Et ce que nous n'emploierions pas au Honduras servirait à la croisade.

– Je partage les doutes du cardinal Pritchett, Saint-Père, dit Chelli, mais nous pouvons essayer.

– Oui, essayez. Remettez-moi demain après-midi la lettre que vous aurez rédigée avec le cardinal Pritchett. Et soumettez-la au cardinal Fieschi pour qu'il nous donne son sentiment. Je veux qu'elle soit très pressante. D'un autre côté, il serait bon que la papauté intervînt pour dramatiser cette nécessité de recueillir de l'argent. Cardinal Chelli, nous vous savons connaisseur en matière d'art. Nous serait-il possible de vendre assez vite quelques tableaux ou sculptures des musées du Vatican au profit du Honduras et, plus tard, de la croisade?

Fieschi blêmit; Chelli lui-même se mit à cligner des yeux. La suggestion de François les touchait à vif. Chelli prit le temps de humer un de ses cigares cubains, puis il répondit avec un haussement d'épaules :

– Cela fait des années que les cardinaux libéraux nous le

recommandent, mais je n'ai pas besoin de dire à Votre Sainteté que nous sommes nombreux à être fermement opposés à un tel geste. Nous considérons les collections d'art, non seulement comme une partie du patrimoine de saint Pierre, mais aussi comme un dépôt au bénéfice de l'humanité tout entière.

– Nous le savons, et nous vous comprenons dit François, mais l'humanité a désespérément besoin d'une partie de ce dépôt. Au Honduras, des milliers d'êtres sont menacés de mort, et des millions d'Africains, d'Asiatiques, de Latino-Américains vivent dans des conditions inhumaines. Mettons ces œuvres aux enchères.

– « Ils ont tiré au sort mon vêtement », cita doucement Fieschi. Très Saint-Père, Il n'est pas séant que l'Église mette ses trésors à l'encan comme un vulgaire marchand.

– Était-il séant qu'elle les ait amassés? Puisque vous citez l'Écriture, il nous souvient de cette autre parole : « Vends ce que tu possèdes, donne-le aux pauvres, et tu auras un trésor aux cieux. » Les seules questions pour nous sont le choix de ce qu'il faut vendre, et à quel prix. En un temps, l'Église a hautement servi le monde en encourageant et en préservant l'art. Mais les jours sont depuis longtemps révolus où nous incombait ce fardeau civilisateur. Des dizaines d'autres institutions remplissent à présent cet office beaucoup mieux que nous.

Ce disant, il jeta autour de la table un regard circulaire, que ni Chelli ni Fieschi ne soutinrent.

– Les œuvres d'art faisant partie du patrimoine du siège apostolique, poursuivit François, la vente relève de vous, cardinal Fieschi, mais consultez éventuellement le cardinal Chelli, qui est expert en la matière. Choisissez des pièces susceptibles d'atteindre chacune plus d'un million de dollars – mais ne vendez rien du Greco, vers qui nous portent nos goûts personnels. Prenez toutes dispositions utiles dans les dix jours.

Fieschi allait dire quelque chose (pour moi, il voulait demander à *il Papa* de reconsidérer sa décision), mais il se reprit. Comme Chelli, il se contenta de hausser les épaules, en signe typiquement italien d'impuissance. La vente aurait lieu.

– Mais ce sera encore loin de suffire, Saint-Père, dit Chelli.

– Vous avez raison, soupira *il Papa*. Cardinal Pritchett, qui est le plus talentueux pour collecter des dons, dans l'Église américaine?

– Aucun doute là-dessus, Saint-Père, James C. Heegan, à New York.

– Très bien. Nous devions partir une semaine après le Nouvel An en Amérique latine, afin d'assister aux conférences épiscopales régionales. Si nous partions un peu plus tôt et rendions visite à Son Éminence à New York? Cardinal Pritchett, vous pourriez prévenir le cardinal Heegan d'organiser des audiences pour de riches Américains. Nous résiderons à la chancellerie. Demandez-lui d'avertir Mike Keller afin qu'il nous assiste. Il n'existe pas au monde d'homme plus habile à séparer un homme de sa bourse qu'un avocat de Wall Street. A ce moment-là, beaucoup auront déjà oublié le désastre du Honduras, poursuivit-il comme en se parlant à lui-même, mais nous peindrons une brillante image de la croisade et du renouveau spirituel. Et, tant qu'à nous trouver à New York, nous nous adresserons aux Nations unies. Elles devront tôt ou tard nous aider dans la croisade. Cardinal Fieschi, vos services peuvent-ils obtenir une invitation à parler devant l'Assemblée générale?

– Je suis sûr que monsignor Candutti le peut, Très Saint-Père, mais pensez-vous que, dans un tel moment, il y ait sagesse...

– Non, l'interrompit François, je ne pense pas qu'il y ait sagesse à ce que je m'adresse aux Nations unies; je pense qu'il y a nécessité.

Ce fut en cette même semaine que survint la crise des prêtres dissidents, pendant laquelle *il Papa* n'en travailla pas moins comme d'habitude. L'affaire aurait pu être explosive. Pendant la tenue du conclave, de jeunes prêtres, pour la plupart américains, mais également hollandais et allemands, et au moins un Italien, avaient installé leur quartier général dans un appartement du Monte Sacro. Ils s'étaient fixé trois objectifs : abolition du célibat sacerdotal, révision des termes d'*Humanae Vitae* concernant la contraception, et ordination des femmes. Pendant un certain temps, ils se limitèrent à publier des communiqués de presse et à distribuer des tracts sur la place Saint-Pierre et dans d'autres églises où passaient des étrangers.

Mais voici que le jour de la Toussaint, à neuf heures du matin, soixante-quinze de ces dissidents se rassemblèrent devant l'hôtel Alicorni et se dirigèrent en cortège vers le palais pontifical. La police italienne n'avait pas été prévenue de la manifestation, mais il n'y eut pas d'incident, car le parcours n'était pas long et il y avait peu de circulation, puisque, en Italie, toutes les grandes fêtes religieuses sont chômées. Nous ne fûmes alertés qu'au moment où les manifestants arrivaient devant les Gardes suisses en faction à la Porte de bronze, au pied de la *scala regia* qui conduit au palazzo.

Le tumulte était énorme. Les prêtres hurlaient (surtout en anglais) et s'avançaient sur les gardes qui avaient croisé leurs hallebardes pour barrer l'ouverture béante. De temps en temps des spectateurs furieux, principalement des Italiens, lançaient sur le groupe des poignées de crottin (il y a toujours là des calèches pour touristes stationnant à l'ombre) qui, parfois, éclaboussaient les gardes.

Nous crûmes comprendre que les prêtres demandaient à voir *il Papa.* Monsignor Bonetti et moi-même regardions par la fenêtre du bureau mais nous n'apercevions de là que la queue du cortège et les jets de crottin. Nous vîmes également que trois voitures de la police italienne franchissaient la ligne blanche qui sépare le Vatican de l'Italie.

Le Pontife réagit promptement. Il pria monsignor Bonetti de demander à la police italienne de disparaître, et de faire avancer une escouade de la police vaticane pour disperser – pacifiquement – les jeteurs de crottin. *Allora,* François descendit la *scala regia.* Je le suivis à bonne distance. Je suis prêt à mourir pour l'Église, mais non à souffrir le martyre par le crottin.

Lorsque les premiers manifestants aperçurent *il Papa,* les cris redoublèrent, mais ils se calmèrent lorsqu'il arriva devant eux.

– Pourquoi essayez-vous de pénétrer par effraction dans une maison ouverte? leur dit-il. N'importe lequel d'entre vous eût-il demandé à nous voir, que nous l'aurions invité à entrer. Mais nous ne traiterons pas avec une bande, même une bande de prêtres. Nous attendrons demain trois des vôtres dans notre bureau à onze heures pour discuter des problèmes qui vous tourmentent. A présent, rentrez chez vous, mais auparavant, entrons ensemble dans Saint-Pierre et prions.

Là-dessus, François fit signe aux gardes d'abaisser leurs hallebardes, passa calmement au milieu du groupe et le conduisit dans la basilique, devant l'autel papal. Pendant dix minutes ils restèrent agenouillés avec lui en fervente prière devant le baldaquin géant qui surmonte les quatre colonnes torses en bronze. Les touristes, d'ailleurs clairsemés, goûtèrent fort le spectacle. Puis François se leva, se tourna vers le groupe encore agenouillé des prêtres qu'il bénit en disant : « Allez en paix. »

Le Pontife ne voulait que Rauch et moi pour témoins de son entrevue avec les trois prêtres, mais, à ma demande, il y convia également Fieschi. Nous les écoutâmes pendant plus d'une heure. Ils se répandirent d'abord en amères récriminations contre l'autorité : *il Papa,* la Curie, les conférences épiscopales, les évêques et les pasteurs, les parents, les enseignants, tout le monde y passa. Puis le ton évolua lentement de la diatribe au plaidoyer, puis à des aveux de solitude. Ces hommes, je le voyais, avaient été de jeunes prêtres fervents, mais leur œuvre pastorale les laissait désabusés des institutions de l'Église, de leurs supérieurs, de leurs troupeaux, et peut-être aussi d'eux-mêmes.

Ce désespoir, cette solitude, mes deux collègues cardinaux et moi-même, nous connaissions cela. Tout prêtre connaît cela – ce qui explique peut-être que tant de nous soient attirés par la Curie ou l'évêché. Nous nous sentons plus assurés en compagnie d'autres humains solitaires. Avec ses deux années de monastère, François ne pouvait comprendre ces sentiments, ou du moins le pensions-nous. C'est, à mon sens, la conviction que leur solitude est le suprême sacrifice à Dieu – et non point la vanité de leur savoir théologique – qui fait s'estimer les clercs supérieurs aux laïcs.

François écouta sans dire un mot les trois jeunes prêtres, jusqu'à ce qu'ils fussent à bout d'arguments. Puis, il prit la parole.

– Vous voulez réformer l'Église, leur dit-il, moi aussi. Mais nous n'avons ni la même approche ni les mêmes objectifs immédiats, encore que nous nous accordions probablement sur les fins. Je veux partir de la racine, ramener l'Église à ses origines, et, de la sorte, la revitaliser. Je ne veux pas user mon énergie sur des problèmes, aussi graves et douloureux soient-ils, qui sont annexes par rapport à la condition fondamentale de l'Église. Je sais que cela équivaut à vous demander, ainsi qu'à d'autres, de continuer à souffrir, peut-être injustement. Je sais ce que cela signifie. J'ai été un militaire dont la vie, et la vie de ses hommes, n'était qu'un simple repère sur la carte d'un général parfaitement disposé à nous voir tous tués si ces morts donnaient un répit au reste de son armée. Je vous demande de me donner un répit, de me laisser concentrer mes efforts sur les problèmes fondamentaux. Le célibat sacerdotal, la contraception, l'ordination des femmes ne sont pas les problèmes fondamentaux. Lorsque l'Église sera fermement engagée dans sa nouvelle voie, lorsque sa revitalisation sera vraiment en train, alors j'accorderai la priorité aux problèmes que vous soulevez. S'y attaquer à présent, ce serait diviser l'Église avant que notre vrai travail ait commencé.

– Je pense que nous pouvons comprendre, répondit un prêtre américain, mais la compréhension ne suffit pas. Vous êtes notre unique espoir. Vous avez, sur ces questions, l'esprit ouvert, et non la mentalité institutionnelle de vos prédécesseurs – et sans doute de vos successeurs. Aidez-nous dans le présent. Ce n'est pas seulement pour nous-mêmes que nous en appelons à vous, mais pour les hommes et les femmes du monde entier, pour les prêtres solitaires, pour les saintes femmes qui ne peuvent répondre à l'appel de Dieu, et pour tous les laïcs à la conscience torturée.

François bouillait intérieurement. Il suffisait de le regarder pour comprendre ce qu'il endurait.

– Vous avez raison, répondit *il Papa*, mais vous allez devoir vous en accommoder. Il n'est pas plus aisé de décréter que d'accepter. Je continuerai à faire tout ce qui est en mon pouvoir, plus limité que vous ne le pensez, pour redonner à l'Église élan et vitalité, et vous saurez que vous n'avez pas souffert en vain. Et, dès à présent, je vais réexaminer la question du célibat sacerdotal. Pour les autres questions, il est encore trop tôt. Mais je vous tromperais en vous promettant un changement. En 1971, le Synode mondial des évêques s'est penché sur le problème, et il a voté à une majorité écrasante en faveur du célibat sacerdotal. Le pape Jean s'en était déjà préoccupé, et, après lui, le pape Paul. Si vous critiquez le pape Paul, vous ne pouvez nier que le pape Jean était un homme de grande charité et de chaleureuse compréhension humaine. Et quant à cette majorité dans le Synode, il ne pouvait s'agir uniquement de vieillards dont toute sève vitale s'était retirée.

» Laissez-moi aussi vous rappeler ce que vous savez par le confessionnal, poursuivit François après s'être interrompu un instant pour que ses paroles fussent bien comprises. Le mariage n'est pas une panacée de la solitude, de la frustration, des pulsions sexuelles. Il apporte ses propres problèmes. Il arrive que l'amour se transforme en indifférence, et même en haine; que la maladie brise tous les projets; que parfois aussi les enfants ne se soucient nullement des sacrifices de leurs parents. Aussi, bien que vous ne l'ayez pas évoquée, vous soulevez également la question du divorce.

François se leva, et nous l'imitâmes.

– Nous voudrions connaître une formule qui vous aiderait, qui en aiderait des centaines de millions d'autres – et, en même temps, nous aiderait aussi. Mais nous ne sommes qu'infaillible, non omniscient ou omnipotent. Nous vous répétons que nous voulons revitaliser l'Église, et ensuite nous inquiéter de la question du célibat sacerdotal. Et maintenant prions Dieu de nous conférer la sagesse et de nous accorder sa miséricorde.

» Un dernier point, dit François aux jeunes prêtres qui allaient sortir, si vous voulez revenir nous voir, téléphonez à monsignor Bonetti. Les Gardes suisses ont eu du mal à débarrasser leurs uniformes de certaines taches brunes.

20.

La période de Noël, qui exige la participation du Pontife à maintes cérémonies, fut éprouvante pour François. C'est dans l'Église un temps de grande joie que celui où nous célébrons la naissance du Sauveur. Mais François ne put guère s'abandonner à cette joie. Il ne fut pas jusqu'au jour de Noël où, après avoir participé à la messe dans la basilique Saint-Pierre, il retourna s'installer à son bureau.

Il y eut pourtant une note heureuse : les collectes pour les secours au Honduras nous avaient rapporté seize millions de dollars, dont la moitié aux États-Unis. François connaissait donc bien la psychologie de ses compatriotes. Nous récupérâmes là-dessus les six millions que nous avions « avancés » en novembre afin d'aider le Honduras, et conservâmes le reste pour la croisade. Par ailleurs, la vente des trésors d'art par Chelli atteignit trois millions.

Pendant ce temps, le cardinal Pritchett et monsignor Candutti préparaient le voyage du Pontife en Amérique latine ainsi que le séjour aux États-Unis et l'intervention devant les Nations unies. Ces événements allaient constituer de dramatiques jalons dans le règne de François et peut-être dans la vie de l'Église moderne, mais ils débutèrent dans des conditions peu heureuses.

Avant que notre convoi d'automobiles se fût formé devant Saint-Pierre, une pluie froide avait pratiquement vidé la place de spectateurs. Nous roulions lentement, précédés par des voitures de police toutes sirènes hurlantes, et flanqués par les grosses motos noires des *carabinieri.* Malgré le froid, François avait voulu la Mercedes décapotable, dans laquelle *il Papa* reste debout, exposé au regard des foules. Mais celles-ci n'avaient pas eu son courage, et même le long du viale Trastevere, seuls de petits groupes stationnaient sous la pluie. Arrivés à l'embranchement de la via Magliana et de l'*autostrada* de Fiumicino, j'insistai pour que François descende et s'installe dans une des limousines. Il s'y prêta sans discussion. Il semblait transi et il avait les pommettes rouges. Il aurait voulu partir sous les ovations, et il était déçu par la minceur de l'assistance.

A l'aéroport, les automobiles roulèrent jusqu'à la piste où attendait un triréacteur 727 portant, à l'avant, le blason pontifical. Un millionnaire de Chicago, ami de François, avait mis son avion à réaction personnel à notre disposition pour toute la durée du voyage. On y avait monté des réservoirs de carburant supplémentaire, ce qui permettait de franchir l'Atlantique d'une seule traite. L'aménagement intérieur était fort différent de celui des appareils commerciaux : à l'avant, trois petites chambres, un bureau agréable mais assez étroit et une petite cuisine; à l'arrière, des sièges pour dix-huit personnes.

François avait une nombreuse suite : l'abbé, monsignor Bonetti, Cavanaugh, Candutti, les cardinaux Pritchett, Martín, Fieschi et moi-même; il y avait aussi le doctor Twisdale, qui assurerait les relations avec les journalistes, deux agents de la sécurité comme protection rapprochée dans les foules, et plusieurs jeunes clercs, secrétaires des prélats.

Je ne pus, comme j'en ai coutume, déjeuner puis sommeiller pendant le vol, car *il Papa* tenait à ce que l'abbé et moi l'aidions à réviser ses discours, l'allocution aux Nations unies et les trois interventions devant les conférences épiscopales régionales d'Amérique latine. Il nous cita ce mot d'Adlai Stevenson selon qui, lorsque Cicéron parlait, les hommes vantaient son éloquence, tandis que lorsque Démosthène parlait, les hommes disaient : « Marchons. » *Il Papa* voulait que les hommes se missent en marche.

Nous décollâmes de Fiumicino juste avant midi et nous arrivâmes à New York, au terme d'un voyage de huit heures et demie, à quatorze heures trente, heure locale. Nous fûmes dirigés sur l'aéroport de Newark, où le trafic aérien est relativement faible.

Le froid – il faisait au-dessous de 0° – n'avait pas découragé les Américains. Nous trouvâmes pour nous accueillir une armée de personnalités, dont le gouverneur et le président de la Cour suprême de l'État, deux sénateurs, trois membres du Congrès, le maire de Newark (où le vote italien était important, nous dit quelqu'un, bien que le maire fût noir) et les chefs de divers partis. Il y avait, évidemment, une notable proportion d'ecclésiastiques : l'archevêque de Newark et plusieurs évêques de l'État; le cardinal James Heegan, archevêque de New York; le cardinal John O'Brien, archevêque de Chicago et président de la Conférence épiscopale nationale des États-Unis; l'archevêque Giuseppe Rossati, mon successeur au poste de délégué apostolique à Washington; et toute une troupe de *monsignori* et de prêtres aux visages radieux.

A sa descente de l'appareil, François reçut les souhaits de bienvenue du gouverneur, serra la main des personnages officiels, salua de la main les dignitaires ecclésiastiques et demanda à monsignor Bonetti de les prier de l'attendre dans l'aérogare. Puis, au grand émoi des agents de la sécurité, le Pontife se dirigea vers une masse de gens qui avaient réussi à pénétrer jusqu'à la piste et qui étaient contenus par un cordon de policiers de l'État munis de bâtons. *Il Papa* fit le signe de croix, et ces gens s'agenouillèrent. Alors, tel un candidat à la présidence des États-Unis, il s'avança au milieu d'eux et se mit à toucher les mains. Les policiers bouillaient, mais les gens étaient ravis. Il n'y eut pas d'incident déplaisant.

Puis nous nous dirigeâmes vers le Salon des ambassadeurs, mis à notre disposition par Trans World Airlines; en chemin, François s'arrêta encore à deux reprises pour bénir la foule massée dans l'aérogare et toucher les mains. Arrivés au milieu des ecclésiastiques, il y eut des serrements de main et des génuflexions devant l'anneau *del Papa*. François saisit l'occasion pour faire une courte allocution. Il dit qu'il revenait dans son pays prêcher le message simple des Évangiles : aimer Dieu en aimant son prochain. Le monde était en proie à d'énormes transformations. Les chrétiens, le laïcat au même titre que le clergé, devaient diriger la remise en forme du monde moderne. Mais, avant tout, il fallait « recommencer à cultiver la riche et fertile terre de notre amour de Dieu et du prochain ». Le renouveau était un processus continu, non un événement isolé, mais il voulait l'inaugurer officiellement, pour signifier notre inflexible engagement dans la voie de la justice sociale, du partage des biens avec les pauvres et les affamés.

– Nous vivons dans un monde qui aspire autant à la direction spirituelle qu'au progrès matériel, conclut le Pontife. Nous vivons dans une de ces périodes critiques de la civilisation où une poignée d'hommes et de femmes peuvent changer le cours de l'histoire humaine. Emparons-nous de notre destinée en agissant selon notre tradition révolutionnaire d'amour, de paix et de justice.

François voulait monter dans une limousine avec les cardinaux O'Brien, Fieschi, Heegan et Pritchett pour parler avec eux pendant le trajet jusqu'à la chancellerie de l'archidiocèse de New York. Mais on avait prévu pour *il Papa* une voiture décapotée ne pouvant contenir que deux autres personnes. Le cardinal Fieschi et la signora Falconi partagèrent mon véhicule, et les autres se distribuèrent dans le long cortège motorisé.

Ecco, de Newark à New York, le trajet est hideux. Les Américains ont encore plus défiguré leur campagne que nous autres Italiens. Dieu nous appellera tous à répondre de nos péchés de gaspillage et d'ingratitude, et ses lois de la nature puniront nos enfants. Les rues de New York étaient terriblement encombrées, et la police dut proprement nous frayer le passage jusqu'à la chancellerie.

A l'extérieur, bien en vue des caméras de télévision et de la foule, d'autres personnages officiels, cette fois de New York, nous attendaient dans le froid. Le soleil avait disparu derrière les pics des buildings, un vent glacial s'engouffrait dans les profonds canyons, mais nous dûmes subir le rituel quart d'heure de congratulations réciproques et de mots aimables dans les micros. Après qu'*il Papa* eut béni plusieurs fois l'assistance, nous finîmes pas entrer dans la chaleur encore plus bénie de la chancellerie.

Les politiciens entrèrent avec nous, acceptèrent du café – non notre vrai *caffè* mais ce fade et écœurant *caffè Americano* – bavardèrent quelques instants, et prirent congé. François rejoignit alors le cardinal Heegan dans son bureau en compagnie des cardinaux

O'Brien, Pritchett et Fieschi. La fatigue m'obligea à me retirer. (N'oubliez pas qu'il aurait été vingt-trois heures trente à Rome, et que nous étions debout depuis cinq heures trente.)

François discuta plusieurs heures avec les cardinaux, principalement autour de la question d'argent, qui était le fort du cardinal Heegan. Ne vous méprenez pas, c'était un homme d'une bonne moralité, un bon prince de l'Église. Je suis sûr qu'il avait été parmi les cardinaux silencieux du conclave qui avaient voté pour François. Mais il n'était pas suprêmement doué intellectuellement. Sa force tenait dans son intégrité et dans un style personnel qui plaisait aux millionnaires américains. Sans avoir besoin de se forcer, il avait le genre « copain », comme disent les Américains. Il jouait bien au poker, aimait les paris hippiques et pouvait absorber de notables quantités de bourbon sans résultats fâcheux. Sa réputation de collecteur de fonds était parfaitement justifiée, mais il n'avait aucun goût pour la théologie. Il possédait une foi simple en Dieu, en Christ, en l'Église, en *il Papa* et en lui-même – foi qui suscitait mon émerveillement et parfois mon envie.

Allora, le dîner avec *il Papa* ne commença qu'à vingt-deux heures trente, dès l'arrivée de l'invité spécial de Heegan, Charles Patrick Randall II, spéculateur pétrolier, financier, propriétaire d'un casino à Las Vegas, et Dieu sait quoi d'autre encore, si ce n'est catholique apostat. M. Keller nous indiqua plus tard qu'il estimait la fortune de Randall à soixante-quinze millions de dollars. Il y avait un rapport entre lui et François : le signor Randall était le père d'un jeune officier mort de ses blessures en servant en Corée sous le commandement de Declan Walsh.

Je ne sais à quelle heure François se coucha ce soir-là, mais certainement beaucoup trop tard. Le discours devant l'assemblée générale des Nations unies étant prévu pour midi, nous dormîmes tous jusqu'à neuf heures. Et nous entamâmes la journée par un de vos merveilleux petits déjeuners américains : jus de fruit, pamplemousses, melons, jambon, saucisses, bacon, toasts, œufs, gaufres, café – tout cela absorbé lentement, en lisant un journal du matin. Voilà un des traits les plus agréables de la culture anglo-saxonne.

François toussait un peu et il avait mal à la gorge. Il s'enferma dans le bureau de Heegan pour réviser encore une fois son discours. Fieschi et moi, le manteau boutonné jusqu'au menton, partîmes nous promener dans les rues, tandis que la signora Falconi faisait des emplettes dans la Ve Avenue. A onze heures trente nous rentrions, les joues rouges et tout ragaillardis.

Vous avez certainement lu le texte du discours. Mais la version publiée est celle qu'il avait rédigée, et non exactement celle qu'il dit. En effet, il ne la lut pas du haut d'une estrade mais parla sans notes, debout devant l'assemblée, un micro pendu au cou. Ses mains étaient jointes comme en prière. Il commença ainsi :

> Nous venons au nom de la justice et au nom de la paix. Nous venons vous supplier, vous les chefs des grandes puissances, non seule-

ment de redoubler d'efforts dans le sens de l'entente et du désarmement, mais aussi de partager un peu de votre richesse – au moins cette fraction que vous dépensez pour l'armement – avec les populations déshéritées dans le monde. Nous venons supplier les autres nations développées de partager, elles aussi, avec leurs frères et leurs sœurs.

Puis il poursuivit en demandant aux chefs des pays en voie de développement de témoigner de patience et de charité envers leurs propres populations, de veiller à ce que la tyrannie intérieure ne se substitue pas à l'impérialisme étranger, et aussi de bien songer que le développement économique n'était pas une fin en soi mais seulement un moyen de permettre aux individus de réaliser leur potentiel pour le bien. Il rappela à tous les conducteurs d'hommes que « ceux d'entre nous » qui détiennent un pouvoir temporel ou spirituel l'ont en dépôt au bénéfice de leur peuple et qu'ils devront un jour rendre compte à Dieu de l'usage qu'ils ont fait de ce dépôt.

Il plaida particulièrement pour la paix et la justice au Proche-Orient, en reprenant la proposition d'une internationalisation de Jérusalem. Il recommanda également que, sans préjuger les termes définitifs d'une paix, les réfugiés palestiniens puissent immédiatement, et par un libre choix, se réinstaller dans les territoires occupés par Israël ou émigrer dans des pays arabes. Puis il ajouta au texte préparé une phrase qui devait horrifier Chelli :

> Nous savons combien serait coûteux un tel exode, et nous ne promettons pas seulement le soutien moral de l'Église catholique, mais aussi d'accepter notre juste part des fardeaux financiers d'une telle réinstallation.

François lia alors la croisade à la cause plus générale de la paix, en tant que moyen de réduire la misère, l'envie, la haine.

> L'éloquence de saint Paul nous fait défaut; aussi nous vous demandons en ces matières de nous juger aux actes. Nous avons tenté d'amener la paix au Proche-Orient, et nous allons inaugurer en Amérique latine une croisade contre la faim, la pauvreté et la maladie. Nous avons vendu quelques-uns de nos trésors séculaires pour financer ces efforts, et nous en vendrons d'autres.

Il demandait aux Nations unies d'assumer après une année la responsabilité financière de la croisade. Il promettait que l'Église continuerait à donner tout ce qu'elle pourrait, mais ses ressources limitées seraient bientôt taries. Si l'O.N.U. prenait cette initiative, lui-même s'engageait, dès que le budget du Vatican le permettrait, à lancer des campagnes similaires pour aider les pauvres et les affamés d'Afrique et d'Asie.

Il fit valoir encore qu'en partageant leur richesse les nations se montreraient non seulement charitables mais prudentes. A ceux qui n'ont rien, la violence apparaît souvent un risque acceptable; et le monde s'était à tel point rapetissé que, comme l'avaient montré les crises au Proche-Orient, en Afrique et en Asie du Sud-Est, même de petits conflits peuvent porter en eux la menace de l'holocauste en suscitant un affrontement entre les grandes puissances.

> Ces affrontements se sont jusqu'ici arrêtés au seuil de l'anéantissement total, mais nous avons déjà trop tenté le sort – et Dieu. Tôt ou tard ces exercices au bord du gouffre enverront culbuter dans l'espace cette planète, devenue désert inhabité et inhabitable.

A la fin de son allocution, François passa délibérément du « nous » de majesté papale au « je » :

> Comme le firent les prophètes de l'Ancien Testament, je vous appelle au repentir de vos péchés. Comme le firent les Évangélistes du Nouveau Testament, je vous appelle à l'amour de votre prochain. Comme le font les hommes moraux du monde moderne, je vous appelle à vous rappeler que l'amour et la justice ne sont pas simplement des vertus, ce sont des nécessités pour la survie de l'humanité. Au nom de Dieu et au nom du genre humain, je vous adjure à genoux de pratiquer l'amour et la justice et d'amener ainsi la paix.

Et François s'agenouilla. Si les délégués aux Nations unies étaient étonnés, je ne l'étais pas moins. Nous n'avions jamais envisagé un geste aussi dramatique – je dirai plutôt aussi mélodramatique. Le discours devait se terminer par la phrase sur la survie de l'humanité.

Je ne saurais dire si le discours et l'agenouillement produisirent sur les délégués un effet durable. Cyniquement, ou peut-être réalistement, on peut en douter, bien que la promesse d'entreprendre la croisade en Afrique et en Asie ait poussé certains délégués à soutenir nos efforts en Amérique latine. Mais on chercherait en vain une épidémie de justice dans le monde. Pourtant, je suis sûr que l'effet fut profond sur les millions d'individus qui virent sur leur écran de télévision *il Papa* s'agenouiller en implorant justice et paix pour eux et leurs enfants.

Le discours aux Nations unies et celui du couronnement furent, à certains égards, similaires; le premier à être converti par ses adjurations, ce fut François lui-même. Ce fut une autre étape importante dans sa transformation de chef séculier en chef religieux – de l'homme de bien au saint homme. Il s'était convaincu lui-même de l'authenticité de sa vision et de sa mission; cette conviction transparaissait dans sa voix, dans son expression, dans toute son attitude. Je vis planer autour de lui l'aura de l'homme se vouant – je ne dis pas encore « entièrement voué » – à Dieu. A son élection, c'était un homme supérieur, énergique, moral, effleuré par la chance. Mais l'allocution du couronnement, son voyage en Israël et son discours à l'O.N.U. montraient qu'il y avait plus que cela.

Cette perception que j'avais du processus de transformation de François trouva, l'après-midi même, une double confirmation. Il y eut d'abord l'ambiance de la foule à notre sortie de l'O.N.U.; les gens n'étaient plus simplement curieux, mais exaltés et véritablement émus. Même dans l'air horriblement glacial de New York, je sentais vibrer une émotion beaucoup plus intense qu'avec le pape Paul, et même avec le pape Jean en Italie.

Et la deuxième confirmation émana de M. Keller, qui nous attendait à la chancellerie. François le salua très chaleureusement mais il disparut aussitôt pour aller se reposer, en promettant de lui accorder plus de temps dans une heure. Le visage de M. Keller montra qu'il était heurté. Nous nous assîmes tout deux dans le salon du cardinal Heegan, devant la cheminée où brûlait un feu, et restâmes sans dire mot, laissant nos cœurs se transmettre leurs inquiétudes au sujet de ce qui arrivait à François.

21.

Assis devant le feu cet après-midi là, nous n'avions aucune raison de penser que les surprises de la journée ne faisaient que commencer. Dieu se montre miséricordieux en accordant l'ignorance. Nous nous réjouissions que François ait pu prendre une heure de repos, à notre retour de l'O.N.U., car il devait concélébrer une messe vespérale et prendre la parole dans un « colisée » géant qui se dresse de l'autre côté du fleuve, au New Jersey. Et le lendemain matin nous nous envolions pour Mexico.

François s'était joint à nous depuis quelques minutes, et nous entamions juste une conversation détendue lorsque le cardinal Heegan vint nous demander de le suivre dans son bureau. A notre entrée, le signor Randall se précipita au-devant de nous, tomba à genoux et, saisissant la main de François, s'écria :

– Très Saint-Père, que puis-je faire?

– Il me semble que cette scène se trouve déjà dans l'Évangile selon saint Matthieu, bien que ses deux protagonistes fussent plus jeunes, répondit François en relevant doucement le *signore*. Nous connaissons tous deux la réponse à cette question.

Mais cette fois, Très Saint-Père, l'homme riche ne s'en ira pas contristé. Je vous offre la moitié de tout ce que je possède – et aussi ma complète allégeance.

Il avait posé sur la table deux grosses serviettes et une petite enveloppe. Les serviettes étaient bourrées d'actions et d'obligations pour une valeur d'au moins trente millions de dollars; l'enveloppe contenait des bons de caisse de diverses banques, totalisant six millions. Le reste, dit le *signore,* viendrait sous quelques semaines.

– Je reçois avec joie votre allégeance au nom de Dieu, répondit François, mais vos biens iront aux pauvres du monde entier, et donc aussi à Dieu, non à moi.

Le cardinal Heegan, émérite en l'art de traiter les donateurs et les donations (encore qu'il n'en ait jamais eu de cette taille), fit une rapide allocution et servit du sherry. A présent secoué par une mauvaise toux, François toucha à peine à son verre, et j'insistai pour qu'il retourne se coucher. En montant avec lui, je tentai encore de lui faire annuler la messe de la soirée. Mais il s'obstina.

Un peu plus tard, quand nous vîmes que François avait de la fièvre, M. Keller le supplia également de ne pas sortir, mais sans succès. Furieux, il déclara qu'il ne nous accompagnerait pas au *colosseo,* en disant que le Flambeur ne tremperait ni dans un suicide ni dans un martyre. J'étais moi-même sérieusement tenté de rester au chaud à la chancellerie, mais je voulais vérifier si, comme j'avais cru le sentir, les gens regardaient autrement François depuis son discours aux Nations unies.

Comme nous le redoutions, il faisait atrocement froid dans ce *colosseo.* La température avait atteint –10°; un vent humide et glacial arrivait des étendues marécageuses. Et lorsque, parfois, il soufflait du sud, les relents des raffineries de pétrole étaient proprement asphyxiants. Une estrade et un autel étaient dressés sur le terrain de sport, lui-même envahi de sièges réservés aux hauts personnages, aux journalistes et aux équipes de télévision. De vastes écrans installés aux deux extrémités du *colosseo* renverraient en gros plan le visage *del Papa.* La seule protection contre le froid était constituée par un pan de plastique pour couper le vent et des rampes électriques chauffantes au pied de l'estrade.

A l'entrée du *colosseo,* des milliers de gens s'étaient pressés autour du Pontife, essayant de toucher sa main tendue. Seul le double cordon d'agents de police en uniforme bleu, tous de haute stature, nous empêcha d'être piétinés. A l'intérieur, l'énorme assistance accueillit François par un tonnerre d'ovations, et tous s'agenouillèrent pour recevoir sa bénédiction. La messe, concélébrée avec l'archevêque de Newark et celui de New York, se déroula aussi rapidement que nous pouvions canoniquement la hâter. François reprit ensuite dans son homélie son thème fondamental de l'amour et de la justice, d'une façon simple et directe. Le texte était celui du prophète Jérémie : *Les jours viennent,* dit l'Éternel, *où je ferai avec la maison d'Israël et la maison de Juda une alliance nouvelle... Je mettrai ma loi au-dedans d'eux, et je l'écrirai dans leur cœur.*

François ne parla heureusement que pendant une vingtaine de minutes. Après quoi, installé à l'arrière d'une voiture découverte entre les deux archevêques – et moi à l'avant, à côté du chauffeur – il fit lentement le tour de la piste, afin que les spectateurs, sur les gradins, pussent le voir de plus près. Tout au bout du terrain, François remarqua un groupe de vieilles gens brandissant une pancarte – parmi des dizaines d'autres pancartes – indiquant qu'ils venaient d'un hospice catholique des environs de Trenton, dans le New Jersey. Je me souviens m'être demandé comment on pouvait être assez pieux, ou assez stupide, pour laisser sortir des vieillards par un tel froid. (En vérité, que faisais-je moi-même dehors?) François dut avoir la même idée car il ordonna au chauffeur de rouler jusqu'au pied des gradins et de s'arrêter.

Là, aidé par un grand gaillard de policier, il se dressa sur le coffre de l'automobile et toucha les mains qui se tendaient vers lui. Et c'est alors, comme vous le savez certainement, que la chose arriva. *Ecco*, une vieille femme se mit brusquement à hurler : « Je vois! Béni soit Jésus! Le pape m'a touchée et je vois! » Aussitôt, un grand tumulte emplit les gradins. Heureusement, la plupart des gens ne pouvaient, de si loin, se rendre compte que quelque chose était arrivé. François était gêné. Il toucha encore quelques mains et, tandis que la femme continuait à hurler qu'elle avait retrouvé la vue, nous terminâmes notre circuit dans le *colosseo* et le quittâmes en reprenant, à l'extérieur, notre place dans le cortège de voitures.

Une fois installé dans la limousine du cardinal, délicieusement chauffée, François recouvra son calme. Entre deux quintes de toux il nous dit sa conviction que la pauvre femme était exaltée à cause du froid et de l'émotion. Elle était d'ailleurs probablement sénile, ajouta le cardinal Heegan et je l'approuvai, plus énergiquement peut-être qu'il n'était nécessaire. Mais l'affaire ne pouvait être écartée aussi facilement. Elle avait tout de même eu lieu devant les quatre-vingt mille personnes présentes au *colosseo*. Et plus important encore, comme nous le découvrîmes par la suite, les caméras de télévision avaient fait – comment dites-vous? – des « zooms » sur *il Papa* pendant son tour de piste, et au surplus une voiture de journalistes nous y suivait.

Pendant des heures, les journaux ne cessèrent d'appeler la chancellerie au sujet du « miracle ». Le cardinal Heegan voulait faire débrancher le standard, mais le doctor Twisdale le persuada d'y laisser toute la nuit un prêtre qui répondrait que ni le cardinal ni *il Papa* ne possédaient d'informations; au demeurant, ceux qui avaient vu l'événement à la télévision en savaient effectivement beaucoup plus qu'eux.

Le lendemain matin, l'état de François avait empiré. Il était déchiré de quintes de toux, et il avait le visage enfiévré. Mais au surplus, il était psychologiquement secoué par l'incident de la veille. Il n'en refusa pas moins obstinément de voir un médecin et de différer son départ pour Mexico.

Le lendemain matin, devant la chancellerie, stationnaient une armée de journalistes et une large foule. Nous parvînmes à nous dégager des premiers en leur promettant une courte interview à l'aéroport. La foule était surexcitée mais fervente. Dans l'aérogare, T.W.A. mit de nouveau son Salon des ambassadeurs à notre disposition et nous y reçûmes les journalistes – mais pas les photographes. Il y avait là une trentaine de personnes.

– Mesdames et messieurs, dit François entre deux quintes, ce que nous allons vous dire n'est pas destiné à la publication, afin de ne pas blesser une pieuse dame. Nous sommes certain que ce qui est survenu hier est une manifestation d'hystérie. Je ne crois absolument pas qu'il y ait eu un miracle, simplement beaucoup de bruit, d'exaltation, et de froid qui, combinés, ont suscité une réaction émotionnelle. Vous pouvez écrire que, selon une haute source du Vatican, le pape est très heureux que la dame ait recouvré la vue, mais qu'il a la certitude que le phénomène a une explication parfaitement naturelle.

– Très Saint-Père, demanda une journaliste du *National Catholic Weekly Reporter,* l'Église va-t-elle enquêter sur cet événement en tant que possible miracle?

– Cette fois encore, ne me citez pas, mais la réponse est absolument négative, dit François en s'interrompant un instant tant les quintes redoublaient. Mais vous pouvez parler du miracle que le pape a l'intention de faire : chasser l'envie et la cupidité du cœur des hommes en n'y laissant place que pour la bonté et la justice. Et maintenant, veuillez nous excuser, nous devons partir pour Mexico.

22.

Dès que nous eûmes embarqué, je forçai François à se coucher. La signora Falconi et moi décidâmes que notre premier geste, à Mexico, serait de prier l'archevêque de faire venir son médecin personnel. Nous étions furieux contre nous-mêmes de ne pas avoir pris cette initiative la veille, à New York. Car, ainsi que l'exprima la signora Falconi, peu diplomate comme à son habitude : « Les médecins mexicains ne valent probablement guère mieux que les médecins italiens. » Fieschi eut un toussotement désapprobateur, mais je ne me sentis nullement piqué de cette remarque. Lorsque je réside en Italie, je vais me faire soigner en Suisse. Je n'ai nulle prédilection pour le Moyen Age, théologique ou médical.

Tandis que François se reposait, Fieschi et moi restâmes à converser dans le petit bureau. C'était évidemment, comme sans doute tout le monde dans l'avion, la « guérison » de la vieille femme qui nous retenait. Fieschi était troublé. Je ne connaissais pas encore la profondeur de sa piété, aussi pensai-je que son inquiétude était principalement celle du secrétaire d'État, et non du prêtre. A plusieurs reprises, il sollicita mon opinion, ce qui n'était guère dans son personnage. S'il manquait d'imagination, il possédait en revanche de subtiles facultés d'analyse, et il n'oubliait généralement rien. Je dis mon accord avec *il Papa*, la pauvre femme avait eu une réaction hystérique à une profonde émotion.

– Et si c'était un miracle? finit-il par demander. (C'était évidemment la question qui m'agaçait le plus.) Eh bien?

– Je n'en sais rien, répondis-je, et je doute que nous le sachions jamais. Il n'existe pas de réactif pour prouver la présence d'un miracle.

– Et si c'est la main de Dieu qui a touché cette femme par l'intermédiaire du pape François?

– Ce serait au moins une indication, dis-je en souriant, que le conclave a fait le bon choix.

Un mince sourire se dessina sur les lèvres de Fieschi. Je n'avais nullement voulu le blesser, et il le savait.

– Ugo, mon vieil ami (le mot « ami » semblait étrange, venant de lui qui avait beaucoup de laudateurs, mais peu d'amis), vous pouvez avoir été plus inspiré que vous ne le pensiez, l'été dernier. Il se peut que Dieu projette pour son Église un renouveau radical, et que nous ayons un rôle à jouer dans ce projet divin.

– C'est ce qu'a dit à plusieurs reprises le pape François.

– Oui, il l'a dit comme un être humain, comme un Pontife qui trébuche à l'instar de nous tous et que beaucoup – Dieu nous pardonne – ont considéré comme un homme à confiner et non comme une force divine à libérer dans le monde.

Je n'avais jamais vu Fieschi si excité. A part son accès de colère à propos du départ de François pour Tel-Aviv, son trait principal était justement le calme, l'imperturbabilité patricienne. Mais j'étais trop tourmenté par la santé de François pour m'y arrêter. La raréfaction de l'oxygène à Mexico – ville de haute altitude – lui occasionnerait encore plus de difficultés respiratoires.

Le vol se passa sans incident, et François dormit trois heures d'affilée. Mais, à l'atterrissage, le tumulte était tel que la scène de Newark semblait, rétrospectivement, avoir eu un calme monacal. Dès que les réacteurs se turent, nous entendîmes monter les acclamations de *« El Papa! »*. Rompant le cordon de police, la foule se rua autour de l'avion.

D'un hangar proche, une nouvelle phalange de police se forma pour charger, le bâton haut. Voyant ce qui allait arriver, François saisit un haut-parleur arrimé au-dessus de nos sièges et ordonna que l'on descendît partiellement la passerelle avant. *Allora,* il sortit juste au moment où le premier rang de policiers allaient abattre leurs bâtons sur les crânes. Il fit rapidement le signe de croix et commença la bénédiction dans son espagnol hésitant. La foule tomba à genoux.

Je fis signe au chef des policiers de faire approcher ses hommes au pied de la passerelle et, en un mélange d'espagnol, d'anglais et d'italien, nous leur fîmes comprendre qu'ils devaient dire aux gens de rester agenouillés pour la sécurité du pape. (Nous apprîmes plus tard qu'au moment où la foule avait rompu le cordon de police il y avait eu un mort et plusieurs blessés graves.)

Alors, François descendit les marches et, pendant près d'une demi-heure, il circula au milieu de cette foule agenouillée ou assise, touchant les mains, bénissant. *Allora,* comme il arrivait au dernier rang, un vieillard se tenant sur des béquilles de l'autre côté de la clôture métallique de l'aérodrome se mit à crier d'une voix rauque : *« El Papa! El Papa! »* S'approchant, François toucha ses doigts cramponnés au grillage. « Jésus! Jésus! hurla l'homme. Je marche! Je marche! » et il jeta en l'air ses béquilles.

Aussitôt, la foule recommença à se déchaîner. Sans la vigilance de la police, et le fait qu'il se trouvait à proximité d'une porte pratiquée dans la lourde clôture, le Pontife aurait été écrasé par cette ruée. La police réussit à le conduire jusque dans l'aérogare, où les personnages officiels, dont le cardinal archevêque, le Président et plusieurs membres du cabinet s'étaient réfugiés. Le comité d'accueil et *il Papa* durent patienter deux heures, jusqu'à ce qu'arrivât un renfort de militaires qui se formèrent en flèche sur six rangs pour dégager le chemin jusqu'au convoi automobile. Il régnait encore un tohu-bohu indescriptible, tout le monde hurlant, les mères tenant leurs enfants à bout de bras et, à la périphérie, des vieillards et des malades implorant la guérison.

Au moment où nous montions en voiture, François vit deux vieillards sur des civières, manifestement des paysans, que leurs familles, de type indien, avaient réussi à amener à un endroit devant lequel nous devions forcément passer.

– Touchez-moi! Guérissez-moi! imploraient-ils.

– Je ne puis guérir vos corps, leur dit François par le truchement d'un officier qui parlait l'anglais. Cela, Dieu seul le peut. Mais ce que j'ai, je vous le donne. Je vous pardonne vos péchés, comme le Christ m'en a donné pouvoir.

Il les toucha, fit sur eux le signe de croix, et leur imposa ses mains sur le front. Ils parurent déçus mais résignés.

A l'arrière de la limousine décapotée, François se laissa aller contre le dossier, épuisé mentalement et physiquement. Il me dit uniquement : « Mon Dieu, non, non. » Je ne sais si c'était prière ou refus.

En entrant dans la ville, où étaient également rassemblées de grandes foules, François se redressa, et fit des signes de la main en se forçant à sourire. Il savait alors, comme nous le savions aussi, que les choses ne s'arrêteraient pas là. Qu'elles ne s'arrêteraient peut-être jamais. Une fois calmée l'excitation, on aurait pu rejeter une guérison en tant que manifestation d'hystérie, mais deux guérisons, réelles ou imaginaires, engendreraient encore plus d'hystérie, ce qui, probablement, multiplierait les « miracles ». Notre seul espoir était de les nier, et de protéger le Pontife du contact avec les foules, surtout les foules latines, jusqu'à ce que s'en estompe le souvenir.

N'ayant pu approcher l'archevêque à l'aérogare, j'avais parlé de la santé de François à l'un des aides du Président. En arrivant au nouveau palazzo archiépiscopal, nous y trouvâmes le médecin personnel du Président et un pneumologue, chacun accompagné de ses assistants. François se laissa examiner de mauvaise grâce. Je crois que nous n'aurions pas réussi à l'y contraindre s'il n'avait été épuisé par les scènes à l'aéroport.

Ecco, le diagnostic fut celui que nous redoutions : pneumonie, et peut-être même pneumonie double. On pratiquerait une radiographie pulmonaire dès l'hospitalisation, dirent les médecins. Mais *il Papa* se montra intraitable. Il acceptait de garder le lit un jour ou deux au palazzo, mais l'hospitalisation était hors de question. Apparemment habitués à l'impérieuse attitude des patients officiels, les médecins n'insistèrent pas, se contentant de prescrire des antibiotiques et de faire venir au palazzo des infirmières et une tente à oxygène.

François se rendormit aussitôt. Sa respiration sifflante s'améliora considérablement lorsque la tente à oxygène fut enfin installée.

Fieschi, Pritchett, Martín, le doctor Twisdale et moi conférâmes avec l'archevêque de Mexico. De toute évidence, *il Papa* ne pourrait assister le lendemain à l'ouverture de la conférence épiscopale régionale. Il était même peu réaliste d'escompter qu'il pût y prendre une quelconque part, puisque celle de Lima, où il devait également paraître, s'ouvrait quatre jours plus tard. Il fallait, par ailleurs, diffuser un communiqué de presse. Le doctor Twisdale avait déjà préparé un bulletin médical assez neutre, annonçant que le pape François était traité pour une grippe aggravée d'une légère inflammation pulmonaire, et qu'il serait sur pied, sinon entièrement remis, sous trois ou quatre jours. Nous estimâmes ce texte suffisant.

– Mais il y a aussi cette question difficile de la nouvelle « guérison », nous avertit le doctor Twisdale. Que dirons-nous là-dessus?

– Il faut minimiser cette affaire de miracles. C'est évidemment absurde, remarqua Pritchett.

– Je ne suis absolument pas d'accord, intervint sèchement Fieschi. Ce serait rejeter la possibilité très réelle que nous ayons vu la main de Dieu, non une seule fois mais deux, et cela en deux jours. Cette possibilité que nous ayons assisté à de véritables miracles, nous ne pouvons pas plus la nier en nous-mêmes que vis-à-vis du public, ce serait manquer de foi dans la providence divine.

Le cardinal archevêque de Mexico eut un rictus. Il n'était manifestement pas l'homme des miracles.

– Je suis sûr que le señor Twisdale saura tourner un texte laissant la porte ouverte aux interprétations. Mais pour ce qui est du voyage, j'estime qu'il faut l'annuler. On en sera fort déçu à Lima et à Rio, mais la santé du Pontife passe avant tout.

Je savais aussi bien que les autres ce que pensait l'archevêque, et je l'appréciais assez peu. Il saisissait l'occasion de se débarrasser – et de débarrasser ses évêques – d'un Pontife qui mettait en péril ses relations avec le gouvernement, si péniblement acquises et conservées. Mais il agissait au fond en allié, car le cardinal Martín insisterait pour qu'*il Papa* reste simplement trois jours de plus à Mexico, sans annuler sa tournée. Les évêques mexicains pourraient siéger un peu plus longtemps, et quant aux conférences de Lima et de Rio, deux coups de téléphone suffiraient à les faire différer de trois ou quatre jours.

– Seul le Pontife peut réussir à unir les évêques dans cette œuvre de nettoyage de l'Église et de nous-mêmes. Si nous échouons maintenant, tout notre effort de vivification et de reconstruction de l'Église en Amérique latine échouera.

– Je m'accorde entièrement avec le cardinal Martín, dit Fieschi. Ce renouveau est très cher au cœur du pape. C'est lui qui doit lui donner son impulsion. Dieu ne nous le ravira pas.

– Vous n'avez pas la même optique que la nôtre, dis-je au doctor Twisdale. Que pensez-vous?

– En ce qui concerne les miracles, je n'y crois pas d'une manière générale, et je ne crois nullement que ces pauvres gens séniles ont été guéris d'un vrai mal. Mais, à New York, j'ai assisté à un authentique miracle : ce vieux Randall ouvrant son portefeuille. Cela fait plus de vingt-cinq ans que je vois fonctionner le bonhomme. Il volerait une lépreuse aveugle, même si c'était sa propre mère; son portefeuille fumerait qu'il ne l'ouvrirait pas devant les pompiers. Et le voilà qui s'amène, tombe à genoux et nous offre trente-six millions de dollars. Je n'aurais même pas cru Yahvé lui-même capable d'y arriver. Quant à différer ou modifier le programme de François, ce que nous pensons n'a absolument aucune portée. Si je connais bien mon Declan Walsh, il surgira dans vingt-quatre heures tout feu tout flamme de cette tente à oxygène et agira exactement comme il lui plaira – c'est-à-dire plus ou moins comme le préconise le cardinal Martín.

– Vous avez malheureusement raison, *dottore,* dis-je, et c'est bien pourquoi je souhaiterais tellement l'embarquer dans cet avion et le garder sous clé au palazzo pontifical ou à la *casina* avant qu'il ait eu le temps de se rendre compte qu'il avait quitté Mexico.

– Mais nous savons tous que c'est impossible, dit Martín.

Nous nous entre-regardâmes. Qu'y avait-il à ajouter?

– Avec l'aide de l'archevêque, proposa Pritchett, M. Twisdale et moi pourrions préparer un communiqué de presse.

– En qualité de secrétaire d'État, intervint Fieschi, je me réserve de l'approuver et d'assister à la conférence de presse. Je dois m'assurer que l'on n'escamote pas la possibilité que nous ayons assisté à deux authentiques miracles.

– Mais bien entendu, Votre Éminence, répondit Pritchett, surpris, comme nous tous, de la véhémence de Fieschi. Seulement je pensais qu'il valait mieux qu'aucun cardinal ne fût présent à la conférence de presse, car les journalistes ont l'art de déformer les propos en les séparant du contexte. Franchement, il sera plus facile de rectifier une « erreur » si M. Twisdale est seul devant la presse.

– J'insiste, dit Fieschi de toute sa hauteur aristocratique. En tant que secrétaire d'État, je n'ai, dans la hiérarchie ecclésiastique, d'autre supérieur que le Pontife lui-même. C'est moi qui ai tout pouvoir de décision jusqu'à ce que Sa Sainteté se rétablisse. Nous agirons comme le préconise monseigneur cardinal Pritchett, mais uniquement parce que j'estime que c'est la meilleure ligne de conduite; et j'assisterai à la conférence de presse.

– A votre gré, répondit Pritchett.

Nous échangeâmes un regard éloquent. Si Fieschi y assistait, nous serions également présents.

A dix-sept heures, vingt-cinq journalistes se présentèrent au palazzo archiépiscopal. Le doctor Twisdale avait spécifié qu'il ne voulait pas de photographes, et pas d'autre citation directe que les termes du bulletin de santé. Le *dottore* fut magnifique. Outre son anglais maternel, il parlait couramment le français et l'espagnol (alors que son italien était encore hésitant). Mais surtout, il donnait l'impression d'une totale sincérité. Je me remémorais, en l'écoutant, ce conseil paternel que m'avait rapporté Declan Walsh : « Mon fils, sois toujours sincère, que telle soit, ou non, ton intention. »

La voix du doctor Twisdale me rappela brusquement au présent.

– Vous en savez à présent autant que nous sur l'état de santé du pape, disait-il. Sa maladie est potentiellement sérieuse, mais les médecins sont sûrs qu'il sera bientôt rétabli grâce aux antibiotiques et au repos. Nous n'en faisons, pour notre part, qu'une affaire de quelques jours.

– Le pape pourra-t-il assister à la conférence épiscopale dans cette ville? demanda un journaliste mexicain.

– Sincèrement, je l'ignore. Nous espérons qu'il le pourra. Le cardinal archevêque de Mexico et le cardinal Pritchett vont demander aux évêques de la différer de quelques jours, et nous essayons pareillement de faire différer les conférences suivantes.

Le sujet de la santé du Pontife réglé en une question, les journalistes passèrent alors à ce qui les intéressait le plus.

– M. Twisdale, avez-vous une déclaration à faire au sujet du second miracle? demanda le *Time*.

– Le premier miracle, je le connais; c'est un journaliste qui pose une question intelligente. Quel est le second miracle, une réponse intelligente?

Les journalistes pouffèrent. Le doctor Twisdale se tirait adroitement de ce pas délicat. Mais je surpris chez Fieschi un noir froncement de sourcils.

– Avez-vous une opinion sur les causes de ces guérisons? demanda l'agence Reuters.

– Non. Je m'associe à celle du porte-parole du Vatican, ce matin.

– Cardinal Fieschi, lança *Il Tempo* (exactement comme je le craignais), quelle attitude prendra l'Église vis-à-vis de ces guérisons?

Fieschi se leva et répondit avec difficulté en anglais :

– Nous ne pouvons avoir d'attitude au sujet d'événements sur lesquels nous ne sommes pas vraiment informés. Pour l'instant, nul ne saurait dire si nous avons vu la main de Dieu ou simplement deux réactions hystériques similaires, bien qu'éloignées dans l'espace.

– Vous n'excluez donc pas la possibilité de miracles?

– En l'absence d'informations concrètes, il est difficile à l'homme rationnel d'exclure l'une ou l'autre possibilité.

– Mais pensez-vous personnellement que ce furent des miracles? insista le journaliste.

– C'est une question à laquelle je suis incapable de répondre, dit Fieschi. Je ne puis pour l'instant écarter aucune possibilité. En toute sincérité, je ne sais rien de ces guérisons. C'est tout ce que je peux dire.

– Quand aurez-vous les informations nécessaires? demanda *Der Spiegel*.

– L'Église est toujours lente à se décider à propos des miracles, intervint Pritchett, mais je suis sûr que nous pourrons vous proposer une tentative de réponse d'ici un ou deux siècles.

Les journalistes rirent, mais Fieschi resta impassible, et je vis que plusieurs correspondants notaient le fait.

Nous nous étions, dans l'ensemble, bien tirés de la conférence de presse. Fieschi avait peut-être hasardé un ou deux mots de trop, mais il n'avait aucunement engagé l'Église dans un sens ou dans l'autre. Je ne doutais pas, cependant, que les journaux feraient le lendemain de gros titres du genre : LE SECRÉTAIRE D'ÉTAT DU PAPE REFUSE D'EXCLURE LA POSSIBILITÉ DE MIRACLES. Considérant la quasi-conversion de Fieschi à l'idée d'authentiques guérisons, nous en sortions sans dommage, pour ne pas dire miraculeusement.

Le même soir, à vingt heures, après l'annonce radiodiffusée et télévisée de la maladie du Pontife, plusieurs milliers de personnes se rassemblèrent aux abords du palazzo archiépiscopal. C'était une foule recueillie, agenouillée, priant à voix basse ou récitant le rosaire. Il y avait là des vieillards, hommes et femmes, mais aussi de très jeunes gens des deux sexes. Certains restèrent toute la nuit, d'autres seulement quelques heures, mais il y avait toujours de nouveaux arrivants. *Ecco,* le lendemain matin la foule s'était encore grossie et, selon les estimations de la police, il devait y avoir à midi plus de vingt mille personnes agglutinées autour du palazzo.

François se réveilla vers dix heures trente et, comme l'avait prédit le doctor Twisdale, il n'était nullement d'humeur à retourner docilement à Rome. La pénicilline n'agissait pas encore, mais l'oxygène soulageait se respiration et la fièvre était un peu tombée. Il accepta de rester sous la tente, mais il se mit à lancer une série d'ordres. Il approuva en rechignant notre décision de différer la conférence épiscopale régionale.

Au bout de quelques minutes, il me questionna à propos de l'incident à l'aéroport. Comme aux États-Unis, lui dis-je, il s'agissait d'une vieille personne hystérique. La police avait conduit l'homme à l'hôpital où on le soumettrait à des examens approfondis. Les journaux mexicains avaient fait leurs manchettes de la guérison, l'informai-je, en publiant de longs articles sans grand rapport avec les faits auxquels j'avais assisté.

Je m'inquiétai pas *il Papa* avec ce que j'avais appris par ailleurs. Le doctor Twisdale s'était fait lire au téléphone, par un ami de New York, les articles parus dans le *New York Times* et dans le *Washington Post.* Le *Times* publiait les analyses de deux médecins offrant une explication naturelle, c'est-à-dire postulant l'hystérie, pour la prétendue guérison du New Jersey. Les deux journaux reproduisaient la déclaration de François, au moment de s'envoler pour Mexico, en l'attribuant à une haute source du Vatican, mais ils notaient également qu'après la seconde « guérison » le secrétaire d'État du pape se refusait à exclure la possibilité d'un miracle. Dans l'ensemble, ils relataient correctement et loyalement les choses. J'eusse préféré qu'ils se montrassent plus cyniques.

Je sentais que François souhaitait et redoutait tout à la fois de parler des deux incidents. C'est là une réaction normale. Nous avons tous plus ou moins rêvé de faire un miracle, et l'idée que ce pourrait être le cas doit procurer à la fois une satisfaction d'orgueil et une peur atroce.

Quel que soit l'état de ses poumons, François avait le cerveau clair. Et de fait, alors qu'assis sous la tente à oxygène il écoutait nos rapports, il me demanda brusquement d'inviter le Président à lui rendre visite. Étant donné la foule à l'extérieur, fis-je remarquer, cette visite ne pouvait lui faire politiquement du tort. J'aurais dû m'abstenir de parler de la foule, car à midi François insista pour que nous le conduisions au balcon. Vous pouvez imaginer l'allégresse que déclencha son apparition. Il agita les bras et fit le signe de croix. Mais il sembla content de réintégrer la tente.

Le Président – homme à la silhouette courte et trapue, le cheveu déjà rare mais l'œil noir flamboyant – entra à la tombée du jour et s'assit au chevet du Pontife. L'archevêque, Fieschi, monsignor Candutti, moi-même et les deux aides présidentiels assistèrent à l'entretien.

– Excellence, dit *il Papa* d'un ton mesuré, je dois vous expliquer comment j'envisage la place de l'Église dans le monde en transformation. Cette transformation effraie bien des chefs séculiers, et non sans raison, car elle est, pour quelques-uns, une menace. Nous avons été, à maintes reprises, une institution « entretenue », vous ne l'ignorez pas. Je me suis assigné à tâche de nous fixer des règles neuves. (Le Président écoutait, l'air impassible, mais ses yeux noirs étaient extrêmement mobiles. On pouvait voir qu'il évaluait les implications de chaque phrase.) L'Église doit être indépendante. Nous devons fonctionner dans le monde, mais non participer de ce monde. Nous ne pouvons avoir un enjeu matériel dans le *statu quo* ou dans la révolution ou dans n'importe quelle modalité intermédiaire. Nous devons être libres de prêcher la justice et de l'exercer. Nous devons être les témoins de la vérité du Christ, libres de critiquer les idées, les actes, les politiques, toute chose et tout le monde.

– Vous parlez d'une force indépendante, Très Saint-Père, intervint le Président, mais il serait pratiquement inévitable qu'elle devienne une force politique majeure, en concurrence avec les gouvernements.

– Vous avez raison, dit François après un instant de réflexion. Les idées morales conduisent à la force politique. Oui, l'Église serait rivale du gouvernement dans maints domaines; il doit en être ainsi. Voilà ce que les Romains avaient compris. D'où leur persécution du christianisme – encore que l'asservir soit peut-être un calcul politique plus prudent à long terme, comme l'ont bien compris les Latino-Américains. (Les deux hommes échangèrent un sourire.) Peut-être vous souvenez-vous, au temps où vous étiez avocat et où je voulais devenir juge, de ce que je formulais ainsi : « L'Église et l'État doivent être séparés, mais on ne peut séparer la moralité de la politique. » Eh bien, je ne dis rien d'autre à présent. De même que nous ne pouvons admettre que des fonctionnaires gouvernementaux décident de ce que nous prêcherons et de qui prêchera au nom du Christ, nous ne pouvons avoir une Église et des ecclésiastiques liés à un gouvernement – ou à une opposition – par des privilèges présents ou à venir, sinon, dans les cas les plus fréquents, par son assimilation interne des normes du gouvernement en place. Nous devons être prêts à nous élever contre toutes les formes d'injustice. L'Église que je veux ne doit avoir d'autre souci que les âmes des hommes et des femmes.

– Mais où sont les limites d'un tel pouvoir? Je n'en vois pas, dit le Président.

– Mais si. Nous n'avons par exemple aucun droit de conseiller l'adhésion à un parti politique, ni de trancher si un candidat est plus moral qu'un autre – dans des circonstances normales. Notre intervention directe ne se justifie que si un gouvernement commet, ou va commettre, de graves crimes. Mais notre ligne de conduite courante est de prôner clairement et sans équivoque la justice sociale, et de dénoncer les injustices effectives ou potentielles.

– Et bien entendu, Très Saint Père, vous devez encourager votre peuple à se mêler des affaires publiques, s'ils veulent mettre leurs idées en pratique?

– Si vous entendez par là un réveil de l'Action catholique, la réponse est négative. Si vous croyez qu'il s'agit de renforcer les partis chrétiens-démocrates, elle est également négative. Ce que je veux, c'est que les chrétiens soient profondément sensibilisés, dans leur vie privée et publique, aux questions de justice sociale.

Allora, le Président se leva, alla à la fenêtre et écarta le rideau pour voir la foule agenouillée dans la rue. Puis il se retourna.

– Votre Sainteté, articula-t-il lentement, avec tout le respect qui vous est dû, vous vous exprimez avec la naïveté d'un idéaliste américain. Vous transposez l'image politique américaine dans le reste du monde. Aux États-Unis, vous avez deux partis, fort voisins, et s'accordant pour rivaliser dans des limites constitutionnelles pacifiques. Son adhésion au parti démocrate ou républicain ou même à un des petits partis ne pose aucun problème même au catholique qui communie quotidiennement. Les deux partis restent parfaitement dans le cadre du christianisme, sauf peut-être, ajouta-t-il avec un sourire, lorsqu'ils s'occupent de nous. Mais en Amérique latine, nous avons des dictateurs fascistes, des dictateurs non idéologiques, un dictateur communiste, un ramassis d'oligarchies, et des tentatives sérieuses, bien que sporadiques, de démocratie constitutionnelle. Tous ces gouvernements ont en face d'eux des oppositions vigoureuses et parfois violentes. J'entends par ce dernier mot terroristes, littéralement meurtrières, et tant de gauche que de droite.

» Et nous avons souvent aussi un système bipartite, poursuivit sardoniquement le Président, l'un au pouvoir et employant tous les moyens possible pour y rester, y compris la terreur et l'assassinat, et l'autre prêt à les employer pareillement pour s'emparer du pouvoir et le conserver. Plus souvent encore, nous avons au pouvoir une clique sans scrupules et sans idéologie, et une série de cliques semblables attendant de la renverser. Lorsque les marxistes et les fascistes se battent entre eux ou contre une clique militaire, il ne peut y avoir de neutres. Des victimes innocentes, peut-être, mais pas de neutres. Dans des situations de ce type, poursuivit le Président, l'Église ne peut pas plus être politiquement neutre selon vos nouveaux critères de justice sociale qu'elle ne le pourrait selon les anciens critères de l'intérêt personnel. Une Église prêchant véritablement la justice sociale ne peut rester muette lorsqu'un gouvernement permet à des sociétés de tenir les mineurs virtuellement en esclavage – lorsque ce n'est pas lui-même qui les tient en esclavage. Et elle ne peut pas plus rester muette lorsque l'opposition projette le massacre de la bourgeoisie. Nous n'avons pas ici deux partis différents essayant de trouver un moyen terme entre des intérêts divergents, mais uniquement des amis sûrs et des ennemis implacables, prêts à combattre à mort. Le moins que devra faire l'Église, c'est de rechercher une base politique intermédiaire. Voilà en fait ce que j'attendrais de vous.

– Mais ce serait là constituer un pouvoir politique de première grandeur. Et pour se défendre contre ceux qui ne voudraient pas de ce pouvoir, l'Église devrait chercher des alliés politiques, c'est-à-dire se tourner vers l'opposition ou vers le *statu quo*.

– Exactement, Très Saint-Père, exactement. Vous êtes inévitablement une force politique, vous l'avez dit.

– Mais si nous refusons l'alternative en choisissant de demeurer avec les pauvres diables coincés au milieu?

– Ce serait le trépas.

– Au moins la persécution.

– Dans la meilleure des hypothèses, vraiment la meilleure.

– C'est un risque que nous devons prendre.

– Ce n'est pas un risque. C'est une certitude absolue.

– Mais vous saisissez bien ce que je vous dis ici, au Mexique? Si vous essayez de pratiquer la justice sociale, vous n'avez pas à nous craindre. Nous devons prêcher la justice entre les hommes, entre les hommes et leur gouvernement, et entre les gouvernements.

– Très Saint-Père, je saisis parfaitement ce que vous dites et ce que vous voulez. Je crois que vos idées opéreraient aux États-Unis, en Angleterre et au Canada. Je crois que vous voulez le bien de mon peuple. Mais, en Amérique latine, vos bonnes intentions auraient des résultats néfastes. Outre que tous les dirigeants n'accepteraient pas votre solution, il y aurait aussi vos évêques, qui ne sauraient pas tous résister à la tentation du pouvoir. Sans manquer de respect à Votre Sainteté, les catholiques parlent beaucoup de l'autre monde, mais bien des évêques semblent extrêmement avides de pouvoir dans ce monde-ci.

– C'est fort juste, Excellence, et nous aurons la tâche de choisir des hommes dont les ambitions se limitent à l'autre monde. Nous savons que nous n'y réussirons pas toujours. Il nous faudra une grande vigilance pour ne pas devenir une force séculière de plus. Je ne veux pas d'évêques qui soient des seigneurs féodaux. Je veux qu'ils cherchent la justice et soient prêts à affronter le martyre, mais non qu'ils aillent au-devant de lui.

– Je vous ai fatigué, Très Saint-Père, conclut le Président en souriant. Je vais vous laisser reposer.

– Vous m'avez conseillé, non fatigué. J'apprécie votre sincérité. Montrons-nous au balcon ensemble.

François se leva, passa une robe de chambre, et, une main sur l'épaule de l'archevêque et l'autre sur celle du Président, il sortit sur le balcon. Un tumulte d'ovations s'éleva, parmi lesquelles *« Viva el Papa! »* noyait nettement *« Viva el Presidente! »*.

23.

François se rétablit si rapidement, sinon complètement, que quarante-huit heures plus tard il faisait le discours inaugural de la conférence épiscopale régionale. Celui-ci fut court mais incisif. Il n'y avait qu'un seul sujet à l'ordre du jour : la mise en œuvre du renouveau spirituel en Amérique latine. *Il Papa* avoua franchement qu'elle servirait de terrain d'expériences. Depuis des siècles, l'Église savait conduire les retraites individuelles ou par petits groupes, mais il s'agissait ici d'une tentative de dimension mondiale. On commettrait inévitablement des erreurs. Mais les problèmes en Amérique latine et dans le reste du monde étaient trop aigus pour qu'on pût tarder plus. François esquissa une fois de plus ses idées sur les rôles neufs que jouerait l'Église dans la société. Plus encore en Amérique latine qu'ailleurs, la justice sociale exigeait que l'Église demeure totalement indépendante des régimes en place comme des mouvements d'opposition. Le clergé comme le laïcat risquerait la souffrance, peut-être le martyre.

– Nous savons, dit-il pour finir, que la route que nous définissons est étroite, sinueuse, et bordée de part et d'autre de gouffres profonds. Elle peut être minée politiquement, et la suivre, c'est risquer de sanglantes pertes. Le chrétien qui marche dans la vérité ne recherche pas le martyre, mais il ne le craint pas non plus. Pour nous, le Christ a vaincu la mort. Nous marchons dans les pas du Christ et de ses Apôtres. La souffrance et la mort n'ont pas de prise sur nous.

L'allocution du Saint-Père terminée, les travaux commencèrent immédiatement. Pritchett avait superbement organisé les choses – tout en se retranchant derrière Martín et ses amis afin que n'apparaisse pas le spectre du « Gringo romain », comme le disait François. Les cent quarante évêques se divisèrent en dix commissions ayant à débattre de cinq problèmes spécifiques. Les dix comptes rendus des débats seraient ensuite présentés devant l'assemblée au complet, suscitant d'enrichissantes discussions puisque chaque sujet aurait fait l'objet d'une double étude.

Nous fûmes obligés de partir avant le dépôt des conclusions des commissions. Au demeurant, François ne portait pas un intérêt capital aux solutions spécifiques. L'important, pour lui, c'était que les évêques essaient d'en chercher en commun, et qu'il pût lui-même leur parler directement. Durant ces trois jours, il réussit à passer au moins une heure avec chaque commission, les transformant, à chaque fois, en séminaires de réflexion.

Sous ce rapport, il était superbe, posant des questions qui faisaient rebondir le débat, répondant lui-même aux questions avec une désarmante sincérité. Certes, il était bien alors *il Papa*, mais en même temps aussi *il professore*, celui qui possède un esprit incisif et un vaste savoir. Sa puissance intellectuelle se doublait d'une certaine humilité, qui facilitait le contact. Contrairement à notre verbosité italienne, à nos circonlocutions ampoulées, il allait droit au fait. Et il n'était pas rare de l'entendre dire : « Je n'avais pas encore songé à cet aspect » ou « Voilà qui est intéressant; voyons où cela nous mène. »

Son aura de sainteté devenait plus apparente dans ces discussions de groupe. Non que son esprit fût moins acéré, mais on sentait opérer un pouvoir dépassant de loin le simple intellect. Peut-être cela était-il rendu plus sensible par l'absence de toute emphase « pontificale ».

François impressionnait considérablement les Latino-Américains, mais les persuader que leur Église devait se débarrasser de ses biens serait difficile. Certains évêques étaient d'ailleurs plus horrifiés qu'heureux de voir *il Papa* s'installer à la même table qu'eux et discuter de leurs problèmes.

En bref, la première conférence épiscopale régionale se déroula fort bien. Pritchett et Martín étaient encore plus enthousiastes que moi. Nous laissâmes les évêques à leur préparation des retraites et des procédures propres à coordonner, en ce sens, les efforts des franciscains et des jésuites. Il leur restait aussi à mettre au point une déclaration commune de neutralité politique ainsi qu'un encouragement aux diocèses à disposer des biens de l'Église.

Pour la plus grande satisfaction de Fieschi, il y eut une majorité écrasante pour soutenir une motion demandant la renégociation des concordats du Vatican avec les gouvernements séculiers. Voilà le genre de « pressions » dont monsignor Candutti pouvait faire le plus utilement état devant ces gouvernements.

Je dois dire aussi que la présence des nouveaux évêques et coadjuteurs choisis par Martín contribua notablement au succès de la conférence. Ce que Rome voulait était ainsi mis en évidence, de même que sa détermination à l'obtenir. Dans une telle ambiance, il était relativement facile de suivre en toute confiance la voie tracée par le Pontife.

Deux choses, cependant, m'inquiétaient. Il y avait, avant tout, la santé de François. En fin de journée, il était absolument épuisé. N'eût été cette habitude civilisée qu'ont les Mexicains de faire la sieste – l'heure sainte, comme l'appelait la signora Falconi – *il Papa* n'aurait pas survécu. Les médecins déclarèrent nettement que s'il ne gardait pas la chambre pendant au moins une semaine, il risquait une grave rechute, mais il n'en tint aucun compte.

Allora, le second problème, celui des « guérisons », était chronique. La disposition du palazzo archiépiscopal permettait à François d'assister à la conférence sans sortir du périmètre. Il faisait de fréquentes apparitions publiques, mais du haut du balcon, hors de portée de la foule. Or il ne survient pratiquement pas de guérisons hystériques sans contact physique.

François en savait autant que moi sur le sujet. Et il était curieux de son pouvoir, car *c'était* un pouvoir que de rendre les gens hystériques par son seul contact, même s'il n'avait rien de miraculeux. Or, tout en redoutant ce pouvoir, il avait envie de l'éprouver. Le matin où nous nous envolâmes pour Lima, il insista pour partir dans une voiture découverte et, à maintes reprises, il toucha les mains qui se tendaient vers lui.

Et bien sûr, il y eut de nouvelles guérisons. Elles se mélangent à présent dans mon esprit, mais il me semble que sur le chemin de l'aéroport de Mexico, une adolescente fut instantanément débarrassée de l'acné – sujet favori des publicités à la télévision américaine. Mais la presse – et l'intéressée – crièrent à la guérison. Et puis il y eut celle de l'homme devenu sourd à la suite d'un accident d'automobile, mais je ne me souviens plus si c'était à Mexico ou à Lima, simplement qu'il y eut deux guérisons sur le chemin de l'aéroport.

Comme on pouvait s'y attendre, notre arrivée à Lima suscita un enthousiasme encore plus délirant qu'à Mexico. Et, là aussi, il y eut un « miracle » : un homme paralysé jusqu'à la taille à la suite d'un accident d'automobile se mit à crier qu'il pouvait marcher. Même si c'était vrai, c'était bien cher payer les trois morts et les dizaines de blessés dans la bousculade pour approcher *il Papa.* Celui-ci proposa de lui-même à Lima que nos trajets entre les aéroports et les villes s'effectuent désormais en hélicoptère.

Les événements de Mexico avaient suscité chez lui une réaction d'abattement et non d'exaltation. Et il en alla de même après toutes les prétendues guérisons. L'hystérie qu'il faisait naître chez les autres le vidait émotionnellement. *Allora,* il devait accepter le fait qu'il détenait un pouvoir sur les gens. Peut-être n'était-il pas plus divin que celui d'un hypnotiseur ou d'un éloquent représentant de commerce, mais il était bien réel. François avait acquis un don terrible. Dieu seul savait ce qu'il ferait à l'homme – ou à l'Église.

Il ne voulait pas en parler. Peut-être en était-il incapable. Pendant le vol, j'allai lui tenir compagnie dans la petite chambre de l'avant où il était installé. Il était tranquillement assis avec l'abbé, pour une fois inactif. Je m'assis sur le lit et les regardai.

– Il ne veut pas en parler, dit l'abbé.

– Mais il le faut, répondis-je.

– Je n'y arrive pas, du moins d'une façon cohérente, murmura François. Je n'ai qu'une seule pensée : pourquoi moi?

Je soupirai. Nous avions déjà eu cette conversation en Amérique au mois de juin. Je soupçonnais que nous y reviendrions tout au long de notre vie.

– Parce que vous êtes *il Papa.* Vous avez fait des choses dramatiques, des choses saintes. Vous parcourez le monde en prêchant la justice sociale, vous vendez les trésors d'art du Vatican pour financer cette campagne. Vous essayez d'amener la paix; vous avez fait stopper le bombardement d'une ville au risque de votre vie; vous avez imploré à genoux les dirigeants séculiers de donner à leurs peuples la paix et la justice. Vous êtes venu en Amérique latine encourager les évêques à revenir à une vie simple, afin que tous les hommes trouvent le royaume de Dieu en eux-mêmes. Ce sont des gestes exaltants pour l'imagination du monde.

– Je n'ai rien fait qu'un pape ne doive faire.

– *Ecco,* c'est sans doute vrai. Mais vos prédécesseurs, Dieu ait pitié de leur âme, n'ont rien fait de cela. Vous avez touché les cœurs et les esprits. Et vous-même avez changé. Cela vous a donné un grand pouvoir. Le prix de ce pouvoir c'est, partiellement, ces guérisons hystériques.

– Des guérisons hystériques. Oui, je le crois, et vous le croyez. Mais lisez ceci.

Il me tendit un message enregistré par le radio du bord. C'était un rapport préliminaire des médecins de l'hôpital de l'université de Pennsylvanie. Bien que prudemment formulée, sa teneur était claire : la patiente avait une vision et des organes oculaires normaux pour son âge. Il n'y avait pas trace de glaucome, avancé ou naissant, bien que l'ophtalmologiste de la patiente ait attribué sa cécité à cette affection (non soignée pendant des années, avait-il dit). Des tests poursuivis pendant quatre jours n'avaient pas fourni d'explication probante de cette modification soudaine de l'état de la patiente, dans l'hypothèse où il y aurait eu glaucome. Le rapport précisait que la patiente n'avait jamais souffert de troubles mentaux et que, malgré son « âge avancé » de soixante-treize ans – observation que je trouvai absurde; nous sommes beaucoup à être à l'apogée de nos facultés intellectuelles à cet âge ou même plus tard – elle ne présentait aucun signe de détérioration physique de ses facultés mentales.

J'empochai le message en promettant de le remettre au doctor Twisdale en vue d'un communiqué de presse.

Passant à l'arrière de l'appareil, je fis signe à Fieschi de me rejoindre dans la deuxième chambre. Ayant lu le rapport, il me dit qu'il s'y attendait. Il avait un regard illuminé, un peu comme ces jeunes gens qui aujourd'hui usent de la drogue.

– Deux nouvelles guérisons sur le chemin de l'aéroport, et à présent ce rapport, dit-il. Dieu nous pardonne d'avoir douté. Il a étendu sa main et Il nous a touchés. Ugo, avez-vous jamais eu une vision?

– Jamais à jeun, dis-je avec un humour forcé.

– Le moment n'est pas à la plaisanterie, Ugo. Dieu s'est manifesté dans le monde, parmi nous. Rien de tel n'est arrivé depuis le temps des Apôtres.

– Éminence, la seule certitude que nous ayons, c'est que des gens sont devenus hystériques lorsqu'*il Papa* les a touchés.

J'aurais pu m'abstenir de répondre, car Fieschi poursuivait sans m'entendre. Il n'était pas italien pour rien.

– Moi, j'en ai eu une.

– Une vision de quoi?

Il commençait à m'inquiéter. J'ai passé ma vie dans la prière et en compagnie de gens qui vivaient dans la prière. *Allora*, jeune, je priais pour que me fût accordée une vision, ou au moins un signe. Et il m'arrive parfois encore de le faire. Mais Dieu n'a jamais daigné Se manifester à moi de cette façon. Des gens qui disaient avoir eu des visions, j'en ai connu. Subjectivement, ils disaient la vérité. Mais, affectivement, ils manquaient de stabilité. Fieschi, en revanche, m'avait toujours paru un roc.

– C'était plutôt une vision de vision, me dit-il. Elle m'est venue en rêve. J'ai rêvé que je me réveillais sur un pavement de marbre. C'était l'hiver, mais le pavement était chaud. Je regardais le plafond – également en marbre blanc – et j'étais épuisé. Et puis quelqu'un me dit que j'avais dormi trois jours. Je lui expliquai pourquoi : j'avais vu la face de Dieu. Peu après je me suis réveillé avec un sentiment de joie et, en même temps, de profonde paix. Mais mon secrétaire était inquiet. Il me dit que j'avais dormi pendant dix-sept heures. Il était cinq heures de l'après-midi. Or vous savez que la nuit je ne dors jamais plus de six à sept heures.

– Expérience intéressante, remarquai-je prudemment.

– Plus qu'intéressante, Ugo. Je suis sûr que mon état d'épuisement venait de ce que c'était une expérience surnaturelle.

– Est-ce que vous vous en souvenez?

– Non. Je me souviens seulement que, dans mon rêve, je me suis réveillé avec un sentiment de la réalité plus vif que celui qu'on éprouve dans ce monde sensible. Je sais que j'ai eu une vision, mais je n'ai jamais pu comprendre la forme qu'elle avait prise – mon incapacité à m'en souvenir. A présent, j'en comprends la signification. Le rêve signifiait que la vision de la face de Dieu ne devait pas être mienne, mais que j'en verrais et éprouverais les effets.

Ne sachant que répondre, je changeai de conversation, en évoquant la façon dont nous devrions traiter les questions que l'on nous poserait inévitablement et, en un clin d'œil, Fieschi recouvra son sens pratique d'administrateur.

– Allons en discuter avec le doctor Twisdale, et nous préparer à affronter les journalistes et leurs questions.

Allora, la conférence régionale de Lima était plus large que celle de Mexico, et elle se révéla physiquement plus éprouvante. François y rencontra plus de deux cents évêques, assista aux travaux de vingt commissions – l'homme le plus solide n'y aurait pas résisté. Sa toux persistait, et il était extrêmement pâle lorsque nous montâmes dans l'hélicoptère qui nous emmenait à l'aéroport. Le cardinal Pritchett et moi avions un peu triché en le faisant embarquer deux heures avant le décollage pour Rio. Aussitôt à bord, François accepta sans difficulté de se coucher, et il sombra dans le sommeil.

A l'aéroport de Rio, le comité d'accueil comprenait deux généraux de la junte brésilienne. Ils se montrèrent cordiaux bien qu'ils aient dû ressentir comme un camouflet l'élévation au cardinalat de l'archevêque de Recife, d'autant plus que juste avant de recevoir la barrette il avait accusé publiquement la junte de mener une campagne systématique de tortures et de meurtres contre son peuple. François prit les généraux entièrement au dépourvu en les invitant – à portée de voix des journalistes – ainsi que le Président, à une audience privée le soir même, au palazzo du cardinal archevêque de Rio. Les généraux bégayèrent une réponse embarrassée, parlant de grand honneur et de programme du Président.

– Nous sommes sûr que, si l'honneur est aussi grand que vous le dites, Son Excellence arrangera facilement son programme. Nous l'attendons à dix-huit heures.

Les généraux transpiraient abondamment, même en tenant compte que Rio en janvier est l'équivalent de Rome en juillet. *Il Papa* les libéra d'un geste de la main :

– Mes fils, que le Dieu Tout-Puissant vous bénisse et vous emplisse d'amour pour votre prochain.

C'était la première fois que je l'entendais dire « Mes fils ».

La conversation fut si rapide, pendant cette audience accordée au Président et aux deux membres de son cabinet, que je ne puis vous la rapporter textuellement. (A ce propos, le *New York Times* en publia quelques jours plus tard un compte rendu remarquablement fidèle; j'ai toujours soupçonné François d'avoir fait organiser cette fuite par le doctor Twisdale.)

Étaient présents à l'audience, en même temps que moi : l'abbé, le doctor Twisdale, Fieschi, Martín, Candutti, le cardinal archevêque de Rio, le nouveau cardinal archevêque de Recife et notre nonce à Brasilia. Il n'y avait pas d'interprète, car les généraux parlaient couramment l'anglais. François fut aimable mais ferme. C'était « le cœur troublé », dit-il à la junte, qu'il avait reçu des informations sur les tortures et les meurtres systématiques.

– Nous savons que c'est vrai, mes fils, insista François. Notre secrétaire d'État en détient des preuves irréfutables, parmi lesquelles des photocopies d'instructions à cet effet signées du Président lui-même.

– Des faux, sans aucun doute, dit le Président d'un air railleur.

– Nous avons vérifié cette éventualité, mon fils. C'est votre signature. Ces documents, nous ne souhaitons pas les publier, à condition de recevoir, dans les semaines qui viennent, des assurances immédiates d'une modification radicale de ces conditions – suivies de preuves tangibles qu'elles sont modifiées de façon permanente.

Aussitôt, le ton de courtoisie officielle s'altéra. Un des généraux laissa entendre que les prêtres ne pourraient jamais comprendre la politique, et qu'un Nord-Américain ne pourrait jamais comprendre l'Amérique latine.

– Des mesures rigoureuses sont souvent nécessaires, ajouta-t-il, lorsqu'on a affaire à des gens qui n'ont ni respect pour la loi ni conception de ce que sont la justice et l'ordre – en bref, des anarchistes, des terroristes et des communistes.

François répliqua que la terreur et l'oppression par un gouvernement détruisaient le respect de la loi et aidaient à faire de braves gens des anarchistes et des communistes. Le Président dit que son gouvernement dirigerait le Brésil comme il le jugerait bon et que si cela ne plaisait pas aux ecclésiastiques ils pouvaient s'en aller, ou être expulsés.

– A moins, dit-il avec un rictus, que nous en gardions quelques-uns dans nos appartements spéciaux pour qu'ils constatent par eux-mêmes si on y torture ou non.

– Alors, mes fils, nous constaterons aussi si vous pouvez diriger le Brésil sans l'amour de Dieu. De même que la lune reflète seulement la lumière du soleil, vous reflétez seulement l'autorité que vous a accordée Dieu. Et nous sommes Son Vicaire. Cette autorité, nous pouvons la révoquer. Croyez-vous que nous ne serions pas capables de déclencher demain une révolution? demanda François devant le mauvais sourire du Président. Pensez-vous aux foules massées à l'extérieur juste pour apercevoir notre personne?

– N'oubliez pas, puisque vous en êtes au chantage et à la menace, rétorqua un des généraux, que, contre le Vatican, nous détenons des milliers de prêtres et d'évêques en otages.

– Nous ne l'oublions pas. Mais nos peuples, le vôtre et le mien, se souviendront, s'ils doivent affronter le martyre, des paroles de l'hymne : « Mourir avec Lui, c'est notre joie; la liberté, c'est la Croix. » Et vous-même ne pouvez oublier qu'ici huit habitants sur neuf sont catholiques. Créer des martyrs, ce serait fortifier l'Église dans le cœur de ces gens. Ce serait engager un combat où vous perdriez votre pouvoir, vos vies et, pire encore, vos âmes. Écoutez-nous, non dans un esprit de défiance et de colère, mais dans un esprit de prudence sinon de repentir. Nous nous prononçons pour la séparation de l'Église et de l'État, mais aussi pour le devoir de dénoncer et de combattre l'injustice sociale. Nous acceptons le risque du martyre pour notre clergé, pour notre peuple et pour nous-même.

Allora, l'audience se terminait dans la colère. Il n'y aurait pas d'amélioration. François avait en fait aggravé la situation, ne serait-ce simplement qu'en rencontrant ces bandits ou du moins, s'il ne pouvait s'en dispenser, en ne laissant pas monsignor Candutti conduire la discussion, pour rester lui-même au-dessus du conflit. En revanche, Fieschi était sûr que François avait agi précisément comme il le fallait. Monsignor Candutti gardait un silence morose.

Je dois avouer que le jugement de Fieschi avait été meilleur que le mien. Après notre départ du Brésil, il n'y eut pas de changement déclaré et soudain dans la politique, mais nos sources – principalement des prêtres et des religieuses – nous firent part d'une légère, mais sensible, amélioration de la situation.

La conférence épiscopale régionale de Rio fut la plus épuisante des trois : le Brésil était représenté par deux cents évêques, l'Argentine en avait cinquante-cinq, l'Uruguay dix, et il y avait même celui des îles Falkland. Nous dûmes annuler plusieurs séances du soir, et le médecin du cardinal archevêque supplia le pape François de prendre du repos. Il accepta en définitive de se limiter à deux apparitions publiques, l'une à Brasilia, l'autre à Rio.

Nous nous rendîmes à Brasilia par hélicoptère. François devait, en fin d'après-midi, célébrer la messe et faire une homélie dans un *colosseo* de football. Le gouvernement avait soulevé maints problèmes afin de nous faire renoncer à ce projet. Mais Fieschi et Candutti avaient magistralement négocié. Fieschi ne s'était laissé ébranler par aucun argument, jouant tout à la fois de son arrogance aristocratique et du procédé de François consistant à parler haut et fort dans les parages de journalistes. Le gouvernement avait également échoué à décourager les fidèles, car, selon les journalistes, il y avait au moins deux cent cinquante mille personnes dans le *colosseo* et autour.

En dépit de nos appréhensions et des conseils de prudence du chef de la police, *il Papa* fit, en voiture, le tour extérieur du *colosseo*. La police eut les plus grandes peines à contenir la foule. Par deux fois François essaya de calmer les agents qui déployaient une violence excessive, mais je doute qu'ils l'aient entendu au milieu des hurlements.

A l'intérieur, tout se passa bien jusqu'au moment de notre départ. La sortie principale était bloquée par des mendiants, des malades et leurs familles et amis. La police se préparait à charger, le bâton haut. Le cardinal archevêque de Rio demanda par haut-parleur à ces gens de rester absolument immobiles de crainte que le pape soit blessé, et François se mit à circuler parmi eux. Comme à Mexico, il dit qu'il n'avait pas le pouvoir de guérir, mais simplement d'apporter l'Évangile de l'amour du Christ et le pardon des péchés. Quelle scène mémorable! Le Pontife romain allant d'un mendiant à l'autre, d'une civière à l'autre, souriant à ces malheureux, les touchant, les bénissant. Son interprète, un *monsignore* brésilien, était visiblement bouleversé.

Et comment les choses n'auraient-elles pas recommencé? D'une civière, une femme bondit en clamant qu'elle était guérie; j'ai oublié de quel mal. Deux minutes plus tard, un jeune garçon muet depuis quatre ans, à la suite de la mort de ses parents, retrouvait la parole dès que François lui eut effleuré les lèvres – simple caresse, me dit-il par la suite, sur ce visage enfantin suppliant.

Tandis que la nouvelle se répandait dans le *colosseo* comme une traînée de poudre, je sentais monter une agitation irrépressible. La police agit promptement en demandant par radio qu'un hélicoptère descende au-dessus de l'estrade où avait été célébrée la messe, au centre du *colosseo*. Et, ramenant précipitamment *il Papa* jusque-là, les agents l'aidèrent à grimper dans l'hélicoptère par l'échelle. Et tandis que l'appareil décrivait lentement un cercle au-dessus du stade, François resta debout, silhouette s'encadrant dans la porte et faisant le signe de croix.

Cette apparition publique constitua, comme le voulait François, une importante démonstration de sa puissance, au nez même de la junte. Les généraux pouvaient bien se moquer de ses appels à la justice, ils ne purent manquer d'être impressionnés par sa capacité à réunir et soulever une foule, de même, probablement, que par les « guérisons ». Le miracle du magnétisme personnel ne devait pas laisser de les intéresser.

L'apparition publique *del Papa* à Rio provoqua une démonstration de ferveur populaire encore plus énorme. Nous réussîmes à obtenir de la police qu'elle dégage toute circulation d'une des piazzas centrales, et qu'elle laisse François s'adresser à la foule du haut d'un balcon, afin d'éviter un contact physique. La piazza et toutes les rues qui y débouchent étaient combles. Certains journaux estimèrent la foule à un demi-million de personnes; d'autres avancèrent le chiffre de sept cent cinquante mille, et l'un alla même jusqu'à un million. En vérité, je n'en ai aucune idée.

24.

Le trajet de retour à Rome nous réserva sa part de surprises, encore que d'un genre différent. Si le don du signor Randall avait été une grande source de joie, je ne sais comment désigner le phénomène des « guérisons » autrement que comme un don terrible. Eh bien, ce qui nous échut ensuite ce fut la mort et la menace de la mort. Je ne parle pas de cette partie du voyage sans douleur – sinon, comme le formulerait un psychiatre, sans un sentiment de culpabilité.

Nous devions faire escale à Dakar pour le ravitaillement en carburant. Monsignor Candutti avait averti télégraphiquement les autorités de police des graves problèmes suscités par les rassemblements massifs. Notre escale ne durerait d'ailleurs pas plus d'une heure. François resterait à bord, où il recevrait l'archevêque, un Noir parlant français, ainsi que diverses personnalités politiques, et il bénirait l'assistance du haut de la passerelle.

Dès le décollage, peu après neuf heures, François, Fieschi, l'abbé et moi nous réunîmes dans la salle de conférence à l'avant de l'appareil. *Il Papa,* qui manifestement retrouvait ses forces, résuma ses plans pour un recrutement plus international des échelons subalternes de la Curie. Tout d'abord, une habile campagne de promotion afin de répandre l'idée que les non-Italiens pouvaient y faire œuvre utile. Ensuite, on représenterait aux évêques qu'en recommandant des gens de valeur pour les postes de la Curie, ils rendraient un signalé service à l'Église, tandis que les pays auraient le bénéfice d'une représentation de bon niveau au Vatican. Et, en troisième lieu, il y aurait le recrutement sur ordinateur, grâce à la mise en mémoire des dossiers des meilleurs séminaristes et jeunes prêtres. Fieschi, qui semblait parfaitement comprendre ce système, prenait avidement des notes. Pour ma part, je suis dépassé par l'électronique.

Je fis état de quelques doutes, ne serait-ce qu'au sujet de la coopération des évêques locaux. Tout en admettant qu'il pourrait y avoir là des problèmes, François estimait qu'une fois le système en place les évêques en verraient les avantages. Il voulait d'ailleurs fixer une limite à cette occupation d'un poste dans la Curie : de cinq à huit ans, après quoi les intéressés regagneraient leur diocèse. Ainsi les évêques ne perdraient pas définitivement leurs prêtres.

Allora, juste à ce moment on frappa à la porte : l'opérateur radio apportait un message. François le parcourut et devint livide. Il jeta la feuille sur la table. L'information était datée de midi, heure de Rome. Deux prêtres hollandais et une religieuse belge, s'enchaînant à une des bornes de ciment qui entourent l'obélisque au centre de la place Saint-Pierre, s'étaient immolés par le feu pour protester contre « un pape qui peut faire des miracles mais non abolir la cruauté du célibat sacerdotal ou permettre l'ordination des femmes ».

François pressait ses mains contre ses tempes. L'abbé se pencha vers lui :

– Vous n'allez pas bien?

– Si. Je veux simplement rester un moment seul. Laissez-moi tous.

Nous sortîmes immédiatement, mais ce fut une erreur. Je compris par la suite que François avait probablement eu une légère attaque. Qu'aurions-nous fait, d'ailleurs, si nous nous en étions rendu compte, je l'ignore. *Ebbene,* n'en sachant rien, nous ne fîmes rien.

Lorsque je revins au bout d'une heure, je le trouvai à demi-inconscient. Il avait d'énormes difficultés à parler. En l'absence de tout signe de paralysie, je ne songeai nullement à une attaque, et je crus à la rechute prédite par les médecins mexicains. Nous prévînmes Dakar par radio d'annuler toute entrevue et d'envoyer un médecin à l'aéroport. Dès l'atterrissage, le médecin – un Français dont j'eus assez piètre opinion – vint examiner *il Papa* à bord. Dès qu'il apprit la pneumonie et la prédiction d'une rechute, son diagnostic était fait, ainsi que son ordonnance : oxygène (il y en avait des bouteilles dans l'appareil), antibiotiques (nous en étions également munis) et repos.

Fieschi ayant eu, lui aussi, mauvaise impression du Français, il ordonna que l'appareil repartît pour Rome dès le plein de carburant terminé.

Malgré la brièveté de l'étape prévue à Dakar, il y avait, d'après les journaux, vingt-cinq mille personnes à l'aéroport. Ce fut évidemment une déception pour ces gens ainsi que pour le comité d'accueil. Fieschi, dans son impeccable français de Paris, expliqua que l'état de santé *del Papa* s'était aggravé et pria avec eux pour sa guérison.

Nous préférâmes atterrir à Ciampino, afin d'éviter les foules qui s'étaient certainement portées à l'aéroport de Fiumicino. L'hélicoptère du Vatican (qui nous est, en réalité, prêté par l'Italie) attendait, ses rotors tournant au ralenti. François y fut porté sur une civière. Mon premier geste, dès que nous fûmes rentrés au Vatican, et une fois François installé au palazzo, fut de m'assurer que toute trace de l'immolation avait disparu de la place Saint-Pierre. *Ecco,* il ne restait plus qu'une tache carbonisée sur les dalles au pied de l'obélisque.

Le lendemain, m'étant levé tard et ayant célébré ma messe sans hâte, je n'arrivai au palazzo qu'un peu après neuf heures. J'allai directement au bureau de Pritchett, qui paraissait aussi désorienté que moi. Nous nous rendîmes ensemble auprès du Pontife. Il était assis sous la tente à oxygène, en train de lire les journaux du matin de Rome et de Milan. Je remarquai qu'il avait la voix un peu empâtée, mais j'attribuai ce fait aux sédatifs. Monsignor Bonetti apporta à plusieurs reprises des résumés d'informations, ainsi que l'édition internationale de *Newsweek*. La signora Falconi entra, chargée d'un gros classeur de la part de Fieschi. Il contenait un projet de *motu proprio* pour réformer la Curie selon l'orientation approuvée par le Synode et dont nous avions discuté dans l'avion. Fieschi avait dû consacrer toute sa nuit à cette rédaction.

En raccompagnant la signora Falconi à la porte, je lui demandai si elle pensait que François devrait s'occuper de ces choses. Outre l'amitié que je portais à la signora, j'appréciais beaucoup son jugement.

– Non, bien entendu, dit-elle, mais qu'y pouvons-nous? Il s'est réveillé à sept heures et, dix minutes plus tard, il me téléphonait. Vous savez l'inutilité d'essayer de le raisonner. Mais ne vous inquiétez pas, j'intercepterai ce qui risque de trop le fatiguer ou le bouleverser, et je le transmettrai soit à vous, soit au cardinal Fieschi.

Le médecin qui avait soigné les deux derniers Pontifes arriva, mais ne trouva pas d'autre traitement que : repos, oxygène, aspirine et antibiotiques. Bien que François se fût refusé à un examen complet, le médecin croyait détecter une trace de pneumonie dans le poumon droit. Il le trouvait aussi physiquement exténué. Mais il évoquait également la possibilité d'une légère attaque. Il aurait fallu toute une série d'examens, mais comme François refusait formellement d'être hospitalisé, on pouvait simplement en pratiquer quelques-uns au palazzo. Le médecin expliqua que ses confrères prescrivaient généralement, en pareil cas, des anticoagulants, mais qu'il préférait s'en tenir au repos et à l'aspirine, tandis que l'oxygène et les antibiotiques s'attaqueraient aux autres symptômes. S'il y avait une difficulté d'élocution ou le moindre signe de paralysie, nous devrions agir énergiquement.

Je revins à plusieurs reprises. La signora Falconi m'assura que tout allait aussi bien qu'on pouvait l'espérer d'un patient stupide – et elle le dit à voix suffisamment haute pour que François n'en perdît rien.

Le soir, j'emmenai LaTorre et Chelli dîner au restaurant Il Galeone. Mon serveur habituel, Elio, se surpassa. Il tenait prêtes trois bouteilles de frecciarossa blanc frappé (un vin de Pavie, d'une délicieuse légèreté) et un antipasto de *frutti di mare*. Je pris également un *risotto*, puis un bar grillé dont Elio leva les filets devant nous avec une habileté de chirurgien. Nous eûmes comme *contorni* des épinards froids au citron et une salade mélangée. Soucieux de ma santé, je terminai simplement par du fromage. Chelli se contenta de la *zuppa di pesce*. LaTorre prit les *spaghetti alla carbonara* et un énorme *bistecca alla Fiorentina* dont il indiqua lui-même l'épaisseur sur la pièce de bœuf que lui présenta Elio.

Nous finîmes, LaTorre et moi, par faire signe à Chelli, qui

maniait et humait depuis dix minutes son cigare cubain, qu'il pouvait allumer l'affreuse chose.

– Voyons, dit-il en écartant de la table un rond de fumée putride, que pensez-vous de ces prétendus miracles?

– Vous avez parlé au secrétaire d'État? me dérobai-je.

– Oui, maugréa LaTorre. Voilà un homme à qui le soleil tropical ou la froidure de New York n'ont pas réussi. Quand il a quitté Rome, c'était un cardinal ayant son bon sens; voilà qu'il nous revient aussi mystiquement illuminé que ce trappiste d'abbé. Il est convaincu que Dieu est au milieu de nous.

– N'y est-Il pas?

– Bien sûr que si. Mais vous me comprenez très bien. L'homme a perdu tout jugement sur la question. Qui nous avez-vous donné pour secrétaire d'État?

– L'homme que vous nous auriez donné pour pape, ripostai-je.

– Touché, dit Chelli avec un sourire. *Nostra culpa.* Nous nous sommes tous trompés sur notre noble Génois.

– Je vous l'accorde, dis-je, et c'est peut-être ce que nous faisons en ce moment.

– Mais enfin, sont-elles authentiques ou hystériques? demanda Chelli.

– Hystériques, ou du moins je le crois.

– Et Sa Sainteté? s'enquit Chelli.

– Je l'ignore. La première l'a affecté, mais il l'a qualifiée sans ambiguïté d'hystérique. Ensuite, à Mexico, son assurance a été ébranlée. Les cas suivants peuvent avoir brisé cette assurance. Mais, la dernière fois qu'il en a parlé avec moi, il a bien répété que l'hystérie en était la cause.

– C'est heureux, marmonna LaTorre, l'Église ne survivrait pas à un nouveau Messie.

– *Allora,* nous devons tout de même nous préparer à ce que les gens regardent *il Papa* comme un faiseur de miracles; les déplacements vont devenir difficiles, parfois impossibles. Et ce sera horrible pour François qui est quelque peu claustrophobe. Mais il y aura d'autres problèmes, et autrement graves. Comme vous l'avez constaté, notre frère Fieschi a pris à l'égard du pape François une attitude qui peut devenir caractéristique – une révérence absolue, une quasi-adoration.

– Nous l'avons constaté, grommela LaTorre.

– Ce serait fâcheux pour *il Papa* mais pire encore pour l'Église, remarqua Chelli. Un cardinal sert mal s'il n'a plus d'opinions à soi, ou s'il s'abstient d'en émettre une lorsqu'un Pontife va agir de façon malavisée.

– Vous n'aurez ni l'un ni l'autre à répondre devant votre Créateur d'une obéissance servile à l'égard d'un Pontife, à tout le moins à l'égard de ce Pontife-là, dis-je plaisamment. (LaTorre sourit; Chelli se colora légèrement.) *Ecco,* vous savez qu'en dépit de notre amitié, je vois ce monde – et l'autre – différemment de vous.

– Certes, dit LaTorre, mais...

– Mais nous vous avons toujours estimé éducable plutôt qu'irrévocablement ignorant, intervint Chelli.

– *Allora,* reprit LaTorre, nous partageons le même amour de l'Église. Voilà pourquoi, mon cher Ugo, nous voulions vous parler, vous demander de vous unir à nous.

– A quelle fin?

– Afin de freiner *il Papa* et ceux qui, comme Fieschi, lui obéiraient aveuglément.

– Je ne vois pas très bien ce que vous entendez par là. Si vous voulez que je conseille de mon mieux *il Papa,* que je lui demande de considérer le pour et le contre avant de prendre une décision, je vous dirai que c'est ce que, comme vous-mêmes, j'ai toujours essayé de faire. Que vous faut-il de plus?

– Nous ne songeons nullement à une cabale ou à une conspiration, me rassura Chelli. Nous ne voulons pas vous faire trahir votre amitié ni votre devoir à l'égard du Pontife. Nous souhaitons simplement pouvoir discuter librement avec vous de la sagesse et de l'opportunité de certaines initiatives qu'il pourrait prendre.

– Ce que nous craignons, intervint LaTorre, c'est qu'au milieu de l'adulation le pape François n'écoute plus des gens comme nous. Mais vous, il vous écoutera; c'est pourquoi, si nous ne pouvons être entendus directement, nous voudrions que, par votre intermédiaire, il connaisse notre point de vue.

– Je vous crois dans l'erreur. Certes, *il Papa* me consulte souvent, mais il en consulte aussi beaucoup d'autres, même s'il prend seul ses décisions. Et je crois que vous sous-estimez sa capacité à résister à l'adulation. Mais, au surplus, chaque préfet est reçu régulièrement par *il Papa;* vous le voyez une fois par semaine.

– Assurément, répondit Chelli, mais nous ne débattons que des problèmes dont le pape François veut débattre. Et puis, avec un tel intervalle, le problème que nous soulevons peut déjà avoir été réglé.

– Je crois, j'espère, que vos craintes ne sont pas fondées.

– Prions pour que vous ayez raison, dit LaTorre. Et, pour que vous ne nous croyez pas paranoïaques, veuillez lire ceci.

Le document qu'il me tendit était rédigé en anglais. J'en reconnus le style, mais non la frappe dactylographique. C'était le style de François, je ne pouvais m'y tromper. Il s'agissait d'une lettre de trois pages aux évêques, les encourageant à étudier, dans leur diocèse, les modalités de réinsertion dans l'Église de divorcés remariés – et même de leur éventuelle réadmission aux sacrements.

Vous savez sans doute que dans l'Église les catholiques se remariant du vivant de leur ancien conjoint sont interdits de sacrements – disposition « récente », et qu'ignorait l'Église des premiers temps. Au demeurant, seule la sainte Communion est interdite. Mais il y a pourtant là un dur châtiment. La raison en est que les personnes concernées vivent dans l'adultère, ce qui les rend source de scandale puisque leur cohabitation est connue.

Le document dont je prenais connaissance – le document de François – supprimait l'interdiction des sacrements. Il ne revenait pas pour autant sur la condamnation historique de l'Église – et explicite chez le Christ – à l'égard du divorce et du remariage. Il reprenait l'enseignement fondamental de l'Église sans employer le mot de « condamnation ».

– Voilà quelque chose dont je n'avais pas connaissance, dis-je en rendant le texte à LaTorre.

– Pas plus que moi, qui suis préfet de la Congrégation pour la doctrine de la foi, riposta LaTorre. Pour tout dire, il ne m'est pas encore parvenu officiellement.

– Non plus qu'au cardinal Greene, intervint Chelli, notre très éminent préfet de la Congrégation des sacrements et du culte divin.

– Ce que vous voyez là, dit LaTorre, c'est un élément du schéma : voilà un document qui concerne la foi, qui la menace même, et nous autres, dans la Curie, qui sommes profondément concernés, on nous ignore.

– La soirée est trop avancée pour discuter de son contenu, dis-je, sans préciser que l'on aurait également pu discuter de la façon dont ils se l'étaient procuré. Les seules procédures d'application poseraient de graves problèmes. Et, en même temps, cela souligne ce que je vous avait dit : *il Papa* ne me consulte pas toujours. Mais je maintiens ma promesse.

Cette soirée eut son utilité. Que Chelli et LaTorre se fussent ainsi ouverts à moi indiquait qu'il y avait encore bien d'autres choses à savoir – ne serait-ce que qui, dans l'entourage *del Papa*, allait jusqu'à dérober des documents. Mais j'avoue par ailleurs que ce texte m'inquiétait, moins en lui-même que parce qu'il prouvait une absence de consultation.

Et la soirée eut encore un autre résultat positif. A deux heures du matin je retournai au *ristorante* avec ma machine et mon chauffeur, et je raccompagnai chez eux, à Ostia, Elio et Massimo, le chef – un homme dont la corpulence et les bajoues témoignaient qu'il appréciait les fruits de son labeur. Le trajet, qui est long, se passa en négociations, en marchandages même. Mais ils finirent par accepter de présider à la cuisine du pape François. Je me fermais ainsi les portes du meilleur restaurant de Rome, mais est-il, pour le gourmet, plus haut témoignage d'amour que d'offrir son cuisinier?

25.

Le lendemain matin, je téléphonai à Fieschi en lui demandant un entretien immédiat au sujet de ce texte du Pontife sur la réadmission des divorcés aux sacrements. Fieschi se montra très alarmé de la subtilisation du document, mais il s'étonna qu'on pût objecter à son contenu. Il s'agissait d'une première ébauche rédigée par *il Papa* lui-même, et non encore soumise à consultation, justement en raison de son caractère d'ébauche. Mais puisque des cardinaux en connaissaient à présent l'existence, mieux valait en discuter lors de notre deuxième conférence de l'après-midi.

Je vous ai dit que François préférait recevoir individuellement les préfets des congrégations. Mais, *il Papa* étant souffrant, la responsabilité du fonctionnement du Vatican revenait à Fieschi, et il avait choisi de tenir une réunion avec les préfets dans l'après-midi.

Lorsque nous entrâmes dans son bureau, il siégeait déjà au haut bout de la table, flanqué de ses deux principaux assistants, monsignor Zaleski, le substitut responsable de la coordination interne, et monsignor Candutti, le sous-secrétaire chargé des affaires publiques. Sur le tapis vert étaient disposés cendriers, blocs, crayons, verres et bouteilles d'eau minérale.

Il inaugura la réunion en nous informant de la santé du Pontife, puis fit un compte rendu bref, mais précis, de notre tournée à New York et en Amérique latine. Puis nous expédiâmes les affaires courantes en moins d'une heure. Avant de clore la séance, Fieschi s'adressa à nous.

– Révérendissimes frères, l'Église doit attendre que toutes les preuves aient été minutieusement examinées par des autorités médicales compétentes et des théologiens avant de pouvoir dire en toute certitude ce qui s'est passé. (Il était passé du ton neutre de l'administrateur à celui du directeur de conscience des séminaristes de première année.) Mais je crois que même si les guérisons sont dues à des causes émotionnelles, nous avons été touchés par le doigt de Dieu. Cette visitation est de toute première grandeur pour l'Église. A travers notre pape François, Dieu rend manifeste Sa grâce en nous donnant des signes visibles que Son Vicaire doit être entendu.

» Pour nous, dans la Curie, cette visitation prend une signification glorieuse. Nous allons être partie prenante dans le renouveau du christianisme. Nous n'avons pas de plus haut devoir que d'agir de tout notre cœur, de toute notre âme et de toute notre pensée pour accomplir en nous-mêmes, dans l'Église et dans le monde entier la transformation que veut le pape François – et qu'à travers ces signes veut le Christ lui-même. Frères en Christ, soyez à nos côtés dans cette entreprise. Nous suggérons, en toute humilité et charité (franchement, l'humilité ne comptait pas au nombre des vertus de Fieschi), que celui qui ne croit pas pouvoir servir le pape François avec l'absolue « docilité du cadavre », selon l'image de saint Ignace de Loyola, que donc celui-là se démette immédiatement de sa préfecture. Notre charge ne tolérera aucun des stratagèmes employés dans le passé pour créer des entraves au Pontife. Et, plus encore, Dieu lui-même punira sévèrement celui qui mettra volontairement obstacle à Son divin plan.

» Et maintenant prions ensemble pour le prompt rétablissement du pape François et pour notre engagement entier dans son œuvre.

La harangue était maladroite. On ne parle pas à de puissants princes de l'Église comme à des adolescents. J'avais vu le rouge de la colère empourprer progressivement le visage de LaTorre. Greene en avait malmené ses accoudoirs, et tant fourragé dans ses cheveux qu'il était pratiquement coiffé en brosse. Bisset lançait de flamboyants regards noirs, Pritchett paraissait gêné, Rauch et les autres incrédules. Seul Chelli était resté imperturbable, écoutant attentivement tout en humant son cigare. On aurait aussi bien pu déduire de son expression qu'il écoutait les prévisions météorologiques.

La seconde réunion s'ouvrit dix minutes plus tard. Seuls y assistaient cette fois LaTorre pour le Saint-Office, Greene pour les sacrements et le culte divin, Rauch pour le clergé, Buckley pour l'enseignement catholique, Arriba y Enrique pour les religieux, Pritchett et moi parce que François – et, à présent, Fieschi – le souhaitait et, bien entendu, Zaleski et Chelli.

Le premier sujet à l'ordre du jour était le projet de *motu proprio* en vue d'élargir la base du recrutement pour la Curie. Fieschi souhaitait nos remarques sur sa rédaction dans la semaine.

– Mais c'est insensé, Éminence, explosa LaTorre. Voici qu'au dernier moment nous devrions intervenir de la façon la plus limitée !

Le secrétaire d'État ôta ses lunettes à monture d'acier et répondit avec une onction non dénuée de condescendance :

– Nous avons tous eu, à des étapes antérieures, la possibilité de faire nos remarques sur le fond. A présent, nous nous limiterons à des commentaires sur la forme parce que Sa Sainteté, le pape François Ier, le Vicaire du Christ, le demande. Nous demanderait-il d'aller l'afficher aux murs des musées en habits sacerdotaux que nous nous exécuterions. Sa fonction est de commander, la nôtre d'obéir. C'est aussi simple que cela, monseigneur cardinal.

Et Fieschi passa promptement au sujet suivant : le projet de document sur la réadmission aux sacrements des divorcés remariés, pour l'instant à l'état de pure ébauche.

Hors de lui, LaTorre abattit si violemment son gros poing sur la table qu'il la manqua fendre.

– *Ecco,* rugit-il, permettre à des pécheurs publics de recevoir la Communion? Scandale!

Au même moment Greene, brandissant d'une main agitée de tremblements un volume de droit canonique, tentait de nous informer des diverses décrétales sur la question ainsi que de l'enseignement de saint Augustin. Mais LaTorre couvrit sa voix.

– Scandale! Scandale pur et simple! Pardonner l'adultère, tolérer qu'on défie le commandement explicite du Christ, ouvrir la porte à l'hédonisme et au paganisme! Scandale, monsieur, scandale!

– Le scandale est peut-être de refuser les sacrements, Votre Éminence, dit Fieschi d'un ton calme mais glacial. En tant que pécheurs – condition qui ne peut, bien entendu, être nôtre – ils ont encore bien plus besoin que les justes de la grâce divine. Votre Éminence se souvient sûrement que ce sont les pécheurs que le Christ est venu sauver.

– Et Il leur a tracé la voie du salut! tonitrua LaTorre. Qu'ils abandonnent leur couche adultère, qu'ils confessent leur péché et qu'ils reviennent au sein de l'Église. Mais il faut avant cela qu'ils renoncent à leur péché – dans le secret du confessionnal et dans leur cœur. Ils ne peuvent continuer à jouir de leur adultère et, en même temps, demander le pardon de cette jouissance.

– Sans être un spécialiste des saintes Écritures, intervint Pritchett, je sais que la position historique de l'Église se fonde sur les récits des Évangiles synoptiques où le Christ interdit explicitement le divorce.

– Mais bien entendu, gronda LaTorre, c'est dans Marc, dans Matthieu, dans Luc, et en termes limpides. Il n'y a pas l'ombre d'un doute quant à l'enseignement du Christ.

– Sur la question du divorce et du remariage, c'est exact, reconnut Pritchett. Mais je me souviens aussi que saint Jean rapporte la rencontre, au puits de Jacob, du Christ avec une Samaritaine maintes fois divorcée et remariée.

– Chapitre IV, versets 4 à 30, énonça Greene.

– Probablement. Le Christ offrit à cette femme adultère l'eau de la vie éternelle – image, croyons-nous, de la grâce conférée par les sacrements – et Il le fit sans lui imposer comme condition première de quitter son époux ou son amant.

– Mais c'était avant qu'Il instituât le sacrement de la pénitence pour laver l'âme du péché, remarqua Greene.

– Peut-être, riposta Pritchett, mais je me souviens aussi que le Christ a maintes fois dit qu'Il pardonnait les péchés, donc la pénitence existait – et sous une forme plus merveilleuse que celle que nous connaissons. Il est étrange que, si le Christ souhaitait mettre une condition à la réception de Sa grâce, Il ne l'ait pas mise Lui-même.

– Scandale, bouillonna LaTorre, scandale que ce problème. Nous ne pouvons paraître...

– Une telle approche se fonde sur l'interprétation d'un texte incomplet des saintes Écritures, le coupa Greene. Elle ne tient pas compte du rôle institutionnel critique de l'Église, en tant que médiatrice entre Dieu et l'Homme. Elle...

– Le Saint-Père appréciera ces questions, trancha Fieschi. Il en décidera. Il vous demandera conseil. Veuillez m'adresser vos opinions par écrit. Et passons à présent à la troisième question. Comme vous le savez, *il Papa* a promis aux prêtres dissidents qu'il réexaminerait la question du célibat sacerdotal.

Fieschi nous dit alors qu'*il Papa* n'avait pas d'opinion arrêtée. Il souhaitait recevoir les conseils d'une commission spéciale composée des cardinaux présents et présidée par Rauch. Le rapport de la commission devrait être fourni sous trente jours, et présenter les principaux arguments pour et contre le célibat sacerdotal ainsi qu'une recommandation au sujet de son maintien. Fieschi ajouta que le Pontife voulait que la commission étudie les travaux psychiatriques relatifs à la question.

– Rappelez-vous que vous êtes engagés au secret par serment, dit sévèrement le secrétaire d'État, nous parlant de nouveau comme à des enfants. Vous ne devez vous en ouvrir à quiconque ni requérir la moindre collaboration extérieure. Parfait, la séance est levée.

Allora, le directeur spirituel renvoyait ses séminaristes. LaTorre, toujours furieux, se rua dehors. Les autres partirent rapidement et en silence; aucun ne souhaitait évoquer ce qui venait de se passer.

Certes, l'immolation par le feu des prêtres et de la religieuse avait constitué un choc. L'histoire moderne de l'Église, et peut-être même toute son histoire, n'avait jamais rien connu de semblable. François ayant été si ébranlé par l'événement, et, en plus étant souffrant, la sagesse aurait dicté de différer de quelques semaines le débat sur la question du célibat sacerdotal.

La malheureuse affaire du texte dérobé aurait, en outre, dû alerter Fieschi sur l'exacerbation des idées relativement à ces sujets. Elle prouvait aussi que François avait eu raison de ne pas les soulever aussi précocement. La lettre en elle-même aurait été beaucoup moins génératrice de controverses dans une période plus lointaine. Au demeurant, elle réaffirmait l'enseignement historique de l'Église selon lequel le Christ a interdit le divorce et le remariage. Et elle mettait principalement l'accent sur la charité. Elle arguait que nous devrions montrer miséricorde et compréhension à l'égard de ceux qui sont moins que parfaits, comme nous espérons recevoir miséricorde et compréhension pour nos propres défaillances.

Quatre jours plus tard, François avait recouvré assez de force pour s'asseoir en fin de matinée sur la terrasse ensoleillée de la *casina.* Je n'avais jamais connu un hiver romain plus clément. Nous n'avions pas eu un seul flocon de neige. Bien que nous ne fussions qu'au début de février, plusieurs restaurants du Trastevere servaient déjà les clients dehors. Après notre retour d'Amérique latine en janvier, je ne remis plus mon manteau. En février, nous eûmes même des orages, illuminant d'éclairs l'immense dôme de Saint-Pierre; la foudre s'abattit une fois sur son paratonnerre, à la suite de quoi j'évitai Fieschi pendant plusieurs jours, de crainte d'être induit au blasphème en réponse à l'explication qu'il donnerait, pensais-je, de ce fulgurant incident.

Ecco, je remarquai un nouveau changement dans la personnalité de François. Certes, malgré l'amélioration de son état, il n'était pas entièrement rétabli, et il ployait sous le travail. Et puis, les « miracles » le consumaient. Je pensais que ses nouveaux traits de caractère disparaîtraient lorsqu'il aurait entièrement recouvré sa vigueur. Mais ils ne disparurent pas. Je fais allusion à ses fréquents accès d'irritation ou d'impatience, ainsi qu'à son arrogance – d'un tout autre genre que celle de Fieschi.

Sans doute François n'avait-il jamais été un modèle de patience; et bien que j'aie pu vous parler de marques occasionnelles d'humilité intellectuelle, c'était une humilité nourrie d'une superbe confiance en soi. Il savait avoir le plus généralement raison; il pouvait donc se permettre parfois d'avouer son erreur ou son ignorance. Mais il avait été sensible aux sentiments d'autrui, alors qu'à présent il était souvent acrimonieux et il lançait des traits sarcastiques à Fieschi, Greene, Chelli, monsignor Candutti, monsignor Bonetti et même à la signora Falconi. Il n'épargnait que monsignor Zaleski et moi.

Monsignor Bonetti et monsignor Candutti réagissaient en bureaucrates italiens, obséquieux et soumis devant le pouvoir. Fieschi prenait les rebuffades pour un juste châtiment de ses péchés et il se surmenait – et nous surmenait – encore plus. Greene boudait comme un enfant et il eut même, à la suite d'un éclat de ce genre, un accès de sa « maladie ». La signora Falconi réussissait à rire de certaines pointes, mais je voyais qu'elles étaient cuisantes, car tellement injustes.

Il serait bon que je vous parle, au passage, de la relation entre François, la signora Falconi et l'abbé. François avait toujours eu une merveilleuse faculté d'instiller de la loyauté à ceux qui travaillaient avec lui. *Ecco* le cardinal Galeotti. Je sentais que Dieu l'avait touché. La vénération de Fieschi était d'un genre différent. Elle procédait d'une brusque conversion. Et il y avait la signora Falconi. Comme M. Keller, abandonnant son cabinet et débarquant à Rome au moindre souhait de François, la signora Falconi aimait *il Papa.* Je ne parle évidemment pas d'un amour romantique mais d'une dévotion qui le dépasse infiniment. Si l'on veut parler d'attachement amoureux, je dirai que M. Keller aimait la signora. Je ne sais absolument pas si elle lui rendait ses sentiments. De toute façon, *il Papa* donnait à la signora beaucoup trop d'ouvrage pour qu'elle pût penser à quoi que ce soit d'autre.

La relation entre l'abbé et François était encore plus complexe. A l'origine, François avait été l'étudiant, l'abbé, le *professore.* Les rôles s'étaient inversés, mais pas totalement. François, recelant un penchant pour le mysticisme, considérait hautement l'abbé, bien que ce fût son côté pratique qu'il mettait à contribution. Je crois que, bien qu'ils fussent d'âges voisins, l'abbé regardait François comme son fils, son maître et, aussi étrange que cela paraisse, comme lui-même. Cet enchevêtrement des rôles créait de puissants liens, mais aussi de puissantes tensions. Si les journalistes se plaisaient à me traiter d'« éminence grise » au Vatican, j'ai souvent eu l'impression que la figure d'ombre derrière le trône était celle de l'abbé.

Nous, qui étions ses proches – la signora Falconi, l'abbé, moi-même – François nous aimait comme il aimait M. Keller. Pourtant (et ne prenez pas ceci pour un jugement dur), il nous aimait moins pour nous-mêmes, tout en nous aimant en tant qu'individus, que pour notre utilité. Et François nous utilisait tous. Il acceptait, ou plutôt il monopolisait, notre dévouement avec un égoïsme inconscient et même impitoyable. D'une certaine façon, je pouvais comprendre l'identification de l'abbé avec François, car celui-ci nous absorbait tous en lui. Il avait en nous des mains, des cerveaux supplémentaires qui réagissaient à ses commandes aussi promptement que son corps et son cerveau.

26.

Ma joie de voir François se rétablir au fil des jours n'était pas sans mélange. Le moment approchait où il lui faudrait reparaître publiquement. Journellement, il y avait plusieurs centaines de personnes en prière sur la piazza. Il y en aurait mille fois plus dès qu'on saurait qu'*il Papa* allait se montrer. Si François essayait de sortir du Vatican, nous courions le risque qu'il y ait des morts et des blessés, et sa propre personne ne serait pas non plus en sécurité.

Nous savions tous que dans un vaste rassemblement d'Italiens surviendrait au moins une guérisson hystérique, sinon une dizaine. Ces « miracles », qui avaient presque déséquilibré Fieschi, entravaient le fonctionnement de l'Église. On ne parlait que d'eux dans les bureaux de la Curie, et la presse italienne en faisait encore ses colonnes. On prétendait notamment que la maladie de François avait été occasionnée par son maniement de pouvoirs surnaturels. Je souhaitais que François restât confiné un bon mois, afin que les journalistes trouvent, avec le temps, d'autres sources d'intérêt.

A l'exception d'un voyage de quatre jours en Suisse, pour raisons médicales, je passai ces quelques semaines à travailler à peu près uniquement dans la commission sur le célibat sacerdotal. Jamais le Pontife ne m'avait confié tâche plus ardue. Fieschi avait senti, comme moi, que des conclusions visant à une modification de ce statut satisferaient François. Mais trois de ses récents prédécesseurs avaient examiné le problème, comme l'avait fait aussi le Synode mondial des évêques en 1971. Tous avaient choisi de réaffirmer la doctrine historique de l'Église, « brillant joyau, loi d'or », selon le pape Paul, et l'une des « plus pures et nobles gloires » de la prêtrise, selon le pape Jean. En revanche, maints prêtres la définissaient comme « la croix de l'Église mais non du Christ ».

Le témoignage des psychiatres était fascinant, mais partiel. Ils disaient que la personnalité des prêtres en souffrait, qu'elle était privée de son épanouissement humain, et chaque praticien fondait ses dires sur des dossiers médicaux réels. Mais tous convinrent aussi qu'ils n'avaient eu affaire qu'à des prêtres ayant de sérieux problèmes affectifs, non à des prêtres en général. C'est-à-dire qu'ils ne connaissaient que les cas pathologiques. Au total, les trois psychiatres américains avaient soigné moins de quarante-cinq prêtres et seulement deux évêques.

Le psychiatre français attesta que, sur les dix-huit prêtres qu'il avait traités, pas un ne présentait de troubles en relation directe avec le célibat. Tout en concédant que leurs névroses pouvaient avoir été aggravées par les contraintes du célibat, il indiqua qu'un psychisme faible pouvait tout aussi bien céder sous les contraintes du mariage et des responsabilités familiales.

Le seul *medico* qui prit une position déclarée était un psychiatre autrichien déniché par Fieschi, un Juif qui, sur une longue période de temps, avait traité plus de soixante-dix prêtres. Il imputa formellement les troubles psychiques au célibat, tout en admettant lui aussi que les mêmes personnes, soumises à de fortes contraintes d'un autre ordre, auraient également pu souffrir de névroses ou de psychoses. Je trouvai, au demeurant, que le rapport qu'il établissait entre célibat et névrose résultait plus d'un acte de foi que d'une démonstration logique appuyée sur des preuves.

En bref, le témoignage des psychiatres nous ramena à nos expériences et intuitions personnelles. Les débats furent acrimonieux. En l'absence de Chelli (malade pendant presque toute la durée de la commission), de sa froide logique et de son sens politique, l'érudition de LaTorre prenait parfois pompeuse tournure de dogme, et sa brusquerie devenait vindicative. Le mépris de Fieschi pour LaTorre, couplé avec la mission divine qu'il venait de se découvrir, et les craintes qu'éprouvait LaTorre pour l'Église rendaient ces empoignades à la fois inévitables et fréquentes.

Au moins François nous avait-il dotés, avec Rauch, d'un superbe président. Certes, si la question du célibat sacerdotal relevait intimement de la Congrégation pour le clergé, le Saint-Office de LaTorre et la Secrétairerie d'État de Fieschi n'étaient guère moins aptes à la traiter. Mais François n'avait choisi ni Fieschi ni LaTorre pour la présidence, sachant qu'ils entreraient en conflit.

Rauch était merveilleusement calme et équitable. Il ne manquait pas de caractère, mais il savait être patient et écouter. Il se conduisait avec tact mais aussi avec fermeté; et il pouvait même se montrer aussi buté que LaTorre si l'on allait trop loin avec lui (et tel ne fut que trop souvent le cas).

Pendant deux semaines, notre commission piétina. Et puis François décida d'assister à une séance en fin d'après-midi. Étant donné la taille restreinte de notre commission (huit membres en comptant Chelli, toujours alité), nous tînmes séance dans le bureau de la *casina* qui surplombe la terrasse ovale. C'est une pièce bizarre, à cause du plafond à fresque où s'agitent dans les supplices des saints chrétiens à côté de nymphes et de déités païennes mineures. L'architecte hongrois et la signora Falconi avaient envisagé de les faire disparaître sous un badigeon, mais ils n'avaient malheureusement pas eu gain de cause.

En sa qualité de président, Rauch fit un court exposé sur l'avancement de nos travaux. François demanda que la discussion se limite aux arguments spirituels, les avantages administratifs et financiers du célibat sacerdotal étant suffisamment évidents.

– Votre Éminence veut-elle commencer? dit Rauch à LaTorre.

– Très Saint-Père, comme l'écrivait saint Paul, nous sommes tous « prisonniers du Christ Jésus ». Le célibat n'est pas un commandement du Christ, ni une exigence de l'Église vis-à-vis de ceux qui n'y sont pas consentants. En Occident, c'est un sacrifice offert par ceux qui veulent exercer un type particulier de ministère religieux. Le célibat est un don que les prêtres font librement à Dieu. Il peut être un immense sacrifice – et nous tous, ici, le comprenons – mais c'est une offrande faite en pleine conscience et en toute liberté par des adultes intelligents, instruits et ayant atteint une maturité d'esprit. On ne peut être ordonné prêtre avant l'âge de vingt-trois ans – l'ordination est d'ailleurs souvent plus tardive – et seulement au terme de longues années d'étude et de discipline morale.

» Le célibat est un symbole de la totale consécration du prêtre à Dieu et de sa renonciation aux choses de ce monde. Il dit à Dieu que mon amour et mon zèle sont tels que je renonce aux plus grandes joies terrestres : être époux et père. Je ne cherche mon immortalité que dans mon Sauveur, non dans mes enfants. Le célibat symbolise aussi l'amour virginal du Christ pour l'Église. Il est, comme l'a dit Paul VI, un « lourd et doux fardeau ». S'il apporte ses peines – la solitude, la frustration – il apporte aussi cette joie de savoir que l'on a donné quelque chose à Dieu en retour de ses innombrables bénédictions.

» Au surplus, en une époque de licence, le célibat brille comme un fanal de pureté, non seulement un idéal pour les adultes, mais aussi la preuve vivante pour la jeunesse que l'esprit n'est pas l'esclave de la chair.

» Ces prêtres dissidents nous parlent du vide de leur vie. Mais nous avons tous éprouvé – et comme tout être humain – la solitude, le vide et parfois le désespoir. Et si nous en sommes affligés, ce n'est pas à cause du célibat, mais des ténèbres de notre pensée, de la faiblesse de notre volonté. Le Christ lui-même a connu ces tentations. Sur la croix Il a demandé à Son Père pourquoi Il L'avait abandonné. Mais Il a dit également : « Je ne suis pas seul car le Père est avec moi. »

» La réponse à la souffrance d'un prêtre, c'est la prière, c'est de s'unir de plus en plus étroitement au Christ, et de se souvenir que son but n'est pas le bonheur en ce monde mais dans l'autre. Pour certains hommes, ce fardeau devient trop lourd. Il y a encore quelques décennies, nous les traitions avec dureté, nous les stigmatisions. Aujourd'hui nous leur permettons d'abandonner la prêtrise si nous savons que cela répond à une nécessité très profondément ressentie. Nous souhaitons à ces hommes de mener une existence correcte et productive dans un autre domaine. Mais nous continuons à exiger de ceux qui suivent leur vocation religieuse de ne pas demander restitution du don qu'ils ont fait si librement.

LaTorre se tut. Il avait parlé calmement, et tous les visages témoignaient du profond effet de ses paroles. Il avait parlé de façon positive, comme le préférait François. Je trouvais son raisonnement suprêmement convaincant, et je n'étais pas le seul. Par respect pour la rhétorique simple et directe de LaTorre, Rauch attendit quelques instants avant de donner la parole au cardinal Pritchett.

– C'est en pasteur, et non en théologien, que je m'exprimerai sur cette question. Je conviens que beaucoup de prêtres font *joyeusement* le sacrifice du mariage et de la famille, mais beaucoup aussi n'y parviennent pas. J'en ignore le nombre, mais je dirai qu'une majorité n'en est pas capable *joyeusement.* Parmi ceux-là, il en est qui succombent et deviennent parfois publiquement objet de scandale. Leur nombre est relativement faible. Plus faible encore est celui des prêtres débauchés, qui profitent de leurs privilèges ecclésiastiques pour satisfaire leurs appétits sexuels. Ils existent, mais ce sont des animaux rares. Cependant, sans tenir compte de ces malades, les prêtres à qui il arrive de succomber causent un scandale sans commune mesure avec leur nombre réduit, car ils détruisent le symbolisme du célibat, fondé sur la supériorité du spirituel par rapport au physique.

» Dans leur plus grande majorité, les prêtres observent leurs vœux sacrés. Mais ils le paient, et à haut prix, au détriment de leur personnalité et de leur capacité à pratiquer vraiment l'Évangile. Trop souvent ceux de nos prêtres – et de nos évêques, et de nos cardinaux – qui s'adaptent bien au célibat deviennent en même temps des hommes froids, égoïstes, incapables d'aider les fidèles, non point parce qu'ils ne comprennent pas leurs problèmes, mais, ce qui est pire, parce qu'ils ne souhaitent pas les comprendre.

– Ne serait-ce pas que nous sommes confrontés à une question empirique? intervint François, à sa typique façon interrogative. Le clergé qui vit dans le célibat est-il plus saint, plus fervent, plus utile à Dieu et à Son peuple que le clergé qui vit dans le mariage? L'expérience de l'Église orthodoxe grecque peut nous aider. Assurément nul de nous ne met en question sa viabilité, ni la sainteté personnelle du clergé grec orthodoxe? Et pourtant, leurs prêtres peuvent se marier.

(*Ecco,* considérant la quasi-simonie de ce clergé en Terre sainte, je ne tiendrais pas ces hommes pour modèles.)

– Saint-Père, je ne vois pas du tout là une question empirique, dit LaTorre. Et le serait-elle, que nous n'aurions pas de jauges pour mesurer la sainteté et la ferveur.

– Mais, intervint Fischi, toute votre argumentation ne repose-t-elle pas sur la double supposition que ces jauges existent et que nous savons les lire correctement?

– Absurdité..., se déchaîna LaTorre.

Mais Rauch, sans lui laisser le temps de continuer, demanda si d'autres membres de la commission désiraient prendre la parole. Nul ne le désirait.

– Eh bien, je vais le faire, dit-il. Saint-Père, vous avez entendu exposer très clairement les conceptions opposées. Je crois que si nous devions voter sur une résolution proposant d'abolir l'obligation du célibat sacerdotal, le scrutin donnerait une majorité de cinq voix contre et deux ou trois pour refuser cette résolution. Mais, dans la majorité, certains pourraient souhaiter une modification des règles en vigueur. Voulez-vous que nous examinions cette possibilité?

– Oui. Nous avons nous-même pensé à plusieurs possibilités. Ainsi pourrait-on, par exemple, exiger des candidats à la prêtrise qu'ils aient fait au minimum deux ans d'études dans une université séculière (mis à part ceux des pays en voie de développement, où manquent ces facilités); on pourrait compléter cette mesure (ou la remplacer) par une période probatoire pour les jeunes gens sortant des séminaires, durant laquelle ils seraient auxiliaires dans les paroisses, en n'ayant prononcé que des vœux temporaires. A l'expiration de cette période probatoire, ils seraient libres de rester ou de partir, si, par ailleurs, l'Église estimait qu'ils ont toutes qualités pour le ministère. Ils prononceraient seulement alors leurs vœux perpétuels. Autre possibilité : un recours plus large aux diacres mariés, dont beaucoup seraient d'anciens prêtres, revenus canoniquement à l'état laïc – et non ceux qui auraient simplement quitté l'Église.

– Mais quelle source de scandale que d'anciens prêtres, à présent mariés, se présentent à l'autel de Dieu! dit LaTorre d'un ton horrifié.

– Cela, Éminence, est précisément une question empirique, répondit François, et pas plus nous que vous ne possédons là-dessus suffisamment de données. Sans doute beaucoup s'en scandaliseraient, mais combien, et sans doute infiniment plus nombreux, se scandalisent-ils infiniment plus de voir une Église, fondée sur l'amour compréhensif du Christ, traiter ses anciens prêtres en parias?

– La justice exige leur châtiment, Très Saint-Père, et notre châtiment est léger. S'ils reviennent canoniquement à l'état laïc, ils demeurent pleinement membres de l'Église, mais ils ne peuvent continuer à pratiquer une vocation religieuse à laquelle ils ont renoncé.

– La justice ne prescrit pas de châtier qui s'est conformé à la loi. Les humains sont peut-être un peu plus exigeants, mais certainement pas au nom de la justice ou du Dieu d'amour. Nous attendons vos recommandations spécifiques à ce sujet, et à une date rapprochée.

Je laissai les autres partir. Je savais que l'argumentation de LaTorre avait fait une forte impression sur François. Je voulais profiter de cette atmosphère favorable pour lui dire que j'abondai entièrement dans le sens de la sainte Mule, et en même temps l'inciter à concentrer de nouveau tous les efforts sur la croisade et le renouveau spirituel.

– Pour ce qui est du fond, dit-il après m'avoir écouté pensivement, je ne constate pas que le célibat rende plus saints les prêtres. Il ne les fait certainement pas davantage œuvrer. Peu de prêtres font d'aussi longues et dures journées qu'un médecin, un juriste ou même un professeur aux États-Unis. Mais sur la forme, vous avez raison.

Confidentiellement, voici ma décision : pas de changement fondamental dans le statut du célibat sacerdotal. Ce qui ne signifie pas que nous n'y apportions certains assouplissements selon ce que j'évoquais à la fin de la séance. Ni non plus que, dans un époque future, nous n'abolissions cette exigence en elle-même.

Je dus me suffire de cette victoire incomplète. J'allais sortir lorsque François ajouta :

– Ugo, je sais que l'ordination des femmes serait un grave sujet de division dans l'Église, mais la solution serait peut-être d'en faire des cardinaux? (Je souris, moins de son trait humoristique que parce qu'il dénotait une lucidité toujours présente.) Je vois bien des choses absurdes dans l'Église, poursuivit-il : antisémitisme, sexisme, chauvinisme, arrogance bureaucratique, le tout mêlé de notions médiévales sur le devoir de l'homme de punir son prochain de ses péchés. Intellectuellement je me dis qu'il faut se taire, attendre, changer d'abord l'ambiance fondamentale, et puis s'attaquer seulement alors aux torts spécifiques. Mais quelque chose, en moi, clame contre ces injustices. (Il me sourit de nouveau et puis, à son habitude, alla à la fenêtre et contempla la vue. Et il me parla sans se retourner.) Mon vieil ami, quel rôle étrange que le vôtre – prêtre qui m'aidez à faire parler ma conscience stratégique et à calmer la voix de ma conscience morale.

27.

Pendant le mois de février nous nous employâmes, le doctor Twisdale, l'abbé, la signora Falconi et moi (dans ce domaine, on ne pouvait compter sur Fieschi), à tenir François à l'écart des foules et même des journalistes. Lorsqu'il insista pour reprendre ses audiences publiques, nous parvînmes à le persuader de se limiter à ses apparitions dominicales de midi à la fenêtre du palazzo, et de substituer des apparitions similaires aux audiences générales du mercredi dans la grande salle. Pour les journalistes, l'excuse officielle était la santé *del Papa* – excuse qui n'était pas entièrement fausse.

Allora, la modification des audiences publiques nous suscita moins de difficultés que la suppression des conférences de presse ou le refus de laisser des journalistes approcher le Pontife; ils savaient qu'il recevait maints dignitaires, même mineurs, en audience privée. Le doctor Twisdale faisait quasiment seul les frais de leur colère. François avait été trop libre avec les journalistes, et maintenant, ils s'estimaient lésés. Nous, ses familiers, devenions pour les journaux les « *mafiosi* du pape », ou ses « geôliers » – qualificatifs d'autant plus désagréables qu'ils correspondaient assez à la réalité.

Et François continuait à être irritable. Mais ce fut une période de grande créativité au Vatican – condition difficile à promouvoir dans le palazzo apostolique. François nous menait à la baguette, et Fieschi à la cravache. Contrairement à toute attente, il revenait maintenant à monsignor Zaleski, non plus de donner un élan, mais d'apaiser les susceptibilités froissées par les exigences et les remontrances de Fieschi. Plus personne ne regardait le secrétaire d'État comme une « utilité », mais bien comme une puissance. Certains de mes frères lui réservaient – en privé, bien entendu – le surnom d'Attila : le Fléau de Dieu.

François continuait à me stupéfier par sa parfaite connaissance de tout ce qui se passait au Vatican. Certains pensaient, ce qui n'était pas faux, qu'il savait moins de choses qu'il n'en devinait. Cependant il lisait ou parcourait tout document arrivant sur sa table. Et il trouvait tout naturel de téléphoner à dix heures du soir à un préfet de congrégation au sujet d'un texte qui le préoccupait. Mais, plus important encore, il interrogeait tout le monde. N'importe quel visiteur – un prêtre accompagnant un dignitaire, un *monsignore* apportant un rapport, un évêque lors de sa visite annuelle, un diplomate présentant ses lettres de créance – était bombardé par *il Papa* de questions inattendues et sans liens apparents entre elles.

On avait critiqué le pape Paul VI de ce qu'il consacrait trop de temps à s'informer dans le détail de tout ce qui survenait au Saint-Siège. Assurément, François n'était pas aussi minutieusement informé que le pape Paul, mais il l'était certainement de façon plus exacte, car il avait la capacité de recueillir des bribes d'information et de les insérer instantanément dans un tableau complet.

Ecco, je m'écarte encore de mon récit. Je vous ai dit que François contrevenait à deux modes historiques de fonctionnement au Vatican. Il y avait, d'une part, son emploi neuf des cardinaux. Mais il y avait plus important, bien que dans le même ordre d'idée. Traditionnellement, *il Papa* avalise des lignes de conduite, plus qu'il ne les trace lui-même. Il répond aux problèmes définis à son intention par la Curie. Ce sont souvent des *professori* de l'Université grégorienne ou de l'Université du Latran qui rédigent les encycliques; à défaut, la plupart des documents – et initiatives – émanent plus des services de la Curie que du bureau pontifical.

Certes, on a connu de notables exceptions. La convocation du concile Vatican II par le pape Jean en fut un exemple spectaculaire. Mais, dans l'ensemble, la règle est respectée, ce que, pour ma part, j'estime heureux. Car, comme ses cardinaux, le pape est souvent un homme âgé, et requis par une multiplicité de cérémonies. Pour la même raison, il n'a souvent plus l'énergie nécessaire pour la créativité intellectuelle. Selon moi, celle-ci relève plutôt des hommes jeunes ou mûrs. La meilleure fonction des vieillards est celle de juges avisés, en raison de leur longue expérience.

Mais François était au Vatican la force dynamique. Nous ne faisions tous que répondre à *ses* idées. Non qu'il n'acceptât jamais les idées des autres, simplement, il se les assimilait à tel point qu'elles devenaient siennes. Il arrivait, comme avec cette question du célibat sacerdotal, qu'il n'ait pas choisi lui-même le problème, mais la méthode choisie pour le traiter lui était entièrement personnelle. Il voulait gouverner l'Église et, ce faisant, il dérangeait la marche établie de la Curie. Il en résultait un ralentissement des opérations et, pour lui, une frustration supplémentaire. François était un homme conscient de la moindre seconde. Ce n'est pas là un trait italien.

Allora, il fixait à la minute près le temps d'une conférence, d'une audience privée, de la lecture d'un rapport – lors même qu'il ne faisait pas deux choses à la fois. Pourtant, malgré sa hâte, voici qu'arrivait le printemps sans que le renouveau spirituel et la croisade fussent devenus réalité alors qu'il en avait lancé l'idée en juin de l'année précédente. Cette lenteur, qui le rongeait, le poussait à accélérer encore plus son rythme – et le nôtre.

A la fin février, l'abbé nous apporta l'heureuse nouvelle qu'il pouvait commencer à recruter et entraîner des volontaires. Toutes dispositions étaient prises pour la nourriture, le logement et le transport de mille cinq cents personnes ; la mise en œuvre de l'opération pouvait commencer sous quinze jours.

Malheureusement, Chelli ne se remettait que lentement d'une mauvaise grippe suivie de complications rénales. Et, à la différence des cardinaux dont j'ai dressé un portrait type, Chelli dirigeait personnellement la Préfecture des affaires économiques. Tout son personnel se limitait à un *monsignore* faisant office de secrétaire, trois comptables, un juriste, un expert en investissements et trois sténodactylographes. Il prenait pratiquement seul toutes les décisions, et, au surplus, conservait beaucoup d'informations uniquement dans sa tête. Nous dûmes donc différer le lancement de la croisade jusqu'à sa guérison.

Ce retard me semblait, en soi, opportun, car François voulait inaugurer lui-même l'appel aux volontaires. Je lui fis valoir que plus nous attendions et plus nous pourrions concentrer efficacement les esprits sur la croisade, et les détourner des « guérisons ». Depuis notre retour, la presse n'avait pratiquement pas parlé du plaidoyer du Pontife devant les Nations unies. Son message, extraordinairement positif pendant un jour ou deux, avait été éclipsé par les mélodramatiques récits des « miracles ». Mais la marche du monde reléguait progressivement ceux-ci à l'arrière-plan. De nouveau, le Proche-Orient était en crise, et François avait, encore une fois, proposé sa médiation, et encore une fois infructueusement ; à la suite de réajustements monétaires, la monnaie italienne chancelait et le dollar lui-même arrivait presque à parité avec le franc suisse ; il y avait encore une récession économique au Japon ; en Thaïlande la dictature militaire s'effondrait devant la revendication populaire d'une réforme agraire et la poussée de partisans communistes équipés de matériel chinois ; de nouveaux procès de dissidents s'ouvraient à Moscou, tandis que l'on enregistrait, respectivement à Vienne et à Princeton (New Jersey), deux morts « accidentelles » d'écrivains russes expulsés de leur pays dans les années soixante-dix. Pour tristes qu'ils fussent, ces événements laissaient loin derrière eux les « miracles ». Chaque jour qui passait allait nous faciliter la tâche.

Le renouveau spirituel connaissait toujours des difficultés – nullement financières, celles-là. Au cœur du problème il y avait ce choix foncièrement erroné des franciscains et des jésuites pour le promouvoir en commun. Le franciscain est généralement un personnage chaleureux, amical, quelque peu indolent, insouciant des miettes de pain émaillant sa robe de bure tendue sur une panse rebondie. Par beau temps, on voit le franciscain déambuler de cette démarche palmée que lui confèrent les sandales, un pan de sa robe coincé dans sa ceinture de corde pour jouer au ballon avec les jeunes. Le franciscain type est un homme simple, aimant, qui n'éprouverait pas de choc culturel si on le ramenait au XIIIe siècle. (Ce qui fut raconté sur la persécution des Juifs de Yougoslavie par les franciscains est largement exact, mais ce fut une atroce exception à leur habituelle bénignité.)

En revanche, le jésuite type est toujours un homme de son temps. Il est hautement compétent, terriblement instruit, il possède un esprit délié et une ambition non point personnelle mais pour la papauté et l'Église. Les ennemis de l'ordre des jésuites ont toujours employé à son propos des termes tels que retors, implacable, calculateur. Ils ne sont pas faux, mais insuffisants. Le fait que le jésuite compte sur la logique et le savoir plutôt que sur l'amour ne renforce évidemment pas son image chrétienne. Son fort, c'est le diagnostic instantané et la solution immédiate. Son milieu n'est jamais l'enfantin terrain de jeux, mais soit l'université, soit les salons des riches et des puissants. Cependant, il n'est pas prisonnier de l'*establishment.* Le jésuite tonne contre les vrais ennemis, contre les ennemis potentiels et même contre les amis qui éveillent ses suspicions. Et il est capable de s'exprimer avant tant de grâce, de charme, et aussi de ferveur, que ses attaques sont parfois un régal intellectuel même pour ceux qui en sont l'objet.

Coupler la simplicité du franciscain et le penchant du jésuite pour les machinations élaborées ne pouvait produire que fission et non fusion. J'avais tenté de le dire à François, mais il y avait des moments où il n'écoutait personne. Et il aggrava son erreur initiale en donnant, pour une fois, la responsabilité des opérations à l'organisme dont elle relevait légitimement. Le renouveau spirituel était du domaine de Propaganda Fide ou du Saint-Office. Ce dernier, ayant LaTorre pour préfet, était évidemment exclu. Or le préfet de Propaganda Fide était le Coréen Chi Goon Su, homme de grande piété mais Oriental mystique qui acceptait la théorie économique marxiste et s'exprimait soit en termes bouddhiques, soit dans le mystérieux vocabulaire anthropologico-théologique de Teilhard de Chardin. Considérant que ce personnage devait essayer de coordonner les franciscains et les jésuites tout en travaillant avec les évêques locaux, on pouvait, en confiance, prédire un désastre absolu.

Et nous obtînmes précisément un désastre. Des jésuites s'élevaient les inévitables plaintes à propos de la naïveté obtuse des franciscains; de ces derniers, s'élevaient les non moins inévitables plaintes à propos de la tranchante logique des jésuites. Le cardinal Su faisait alors une harangue à propos de l'esprit de paix, en employant des mots tels qu'« altérité », « complexification », « intégration convergente » et « noosphère ». L'attirance de François pour le mysticisme avait ses limites, et il devait parfois se faire violence pour ne pas hurler.

Il finit par demander au cardinal Buckley de la Congrégation pour l'enseignement catholique, à Pritchett et à moi de remettre les choses en ordre. Aidés par deux jeunes théologiens que LaTorre nous prêta généreusement, nous préparâmes les textes destinés à fonder le renouveau spirituel, mais cela nous prit jusqu'au début mars.

Une fois ces documents approuvés par François, Fieschi les transmit à tous les évêques du monde, assortis, pour chacun, des noms et résidences des franciscains et des jésuites susceptibles de les aider à conduire les retraites pour leur clergé. Et là, Fieschi fit proprement des miracles. Avec l'assistance de la Congrégation pour les évêques (celle de Martín) et de la Congrégation pour le clergé (celle de Rauch), ainsi que de notre propre système de nonces dans la plupart des pays, Fieschi fit le siège de plus de deux mille évêques pastoraux, ordonnant, contrôlant, cajolant, tançant. Dix-sept jours exactement après l'approbation de notre plan par François, le renouveau spirituel pour le clergé était inauguré dans près de la moitié des diocèses du monde.

28.

Une fois accomplie la mise en œuvre du renouveau spirituel, j'espérais goûter tranquillement notre succès. Mais François ne l'entendais pas ainsi. Presque aussitôt, sa deuxième bombe explosait sur nos têtes. Le matin même où Fieschi l'informait que le renouveau spirituel avait débuté dans près de mille diocèses, François l'invita à venir, accompagné des monsignori Candutti et Zaleski, déjeuner à la *casina* avec nous (« nous » désignant, outre *il Papa*, l'abbé et moi).

Nous étions installés sur la terrasse ovale, savourant un frais riesling de Pavie, goûtant la tiédeur annonciatrice du printemps. Je revois François, faisant jouer le soleil sur son verre de cristal tout en interrogeant monsignor Candutti sur l'avancement des démarches préalables à ses visites à Dublin et Varsovie. Le Pontife voulait inaugurer dans ces villes la campagne de recrutement des volontaires pour la croisade. La réponse de Candutti ne manquait pas d'intérêt. Le gouvernement irlandais s'était montré réticent. Il craignait que la présence du Pontife dans la république exacerbe les problèmes religieux en Ulster, en attisant la haine des presbytériens pour tout ce qui est catholique. Il n'avait donné son accord qu'après avoir reçu des assurances qu'*il Papa* rencontrerait des membres de la haute hiérarchie anglicane et presbytérienne, tant de la république que de la zone sous occupation militaire anglaise.

Les Polonais, eux aussi, avaient d'abord répondu négativement, mais, contrairement aux Irlandais, ils maintenaient leur refus initial. En l'absence de représentants officiellement accrédités, les négociations avaient été difficiles, bien que monsignor Candutti se fût rendu personnellement par deux fois à Varsovie. Cependant, on continuait à opposer un refus courtois, mais ferme, à la visite du Pontife.

– Pourquoi ce soudain refroidissement? demanda François.

– Ce n'est pas un refroidissement, Très Saint-Père, expliqua monsignor Candutti. Nous n'avons jamais été en termes chaleureux, sauf dans les articles de presse. N'oublions pas que les Polonais n'ont pas voulu d'une visite de Paul VI à Varsovie. Et la venue de Jean-Paul II ne fut pas pour leur plaire, mais ils ne pouvaient évidemment s'y opposer. En ce qui nous concerne, la chose est autrement difficile. D'un côté, le Vatican s'est montré beaucoup plus accommodant, relativement à ses divergences avec le régime, que beaucoup d'évêques polonais. Cette attitude complique une situation déjà délicate. Par ailleurs, notre accueil du cardinal Grodzins à Rome, pour qu'il y vive en paix ses derniers jours, a légèrement relâché les tensions avec le gouvernement polonais, mais pas avec certains évêques locaux. Enfin, ce qu'a dit Votre Sainteté en Amérique latine sur la nécessité de faire de l'Église une force indépendante n'est pas sans inquiéter le régime. Il n'aime pas du tout l'idée que vous veniez à Varsovie pour exhorter leurs meilleurs jeunes gens et jeunes filles à quitter la Pologne et participer à une croisade en laquelle le gouvernement polonais voit inévitablement un « truc » capitaliste. La chose est sans issue, Très Saint-Père, absolument sans issue.

François darda sur monsignor Candutti un regard pénétrant. Il y eut un instant de silence, puis Candutti poursuivit :

– J'ai été sincère, Très Saint-Père. Je pense que vous préférez une vérité pénible à d'agréables mais fallacieux espoirs. Si vous le souhaitez, je poursuivrai mes efforts auprès du gouvernement polonais, tout en étant convaincu que nous échouerons. Je pourrais retourner encore une fois à Varsovie.

– C'est inutile, répondit sèchement François. Nous ne voulons plus que cette question de visite en Pologne soit discutée par des canaux diplomatiques. (*Il Papa* éleva de nouveau son verre et le fit miroiter au soleil.) Mais nous *irons* en Pologne, et cela, immédiatement après Dublin. Nous annoncerons nos projets le moment venu.

Candutti semblait abasourdi. Une telle attitude était inouïe. Le pape François remarqua très bien l'expression du *monsignore* mais, sans lui laisser le temps de protester, il changea brusquement de sujet.

– Cardinal Fieschi, avez-vous reçu les remarques des congrégations à propos du projet de notre encyclique sur la justice sociale?

Fieschi interrogea du regard monsignor Zaleski, lequel tapota sa serviette gonflée de papiers.

– Nous les avons ici, Très Saint-Père. Elles n'apportent rien de positivement important. Nous vous en présenterons une synthèse ce soir.

François fit un signe d'assentiment. Cette encyclique, il avait espéré la publier avant le début du renouveau spirituel, mais ses ennuis de santé et ses trop lourdes obligations (dont la croisade) ne lui avaient guère laissé le temps d'y travailler. Comme je vous l'ai expliqué, il en avait rédigé le projet, et il tenait à mettre lui-même au point la version définitive.

– Nous sommes profondément troublé, dit-il en changeant une nouvelle fois de sujet, par un article publié la semaine dernière dans *le Monde*, indiquant que pas un seul évêque d'Amérique latine n'a encore distribué de terres ou autres biens ecclésiastiques aux pauvres, à l'exemple du cardinal archevêque de Recife. Le cardinal Martín enquête discrètement là-dessus.

– Peut-être est-ce encore trop récent, Saint-Père, dit Fieschi.

– Peut-être, mais plus on détient des biens matériels depuis longtemps, plus ils apparaissent précieux. J'aimerais que vos services incitent nos saints bergers à donner plus généreusement pâture à leurs troupeaux. L'Église ne peut se permettre d'avoir des princes dans un monde surpeuplé de pauvres. Et ce ne sont pas des dons symboliques que nous voulons, mais une très large distribution des biens, et particulièrement des terres.

Aussi déplaisante que m'en fût la perspective, il devenait impossible de différer plus longtemps une conférence de presse. Vers la fin de la troisième semaine de mars, les journalistes convergèrent vers la Sixtine.

Nous annonçâmes qu'*il Papa* allait se rendre à Dublin et à Varsovie. Les journalistes reçurent la nouvelle calmement, la plupart n'en saisissant apparemment pas la portée. Le reporter du quotidien communiste italien *L'Unita* fut le premier à réagir :

– Saint-Père, à quel moment le gouvernement polonais a-t-il consenti à votre visite?

– Excusez-nous, riposta le Pontife, nous ne comprenons pas votre question.

– J'ai demandé, Saint-Père, dit le journaliste (cette fois en anglais), à quel moment le gouvernement polonais avait consenti à votre visite.

– Nous comprenons vos paroles, répondit François en italien, mais nous ne comprenons pas votre question. Nous ne comprenons pas comment le Vicaire du Christ aurait besoin du consentement d'un gouvernement pour rendre visite à son peuple. Nous sommes certain que le gouvernement de la Pologne se défendrait d'intervenir dans l'exercice légitime de la religion. Laissez-vous entendre que nous devrions avoir un visa ou quelque chose de ce genre?

– Oui, Saint-Père. Avez-vous déposé une demande de visa?

– Non, nous ne l'avons pas fait, répondit François en feignant l'étonnement; mais vous avez raison. Nous le devons. Nous allons demander au secrétaire d'État de fouiller les archives, et nous emploierons la même formule que saint Pierre lorsqu'il vint à Rome. Voilà un précédent qui devrait satisfaire les bureaucrates, tant ceux d'ici que de Varsovie.

Il y eut des rires parmi les journalistes, mais plus gênés de n'avoir pas saisi sur le moment la portée de l'annonce initiale qu'amusés des traits décochés par le Pontife.

– Quel est l'objet de ces voyages, Votre Sainteté? demanda le *London Tablet*.

– Nous avons avant tout dessein d'appeler la jeunesse de Pologne et d'Irlande à participer à notre croisade en Amérique latine. Nous ne voulons pas que la croisade ne se compose que de gens appartenant à un seul pays ou à une seule idéologie. Il importerait que marxistes et capitalistes participent à une entreprise dont ni les uns ni les autres ne pourraient revendiquer l'honneur. Tout le monde en tirera profit. Dans le passé, tant les Polonais que les Irlandais ont généreusement donné leur vie pour le service de Dieu. Nous allons leur demander encore une fois de servir Dieu.

– Votre Sainteté croit-elle que le gouvernement polonais la laissera entrer? interrogea le *Washington Post.*

– Ne voyant pas comment un gouvernement qui garantit la liberté de pratiquer les cultes religieux et la liberté de la propagande antireligieuse pourrait refuser à un pasteur de visiter son troupeau, nous ne voyons pas pourquoi le gouvernement ne nous recevrait pas comme nous le recevrions : de bon cœur.

(Il y avait un journaliste polonais, mais il garda le silence. C'était sans doute un homme prudent.)

Ce fut *Der Spiegel* qui évoqua le sujet épineux :

– L'Église est-elle arrivée à des conclusions, ou au moins à des hypothèses fondées, au sujet des prétendus miracles aux États-Unis et en Amérique latine?

Le pape François eut une hésitation, la première que je lui aie vue lors d'une conférence de presse.

– Non, dit-il en étirant le mot comme s'il avait quatre syllabes. Nous avons uniquement eu connaissance du rapport préliminaire des médecins de l'Université de Pennsylvanie. Il n'est nullement concluant. Il semble qu'au Mexique et au Brésil des scientifiques étudient les autres cas. En l'état actuel des choses, je ne vois rien à ajouter à ma déclaration au départ de Newark.

– Sa Sainteté pense-t-elle que ces incidents, ou au moins un ou plusieurs d'entre eux, étaient des miracles? insista *Der Spiegel.*

François resta pendant une trentaine de secondes les yeux fixés tout au fond de la chapelle, par-dessus la tête des journalistes. Puis il répondit :

– Chaque fois que s'unissent un spermatozoïde et un ovule et que se forme un nouvel être humain, nous avons un miracle. Chaque foi que des chairs déchirées se cicatrisent, que des os brisés se ressoudent, nous assistons à un miracle. Plus précisément, ce que vous voulez savoir, c'est s'il y a eu transmission de force divine entre nous-même et ces gens? Nous l'ignorons, et nous n'estimons pas que la réponse importe si ce n'est comme un nouvel exemple de la miséricorde de Dieu, et nous en avons déjà eu des millions.

» Considérons le récit que nous ont fait les Évangélistes de la multiplication des pains et des poissons. Vous vous souvenez que le Christ eut pitié des foules qui Le suivaient. Il voulait les nourrir. Mais les Apôtres dirent qu'ils n'avaient en tout que quelques pains et deux poissons. Cependant, le Christ fit s'étendre les foules sur l'herbe, et dit aux Apôtres de leur distribuer la nourriture. Non seulement tous mangèrent à satiété, mais les restes remplirent plusieurs couffins. Cela, poursuivit François, ce fut un authentique miracle. Mais quel fut le miracle? S'agit-il simplement d'une sorte de procédé divin pour multiplier les pains et les poissons? Ce serait sans doute facile à une divinité. Aussi, peut-être y a-t-il là autre chose, qui échappe aux littéralistes du XXe siècle que nous sommes. Songeons qu'à l'époque il n'existait pas de transports publics et peu d'endroits où se restaurer. Le plus clair du temps, les paysans se déplaçaient à pied, et ils portaient généralement sur eux, cachés dans leur robe, quelque nourriture, des fruits, du pain, du poisson séché, peut-être une petite gourde de vin. Et je crois que le véritable miracle, c'est que le message d'amour du Christ a ouvert le cœur des foules et les a fait partager. Là serait un miracle infiniment plus grand. C'est le miracle que je veux accomplir : convaincre les gens de notre temps de partager.

Après cette magistrale démonstration, qui aurait encore osé évoquer cette question des « miracles »? Il se fit momentanément un grand silence dans la Sixtine. Finalement, un correspondant de je ne sais quel journal demanda :

– Il y a eu plus de trente-cinq démissions, départs à la retraite et déplacements d'évêques en Amérique latine depuis l'élection de Votre Sainteté. Votre Sainteté peut-elle nous dire quelque chose à ce propos?

– Oui.

Au bout de trente secondes de silence, le correspondant se manifesta de nouveau :

– Très Saint-Père?

– Nous disons oui. Votre chiffre est plus ou moins correct. Le chiffre exact est trente-sept, dit François d'un ton définitif, en donnant d'un signe de tête la parole à l'homme du quotidien *Il Tempo*.

– Nous avons remarqué que Votre Sainteté restait à l'écart du public, n'accordant que des audiences privées et des bénédictions depuis la fenêtre du palais. Serait-ce que Votre Sainteté s'attend à d'autres miracles?

– Signor Gaspari, nous ne savons jamais à quoi il faut s'attendre à Rome. Nous pourrions même assister au miracle d'une union entre les partis socialistes italiens.

Les questions et réponses se poursuivirent encore pendant vingt minutes, François s'efforçant de parler du renouveau spirituel, de la croisade et de l'encyclique sur la justice sociale qu'il allait publier, les journalistes, de leur côté, essayant de le piéger sur la question des miracles. *Ebbene*, je sais bien que les miracles font vendre plus de journaux que la justice sociale, mais on souhaiterait tout de même que les journalistes, qui revendiquent d'assez exorbitants privilèges, fassent preuve d'un sens de leurs responsabilités autrement élevé. Bien entendu les articles sur *il Papa* firent la une de plusieurs journaux, avec des titres tels que : LE PORTE-PAROLE DU VATICAN REFUSE DE RÉFUTER LA POSSIBILITÉ DE MIRACLES. Si quelqu'un au moins en tira plaisir, ce fut Fieschi – d'autant plus qu'il continua à ignorer ce qu'avait réellement dit le Pontife, car le temps lui manqua pour lire la transcription de l'enregistrement de la conférence.

Je ne vous dirai pas grand-chose du voyage en Irlande, la presse en a suffisamment parlé. A Dublin, les foules posèrent un sérieux problème. Monsignor Candutti avait représenté aux Irlandais la nécessité absolue d'un solide dispositif de sécurité, mais, à notre atterrissage, il se révéla très imparfait.

La première erreur vint du contrôleur d'aérodrome qui indiqua à notre appareil de s'arrêter en plein devant l'aérogare. La deuxième erreur résida dans la synchronisation. On nous fit débarquer peu d'instants après qu'un 747 venant de New York eut commencé à dégorger ses passagers. Dès que ceux-ci eurent aperçu le blason papal sur notre avion, ils s'attroupèrent au pied de la passerelle. La police irlandaise avait disposé ses forces de façon à nous protéger de l'affluence dans l'aérogare et à sa sortie. Pour nous dégager des passagers du 747, le commandant de police dégarnit ce front d'une partie de ses troupes, au moment même où la foule qu'elle contenait venait d'apercevoir les touristes autour de l'avion pontifical.

Il y eut une énorme bousculade et, en quelques secondes, les lignes de la police furent enfoncées. Plusieurs milliers de personnes se ruèrent autour de notre appareil. Une partie acclamait follement *il Papa,* une autre partie injuriait la police en se frottant les côtes, et une autre partie encore se trouvait simplement là pour avoir été entraînée dans le mouvement de foule. De son côté, la police reformait les rangs et se préparait à passer à l'attaque. Il doit y avoir là un réflexe international chez les forces de l'ordre.

C'était plus ou moins la scène de Mexico qui se répétait, et François y fit face de la même façon, en demandant à la foule de ne plus bouger et d'attendre sa bénédiction. Évidemment, il fallait bien qu'il y ait encore un miracle, bien que celui-ci ne méritât pas une minute d'attention. Une jeune gitane – de celles qui font profession de mendier – se mit à hurler qu'*il Papa* l'avait guérie de la surdité. Fieschi lui-même demeura sceptique lorsque, le lendemain matin, il lut de quel milieu venait la jeune fille. Mais le mal était fait.

Ayant frôlé la tragédie à l'aéroport, la police se montra ensuite plus attentive, mais guère plus efficace. François prit la parole – son allocution étant transmise au monde entier par satellite – dans un grand *colosseo* du quartier de Ballsbridge. L'assistance, pourtant énorme, ne représentait qu'une fraction de ceux qui étaient accourus au *colosseo,* et, à l'extérieur, l'émeute menaçait.

Nous nous étions reposés au palazzo du Président, dans Phoenix Park, à la lisière de Dublin. Monsignor Candutti avait obtenu qu'un hélicoptère officiel nous amenât directement au *colosseo.* Les rues avoisinantes offraient un spectacle pitoyable. Tous les hôpitaux d'Irlande devaient s'être vidés. Il y avait le long des rues littéralement des milliers de malades, d'impotents, de mutilés et de débiles mentaux, beaucoup sur des civières portées par des parents et des amis. La circulation, qui n'est guère plus fluide à Dublin qu'à Rome, n'était plus qu'un énorme embouteillage de machines polluantes d'où montait un concert d'avertisseurs et d'imprécations.

A un moment, l'hélicoptère volait si bas que nous aperçûmes en un point qu'une cinquantaine d'alités sur des civières obstruaient la circulation. A la demande de François, notre pilote réussit, non sans peine, à poser son appareil. Par bonheur, il s'agissait d'une voie assez large et, les malades formant un « bouchon », la chaussée était dégagée devant eux. François circula au milieu d'eux, leur offrant des paroles de consolation. Mais, en apercevant un hélicoptère et une silhouette vêtue de blanc, des passants se ruèrent à sa rencontre, et l'un des malades fut piétiné à mort.

Pour moi, il était clair que François cherchait une occasion de nouveaux « miracles ». Une part de lui-même rejetait cette idée et attribuait les guérisons à des réactions hystériques. Mais une autre partie était moins catégorique. Je ne sais si c'était son pouvoir ou sa foi qu'il mettait à l'épreuve. Dans un cas comme dans l'autre, il put estimer avoir réussi, à ceci près qu'un pauvre diable y avait perdu la vie. Mais deux des personnes qu'il avait touchées se prétendirent guéries. J'ai oublié quels étaient leurs maux.

La visite de François à Dublin constitua un succès à deux autres titres. Le premier fut l'énorme affluence des volontaires irlandais pour la croisade dès l'ouverture des bureaux de recrutement de l'abbé. Le second, ce furent les entretiens cordiaux qu'eut le Pontife avec des ministres presbytériens et anglicans venant autant de la portion libre de l'Irlande que de la zone occupée par l'armée britannique. Il en résulta un communiqué commun appelant à l'arrêt de la violence :

> Quelles que soient les divergences politiques dans les populations d'Irlande, elles ne peuvent être aussi importantes que leur héritage commun d'enfants de Dieu et de frères et sœurs en Christ. Les terroristes peuvent se dire catholiques ou protestants, mais ils ne peuvent être des chrétiens s'ils poursuivent leurs violences.

Nous quittâmes Dublin par une triste matinée pluvieuse. L'équipage était fort nerveux, car nous n'avions d'autorisation de survol que jusqu'à Berlin. Pas plus les Allemands de l'Est que les Polonais n'avaient répondu aux demandes d'instructions émises par le pilote. François ne semblait pas s'en émouvoir. Il dit simplement au pilote de se régler sur les fréquences de Berlin et de Varsovie, et de transmettre toutes les cinq minutes la route et l'altitude de notre avion.

Les Polonais étaient évidemment en fureur contre *il Papa* qui, au mépris des règles reconnues de la diplomatie internationale, venait à Varsovie sans leur permission. (Candutti était assez mécontent, lui aussi; diplomate de carrière, il prenait ces stipulations très au sérieux.) A part une brève annonce qu'*il Papa* serait reçu en qualité de chef de l'État du Vatican, les Polonais n'avaient pas autrement informé le monde de leurs intentions.

Non seulement n'avions-nous pas reçu d'autorisation de survol, mais nous ignorions également qui nous accueillerait, où nous séjournerions, et en quels lieux on nous laisserait nous adresser au peuple polonais, si même la chose ne nous était pas refusée. Nous avions essayé d'obtenir une réaction du gouvernement, à la fois directement, par des conversations entre monsignor Candutti et l'ambassadeur de Pologne à Rome, et, indirectement, en organisant des fuites au bénéfice de la presse. Mais le gouvernement polonais était resté de glace. « Nous sommes un peuple fier, expliqua monsignor Zaleski, pas toujours intelligent, mais toujours très obstiné. »

Nous avions cependant appris, grâce au clergé polonais, que la police nous expédierait proprement de l'aéroport jusqu'à Varsovie et retour à l'aéroport en trois heures, juste le temps de serrer la main au Premier ministre et aux autres membres du politburo. L'agence de presse gouvernementale n'avait pas informé le peuple polonais que le Pontife venait à Varsovie, omission que les prêtres et les évêques avaient promptement réparée. Nous apprîmes par la suite que, le matin de notre arrivée, Varsovie avait été inondée de plusieurs centaines de milliers de tracts indiquant l'heure approximative de notre débarquement et le trajet que nous suivrions, de l'aéroport jusqu'au cœur de la ville.

Dès l'atterrissage, il fut évident que les efforts du gouvernement polonais pour tenir notre visite secrète avaient totalement échoué. Une nuée de gens nous attendaient. Les correspondants de presse firent état de deux cent cinquante mille personnes. Entre eux et nous étaient interposés six rangs de soldats baïonnette au canon, renforcés par plusieurs dizaines de chars et de véhicules blindés.

Ecco, comment François aurait-il laissé passer une telle occasion? C'était tout l'épisode du porte-voix qui recommençait. Flanqué des monsignori Candutti et Zaleski, il serra les mains des personnages officiels de second rang. Et alors, suivi de monsignor Candutti nanti du porte-voix, lui-même suivi de monsignor Zaleski, François marcha dans la direction de la foule, grimpa sur un char et se mit à parler en anglais. Toutes les deux ou trois minutes il s'arrêtait et tendait le porte-voix à monsignor Zaleski, qui traduisait en polonais. Les soldats étaient médusés, mais ils ne pouvaient guère intervenir. Ils ne souhaitaient certainement pas intervenir physiquement contre *il Papa,* et certainement encore moins devant deux cent cinquante mille catholiques fervents.

François ne dit rien que de très simple. Il était venu prêcher l'évangile d'amour au peuple polonais, ce peuple qui, pendant des siècles, avait conservé cet évangile et l'avait répandu jusqu'à Rome elle-même. S'il était venu, c'était pour leur demander de réactiver leur foi et de vouer de nouveau leur vie à Dieu, en aimant leur prochain, même si cela présentait des difficultés. A ce moment-là, il désigna d'un large geste les soldats et les blindés. Puis il demanda que ceux qui le pouvaient se joignissent à la croisade, et à tous de participer activement au renouveau spirituel. L'allocution dura dix minutes – donc le double, compte tenu de la traduction de Zaleski.

Mais ensuite, au lieu de revenir vers les personnages officiels, François ordonna au conducteur du char de se porter jusqu'au flanc gauche de la foule. Le conducteur parut désemparé, mais il obéit. François répéta son discours et, toujours cramponné à la tourelle du char, il se fit ensuite conduire à l'autre extrémité et répéta une troisième fois son message. La scène était assurément spectaculaire : par un beau temps froid, un Pontife romain en soutane blanche et camail rouge circulant sur un char de fabrication soviétique. Puccini aurait aimé, Verdi aurait adoré.

Les officiels polonais étaient blancs de rage, mais ils devinrent de plus en plus livides au fur et à mesure que montaient de la foule de délirantes ovations. En voiture, ils ne desserrèrent pas les dents, tandis que François prenait un malin plaisir à les remercier de l'occasion qui lui avait été fournie de parler à la population, et promettait de vanter leur amabilité devant le Premier ministre. La voiture était une conduite intérieure aux fenêtres masquées par d'épais rideaux. Mais *il Papa* écarta tout simplement les rideaux, descendit la vitre (manquant nous faire mourir de froid) et salua les foules qui bordaient notre parcours.

A un carrefour, nous dûmes stopper en raison de travaux et d'un autobus au moteur calé. François ouvrit vivement la portière et resta debout, les bras ouverts, tandis que la trentaine d'ouvriers l'entourait, l'étreignant, l'embrassant. Sa soutane blanche, déjà maculée par sa station sur le char, s'émaillait à présent des traces de main des ouvriers. Au moment où notre convoi repartait, le vice-ministre des Affaires étrangères se pencha du côté de François et verrouilla sa portière. Le chauffeur resta à quatre-vingts kilomètres à l'heure jusqu'à notre entrée au siège du gouvernement.

La rencontre fut rapide et raide. On souhaitait effectivement nous voir partir au terme des présentations officielles au Président, au Premier ministre et aux autres membres du politburo. Significativement, le cardinal archevêque de Varsovie n'avait pas été invité. Mais François restait imperméable à toute allusion. Finalement, informé dans le meilleur anglais d'Oxford que les voitures attendaient pour nous ramener à l'aéroport afin que notre appareil puisse décoller sans retard, *il Papa* répondit qu'il escomptait faire le prêche dominical dans la cathédrale restaurée de Varsovie. Le Premier ministre expliqua dans un anglais laborieux que le Pontife était reçu en qualité de chef de l'État du Vatican et non en chef religieux.

– Absurde, cher monsieur, répondit François, vous dites des sottises. (Monsignor Candutti grimaça.) Nous sommes le Vicaire du Christ et nous sommes venus à Varsovie pour y prêcher la parole de Dieu.

– La « parole de Dieu », s'il existe une telle chose, intervint le ministre de la Sécurité avec son accent oxfordien, est prêchée quotidiennement par le clergé polonais. Nous n'avons pas besoin d'étrangers.

– Nul homme n'est un étranger dans le Christ, dit tout uniment François.

Se dirigeant vers la fenêtre, il regarda la place où se massait une foule énorme, contenue ici aussi par un important cordon de soldats, baïonnette au canon. Puis, sans un regard pour le ministre de la Sécurité, il s'adressa au Premier ministre :

– Excellence, nous voyons notre peuple, le vôtre et le nôtre, comme nous le croyons chacun; mais c'est en fait le peuple de Dieu, non le vôtre, non le mien. Il y a sûrement des haut-parleurs, ici. Vous souhaitez que nous partions. Nous souhaitons prêcher dans la cathédrale. Conduisons-nous en hommes raisonnables. Nous prêcherons d'ici à cette foule, et puis nous partirons, mais dans une voiture découverte (je frissonnai en pensant au froid et à la récente pneumonie de François), d'où nous verrons et serons vu pour apporter la bénédiction de Dieu à Son peuple.

– Non, c'est impossible.

– Très bien. Nous resterons ici jusqu'à ce qu'on nous laisse prêcher dans la cathédrale.

– Vous partirez dans l'instant, Saint-Père. Nous n'allons pas discuter.

– Vous ne pouvez nous faire partir qu'en usant de violence contre notre personne. Nous doutons que vous souhaitiez détruire ce que vous et votre prédécesseur avez accompli en atténuant les tensions entre l'Église et l'État. Nous ne doutons pas que votre régime survivrait à nos anathèmes, mais il pourrait ne pas survivre à la colère de ce peuple massé à l'extérieur. Demandez à ceux qui étaient à l'aéroport, demandez à ceux qui ont vu les foules le long de notre trajet, demandez-leur à qui ces gens sont par-dessus tout fidèles, à César ou à Dieu?

Allora, le pauvre monsignor Candutti tremblait de façon visible. François gardait son regard fixé sur le Premier ministre.

– Beaucoup d'innocents seraient tués, s'il y avait des émeutes, dit le Premier ministre d'un ton neutre.

– Le martyre est une sainte mort, une mort que le peuple de Dieu a maintes fois acceptée, comme le montre l'histoire de la Pologne.

Et, comme vous le savez, la volonté de François fut faite. Pour moi, le Premier ministre sentit que François accepterait la mort, pour lui-même et pour son peuple, volontairement et presque allégrement. Cette attitude effraya la Premier ministre. En véritable animal politique, le Polonais avait senti quelque chose de terrible en François, quelque chose de fanatiquement impitoyable, une capacité de renverser le temple sur lui-même, sur ses ennemis, sur son peuple, mais peut-être aussi un total oubli de soi. La première attitude est celle du politique, la seconde l'oubli de soi, celle de l'homme de Dieu. La personnalité de François continuait à se transformer. Cela, au moins, je le voyais. Mais dans quelle direction, cela me demeurait obscur. Pourtant, j'allais bientôt en avoir une vision autrement claire.

Je ne connais pas la valeur des résultats immédiats de notre voyage à Varsovie. Selon nos sources ecclésiastiques, des milliers de jeunes Polonais déposèrent des demandes de visas afin de rejoindre la croisade, mais le gouvernement n'en accorda que quelques centaines. En termes plus généraux, cette visite fit régresser les longues et délicates négociations mettant en jeu le gouvernement communiste, le Vatican et les évêques locaux. La bravade de François anéantit l'œuvre poursuivie par monsignor Candutti pendant plusieurs années, et ce dernier ne s'en consolait pas.

Pour ma part, je demeurai déprimé. Je compris, en rentrant à Rome, que ce voyage inaugurait une phase de triomphe dans la papauté de François. Il s'était plu à opposer son pouvoir moral à la force physique du régime polonais; je ne crois pas que tel était le cas au Brésil, lorsqu'il menaçait la junte. Là-bas, il combattait pour son peuple. En Pologne, il avait lutté contre un autre chef; il y allait de son orgueil.

Je devance un peu la suite de mon récit, mais sachez qu'après Varsovie *il Papa* eut un comportement plus impérieux. Au lieu de nous dominer intellectuellement comme naguère, il se prévalut de son autorité institutionnelle et de son charisme personnel. Il n'éprouvait plus le besoin de nous convaincre, mais simplement de nous commander.

Ce serait trop peu de dire que j'étais inquiet. J'étais épouvanté de ce qui arrivait à mon ami, de ce spectre du berger jouant si facilement sa vie et celle de son troupeau.

29.

Au retour de Varsovie, nous atterrîmes de nuit. François avait décidé qu'il regagnerait le Vatican non en hélicoptère mais par la route. Il fit valoir qu'à cette heure tardive – vingt-deux heures trente – il y aurait peu de circulation. Et puis, la météorologie annonçait un délicieux temps de printemps à Rome. A mon avis, il n'abusait personne d'autre que lui-même, mais aussi bien n'en faisais-je pas autant en me refusant à lire les signes indiquant dans quel sens s'opérait chez lui un changement?

Il n'était pas question de rentrer discrètement de l'aéroport au Vatican. François avait voulu qu'on vînt le prendre dans sa Mercedes découverte, et une voiture de cette marque et de cette dimension – je crois qu'elle est unique au monde – ne passe pas inaperçue dans Rome, surtout quand des dizaines de journalistes sont prêts à attendre toute la nuit pour photographier *il Papa.* Il n'y avait cependant que quelques milliers de personnes à l'aéroport, et seulement des petits groupes le long de notre route. En revanche, il y avait foule sur la place Saint-Pierre, compte tenu de l'heure tardive – vingt-cinq mille personnes selon les journaux. Bien que ce ne fût qu'une petite portion de ce que la *piazza* peut contenir, c'était tout de même un assez grand nombre d'humains. Et, comme toute bonne foule italienne, on se poussait, on jouait des coudes, on s'injuriait en braves chrétiens.

Il n'y eut heureusement pas d'incidents. Dieu fut clément et l'escorte de motocyclistes, impitoyablement soudée autour de la voiture découverte, aveugle aux feux de croisement, aux piétons et aux enthousiastes massés sur la chaussée. Nous en évitâmes quelques-uns de justesse, mais il n'y eut aucun dommage à déplorer, si l'on excepte les contusions auxquelles on s'expose toujours dans une foule romaine.

Le lendemain matin, François manifestait encore du dépit de ne pas avoir été en contact plus étroit avec les gens, mais Fieschi lui-même convint que de la sorte il n'y avait pas eu d'incident fatal à déplorer. François se montra – comment dites-vous? – grognon, c'est ça, pendant le petit déjeuner avec l'abbé, jusqu'au moment où ce dernier lui fit part des bonnes nouvelles : en trois jours, deux cent cinquante volontaires irlandais avaient été passés en revue, et, sur ce nombre, cent cinquante avaient été estimés physiquement et mentalement aptes à participer à la croisade. Dans la semaine ils iraient rejoindre au Mexique plusieurs centaines d'Allemands et d'Américains, pour un séjour de deux mois dans un camp d'entraînement accéléré. La machine se mettait en marche.

L'abbé indiqua aussi que le cardinal Martín venait de lui téléphoner. Celui-ci revenait d'un périple en Argentine, au Chili et au Mexique, au cours duquel il avait inauguré la campagne de recrutement (et vérifié officieusement les progrès du renouveau spirituel). Il y avait encore relativement peu de volontaires – moins de sept cent cinquante – mais ils étaient pratiquement tous acceptés, et se préparaient eux aussi à s'envoler pour le camp mexicain.

Au cours des premières semaines du printemps, François intensifia encore son travail. Il restait cloué à l'un ou l'autre de ses bureaux. S'il travaillait dans la *casina,* nous faisions parfois une promenade dans le jardin, mais seulement sur mes instances. Je parvenais aussi à le persuader de faire un peu de marche sur le toit du palazzo que le pape Paul avait aménagé dans ce but. Mais il ne prenait quand même que très peu d'exercice, et cela m'inquiétait.

Ses journées s'allongèrent. Pendant les premiers mois de sa papauté, il avait eu coutume de se mettre à l'ouvrage un peu avant huit heures et d'y rester jusqu'à douze heures trente, après quoi il faisait une demi-heure de promenade dans les jardins, déjeunait légèrement et faisait la sieste (après la lecture de l'*International Herald Tribune* qui arrivait à Rome vers treize heures trente). Puis il reprenait son travail de seize heures à vingt et une heures.

J'ai mémoire, à cette époque, de nombreux dîners. Partager la table du Pontife est une chose en soi extraordinaire et, avant François, elle était assez rare. Ces dîners avec *il Papa* furent de merveilleux épisodes, bien que les mets fussent des moins délectables – avant l'arrivée d'Elio et Massimo, transfuges du restaurant Il Galeone. (En revanche, les vins étaient toujours bons, car je les choisissais et, souvent même, les fournissais personnellement.) Pritchett, l'abbé et moi-même y assistions régulièrement; monsignor Cavanaugh, le prêtre irlandais qui travaillait aux allocutions de François, était souvent des nôtres. Lorsqu'il se trouvait à Rome, M. Keller apparaissait toujours à ces dîners et il y amenait la signora Falconi. (Elle ne pouvait y venir seule, ni en compagnie de clercs; le fait même qu'elle parût à la table pontificale, escortée par un laïc, suscitait déjà suffisamment d'émoi.)

Au début de son pontificat, et pendant tout l'été, jamais François n'apparut sous un meilleur jour; il était courtois, charmant, spirituel, parfaitement modeste, prêt à discuter de n'importe quel sujet, accueillant la contradiction non comme un affront mais comme un défi intellectuel, donnant beaucoup plus qu'il ne recevait. Je me souviens de cette soirée au cours de laquelle deux jeunes séminaristes du Collège nord-américain dissertaient gravement de la grande différence théologique entre les Grecs orthodoxes et Rome sur la nature de la Sainte Trinité. Comme vous le savez, les Grecs professent que le Saint-Esprit émane directement du Père, alors que nous savons qu'Il émane du Père et du Fils. Les ayant écoutés attentivement pendant dix minutes, François posa une de ses questions coutumières :

– Quelles sont les données?

– Très Saint-Père? demanda l'aîné des séminaristes.

– Je pose la question : quelles sont les données?

– Je ne comprends pas, Très Saint-Père.

– Vous êtes en train de parler d'une question de faits, non de rapports logiques. Ou le Saint-Esprit émane d'ici, ou Il émane de là. En termes logiques, les deux propositions sont aussi justifiables. Quelles sont donc les données qui nous permettraient de déterminer laquelle est correcte?

Cette sorte d'indifférence pratique à deux mille ans de discussion théologique, mais d'aimable tolérance envers ceux qui se plaisent à débattre ainsi, était typique du François qui avait été Declan Walsh.

Ces soirées remplissaient un excellent office. Les convives rencontraient *il Papa* dans des conditions privilégiées, ils avaient souvent la possibilité de lui parler en privé d'un problème particulier ou bien, lorsqu'ils étaient journalistes, de publier, en termes prudemment mesurés, un article de bonne source et révélateur. Le pape François en profitait souvent pour insuffler ses idées et ses enthousiasmes.

Mais, beaucoup plus important encore, ces dîners constituaient pour lui des sources d'information sur le monde extérieur, et même sur le Vatican, dont tout ne transpirait pas jusqu'à nous. Certes, il recevait quotidiennement deux résumés de presse établis par la Secrétairerie d'État, un abrégé des dépêches diplomatiques, et des monceaux de rapports officiels émanant des congrégations de la Curie, des secrétariats, des comités et des commissions. Mais tout cela lui parvenait par les canaux officiels et était préparé à son intention par les carriéristes de la Curie. Bien sûr, il lisait aussi régulièrement trois ou quatre quotidiens, mais les soirées lui fournissaient des informations directes d'autres sources.

Dès l'automne, la participation de François devint moins souple, plus distante. Prenant de moins en moins part à nos conversations, il était celui qui interroge ou surtout qui écoute solennellement. Ce passage d'une participation active à une participation passive n'était pas seulement imputable à la stature pontificale qui devenait la sienne, mais aussi à la transformation intérieure dont je vous ai parlé. Il perdait progressivement, même en privé, de sa spontanéité, de sa large curiosité.

Au surplus, le travail de François empiétait de plus en plus sur ses heures de détente. Après notre retour de Varsovie, il s'asseyait à son bureau avant sept heures du matin et il y prenait sur un plateau le petit déjeuner, le déjeuner et parfois même le dîner. Et quand il avait des convives, c'était à présent plutôt pour de grands repas cérémonieux, au cours desquels les conversations étaient assez guindées.

Il Papa conserva cependant une habitude que, pour ma part, je trouvais merveilleuse, celle d'un dîner hebdomadaire dans la *casina* auquel il conviait dix ou douze élèves du Séminaire éthiopien ou du Collège nord-américain, ainsi, par la suite, que d'autres séminaristes. Ces événements s'apparentaient plus à de petites audiences qu'aux libres discussions de naguère, mais au moins ces jeunes pourraient-ils se remémorer tout au long de leur vie solitaire qu'ils avaient passé une soirée auprès du Pontife.

Et François prit aussi une habitude neuve, celle des audiences générales quotidiennes. A notre retour de Dublin et Varsovie, il avait pris coutume de paraître tous les jours, à midi, à la fenêtre du palazzo qui surplombe la piazza, et chaque fois une foule notable l'attendait. Un mois plus tard, la Secrétairerie d'État annonçait que lorsque *il Papa* se trouvait à Rome, il accorderait quotidiennement une audience générale aux gens massés sur la piazza. Bientôt, pourtant, le public n'allait pas s'en suffire, et François non plus.

30.

Peu après notre retour de Varsovie, François mit la dernière main au texte de son encyclique *Justitia et Pax*, « Justice et Paix ». Selon son habitude, il laissa le document de côté pendant quelques jours avant de le faire circuler. Le message social et politique qu'il contenait ne pouvait guère sembler radical à quiconque connaît les textes de Léon XIII, Pie XI, Jean XXIII et Paul VI sur ce même thème. Il se situait dans une perspective un peu plus socialisante au point de vue économique et social, mais sans excès. Au demeurant, le pape Paul n'était pas loin d'épouser les thèses de la Fabian Society et, bien que beaucoup de catholiques l'oublient, l'Église a condamné historiquement le capitalisme libre-échangiste, aussi destructeur de valeurs humaines que le communisme athée.

Le texte ne disait rien de nouveau en parlant de la nocivité de la recherche du profit et des effets déshumanisants de la concentration des richesses par quelques-uns, ou par une nation ou un petit nombre de nations. Il n'était pas plus novateur en critiquant sévèrement la course aux armements, dévoreuse des ressources si nécessaires pour nourrir, vêtir et instruire les pauvres. Peut-être condamnait-il avec un peu plus de vigueur le racisme de toutes nuances ainsi que les notions de supériorité ethnique ou nationale. En bref, *Justitia et Pax* insistait hautement sur le devoir de sollicitude de tout être, et donc de toute nation, envers le prochain. Le message n'était pas neuf. Comme François avait noté en marge : *Nous pouvons poser à Dieu l'antique question de Caïn, mais la réponse demeurera la même. Nous sommes les gardiens de nos frères, liés par cette fraternité au partage de toutes choses avec nos semblables.*

Cependant, quelque chose d'extraordinairement nouveau vint s'y glisser. Après avoir soumis le texte aux divers organismes de la Curie, recueilli, collationné leurs remarques, et pris certaines d'entre elles en compte, François ajouta deux phrases. Elles étaient laborieuses, mais cruciales :

> Bien que nous condamnions sans réserve la stérilisation obligatoire et l'avortement en tant que méthodes immorales pour freiner la

> croissance démographique, cela demeure pour tous un devoir important que de faire preuve de prudence dans le nombre d'enfants qu'ils conçoivent. Envers leurs populations, particulièrement les groupes les plus pauvres, sur lesquels pèsent le plus lourdement les fardeaux familiaux et dont les enfants ont des conditions de vie particulièrement pénibles, les gouvernements ont l'obligation positive de les instruire afin de prévenir des croissances démographiques qui non seulement diminuent la prospérité matérielle mais encore, ce qui est beaucoup plus important, la possibilité d'une vie spirituellement féconde.

Le Saint-Siège est un monde byzantin où, à l'instar des régimes de Moscou et de Pékin, des altérations capitales de politique sont souvent annoncées dans la phraséologie conventionnelle par l'insertion ou l'omission de petits adjectifs ou adverbes. Dans ce monde du discours allusif, les deux phrases sonneraient comme un appel au meurtre, une stridente répudiation de l'encyclique de Paul VI, *Humanae Vitae*, qui réaffirmait en 1968, sans toutefois en faire un dogme, l'enseignement traditionnel selon lequel les moyens artificiels de contraception sont interdits par la loi morale.

Dans des conditions normales, Fieschi aurait démissionné plutôt que de laisser de tels mots passer sur sa table. Mais il plaçait, à présent, une foi si aveugle dans le charisme de François qu'il n'avait plus de jugement personnel. *Il Papa* avait ordonné; Fieschi veillerait à ce que le monde l'entendît et lui obéît. Une telle attitude desservait le Pontife. Je ne sais si François se rendait compte qu'il risquait de susciter la révolte parmi les traditionalistes, mais en tout cas Fieschi ne fit rien pour le lui représenter. Et comme Pritchett, l'abbé et moi ignorions encore à ce moment-là l'ultime version, nous ne pûmes intervenir.

En fait, Bisset, LaTorre, Greene et Chelli furent avertis avant nous tous de l'ajout de François grâce à leur source particulière. Et Fieschi ne m'alerta qu'après avoir reçu la visite indignée des quatre traditionalistes. Il les avait laissé présenter des objections orales – par la voix de LaTorre – puis les avait placidement informés que Sa Sainteté avait considéré ces questions et qu'elle avait cependant décidé d'ajouter les phrases incriminées. Il ne proposa nullement qu'ils en discutassent avec lui ou avec le Pontife, ni même qu'ils donnassent leur sentiment par écrit. Il accéda toutefois à leur requête d'une audience spéciale avec *il Papa*.

On en était à ce point lorsque LaTorre m'informa par téléphone qu'ils aimeraient discuter tous les quatre d'une « affaire urgente » avec moi. Je leur proposai de venir dîner le soir même dans mon appartement de Saint-Callixte. Ils arrivèrent ensemble, ce qui me laissa présager sombrement qu'ils formaient un front uni.

J'avais prévu un menu simple. Nous débutâmes, après un Campari comme *aperitivo*, par des *lumache* chauds – vous connaissez ces délicieux petits escargots? – et des moules crues au jus de citron. Nous aurions un verdicchio frappé pour accompagner ces *frutti di mare*.

Nous eûmes ensuite un plat de *frascarelli*, spécialité des Abruzzes natales de mon cuisinier Vergilio. Ce sont des pâtes vertes, à cause des épinards qui entrent dans leur confection, d'une forme rappelant celle du haricot vert, et servies avec une sauce à la viande et aux tomates. Arrosées d'un chiaretto, elles font une excellente transition avec le plat de résistance. J'avais choisi pour ce dernier de belles tranches de *bistecca Fiorentina*, avec, comme accompagnement, courgettes frites et salade mélangée. Pour le vin, nous aurions un rouge de Turquie très buvable, le yakut, dont des amis de l'ambassade de Rome m'avaient fait présent. Les fromages seraient un bleu danois et du cheddar américain, accompagnés d'une ou deux bouteilles d'un superbe bordeaux de vos vignobles californiens de Mondavi – dont je dois tout de même noter le prix prohibitif. Nous aurions pour *dolce* les grosses oranges siciliennes, et un champagne Korbel point trop frappé. Le *digestivo* était prévu : grappa pour LaTorre et Courvoisier pour les autres.

Comme vous le voyez, j'avais prévu un repas simple, et incitant à la détente. Mais il n'en alla pas ainsi. Bisset, Greene et Chelli savourèrent les *lumache* et les moules. De Chelli, la chose était inusitée car, en bon Napolitain, il prétendait trop savoir ce qui se déverse dans la mer pour en apprécier les produits. LaTorre ne les bouda pas non plus, mais bientôt s'engagea une discussion si vive que la chère et les vins furent négligés.

En un premier temps Chelli réussit à calmer LaTorre, en précisant bien qu'il ne s'agissait pas d'attaquer l'encyclique sur le fond mais d'explorer les moyens de persuader *il Papa*, lors de l'audience du lendemain après-midi.

– Il importe en tout premier lieu de définir si le Saint-Père comprend totalement la signification de ce qu'il énonce.

– Je suis raisonnablement certain que oui, répondis-je, il a rédigé seul l'encyclique.

– Que vous en a-t-il dit? demanda LaTorre.

– Tant que je serai le conseiller du Pontife, je ne puis rapporter nos entretiens. (La chose m'était facile, car François ne m'en avait pas entretenu.) Mais, comme je partage certaines de vos inquiétudes à ce sujet, je propose une approche susceptible d'avoir des résultats.

– C'est-à-dire? demanda Bisset.

– C'est-à-dire de représenter à *il Papa* que même s'il fait des réserves sur *Humanae Vitae*, la façon dont il les exprime n'est pas la meilleure.

– C'est ce qu'a suggéré Mario, dit LaTorre avec un geste de la tête en direction de Chelli. Mais, à mon avis, il faut arriver au fait. La question n'est pas de discuter de la façon dont *Humanae Vitae* est modifiée, mais d'énoncer qu'elle ne doit pas être modifiée, sauf pour la renforcer.

– Je crains que vous ne demandiez l'impossible, intervins-je. *Il Papa* estime qu'avec *Humanae Vitae* le pape Paul s'est fourvoyé. Ce document a été attaqué autant par d'éminents théologiens que par de scrupuleux évêques, et largement ignoré par les confesseurs et le laïcat du monde entier. François estime que l'erreur fondamentale d'*Humanae Vitae* réside dans sa conception que la sexualité est chose vile et n'a d'autre justification que la procréation.

– C'est la vérité de Dieu, et non une erreur! éclata Greene. Le seul but légitime de la sexualité, c'est la perpétuation de l'espèce humaine, et non la satisfaction immédiate de deux corps moites.

– Mais l'amour là-dedans?

– L'amour n'est pas la lubricité, intervint LaTorre. L'amour se voue au bien d'un autre, par-dessus tout à son bien spirituel, et non à la satisfaction de la lubricité.

– Exactement, dit Greene.

– Je crois que vous vous méprenez sur l'objet du débat. Mais aussi bien ne sommes-nous pas réunis pour nous faire changer mutuellement d'opinion.

– C'est mon avis, dit Chelli qui se manifestait pour la première fois. La prudence commanderait de temporiser. Si nous restons inflexibles sur la question, très certainement nous échouerons; alors qu'en laissant faire le temps, nous pourrons gagner.

– Comment temporiser avec le mal? *Puisque te voilà tiède, je vais te vomir de ma bouche,* dit vivement Bisset.

– Pour commencer, je ne suis pas entièrement convaincu que l'équation fondamentale entre sexualité et procréation soit exacte, répondit calmement Chelli. En tout état de cause, c'est une proposition qui ne peut s'étayer ni sur un raisonnement logique ni sur les Écritures, à moins qu'on ne reconnaisse à un Père tel que saint Augustin une inspiration divine.

– Je la lui reconnais, laissa tomber Bisset.

– Mais pas l'Église, riposta Chelli. Et le point capital, c'est que le Pontife rejettera cet argument. Il nous faut choisir entre la défaite assurée et la temporisation.

– Je ne suis pas d'accord, dit LaTorre. Nous avons tenu bon sur la question du célibat, et nous avons gagné.

– Je n'en suis pas aussi certain, répondit Chelli. Je crois que ce que nous avons gagné, c'est un répit, rien de plus. Le pape François nous a écoutés parce que nous présentions – en réalité c'était vous, Vanni, qui le présentiez – un excellent argument, et il a ajourné la question parce que nous l'avions ébranlé.

– Tout à fait juste, dit Greene, mais nous avons également d'excellents arguments ici. Pourquoi ne pas l'ébranler encore?

– Parce que nos arguments se fondent sur un postulat qui n'est même pas unanimement admis par nous, dans cette pièce, qui est estimé déraisonnable sinon absurde dans la plus grande partie du monde, et cela pas seulement par des Hollandais égarés mais par des évêques et des prêtres de stricte obédience. *Et encore,* parce que nous avons affaire à un homme différent de ce qu'il était il y a quelques mois. Je ne crois pas qu'on puisse aujourd'hui ébranler le Pontife par des raisonnements ou des preuves.

(J'écoutais de toutes mes oreilles, car Chelli exprimait exactement mon sentiment.)

– Mais c'était vous qui prétendiez l'été dernier que nous pourrions le rallier à nos vues, éclata LaTorre.

– Je sais, je sais, et j'avais raison à propos de *cet homme-là*. Mais nous nous trouvons désormais devant un homme différent. Il y a en lui quelque chose de changé. Il ne tolérera plus la contradiction ouverte. Il se peut que cela vienne seulement de la fatigue. Il a tout de même été gravement malade.

– Ce qui revient à nous conseiller simplement de prier Dieu d'ouvrir les yeux de Sa Sainteté? demanda LaTorre.

– Ou peut-être de les lui fermer, glissa Bisset.

Courroucé, je tentai d'intervenir, mais Chelli me devança :

– Prions plutôt Dieu de nous donner à tous la sagesse, particulièrement la sagesse de ne pas nous confondre avec Lui. Toutefois, Votre Éminence a effleuré une éventualité qu'il nous faut considérer, dit-il à Bisset. François n'est pas pape à perpétuité.

– Mais cela semblera aussi long, soupira Greene.

– Pour nous, oui, mais pas pour Dieu, pas pour son Église. Si nous pouvons différer les décisions, nous gagnerons peut-être sous le prochain pape. Je gage que le prochain conclave se montrera plus circonspect, s'agissant d'élire des moines inéprouvés. Veuillez m'excuser, Éminence, me dit Chelli en se rendant compte de ses paroles. Je ne voulais pas rouvrir d'anciennes blessures.

Je souris. Après tout, il n'exprimait que la vérité.

La semaine suivante, l'audience accordée par *il Papa* aux traditionalistes débuta sous des auspices mêlés. François les reçut dans le cadre austère et solennel de son bureau du palazzo. Fieschi était présent, prêt à jouer l'archange Michel pour le Jehovah de François. Par ailleurs, François nous y avait également conviés, Pritchett et moi, et nous serions peut-être capables d'exercer une influence modératrice. Au surplus, François paraissait assez aimablement disposé, bien qu'il parût distrait et marchât de long en large, en s'arrêtant de temps à autre pour observer les gens sur la piazza.

LaTorre exposa l'affaire en termes mesurés. Il dit ne se faire l'interprète que des quatre cardinaux ayant sollicité l'audience, mais être certain que beaucoup d'autres prélats partageaient leurs vues. Puis il expliqua comment, à leur sens, seraient interprétées les deux phrases ajoutées dans l'encyclique et fit valoir calmement – doucement, même, pour un LaTorre – qu'*Humanae Vitae,* en tant que déclaration profondément réfléchie d'un Pontife respecté, méritait un autre sort, de crainte que le magistère de l'Église en fût gravement meurtri. Toute révision de ce texte, qui porte au premier chef sur la foi et la morale, devrait être précédée d'une étude exhaustive par les théologiens du Saint-Office, ainsi que par d'autres théologiens, si *il Papa* l'estimait opportun. Dans cette exposition de quinze minutes, LaTorre se révéla sous son meilleur jour : savant, réfléchi, un peu ampoulé peut-être, mais aussi totalement dévoué à l'Église que maître de son raisonnement.

Lorsque LaTorre se tut, Fieschi voulut dire quelque chose, mais François le retint d'un geste.

– Je crois que la considération fondamentale, monseigneur cardinal, c'est qu'à votre sens *Humanae Vitae* est un document exact sur le fond.

– Oui, très Saint-Père, mais nos réserves ne portent pas sur ce point.

Je regardai Chelli. A peine cilla-t-il, mais je compris que, comme moi, il craignait que LaTorre se laisse entraîner sur un terrain fatal. Je remarquai aussi que Fieschi et Pritchett étaient si intensément tendus en avant qu'ils n'étaient plus qu'à peine posés sur leur siège.

– Telle n'en est pas moins l'essence de votre position, poursuivit François, et nous devons être aussi franc que vous, monseigneur cardinal. Nous tenons pour notre part qu'*Humanae Vitae* se fonde sur une vision erronée de la nature et de la fonction de la sexualité. L'un des objectifs de la sexualité est la procréation, mais là n'est pas son unique objectif. L'amour est important dans ce monde et également dans l'autre monde, si nous lisons bien le Nouveau Testament. La sexualité peut être une expression sublime de l'amour. Vos théologiens se plaisent à citer saint Paul disant que l'amour du Christ pour l'Église est comme celui du mari pour son épouse. Si cette analogie symbolise l'intimité et la sainteté du lien entre le Christ et l'Église, elle est pareillement symbolique du lien entre l'homme et la femme dans le mariage et l'expression de leur amour.

» Et la sexualité a une autre fonction, moins haute : elle relâche les tensions que connaît tout être humain et satisfait son besoin de se sentir chéri, recherché ou même utile.

» Se refuser à avoir des enfants est une faute dans la plupart des cas, mais pas nécessairement dans tous. Nous ne pouvons pas plus ignorer le but procréateur de la sexualité que nous ne pouvons ignorer ses autres fonctions. Mais qu'un couple marié ait un, deux, trois, quatre enfants, ou même aucun, cela dépend d'une foule de facteurs psychologiques, économiques et écologiques. Ce n'est pas en simplifiant à l'excès la réalité, ni en imposant au peuple de Dieu les conclusions d'un syllogisme fondé sur des prémisses fausses que nous sauverons les âmes.

– Théologiquement, Très Saint-Père..., commença LaTorre.

– Nous avons rédigé un texte pastoral et non théologique. Que vos théologiens tissent leurs toiles d'araignée, mais notre devoir à nous, c'est de conduire les âmes au Christ.

– Mais Votre Sainteté ne peut vouloir agir sans avoir pesé les opinions de ses théologiens?

– Nous avons répondu à cette objection, monseigneur cardinal.

– Mais il y aura des répercussions théologiques, insista LaTorre.

Pendant la majeure partie du dialogue, François était resté à regarder par la vitre. Il se retourna brusquement, mais je fus plus prompt que lui :

– *Allora,* Saint-Père, intervins-je, un juriste américain dirait que Son Éminence plaide pour une procédure légale régulière.

– Les sentences sont confirmées, dit François avec un sourire contraint. Nous connaissons la conception que se fait la Curie romaine d'une procédure légale. De Galilée à *Humanae Vitae,* cela consiste à *insabbiare* ce qui est bien sans procès impartial. (Vous connaissez ce mot italien, *insabbiare*? Il signifie « recouvrir de sable », « ensabler », et il est fort usité en politique.)

– Ce n'est pas vrai, Saint-Père, balbutia LaTorre. *Humanae Vitae* n'a été émise qu'après que des théologiens, des pasteurs et des laïcs eurent eu toute latitude de s'exprimer.

LaTorre s'en serait-il tenu là que bien des maux nous auraient été épargnés. Chelli et moi-même nous étions d'ailleurs levés pour signifier que l'audience était terminée, mais LaTorre, rouge de colère, s'obstina :

– Je manquerais à mes devoirs de préfet de la Congrégation pour la doctrine de la foi si je n'avertissais Sa Sainteté que, dans sa rédaction actuelle, l'encyclique frise l'apologie de l'hérésie, si même elle n'est pas en réalité apologie de l'hérésie.

La pièce se figea. Fieschi devint vert, et j'avais l'impression d'entendre les battements du cœur de Fieschi.

– Veuillez répéter, s'il vous plaît, demanda François avec un calme glacial.

LaTorre, à présent debout, répéta mot pour mot sa phrase.

– Le Pontife ne peut être hérétique! s'exclama Fieschi. La papauté est infaillible!

– Il est le Pontife. Nous seuls sommes la papauté.

– Cardinal LaTorre, dit le pape François d'une voix dure, vous n'êtes un élément de cette papauté qu'aussi longtemps qu'il nous plaît que vous le soyez. Nous n'avons plus besoin de vous. Lorsque nous souhaiterons votre présence ou votre opinion, nous vous convoquerons. A présent, partez!

François lui tourna le dos et regarda par la vitre. LaTorre s'inclina. Il n'était ni contrit ni provocant, simplement déterminé.

Tous les autres cardinaux, encore abasourdis, sortirent à la file, Fieschi fermant la marche. Pour ma part, je me dirigeai vers la fenêtre et m'installai dans un petit fauteuil. C'était prendre une liberté avec le pape François, mais je savais que Declan Walsh aurait apprécié ma présence.

– Je me souviens d'un vieil ami, dis-je, qu'agaçaient les fumeurs de pipe car ils se donnent du temps pour réfléchir sous prétexte d'allumer leur pipe.

– C'était dans une autre incarnation, répondit François en se tournant vers moi avec un sourire affectueux. Mais, Ugo, pourquoi me combattent-ils? Je les ai écoutés, je leur ai cédé, et depuis neuf mois ils m'assaillent, violemment ou non.

– Saint-Père, ils vous combattent parce qu'ils sont convaincus qu'ils ont raison, et vous tort – dans ce cas précis, dangereusement tort. Ils aiment l'Église de tout leur cœur, et ils sont sûrs que celui qui n'a pas été au moins trente ans prêtre ne peut l'aimer autant qu'eux. Tout cela est de ma faute.

Il Papa se laissa tomber dans un fauteuil et me tapota le bras. Nous n'avions pas été aussi proches depuis des semaines.

– Ce n'est pas votre faute, Ugo. Harry Truman disait que le plus clair de son temps à la Maison-Blanche se passait à tenter de persuader les gens de faire ce qu'ils auraient dû faire sans qu'il le leur demande. Aujourd'hui, je le comprends. J'aurais dû destituer immédiatement LaTorre. Il faut que je lui trouve très vite un autre poste. Il n'est pas question qu'il reste dans la Curie après cet incident.

– Pourquoi pas la direction de l'institut d'Études bibliques de Jérusalem? Il était homme de haute culture, en un temps.

– Je préférerais l'envoyer en Laponie nous représenter auprès des Eskimos. Mais, assez parlé de lui. Que pensez-vous des deux phrases en question?

– Je pense qu'elles ne devraient pas rester.

– Ah! vous aussi!

– Non, pas « moi aussi ». Vous savez que je tiens *Humanae Vitae* pour une erreur. Mais c'est un bon argument qu'oppose LaTorre avec la procédure légale régulière, et j'ai en outre une autre raison. Vous avez peut-être oublié que vous me vouliez le gardien de votre conscience stratégique. Eh bien, mon conseil stratégique, Saint-Père, c'est d'attendre. Vous centrez tout l'intérêt sur le renouveau spirituel, la croisade, sur les efforts dans la voie de la paix et de la justice. Dans ce contexte, *Humanae Vitae* est une chose mineure stratégiquement.

François se leva et retourna à la fenêtre.

– Je vois une autre chose mineure là-bas, dit-il. Une tache noire au pied de l'obélisque. Cela me rappelle l'injustice dans l'Église même. Ugo, la nuit, je les entends m'appeler à l'aide : ces jeunes prêtres qui sombrent dans un solitaire désespoir; ces femmes, dont la ferveur est sans doute plus grande que la mienne, empêchées de suivre leur vocation simplement parce qu'elles sont femmes; ces millions de couples mariés qui ne pratiquent plus leur religion et qui perdent leur foi parce que Paul dit que c'est un péché que de s'aimer en toute plénitude si l'on se refuse à avoir un enfant tous les ans; et ces millions d'autres, hommes et femmes, à qui il est interdit de pratiquer leur religion plénièrement parce qu'après un mariage malheureux ils ont pu connaître un nouvel amour. Je les entends m'appeler la nuit. Ce n'est pas la charité que nous demandent ces gens, mais la justice – et de leur vivant. (Il se jeta dans un *poltrona*. Il exsudait la fatigue par tous les pores.) Pardonnez-moi, mon vieil ami. Je suis confronté à un mélange d'adulation et de résistance qui me laisse épuisé.

– Je sais que c'est une épreuve harassante, Très Saint-Père. Mais, avec les années, vous accomplirez de plus en plus de choses.

– Mais aurons-nous des années? Vous, ou moi, ou notre peuple?

Ecco, je pris seulement alors conscience que le pape François était devenu vieux. Nous acceptons plus facilement l'idée de notre propre mort que celle des êtres aimés.

Je crois être parvenu à toucher *il Papa* cet après-midi-là. De sa belle écriture nette, il porta des corrections en marge du manuscrit. Il supprima la phrase sur l'obligation positive des gouvernements de restreindre les naissances. Et il modifia l'autre phrase, comme vous allez le voir, en condamnant la stérilisation obligatoire et l'avortement en tant que « voies » immorales. La voici, telle qu'elle apparaît dans *Justice et Paix :*

> Bien que nous condamnions sans réserve l'avortement et la stérilisation obligatoire en tant que voies immorales pour freiner la croissance démographique, nous rappelons au peuple de Dieu qu'il a l'obligation de ne pas concevoir d'enfants à qui il ne peut fournir ce qui est fondamentalement nécessaire à sa vie physique et, beaucoup plus importante, spirituelle.

Mais pour mon cher vieux LaTorre, François ne lui accorda pas le poste de Jérusalem, pourtant vacant. Il le nomma archiprêtre de la basilique Saint-Pierre – en remplacement d'un cardinal octogénaire qui souhaitait se retirer. François accepta également la démission de LaTorre, non seulement du décanat du Sacré Collège mais également de toutes ses fonctions dans des organismes de la Curie, à l'exception du Tribunal suprême de la signature apostolique, qui est notre cour. Il dut même libérer son vaste appartement dans le palazzo du Saint-Office et s'installer dans un plus petit, sur l'arrière du bâtiment. La chose manquait d'élégance.

La sainte Mule accepta sa défaite avec humilité et dignité. Fieschi lui-même, qui avait eu la courtoisie d'informer personnellement LaTorre de la sentence du Pontife, fut impressionné de sa réponse :

– Nous remercions Votre Éminence. Nous aurons maintenant tout le temps de prier pour notre sainte Mère l'Église et pour nous-même, afin que nos offenses nous soient à tous pardonnées.

LaTorre retourna à ses chères études bibliques, si longtemps négligées. Nous restâmes amis, déjeunant ensemble toutes les semaines. Il affichait un entrain dont je savais bien qu'il masquait une blessure. Après tant d'années, il n'avait plus part au gouvernement de l'Église et il la croyait profondément en péril. Mes frères Greene et Chelli étaient fréquemment des nôtres, mais, à sa grande tristesse, plus jamais notre brave Français Bisset ne vint le voir après sa chute.

31.

François me consulta, ainsi que d'autres, sur le successeur de LaTorre au Saint-Office. Et il fit, avec Rauch, un choix judicieux. Pour un Allemand, Rauch avait déployé, à la tête de la Congrégation pour le clergé, beaucoup de douceur, d'intelligence et de discernement, à un moment où la question du célibat sacerdotal menaçait l'Église de désunion. Il possédait à la fois la diplomatie et la fermeté indispensables pour retenir cette masse de théologiens, et de prétendus théologiens, du Saint-Office de se livrer à leur activité de prédilection : le cannibalisme.

François fut moins heureux dans son choix du nouveau préfet de la Congrégation pour le clergé; il commit même une grave erreur. J'avais recommandé le jeune cardinal français Stéphane Dupré. Il présentait pour nous cet avantage géographique peu banal d'être natif du Québec mais français de France, son père ayant émigré à Paris lorsque Stéphane avait onze ans. Il combinait la culture du Nouveau Monde et de l'Ancien, dans un brillant cerveau encyclopédique. (J'avoue aussi, honnêtement, que la présence d'un deuxième Français parmi nos préfets aurait permis de se débarrasser plus facilement de Bisset.)

Mais François lui préféra Gordenker, ce Hollandais ergoteur et libéral. Selon moi, c'était aller au-devant des ennuis. Il suffisait d'examiner d'un peu près l'archidiocèse de Gordenker pour constater qu'il était médiocre administrateur. Il était intelligent, saisissait rapidement les problèmes, mais la patience lui manquait même pour mener à bien ses propres idées. Et aussi, il était entièrement acquis à l'abolition du célibat sacerdotal (ainsi qu'à une demi-douzaine d'autres initiatives radicales). Il aurait donc une position antinomique par rapport à la ligne officielle (du moins momentanément) de François et à la vision régnante dans la Curie. Dans sa mentalité de serviteur, il était aussi brutalement sincère que l'avait été LaTorre dans son optique traditionaliste. Mais LaTorre avait la faculté de susciter autant d'affection que d'exaspération. Gordenker, lui, ne suscitait que froide colère chez ses adversaires.

Mes souvenirs de ce printemps sont moins heureux que ceux de l'automne précédent. Il régnait maintenant au palazzo plus de tension que d'exaltation. Souvent, je cherchais refuge à la *casina* pour y travailler en paix, et tant l'abbé que Pritchett m'imitaient souvent. Les fécondes disputes qui entourent la créativité avaient fait place à de futiles empoignades, à des conflits de personnes.

Au surplus, nous avions des difficultés avec les évêques locaux. Le renouveau spirituel piétinait. Sans parler des problèmes de coordination au Vatican même, ni des frictions entre jésuites et franciscains, si beaucoup d'évêques étaient gagnés à l'idée même du renouveau, ils ne voyaient pas sans méfiance, sinon même hostilité, l'intrusion d'étrangers dans leurs diocèses. Les choses évoluaient fort différemment selon les régions. En Amérique du Nord, en Europe du Nord, dans les pays en voie de développement et dans les diocèses d'Amérique latine où Martín avait placé des hommes nouveaux, dans leur grande majorité les évêques coopéraient intégralement, magnifiquement même. Mais il y avait aussi ceux qui résistaient presque ouvertement, mettant toutes sortes d'obstacles aux retraites. Encore le problème était-il plus facile avec ceux-là – rien qu'en Amérique latine François en déplaça six – qu'avec les évêques qui se limitaient à ne pas montrer d'enthousiasme. Ces derniers ne coopéraient que prétendument, insufflant au clergé et au laïcat l'idée que le renouveau était un caprice du nouveau Pontife, qu'il fallait feindre de satisfaire sans le prendre trop au sérieux.

A mesure qu'approchait la période de Pâques, la sécurité de François et les « miracles » devinrent pour nous une préoccupation majeure. Les audiences quotidiennes depuis la fenêtre du palazzo établissaient plus de distance qu'il n'en souhaitait entre lui et les foules – qui étaient toujours vastes – mais au moins empêchaient-elles ces dernières de se livrer à des actes inconsidérés ou dangereux. Je crus qu'une conférence de presse aurait, à cet égard, une utilité. Cela nous permettrait de voir si la question des miracles était toujours « brûlante ». Ce fut toutefois l'une de mes suggestions les moins heureuses.

Le doctor Twisdale organisa la conférence, mais, la veille du jour où elle devait se tenir, il s'envola pour le Mexique, appelé par une énigmatique affaire urgente. Il avait prévu qu'*il Papa* recevrait les journalistes sur la terrasse ovale de la *casina*, si le temps se mettait au beau. Et c'est ce qui advint. Après quatre jours de pluies incessantes, la matinée tiède et radieuse nous mit de belle humeur.

Les premières questions des journalistes concernèrent les « miracles », mais sans receler de pièges. Les investigations de l'Église avaient-elles livré des conclusions définitives? demandait-on. Non, répondit François; l'Église était toujours lente à affirmer ou nier qu'un fait fût miraculeux.

Les questions suivantes portaient sur la nouvelle encyclique, *Justitia et Pax*, mais les journalistes s'intéressaient beaucoup plus à l'omission de toute mention de la contraception qu'aux aspects positifs du texte sur la justice sociale et son obligation pour les chrétiens. François esquiva la question sur la contraception et prononça un cours de dix minutes sur la justice sociale. Il se montra brillant, lucide, concis, spirituel, expliquant avec une rigoureuse précision le thème de l'encyclique, et reprochant avec bonhomie aux journalistes de s'intéresser plus au drame de la sexualité qu'aux aspects plus importants de l'amour humain.

Se serait-elle terminée à ce moment que la conférence aurait été une réussite. Je poussai du coude le *monsignore* de *L'Osservatore romano,* mais cet idiot, se méprenant sur mon signal, se crut tenu de poser une de ses questions banales, et il balbutia en anglais :

– Votre Sainteté connaît-elle l'état d'avancement des travaux sur la canonisation du pape Pie XII, de sainte mémoire?

Le mépris se peignit sur le visage de François. S'il n'avait pas été si fatigué, il aurait habilement éludé la question. Mais sa réponse ne fut, hélas! que trop directe :

– *Monsignore,* nous vous assurons que tant que nous serons pape, la canonisation de Pacelli sera du domaine du miracle authentique. Nous ne mettons pas en doute la plénière miséricorde divine, mais si jamais Pontife moderne eut besoin de cette entière miséricorde, ce fut bien Pie XII. Il faudra au moins un siècle à l'Église pour faire oublier le silence de ce Pontife à propos du sort des Juifs pendant la guerre.

– Mais, Très Saint-Père, dit le *monsignore* qui mobilisait courageusement toutes ses facultés intellectuelles, le Pontife aurait alors mis sa personne en danger.

– Certainement, mais qui doit être prêt à subir le martyre sinon le Vicaire du Christ? Le premier Vicaire eut, lui aussi, à s'armer de courage, mais il revint à Rome et subit le martyre. Les humains que nous sommes peuvent pardonner. Mais, même si nous comprenons comme une réaction humaine normale le refus de Pacelli de risquer sa vie, nous n'avons pas besoin de le canoniser, élevant ainsi la lâcheté ou la bêtise au rang de vertus.

Cet éclat inattendu fut suivi d'un grand silence. Le doctor Twisdale nous aurait été terriblement nécessaire. Je n'osais plus faire signe au *monsignore* de *L'Osservatore romano,* de crainte qu'il récidive avec une question stupide. Et une nouvelle occasion de clore la conférence fut perdue, car *Der Spiegel* prit la parole :

– Sa Sainteté a-t-elle des remarques à nous livrer sur les scandales dans les camps d'entraînement de la croisade, au Mexique?

A vrai dire, nous avions eu connaissance d'un incident : l'adjoint chilien du directeur d'un camp s'était enfui en emportant environ douze mille dollars en espèces. Ce genre de chose est inévitable dans une entreprise d'une telle ampleur. Mais la disparition d'une somme aussi faible ne justifiait pas la question de *Der Spiegel.* Et je crois que François et moi comprîmes au même instant qu'il devait y avoir un lien avec le départ précipité du doctor Twisdale.

– Des scandales? répondit d'un ton méfiant le pape François. Nous n'avons pas connaissance de scandales.

L'homme du *Spiegel* tendit à *il Papa* un petit paquet de photographies représentant des jeunes gens et des jeunes filles dans des attitudes lascives.

– Votre Sainteté, commenta-t-il, ces clichés ont été pris au camp d'entraînement du Yucatan. Je m'excuse, mais ils vont paraître sous peu dans des journaux et magazines.

François regarda très vite les photos et les jeta au sol. Son visage s'était empourpré.

– Nous ne regardons pas de telles ordures, Mein Herr, s'écria-t-il d'une voix curieusement forte. Que nous importent les scandales que vous et vos patrons fabriquez pour vendre leurs magazines. Vos images sont aussi viles que votre esprit. Vous voulez rabaisser ces réformes en les noyant dans votre puanteur de latrines. Nous ne céderons pas. Nous savons que les portes de l'enfer ne prévaudront pas contre nous. Nous n'avons rien à craindre du journalisme de bas étage !

Tremblant de rage, François traversa la terrasse et rentra dans la *casina.* Les journalistes marquèrent un léger temps, puis s'en furent précipitamment téléphoner la nouvelle à leurs rédactions.

Lorsque je rejoignis *il Papa* dans son bureau de la *casina,* il était au bord de la crise de nerfs. La signora Falconi avait eu la présence d'esprit d'appeler le médecin pontifical, et, en l'attendant, nous nous employâmes, elle et moi, à calmer François. Il exigeait des informations immédiates. Nous pûmes au moins en obtenir une : l'abbé avait précédé le doctor Twisdale au Mexique.

Le standard n'obtint Martín à Mexico qu'au bout d'une heure. Il revenait du Yucatan, et put nous relater exactement les faits. Lorsqu'on rassemble plusieurs centaines de jeunes gens et jeunes filles en pleine santé, on doit s'attendre à ce que quelques-uns entretiennent des rapports illicites. Dans le camp du Yucatan, six jeunes gens et jeunes filles avait employé leur liberté du dimanche après-midi à des jeux orgiaques, et le malheur avait voulu que l'un des participants fût muni d'un polaroïd. Des gens sans scrupule s'étaient approprié les photos pour les vendre. *Der Spiegel* monta l'affaire en épingle, et les journaux communistes italiens, *L'Unita* et *Il Manifesto,* lui emboîtèrent le pas, mais, dans l'ensemble, la presse se montra compréhensive. Le mérite en revint pour une bonne part au doctor Twisdale, qui était allé s'expliquer sur place avec les correspondants.

Mais notre deuxième rencontre avec le scandale, à peine quelques jours plus tard, fut autrement douloureuse. Le samedi qui précédait la semaine sainte, le doctor Twisdale arriva chez moi, au palazzo Saint-Callixte, un peu avant sept heures et demie. Ce genre de visite matinale ne pouvait rien présager de bon. Il s'agissait de l'abbé, m'informa précipitamment le *dottore.* Un journaliste italien ami lui avait fait savoir que des confrères étrangers préparaient un article révélant qu'avant de recevoir la prêtrise, l'abbé avait longtemps entretenu un commerce homosexuel avec un Anglais.

Je n'en voulais rien croire, mais, selon le *dottore,* les auteurs avaient interviewé l'Anglais, à présent établi à New York et membre d'une de ces formations d'homosexuels qui revendiquent leurs

« droits ». Celui-ci avait confirmé l'histoire, prétendu que l'abbé était toujours homosexuel et dit qu'il devrait enfin se découvrir au grand jour.

– Ils semblent avoir des informations précises, Éminence. J'ai su cela hier, et je n'ai pas arrêté de téléphoner à des gens de confiance à New York, Paris et Francfort. Le pire, c'est que ces auteurs parleront d'une liaison homosexuelle qu'aurait récemment eue l'abbé avec un jeune acteur italien du Trastevere, en ajoutant qu'il y en a eu bien d'autres.

J'étais horrifié. Rétrospectivement, je m'aperçois que j'aurais dû m'inquiéter de l'âme de l'abbé, mais toutes mes pensées tournaient autour de François. La nouvelle l'anéantirait; elle pouvait même le tuer. Je vous ai parlé de la confiance mutuelle, de la compréhension, de l'affection qui existaient entre lui et l'abbé. Concernant ce dernier, j'étais, pour ma part, arrivé à tenir en meilleure estime sa quête de Dieu à travers le mysticisme oriental.

Il n'y avait pas d'autre solution que d'avertir *il Papa*. François écouta le doctor Twisdale d'un bout à l'autre. (J'avoue avoir été lâche : je laissai le *dottore* lui apprendre la mauvaise nouvelle.) A aucun moment il ne l'interrompit, mais son teint pâle devint livide, et ses yeux s'étrécirent jusqu'à n'être plus que des fentes.

Le *dottore* se tut, et nous observâmes le silence pendant quelques minutes. Et puis le pape François chercha d'abord à minimiser le danger :

– Vous savez, dit-il, aux États-Unis pas un journaliste correct ne divulguerait les écarts sexuels d'un membre de l'administration, sauf s'ils se produisaient en public, ou s'ils devenaient une affaire de police ou de justice, ou s'ils avaient un rapport direct avec un problème d'intérêt public. Et si un journaliste écrivait cependant ce genre d'article, pas un rédacteur en chef qui se respecte ne le publierait.

– Nous sommes en Europe, Saint-Père, répondis-je. Les critères intellectuels et éthiques du journalisme sont plus bas qu'aux États-Unis. Que faire pour protéger l'abbé?

– C'est l'Église qu'il faut protéger en premier, dit-il d'une voix oppressée.

– L'Église a survécu aux scandales depuis Judas, ripostai-je. Elle n'a pas besoin de la même protection qu'un être humain vulnérable. Au surplus, quelle que soit sa faiblesse – et nous ne devons pas préjuger les faits – l'abbé est une force pour le bien de l'Église. J'ai des amis à Paris, et peut-être le doctor Twisdale a-t-il d'autres...

– S'il venait à filtrer que nous tentons d'enterrer l'affaire, ce serait encore pire pour nous.

– Mais il n'y a pas de raison que quelque chose en filtre, Très Saint-Père. Toutefois, si c'est ce que vous craignez, permettez-nous d'en parler avec Chelli ou Pritchett; ce sont des hommes d'expérience et de bon conseil.

– Non, je prendrai seul la décision. C'est moi qui ai amené ici l'abbé. Je savais les risques que nous encourions. L'abbé est un homme d'honneur; il m'a parlé de l'Anglais avant d'accepter de mener la croisade.

François pressa un bouton sur son bureau et dit au téléphone :

– Elena, veuillez prier l'abbé de nous rejoindre.

Cinq minutes plus tard l'abbé parut, dans son simple habit de bure (il n'en possédait que deux). Tandis qu'à l'invitation de François il prenait un siège, je crus lire dans ses yeux une prémonition. Si mes traits étaient aussi contractés que ceux de François, les indices étaient faciles à déchiffrer. Apparemment exténué (il n'était rentré du Yucatan que la veille au matin), il écouta le doctor Twisdale narrer l'affaire.

Et il eut d'abord un réflexe de survie. Il parla précipitamment, nerveusement, avec un regard brûlant :

– Peut-être pouvons-nous contre-attaquer, Très Saint-Père. Nos amis de la presse pourraient publier un article sur ces magazines à scandales qui engagent des détectives privés pour espionner les auxiliaires du pape, et subornent des gens afin de publier des articles graveleux. Cela les intimiderait.

– Nous ne le pensons pas, répondit calmement François. Nous vous posons une seule question, Robert. (J'avais oublié que l'abbé, ou plutôt l'*abbate,* comme nous l'appelions simplement au Vatican, se prénommait Robert.) Vous n'êtes pas obligé d'y répondre, mais nous devons la poser : avez-vous eu des liaisons homosexuelles depuis votre arrivée au Vatican?

Je sentis qu'*il Papa* se faisait violence pour prononcer ces mots. L'abbé attendit un instant, puis il répondit d'une voix presque indistincte :

– Oui, Très Saint-Père. Comme vous, je vois Dieu; comme vous, je tombe.

– Robert, il faut que vous rentriez aux États-Unis par le prochain vol, dit François, le visage labouré de chagrin.

L'abbé tressaillit. Il se dressa, le regard brûlant :

– N'avez-vous pas compassion, non seulement de moi, mais de ceux qui sont comme moi?

François resta silencieux, les mains à plat sur son bureau, rigide. Lorsque l'abbé reprit la parole, son plaidoyer pour la survie était terminé; il retrouvait son rôle de directeur de conscience monacal :

– Nous nous étions mutuellement confessé toutes nos fautes. Vous souvenez-vous de ce que vous étiez lorsque vous vîntes à nous, au monastère? Un homme brisé, brisé par vos défaillances, non par celles des autres. Vous m'avez parlé d'un ami nommé Johnny Kasten et d'une colline en Corée; et aussi, vous m'avez parlé de votre femme. Leurs morts vous hantaient. Vos sentiments de culpabilité, vous les compreniez intellectuellement, mais pas à un niveau émotionnel, de même que vous ne comprenez pas en ce moment. Il y va de votre esprit, de votre âme : essayez de « sentir » et non simplement de penser, avant de nous faire cela à tous deux.

– Vous aviez raison naguère, Robert; mais à présent, vous avez tort. Je comprends au moins cela. Veuillez partir.

La colère, la pitié, le désespoir se lisaient sur le visage de l'abbé. Il répondit d'une voix étouffée :

– « S'emparer de l'objectif », comme un bon Marine! Ce ne peut être le plus important dans votre vie. Vous devez vous sacrifier pour des gens réels, vivants, pour des individus, non pour des buts abstraits tels que l'honneur et la justice. Declan, Declan, dit-il en un murmure, parce que vous n'aimez personne, vous croyez aimer Dieu.

L'abbé se détourna et sortit. Je crois qu'il pleurait, mais je n'en suis pas sûr. J'avais moi-même trop de peine à refouler mes larmes. Je les sentais sourdre en moi à cause de l'âme de François – et à cause de ce que je lui avais fait.

32.

Pâques approchait. Nous étions prêts pour cette grande célébration, mais pas pour ce qui la suivit. *Ecco,* nous avions persuadé François de se limiter à deux cérémonies hors les murs du Vatican. Le meilleur argument fut de lui rappeler que des gens étaient morts pour avoir tenté de l'approcher, et que la plus grande prudence était donc nécessaire.

La première cérémonie eut lieu le soir du Jeudi saint, à la prison Regina Coeli. En commémoration du lavement des pieds des Apôtres par le Christ avant la Cène, *il Papa* lava les pieds de douze prisonniers. La prison elle-même n'est qu'à deux pas de Saint-Pierre, et les mesures de sécurité étaient renforcées. Une guérison hystérique en ce lieu n'était guère à craindre.

La seconde cérémonie se déroula le soir du Vendredi saint, à l'extérieur du Colisée où tant de premiers chrétiens moururent pour leur foi. La tradition nous garantissait la sécurité, puisque ce rite s'accomplit sur le Palatin, près de l'antique site du Temple de Vénus. La foule était contenue un peu en contrebas par rapport à *il Papa,* qui portait sur son dos une grande croix de bois en récitant les stations du chemin de la Croix. François arriva sur la colline et en repartit par hélicoptère, ce qui diminuait encore le danger d'éventuels désordres. En bref, tout se passa bien, ce qui n'est pas si courant en Italie.

Mais François n'y trouva guère de réconfort. Le départ de l'abbé lui avait profondément entamé l'âme; et la blessure était encore rendue plus douloureuse par les mots cruels, bien que peut-être non inexacts, qui avaient scellé la séparation. Ne sachant que dire, je me taisais. Mais l'inquiétude m'assaillait, car *il Papa* était véritablement déprimé. Même le radieux soleil des premiers jours d'avril ne lui rendit pas son entrain. (Il était de ceux dont l'esprit s'exalte au grand soleil, et languit par mauvais temps.)

Sur son bureau s'empilaient à présent des masses de documents dont il ne prenait pas connaissance, de directives et de memoranda inachevés. De façon dramatique, il ne parvenait plus à se concentrer sur son travail, et la signora Falconi me transmettait de plus en plus de papiers. Elle aussi en était arrivée à se défier de l'adulation aveugle de Fieschi.

Une chose avait changé, que je crois reliée au renvoi de l'abbé. Comme nous tous, un Pontife peut se tourner vers la prière lorsque son monde vacille. Et François s'abandonna de plus en plus à la prière. Malgré les monceaux de papiers sur son bureau, il passait plusieurs heures à genoux dans sa chapelle privée du palazzo.

Allora, le problème pratique de la recherche d'un nouveau directeur pour la croisade m'échut tacitement. Je commençais par m'entourer de tous les conseils possibles. J'estimais progresser rapidement, bien que beaucoup plus lentement que ne l'aurait fait François. Mais il ne prenait apparemment aucun intérêt à mes recherches. Il était difficile de trouver une personne capable de diriger d'aussi vastes opérations sans être secondée par un personnel administratif expérimenté. Et il était encore plus difficile de trouver un catholique qui agirait sans sectarisme.

La solution de maints problèmes commença à se dessiner le matin du 6 avril. La signora Falconi arriva souriante au palazzo. Il lui semblait qu'*il Papa* allait beaucoup mieux, me glissa-t-elle avant que j'entre dans le bureau pontifical. Et je le sentit immédiatement. Non que son visage fût joyeux, mais il y avait comme un apaisement répandu sur son chagrin.

Le cardinal Pritchett, monsignor Bonetti et le doctor Twisdale m'avaient précédé. Dès que je parus, François se mit à parler d'un ton presque aussi animé que naguère. Il avait, dit-il, résolu ce problème du directeur de la croisade. Ce serait une femme, la signora Maria Arrigada y Padilla, veuve d'un sénateur chilien incarcéré pendant plus d'un an par la junte, et mort en prison en 1975. Économiste distinguée, elle vivait en exil aux États-Unis, où elle enseignait à l'Université Stanford. François ne la connaissait pas personnellement, mais elle avait la réputation de combiner de hautes capacités intellectuelles avec une volonté de fer. Plus important encore pour *il Papa,* elle constituerait un double symbole : celui d'une femme jouant un rôle dirigeant dans l'Église, et d'une ferme opposante aux dictateurs militaires.

François me demanda alors quel jour nous étions. Je répondis que c'était vendredi 6 avril.

– C'est-à-dire deux semaines après quel jour?

– Le 24 mars, dis-je après un calcul rapide, fête de la vigile de l'Annonciation.

– Et quoi d'autre?

– Je ne sais pas, répondis-je, franchement perplexe.

– Vous n'êtes pas un bon Romain, Ugo, dit-il avec douceur.

– Vous avez raison, Très Saint-Père. Je ne suis pas du tout romain, je suis italien. C'est différent.

– Certes, dit-il, que ne m'en suis-je souvenu. Eh bien, c'est aussi l'anniversaire du massacre des Fosses Ardéatines. Comme il coïncidait cette année avec le Vendredi saint, il a été différé de deux semaines.

Je me remémorai alors l'épisode. Le 23 mars 1944, un groupe de résistants avait fait exploser une bombe au passage d'une troupe de SS dans la via Rasella, à proximité de la piazza Barberini, tuant trente-deux Allemands. La nuit et le lendemain matin, les nazis prirent en représailles trois cent cinquante-cinq personnes dans les prisons de Rome : criminels, partisans, soldats italiens et Juifs sur le point d'être déportés dans les camps de la mort. Les nazis les entassèrent dans des camions, les conduisirent aux Fosses Ardéatines, carrières souterraines au sud-ouest de la ville, où ils les exécutèrent par petits groupes. Et puis les Allemands déversèrent de la chaux sur les cadavres et tentèrent de murer le lieu du massacre en faisant s'effondrer les galeries à l'explosif.

Les Fosses sont le principal monument de Rome à la Résistance, bien que rien ne prouve qu'il y ait eu plus qu'une poignée de résistants parmi les victimes. Les communistes ont beaucoup exploité politiquement leur rôle dirigeant dans la Résistance – laquelle, sauf dans certaines régions du Nord, fut peu considérable jusqu'à la libération par les Américains, les Anglais ou, à Bologne, les Polonais. Alors, des centaines d'hommes et même de femmes prétendirent avoir héroïquement combattu les nazis et les fascistes. Les fascistes, étant italiens, comprirent de quoi il retournait, mais je suis sûr que tant les Allemands que les Alliés furent déconcertés par l'ampleur de cette « Résistance ». Ce n'est pas un hasard si nous autres Italiens avons écrit les plus grands opéras.

Où en étais-je? *Ecco*, je convins avec François que son apparition aux Fosses serait un bon geste. Que lui, combattant et blessé de deux guerres, contre le fascisme et contre le communisme, dépose une gerbe au monument, voilà qui symboliserait la « nouvelle Église » pour beaucoup d'Italiens. Autre avantage : il y aurait de nombreux journalistes, ainsi que plusieurs chaînes de télévision, mais pas de grande foule. En bref, j'étais ravi de cette idée, tout comme l'étaient le cardinal Pritchett et le doctor Twisdale; monsignor Bonetti ne semblait pas avoir d'opinion.

Et tout se passa extrêmement bien. Le temps demeura dégagé et frais. Monsignor Bonetti, le doctor Twisdale et moi fîmes le trajet dans la limousine, derrière la Mercedes découverte où François se tenait debout. Le moment était particulièrement bien choisi : la grosse affluence du matin étant terminée, les rues étaient relativement dégagées – pour Rome – mais il y avait assez de gens le long du parcours pour acclamer et saluer le Pontife. Notre escorte de dix motocyclistes put rouler sans incident.

François bénit l'assistance et circula en touchant les mains. Puis nous fîmes une courte visite des Fosses où avaient eu lieu les exécutions et traversâmes lentement le monument – une grotte artificielle contenant trois cent cinquante-cinq tombes, chacune portant le nom, la date de naissance et le portrait de la victime. Certaines sont vides, parce que les familles ont voulu faire inhumer plus près d'elles leur cher défunt. Mais la plupart des corps – ou ce qu'il en restait – sont enterrés là : Juifs, catholiques, athées, agnostiques, soldats du rang, colonels, généraux même, vieillards septuagénaires, un adolescent de quatorze ans, un prêtre, des commerçants, ouvriers agricoles, avocats, enseignants, étudiants, artistes, criminels et peut-être quelques saints. S'il est un monument qui témoigne éloquemment contre la guerre et les tueries, c'est bien cette simple réunion de tombes.

Nous rentrâmes au palazzo à temps pour le déjeuner prévu avec Fieschi, Gordenker, Pritchett et Martin afin de discuter du renouveau spirituel. Avant que nous ayons terminé, Gordenker souleva la question du célibat sacerdotal. (Je savais qu'il y viendrait, et je redoutais ce moment.) Fieschi lui fit un bref exposé sur l'état récent de la question au Vatican. Puis François sortit d'un classeur un manuscrit d'une dizaine de pages et le lui tendit en disant :

– Voilà le projet d'une encyclique que nous avions préparée en un temps...

Mais, à cet instant, monsignor Candutti fit irruption dans la pièce, apportant la nouvelle d'une tentative de coup d'État en Espagne. A Madrid, un groupe d'officiers de l'armée tenus pour libéraux essayait de s'emparer du pouvoir; on annonçait la rébellion des Basques, tandis qu'à Barcelone les Catalans attaquaient la police. On pouvait craindre que l'Espagne fût au bord d'une nouvelle guerre civile. La seule chose que l'on connût avec précision, c'était la plateforme de la junte libérale. Elle prévoyait notamment une « révision totale » du concordat avec le Vatican, et reconnaissait la nécessité de « régions autonomes » au sein d'une nation espagnole unique.

Vous pouvez imaginer l'attention que porta *il Papa* à l'Espagne pendant quelques semaines. La nouvelle junte étendit progressivement son autorité à tout le pays. Bien que les violences fussent quotidiennes, leur intensité décrut lentement. Et ce fut également à ce moment, vous vous en souvenez peut-être, que le gouvernement brésilien annonça qu'il fermait ses frontières aux membres de la croisade, qu'il qualifiait d'« individus subversifs payés par les riches pour dépouiller les pauvres » et de « libertins prêchant le dogme du socialisme marxiste et de l'hédonisme freudien ». François enragea, mais ne prit pas publiquement position.

Ce mois d'avril fut aussi celui du bilan budgétaire du Vatican pour l'année écoulée. En dépit des millions de dollars recueillis par *il Papa* auprès du signor Randall et d'autres riches Américains et Allemands, de la vente des œuvres d'art du Vatican, des collectes spéciales de Noël dans le monde entier et du denier de Saint-Pierre de l'année en cours, nous nous trouvions déficitaires. Les coûts de fonctionnement de la Curie, nos efforts missionnaires et nos œuvres charitables normales – sans parler des indispensables réserves au cas où serait prise au sérieux l'offre de François d'aider à la réinstallation des Palestiniens – entamaient notre patrimoine. L'Italie connaissait l'inflation depuis dix ans (de cinq pour cent au début, elle avait atteint plus de trente pour cent lors de l'année écoulée). En conséquence, nous allions devoir accorder de grosses augmentations à notre personnel et faire face à des charges fixes beaucoup plus élevées.

En dépit des exhortations de monsignor Candutti et de notre « observateur » à New York, les Nations unies n'avaient pas fourni un seul cent à la croisade en Amérique latine, ni répondu officiellement à François qui leur avait demandé de la prendre entièrement en charge. L'Organisation pour l'alimentation et l'agriculture avait fourni une petite assistance technique et donné des semences et des engrais, mais en faibles quantités.

Pendant les trois semaines qui suivirent la cérémonie aux Fosses Ardéatines, la vie au Vatican revint progressivement à son niveau normal d'agitation. François recouvrait sa faculté de se concentrer sur son travail, mais je ne crois pas qu'il priait moins. Sur son visage, toujours creusé de douloureuses rides, se lisait aussi, comme je vous l'ai dit, le signe d'une paix intérieure, d'une acceptation peut-être.

Et voici qu'entièrement à l'improviste la télévision et la presse annoncèrent un nouveau « miracle ». Paolo Corsetti, le ministre socialiste de la Défense, marxiste antireligieux notoire, disait avoir été guéri miraculeusement du cancer par *il Papa* un mois plus tôt, aux Fosses Ardéatines. Étant atteint de la maladie de Hodgkin, qui est un cancer des ganglions lymphatiques, Corsetti avait subi des mois de radiothérapie et de chimiothérapie, et puis ses médecins lui avaient annoncé qu'il était incurable; il valait mieux, dès lors, arrêter ce douloureux traitement, et qu'il se résigne à une mort prochaine, au mieux sous quelques mois. Le dépôt d'une gerbe au monument des Fosses devait être son dernier geste officiel. Il avait déjà rédigé sa démission, et s'il ne l'avait pas remise, c'était parce que ses collègues du parti, en bons socialistes italiens, n'arrivaient pas à s'accorder sur son successeur.

Il disait qu'après que François l'eut touché il avait ressenti une amélioration spectaculaire de son état. Quelques jours plus tard, au *policlinico* de l'Université de Rome, son médecin lui avait fait subir toute une série d'examens. A l'issue de ces cinq jours d'examens, le médecin lui avait appris que toute trace de cancer avait disparu. Incrédule, le ministre était allé faire renouveler les examens dans une clinique de Suisse. Et le diagnostic avait été le même : hypertension, légère hypertrophie du cœur, un peu d'obésité (sept kilos de trop); tous les autres examens étaient négatifs, y compris celui pour la maladie de Hodgkin. Le médecin suisse avait dit au ministre que s'il n'avait pas eu sous les yeux les examens de laboratoire du *policlinico* montrant la constante progression du mal, il n'aurait jamais pu croire qu'il en avait été atteint. A ce stade de la maladie, avait-il expliqué, on n'enregistrait que très exceptionnellement des rémissions spontanées.

Même l'intellectuel *Corriere della Sera* prit l'affaire au sérieux. Les rédacteurs convenaient qu'il avait pu se produire une rémission spontanée, mais pourquoi à ce moment précis? Ne pouvait-on soutenir que la coïncidence était en elle-même significative? Au surplus, le ministre n'avait rien d'un paysan hystérique. Politicien anticlérical, homme accoutumé à traiter avec des Présidents et des Premiers ministres, on imaginait mal qu'à cinquante-sept ans il ait pu être transporté par le charisme du Pontife ou par la ferveur religieuse.

A dix heures, la foule envahit la piazza. Les techniciens de la télévision, campés sur le toit de Saint-Pierre, tenaient prêt un système de relais par satellite pour transmettre au monde l'apparition quotidienne de François à la fenêtre. *Il Papa* devenait encore une fois le centre de l'attention internationale.

Fieschi planait. Moi-même, j'avais du mal à contenir mon émotion. Seule la signora Falconi restait cynique. François était étrangement calme. Je ne sais comment le décrire. Il était non seulement très différent du Declan Walsh d'autrefois, mais aussi du Pontife irascible des précédentes semaines.

Il ne devait m'entretenir qu'une seule fois de ce nouveau « miracle ». Je ne me souviens plus du moment – c'était quelques semaines plus tard – mais ses paroles me demeurent gravées dans la tête :

– C'était mon signe. Les frustrations, les obstacles, les amitiés, tout ces problèmes étaient mes tentations. Ce que j'avais dû faire à l'abbé m'avait presque amené au bord du désespoir. Je priai, Ugo, comme je n'avais prié qu'au début de mon entrée au monastère. Cela m'a donné un peu de force, d'abord assez pour rester en vie, puis assez pour continuer à fonctionner, mais pas suffisamment pour aller plus loin. Corsetti a été pour moi le signe que nous prévaudrons. Il m'a donné la force de continuer à essayer de faire avancer l'Église.

Je lui demandai s'il croyait vraiment à un miracle.

– J'ignore si j'ai sauvé la vie de Corsetti, même pour peu de temps. Je l'espère. Nous aspirons tous à faire un jour un miracle. C'est un signe d'orgueil plus que de sainteté. Mais il y a eu là un miracle dont je suis certain. J'étais à bout de forces, je repoussais des idées de suicide. Johnny Kasten, dont vous ne savez qui il était, Kate, l'abbé m'appelaient, et aussi toutes ces âmes torturées envers qui l'Église a été si injuste. Je ne parvenais à m'endormir qu'en m'imaginant que j'étais encore au monastère. Et puis, Dieu a épargné Corsetti. Il a ramené à la vie un homme qui était au seuil de la mort. Comme nous tous, le pauvre diable devra un jour le franchir. Mais je ne crois pas que ce fût un accident s'il a été épargné au moment où j'étais avec lui et où ma foi – dont vous savez, Ugo, qu'elle n'a jamais été très robuste – m'avait presque complètement déserté. Ce n'est pas moi qui ai fait un miracle, c'est celui sur qui le miracle a opéré. Maintenant, je peux continuer.

Et François continua. A présent qu'il avait retrouvé sa foi et sa vigueur, il se contentait de quatre heures de sommeil, avec une sieste de trente minutes. Il était dans sa chapelle avant cinq heures du matin, à son bureau avant six heures. S'il se promenait occasionnellement dans les jardins, c'était pour méditer, formuler des idées neuves, lire des rapports, et encore méditer. Le pape Paul VI avait été le seul à observer un tel rythme, et comme lui, François s'absorba jusqu'au moindre détail dans la vie de l'Église.

Par ailleurs, sans rien modifier à ses audiences quotidiennes du haut de la fenêtre du palazzo, il tint à donner ses audiences générales hebdomadaires devant la basilique, sur la piazza même. L'installation matérielle était facile, car on y célèbre maintes cérémonies. Mais la difficulté consistait à contenir la foule. D'autant qu'après son dernier « miracle », nous fûmes inondés de monde. Il nous fallait plusieurs centaines de policiers pour empêcher les gens de toucher *il Papa.* C'était à la fois extrêmement difficile et onéreux. François le savait, mais il s'obstina.

Je vous ai parlé de son besoin d'acclamations populaires. Mais avec la vivification de son esprit, le renforcement de son aura de sainteté, un autre besoin important lui venait : celui de partager son don avec les autres. Sa bénédiction, sa vue même prenaient une grande portée pour les gens. La sérénité dont il était revêtu renforçait leur foi, et il s'en rendait compte. Il rayonnait non plus de l'assurance séculière de Declan Walsh, mais de la foi dans une mission effleurée par la grâce divine et de la calme acceptation de la volonté de Dieu dans le sort de cette mission.

En leur temps, LaTorre et les traditionalistes avaient interprété sa quête de la justice sociale comme une exigence fondamentalement séculière, une fin en soi. Je m'étais élevé contre cette interprétation. Mais je reconnais aujourd'hui qu'ils voyaient alors plus juste que moi. En revanche, au moment dont je vous parle, son exigence de justice et de paix, toujours aussi passionnée, devenait vraiment un moyen orienté vers une fin divine. Une fois de plus, le doigt de Dieu l'avait touché.

Je m'en apercevais, mais je songeais surtout que tous mes efforts pour le protéger avaient été gâchés. Je vivais dans la terreur qu'un nouveau « miracle » transforme la foule en troupeau fou écrasant tout sur son passage.

33.

Ce que je vais vous raconter se situa en mai, par une de ces délicieuses journées si précieuses aux Romains, avant que la canicule s'abatte sur la ville. Si nous qualifions de triomphante l'étape qui commença avec notre retour d'Amérique latine ou de Varsovie, je ne puis mieux dépeindre cette troisième phase qu'en la disant apocalyptique. François était parfois tout ensemble saint Jean-Baptiste, le saint Jean du livre de l'Apocalypse et, à l'occasion, Savonarole. Il n'était plus le manipulateur politique moral usant de sa personnalité charismatique pour remuer les êtres. Sa voix était maintenant strident appel au repentir, douce invitation à l'amour et à la justice sociale. Mais, contradictoirement, il conservait ce calme intérieur que j'ai évoqué. Il pouvait enflammer les autres, la voix tonnante, l'œil flamboyant, mais il demeurait intérieurement calme, il acceptait. Ce que je voyais de plus en plus, c'était au-dehors le feu, au-dedans la sérénité.

Allora, ce jour-là François m'avait convié à me promener avec lui dans les jardins avant le déjeuner et nous goûtions tous deux le soleil.

– Nous ne voyons pas comment nous pourrións les laisser faire, dit-il brusquement, alors que nous marchions en silence depuis quelques minutes.

– Faire quoi? demandai-je.

Il me regarda comme si j'étais un idiot.

– Faire une nouvelle guerre. L'erreur remonte à l'Église primitive, lorsque les pères ont conclu une fallacieuse paix avec Rome et permis aux chrétiens de servir dans ses légions. L'unique moyen de ne pas avoir la guerre est de ne pas avoir de force armée. Les Quakers ont toujours été dans le vrai. L'Église doit intégrer le pacifisme dans sa morale. (Je ne répondis rien, mais je devais avoir l'air ahuri, car François me tapota l'épaule.) La vie humaine est sacrée. Comment peut-il être moral que des armées s'entre-tuent et massacrent des civils innocents, que des chrétiens appartiennent à ces armées? Le Christ était un pacifiste. Il prêchait le pacifisme et il l'a appliqué au jardin de Gethsémani et sur le Calvaire. Il est simplement inconciliable d'aimer son prochain et de se préparer à le tuer.

– Mais c'est oublier notre tradition catholique morale et philosophique de la « guerre juste », dis-je, cherchant des idées propres à calmer son ardeur.

– Comment existerait-il un « meurtre juste »? Mais ne vous inquiétez pas, nous n'ébranlerons pas le magistère de l'Église – en tout cas, pas davantage. Nous nous contenterons de dire que les armes modernes, conventionnelles, nucléaires et biologiques exigent une approche totalement neuve des problèmes moraux de la guerre. Non seulement devons-nous condamner la guerre mais interdire formellement à tous les catholiques – à tous les humains – d'y participer. Ugo, nous devons faire cela. Nous le devons.

En disant ces mots, *il Papa* avait posé ses mains sur mes épaules, mais son regard semblait transpercer mon crâne et se fixer sur un objet imaginaire derrière moi. J'étais étrangement remué, je parvenais mal à rassembler mes idées.

– Mais qu'arriverait-il, Très Saint-Père, si seuls les catholiques ou les chrétiens refusaient le service armé? En dix ans le monde serait sous la coupe des athées, communistes et fascistes.

– C'est sans importance. Intérieurement la foi et la moralité peuvent demeurer, alors que l'ordre politique extérieur change. Ce qui importe, c'est que nous nous aimions les uns les autres et que nous témoignions de cet amour.

– Mais ne faudrait-il pas s'attendre à ce qu'un régime d'oppression viole le caractère sacré de la vie par la torture et le meurtre? Et cela ne forcerait-il pas les chrétiens à prendre les armes?

– Pourquoi supposer que le mal vaincra le bien? Pourquoi supposer que les enseignements de l'Évangile tomberont dans un terrain stérile? En mettant en pratique la parole de Dieu, nous pouvons changer le monde. Et nous devons changer ce monde ou il périra, et nos enfants avec lui. (Ne sachant comment faire face à la situation, j'observai le silence.) Ugo, ce sera l'objet de notre première encyclique émise depuis le nouveau, non, depuis l'ancien Saint-Siège.

– Plaît-il, Saint-Père? dis-je, de nouveau abasourdi.

– Nous sommes convaincu que le seul moyen de réformer l'Église est de revenir à la simplicité du Christ et de Ses Apôtres. Nous devons abolir la Curie, vendre nos trésors, laisser nos édifices servir de musées et nos jardins de parc public pour la population romaine. Nous vivrons simplement et dans la pauvreté, mais à Jérusalem. Ce déplacement symbolisera notre retour aux valeurs spirituelles des Évangiles et notre renonciation aux valeurs matérielles dont Rome, passée et présente, est le signe.

» Nous ne sommes pas fou, mon vieil ami, dit François qui interprétait parfaitement mon silence. Nous commençons seulement enfin à voir les choses clairement. Nous ne pouvons vivre dans un palais, ou même une villa, siéger sur un trône, porter une couronne gemmée, boire vos somptueux crus, prêcher dans la plus grande, la plus fastueuse cathédrale de la terre et convaincre cependant les hommes de renoncer aux valeurs de Mammon.

» Il y a quelques semaines, poursuivit-il, lorsque nous ne savions que nous apitoyer sur nous-même, nous nous souvînmes des deux mots qui résument les préceptes de commandement dans le Corps des Marines : « Suivez-moi. » Et c'est aussi ce qu'a dit le Christ : « Venez à ma suite. » Comment pouvons-nous vivre en empereur romain tout en demandant au peuple de Dieu de prendre la croix?

– Mais pensez au bien que l'Église a fait au long des siècles, protestai-je, et qu'elle peut continuer à faire avec sa richesse et son organisation – la croisade, par exemple.

– L'Église fait du bien, Ugo, moins souvent que nous nous plaisons à le croire, mais plus souvent qu'on ne nous en crédite en ce monde. Seulement, en même temps, nous déchargeons les autres d'en faire beaucoup plus que nous n'en serions capables. Le monde subit une perte, du moins à l'époque moderne, à cause de notre organisation, notre richesse, notre charité. Peut-être allons-nous assumer encore une fois le rôle de la voix criant dans le désert, mais, au demeurant, personne depuis des siècles ne nous a écouté sérieusement sur les questions de justice et de paix. Nous risquons peu de chose, sauf en termes purement matériels.

Je n'en croyais pas mes oreilles. Un millier d'objections se présentaient à mon esprit, mais, pas plus en anglais qu'en italien, je ne trouvais les mots pour les exprimer. *Allora,* je doutais aussi que les arguments les plus éloquents fussent entendus ce jour-là. Je continuai donc ma stratégie de passivité et de silence.

François ne frappa pas absolument à l'improviste. Dans les semaines qui suivirent, il eut des entretiens privés avec maints diplomates du monde occidental, d'Union soviétique et de Chine. J'assistai à certains d'entre eux; monsignor Candutti les subit bravement tous. *Il Papa* plaida auprès de chacun d'eux pour la cessation de la course aux armements et pour que les nations développées consacrent une plus large part de leurs ressources aux pays en voie de développement, particulièrement à ceux qui souffraient tellement de la sécheresse. Il rappela aux diplomates l'immoralité foncière de la guerre moderne, mais je doute qu'aucun ait vu dans ces exhortations autre chose qu'un vœu pieux, comme dans toutes les déclarations générales depuis la fin de la Seconde Guerre mondiale. Lors de conversations ultérieures avec Candutti, pas un diplomate ne sembla conscient de la conversion de François au pacifisme.

Malgré sa sérénité neuve, François prit assez mal sa défaite. Être prêt à faire la volonté de Dieu n'est pas du tout la même chose que de se plier à la volonté des hommes.

Lors de ses audiences générales quotidiennes, il demanda, dans plusieurs de ses homélies, si un chrétien pouvait en conscience participer à une guerre moderne, avec la tuerie généralisée qu'elle suppose. Il n'offrait pas de réponse directe, et, dans la Curie, beaucoup pensaient que la question était surtout rhétorique.

Un certain nombre de correspondants de presse, de « vaticanologues », si j'ose forger le mot, appréhendaient confusément ce qui se passait. Leurs articles auraient dû alerter les nations, mais ils s'entouraient de tant de précautions oratoires que nulle part on ne déchiffra leurs avertissements voilés. Nous ne reçûmes pas de réactions officielles, à part les creuses formules diplomatiques de rigueur. On ignorait *il Papa,* le stimulant par là même à l'action.

Je me trouvais auprès du Pontife lorsque, deux semaines après ses entretiens diplomatiques, Candutti lui présenta un constat d'échec. Nous étions assis sur un banc dans les jardins, profitant de l'ombreuse fraîcheur en buvant du café.

– Très bien, lança François, il y a eu beaucoup d'appelés mais pas un élu. Nous entendrons bientôt des pleurs et des lamentations et des grincements de dents.

Chez Declan Walsh, ç'aurait été une formule plaisamment sacrilège. Mais le pape François l'employait au sens littéral.

Le cardinal Pritchett reçut instructions d'informer certains de ses amis que le Pontife saisirait volontiers l'occasion de retourner aux États-Unis pour y prononcer un important discours. Quelques semaines plus tard, le cardinal Heegan débarquait à Rome comme émissaire de deux institutions : l'Université catholique de Washington et l'Université de Princeton, qui est située à cinquante milles de New York dans cet horrible pot au noir qui s'appelle le New Jersey. Les deux universités voulaient remettre à Sa Sainteté des distinctions spéciales pour son action en faveur de la paix et de la justice. François accepta ces invitations. En raccompagnant Heegan à l'aéroport de Fiumicino, je lui représentai la nécessité de rigoureuses mesures de sécurité, afin de protéger le Pontife des amateurs de sensationnel, des fanatiques religieux, et des malheureux cherchant la guérison de maladies réelles ou imaginaires.

Je vous épargnerai les détails du voyage. Pendant toute la durée du vol je m'efforçai de convaincre François que, de même qu'à propos de la contraception, du célibat sacerdotal et autres problèmes spécifiques, il serait plus sage qu'il se déclare lentement sur la question du pacifisme, ne serait-ce qu'en raison de son énorme complexité et de son impact potentiel sur toutes les nations. En guise d'analogie, je lui rappelai le développement progressif, cause après cause, du droit coutumier anglais et américain. Mais il se contenta de sourire. Candutti, qui nous accompagnait, plaida dans le même sens que moi, mais sans plus de résultat. Lorsque nous regagnâmes nos sièges, au moment de l'atterrissage, le pauvre Candutti en aurait pleuré.

En ce jour du début juin, nous arrivâmes à New York un peu avant midi. Le cardinal archevêque avait tenu compte de mes avertissements, car le service d'ordre était plus épais que le brouillard hivernal à Bologne. Notre avion vint se ranger dans un hangar des United Air Lines. Un assortiment de personnages officiels civils et ecclésiastiques nous accueillirent, après quoi un hélicoptère nous emporta promptement à Princeton et nous déposa dans un verger, derrière la résidence du président de l'université. Nous déjeunâmes avec le président – homme d'allure juvénile, extrêmement intelligent mais également fort nerveux – sa famille et des autorités de l'université. Puis nous fûmes menés, toujours par hélicoptère, jusqu'à une immense salle couverte d'un dôme, à la lisière du campus. Elle pouvait accueillir confortablement douze mille personnes, me dit-on, mais ce jour-là elle en contenait au moins vingt-cinq mille, et une foule encore plus nombreuse stationnait à l'extérieur, dans l'espoir d'apercevoir *il Papa*. François n'aurait été que trop heureux de les obliger, mais l'important cordon de forces de police de l'État nous conduisit vivement à l'intérieur.

Après les présentations et les brèves allocutions d'usage, le pape François prononça son discours. Il l'avait rédigé de sa main, sans même prendre conseil de monsignor Candutti. Permettez-moi de vous le lire :

> Nous n'avons tous entendu que trop de discours contre la guerre. Et certes, chacun est horrifié par la perspective de l'emploi des armes modernes. Mais elles ne risquent pas moins d'être employées que les armes du passé. Condamner les massacres ne suffit plus. Nous devons revenir à l'enseignement du Christ, sur ce point comme sur les autres. Nous devons revenir au pacifisme en tant qu'attitude morale du vrai chrétien. Nous devons rejeter la violence, particulièrement la violence massive, vivre dans l'amour et la confiance. Les injonctions d'aimer notre prochain et de tendre l'autre joue sont incompatibles avec les téléphones rouges qui peuvent déclencher le lancement de missiles à têtes nucléaires ou d'engins bactériologiques.
>
> Dans le passé, certains théologiens différenciaient entre les guerres justes et injustes. Nous concédons que certaines guerres peuvent être plus immorales que d'autres. Mais, menée avec l'armement moderne, la guerre la moins immorale demeure une abomination devant Dieu et devant les hommes. Nous ne comprenons pas comment un être professant la religion chrétienne – ou une autre des grandes religions du monde qui, comme nous, reconnaissent le caractère sacré de la vie humaine – peut participer à la guerre moderne sans damner son âme immortelle. Et nous ne comprenons pas qu'un tel être puisse participer à la préparation de l'holocauste en servant dans les forces armées, même en temps de paix.
>
> Nous appelons à la paix, comme nous l'avons fait devant les Nations unies, devant les Arabes et les Israéliens et, en privé, devant les diplomates de toutes les grandes nations. Mais maintenant nous ne nous adressons pas seulement aux gouvernements mais directement à vous, au peuple, et particulièrement aux jeunes hommes dont la guerre détruirait atrocement l'âme et le corps. Nous vous exhortons à revenir au pacifisme du Christ. Sans armées, les gouvernements n'auraient pas de solutions de rechange à la paix. Nous pouvons être sûrs que les hommes qui les dirigent n'iraient pas risquer leur vie et leurs biens à se battre entre eux.
>
> Le message que je vous apporte est ancien. Aime ton prochain. Ne le tue pas; ne te prépare pas à le tuer. Aime, place ta foi dans la miséricorde de Dieu. Prions comme saint François :
>
> *Faites de moi un canal de Votre Paix, O Seigneur.*
> *Là où est la haine laissez-moi l'amour,*
> *Là où il y a la blessure, le pardon.*
> *Et là où il y a le doute, la foi...*

Car c'est en donnant que nous recevons;
C'est en pardonnant que nous sommes pardonnés;
Et c'est en mourant que nous naissons à la vie éternelle.

François se tut, et il y eut un grand silence. Il bénit l'assistance et descendit de l'estrade. Comme aux Nations unies, les gens hésitaient à applaudir une prière. Et aussi, ils étaient bouleversés. Le jeune président put à peine balbutier quelques mots en nous raccompagnant à l'hélicoptère, au milieu d'une haie de policiers.

Le lendemain, toutes les sources diplomatiques du monde affirmaient que les propos du pape avaient été déformés, au mépris du fait que l'allocution avait été télévisée, enregistrée et rediffusée. La réaction diplomatique effective fut moins détournée. Les messages que reçut Candutti dans les heures qui suivirent étaient un mélange de protestations furieuses et de colère incrédule.

Il n'y eut pas que les personnalités gouvernementales pour réagir de la sorte. Pendant le trajet de retour à New York, le cardinal Heegan fit part à Candutti de ses graves appréhensions; dans l'avion pour Washington, le cardinal et deux de ses évêques remontrèrent à Candutti qu'il devait persuader *il Papa* de modérer son discours sur la politique de force. A la résidence du cardinal archevêque de Washington, tandis que François serrait les mains ou donnait à baiser son anneau à des centaines de personnalités séculières et religieuses, plusieurs évêques et deux sénateurs assiégèrent ce pauvre Candutti plus rudement encore que ne l'avait fait Heegan. Il est intéressant de noter que nul n'évoqua directement le sujet devant le Pontife.

Au moment où nous allions nous retirer pour la nuit, je vis François parler à un jeune laïc aux cheveux longs. Il lui donnait apparemment des directives précises, et le cardinal archevêque, qui écoutait, fronçait un sourcil désapprobateur. Je me demandai avec inquiétude quelle nouvelle idée pouvait avoir conçue François, mais j'étais si fatigué que je ne pus que confier la question à Dieu avec une courte prière.

Allora, c'était le lendemain que François devait parler à l'Université catholique, dans le Sanctuaire de l'Immaculée Conception, qui s'élève en bordure de la ville. L'édifice était inachevé, mais c'était le seul qui pût contenir l'immense auditoire prévu. Devant cette foule et devant des millions de téléspectateurs – ou plutôt des centaines de millions car l'allocution fut relayée dans le monde entier – François parla comme un saint Jean-Baptiste, exhortant le monde, et surtout son propre pays, à la repentance.

« Hier, commença-t-il d'un ton mesuré, nous avons parlé de paix. Nous demandions comment il était possible de concilier le christianisme avec l'emploi des horribles instruments de la guerre moderne, et même avec le service armé en lui-même, qui est un entraînement à l'usage de ces armes. Nous répétons ces questions. Nous vous demandons de vous les répéter à vous-mêmes, encore et encore. Mais si hier nous avons surtout parlé de la paix, aujourd'hui nous parlerons surtout de la justice sociale. »

Sa voix s'enfla pour exhorter son peuple à abandonner ses valeurs matérielles, à cesser leur injuste consommation des richesses du globe. Les Américains, souligna-t-il, ne représentent que cinq pour cent de la population mondiale, mais ils consomment près de la moitié des ressources de la terre. Alors que les populations des pays en voie de développement vivent dans la pauvreté, que des millions d'êtres s'estiment heureux d'avoir au moins une cabane au-dessus de leur tête, des millions d'Américains vivent d'une façon somptuaire : *plusieurs* automobiles, *plusieurs* maisons. Alors qu'en Asie et en Afrique des millions de gens sont au bord de la famine, les Américains se nourrissent de bétail engraissé aux céréales et gavent leurs animaux domestiques d'aliments qui suffiraient à la subsistance de plusieurs pays.

« Que direz-vous, demanda-t-il, lorsque vous vous trouverez devant votre Créateur, et que vous entendrez la question redoutée : As-tu laissé ton prochain souffrir de la faim? Vous pourrez répondre qu'en tant que nation, vous en avez aidé d'autres, probablement plus même que toute autre nation. Mais vous avez puisé dans une énorme richesse et donné une part insignifiante de cette richesse. En dix ans, vous avez moins donné pour combattre la faim que ce que vous dépensez en une seule année pour construire des bombes et des missiles. Vous savez, dit-il d'une voix dure, ce que le Christ a promis à qui refuse du pain à ses frères et sœurs. »

François décrivit alors quelques initiatives matérielles mineures que pourraient prendre les individus et les familles : renoncer hebdomadairement à un repas, et en donner le montant à un fonds spécial que la Conférence épiscopale nationale allait prochainement créer. Un aussi mince sacrifice, consenti par toutes les familles catholiques des États-Unis et du Canada, rapporterait annuellement à ce fonds trois milliards de dollars. La moitié de cette somme irait aux pauvres de ces pays, et l'autre moitié à la croisade en faveur des pauvres et des affamés du monde entier. Les évêques, expliqua-t-il, pourraient insérer ce jeûne dans la liturgie, par exemple en célébrant des messes spéciales à midi ou le soir, remplaçant ainsi le repas normal par la sainte Cène.

Ce n'était encore là que de petites choses, poursuivit-il, un début et non une fin. Nul ne devait croire que les accomplir suffisait à remplir son obligation d'aimer Dieu de tout son cœur et son prochain comme lui-même, pour l'amour de Dieu. Il restait à faire infiniment plus.

Le message que nous apportons est clair, dit-il. »

> « Bien-aimés, aimez votre frère Lazare. Partagez avec lui votre abondance. » Repentez-vous! Changez vos façons d'être avant qu'il ne soit trop tard. Partagez votre richesse. Dieu l'a donnée à tous les hommes en commun. Il demande que vous la partagiez, que vous cessiez de la consommer à un rythme qui empêche les autres d'avoir leur juste part de ce qu'il nous faut, à tous, pour survivre. La parole de Dieu exige que vous réordonniez vos valeurs, tout votre système de valeurs. La

parole de Dieu exige que l'acquisition de biens matériels cesse d'être votre objectif principal. La parole de Dieu exige que vous recherchiez, à la place, les valeurs morales, et, plus que tout, l'amour et le bien de votre prochain.

Le jour du jugement approche pour chacun de nous et, pour beaucoup, plus vite que nous ne le souhaiterions. Préparez-vous. Tous les soirs, avant de vous endormir, demandez-vous ce que vous avez fait ce jour-là pour le moindre de vos prochains, pour les frères du Christ, vos frères et sœurs dans la vie et dans la mort.

Nous vous exhortons à vous repentir, à vous réformer, à refondre vos valeurs, à renoncer aux faux ornements du matérialisme pour les véritables richesses de l'esprit. Nous vous exhortons à une transformation totale, et à l'entreprendre tout de suite.

Ce n'est pas le pape qui vous demande ces choses. Ce n'est pas l'Église catholique. C'est la sainte justice de Dieu qui vous le demande. Souvenez-vous de l'enseignement de saint Ambroise : « Vous ne faites pas un cadeau au pauvre... vous lui rendez ce qui est sien... La terre appartient à tous, non aux riches. » Partagez, je vous le dis. Partagez! Pratiquez aujourd'hui la justice de Dieu, afin d'obtenir sa miséricorde plus tard.

François avait prononcé là des paroles de feu et de soufre mêlées de socialisme chrétien moderne, peut-être même de communisme, d'une voix soulevée de ferveur.

Les trois archevêques et les deux évêques que je pouvais voir de ma place étaient médusés par les demandes spécifiques de François – et, selon moi, par son arithmétique. On attendait d'*il Papa* qu'il parle de manière générale et abstraite de l'amour, du devoir, et non qu'il trace des projets précis, qu'il fixe des emplois du temps, qu'il discute de montants exacts de dollars. Si je connaissais bien mon frère Fieschi, il n'allait pas tarder à harceler les évêques, d'abord en réclamant de l'argent pour *il Papa,* puis en exigeant une comptabilité stricte de leurs aides aux affamés du Canada et des États-Unis. François avait trouvé la source de l'argent pour la croisade – plus d'un milliard de dollars par an répondrait, même devant Chelli, de notre solvabilité.

Ecco, François n'avait pas terminé. Mais il continua d'une voix radoucie :

Je vous dis de vous repentir, de vous réformer, mais non de le faire dans la tristesse. Vous ne rejetez pas le meilleur pour le pire. Partagez avec joie, car ce que vous rejetez, c'est le moindre pour le meilleur. Écoutez le Seigneur : « Venez à moi. Mon fardeau est doux; mon joug est léger. » Venez à Lui dans la joie. Répandez Son Évangile par vos œuvres, par votre amour. Faisons connaître au monde par notre amour que nous sommes chrétiens.

François fit un signe au jeune homme aux cheveux longs. Il était assis parmi la hiérarchie, derrière la clôture de l'autel, une guitare posée sur ses genoux et un microphone planté à un ou deux mètres devant lui. Il se leva, pinça sa guitare et se mit à chanter un de ces cantiques « folk » populaires chez les jeunes de l'Église américaine. Je préfère le chant grégorien, mais à chacun ses goûts. En dépit de ses cheveux longs, le jeune homme chanta d'une superbe voix de ténor :

> Quand le Christ vint vous appeler, l'avez-vous entendu?
> [l'avez-vous entendu?
> Quand le Christ vint vous appeler, l'avez-vous entendu?
> La croyance et la couleur et le nom ne comptent pas.
> Entendez-vous? Entendez-vous?
>
> J'avais faim et soif, étiez-vous là? étiez-vous là?
> J'avais faim et soif, étiez-vous là?
> La croyance et le nom et la couleur ne comptent pas.
> Entendez-vous? Entendez-vous?
>
> J'avais froid, j'étais nu, étiez-vous là, étiez-vous là?
> J'avais froid, j'étais nu, étiez-vous là?
> Et la croyance et la couleur et le nom ne comptent pas.
> Entendez-vous? Entendez-vous?

Il y avait encore plusieurs strophes. A la deuxième, les étudiants et même les jeunes prêtres et religieuses s'étaient mis à chanter. A la fin l'assistance tout entière, y compris nos solennels évêques, archevêques et cardinaux, chantait en chœur. Aux derniers accents de la guitare, François écarta les bras et donna sa bénédiction :

« Repentez-vous de vos péchés. Allez dans la paix, dans l'amour et dans la joie servir le Seigneur en servant Ses enfants, vos frères et sœurs. Le Dieu Tout-Puissant vous bénisse, le Père, le Fils et le Saint-Esprit. »

Nous pûmes nous dire heureux d'en réchapper vivants. Ces Américains, parmi lesquels beaucoup de prêtres et de religieuses, se déchaînèrent à l'instar d'une foule latino-américaine ou même italienne. Chacun n'avait qu'une idée : toucher *il Papa.* Ce fut une folle ruée. Les gardes et la police furent pris totalement au dépourvu – j'avais remarqué que certains avaient chanté le cantique avec ferveur. Il aurait pu en résulter une tragédie, si nos bons évêques n'avaient eu la présence d'esprit de former la chaîne derrière la clôture du chœur, s'interposant ainsi entre la foule et *il Papa.* (Sans offenser la charité, je puis dire que ce fut l'unique fois où je vis nos évêques agir unanimement pour le bien de notre sainte Mère l'Église.) Malgré leur confortable rotondité (je ne suis pas unique dans la hiérarchie), ils commençaient à fléchir, lorsque le recteur de l'université, à qui François avait murmuré quelques mots, annonça au micro qu'*il Papa* bénirait chacun personnellement, pourvu que l'on s'approche de la clôture du chœur en file ordonnée.

Au début, tout alla relativement bien. François restait debout (ensuite quelqu'un lui apporta une chaise), et touchait la tête de ceux qui défilaient en faisant une génuflexion. Je dis « au début », parce que, deux heures plus tard, la file était plus longue qu'au commencement. Ce n'étaient plus maintenant des étudiants, des clercs, des membres des facultés et leurs invités qui se présentaient devant *il Papa,* mais surtout des gens âgés et des malades, principalement des Noirs. Nous n'avions pas songé que toute l'affaire était télévisée. Un assistant de l'archevêque nous rapporta que la police faisait stopper les voitures à un mille de là, mais que les gens, abandonnant les véhicules, poursuivaient leur chemin en traînant la jambe ou en portant leurs malades. Dans le sanctuaire, quel spectacle douloureux que tous ces vieillards, ces infirmes, ces aveugles, ces mutilés, ces incurables ! François pleurait. Et moi, je dus plus d'une fois essuyer mes larmes, car seuls les malades hystériques pouvaient avoir une guérison hystérique.

J'était très inquiet pour *il Papa :* il n'avait rien bu ni mangé depuis neuf heures du matin et il était à présent quatorze heures, sans compter la fatigue du vol transatlantique. Et puis, il arriva ce à quoi nous nous attendions tous. Comme une explosion, au moment où *il Papa* le toucha, un jeune Noir, revenu aveugle de la guerre du Vietnam, bondit en hurlant :

– Je vois! Mon Dieu! Je vois!

Sur un signe du cardinal Heegan, une vingtaine de policiers en uniforme jaillirent de la sacristie et repoussèrent vivement le Pontife vers l'arrière du sanctuaire et l'issue de secours, à proximité de laquelle attendait l'hélicoptère. Sans leur intervention, François aurait été écrasé sous la ruée de la foule hurlante, chacun voulant à toute force toucher *il Papa.* Mais deux vieillards périrent, foulés aux pieds dans l'indescriptible mêlée.

34.

Nous arrivâmes très en retard à la Maison-Blanche, pour notre visite officielle. Au moment où la rencontre avait été arrangée, nul n'avait envisagé de problèmes. Declan Walsh et votre président Lawrence Fletcher, un solide méthodiste du Michigan, avaient entretenu des relations amicales, mais sans être amis intimes, au temps où le président Fletcher était sénateur et où Declan Walsh songeait à la carrière politique. On envisageait de part et d'autre un entretien aimable, des photographies souriantes, et une déclaration commune d'aspirations à la justice et à la paix. L'allocution de François à Princeton ruina plus ou moins ces prévisions.

Même pendant l'accueil officiel et la séance de photos sur la pelouse de la Maison-Blanche, on sentait une tension. Lorsque nous suivîmes – nous, c'est-à-dire *il Papa,* Candutti, le Secrétaire d'État américain et moi-même – dans son bureau ovale, la tension fit place à l'hostilité. Votre Président fit d'abord effort pour éviter un affrontement.

– J'ai vu ce matin la retransmission télévisée de votre discours, Très Saint-Père. Je me félicite que vous ne fassiez pas de politique, dit-il avec un rire un peu forcé.

– Nous n'avons rien dit d'autre que la parole de Dieu, répondit le pape François avec gravité. Notre peuple doit abandonner le matérialisme qui domine toutes les vies.

– Le matérialisme? Je m'interroge, dit pensivement le président Fletcher. Quel autre peuple a donné aussi généreusement aux autres? Quel autre pays a jamais eu un programme d'aide à l'étranger tel que le nôtre dans les années quarante et cinquante? Dans quelle autre nation les citoyens ont-ils autant donné aux autres à titre individuel? Et quel autre pays a-t-il subi autant d'avanies de la part de ceux qu'il aidait?

– Aucune autre nation au monde, convint le pape François. En tant que nation, les Américains ont été généreux, mais la générosité ne suffit pas. L'appétit des biens de consommation qui existe dans la société occidentale crée beaucoup de problèmes que la générosité américaine atténue mais ne résout pas. Les nations occidentales achètent les denrées qui seraient indispensables aux pays pauvres, et cela à des prix qui enlèvent aux pauvres la possibilité de se nourrir. Et, ce qui est aussi néfaste, l'idéologie de la société occidentale fait du péché de consommation exagérée une divinité ordonnant à ses sujets de priver les pauvres d'une chance de survie et d'ignorer les causes de leur infortune.

– Sans cet appétit, ici et ailleurs dans le monde occidental, riposta le Président, nous ne serions pas en mesure d'aider les affamés en Afrique.

– Mais sans lui, l'Afrique aurait bien moins besoin d'aide.

– Écoutez, nous n'avons jamais eu de colonies africaines. Adressez-vous aux Anglais, aux Français, aux Allemands. Et d'ailleurs, c'est le climat et non le matérialisme qui est responsable aujourd'hui des famines.

– Seulement en partie, répondit le pape François. La sécheresse a tari des sources de vivres, mais l'Amérique en produit encore assez pour se nourrir elle-même et l'Afrique *en plus*, si les Américains ne mangeaient pas avec tant d'excès et de gaspillage.

– Sa Sainteté sera peut-être heureuse d'apprendre que nous sommes sur le point de conclure un prêt de cent millions de dollars aux pays d'Afrique occidentale pour leurs achats de céréales, intervint adroitement le Secrétaire d'État.

– Voilà certes une bonne nouvelle, rétorqua non moins adroitement Candutti. Sa Sainteté a également décidé d'employer les premiers cinquante millions du fonds spécial esquissé ce matin à l'achat de vivres qui seront données aux populations d'Afrique.

– Très Saint-Père, nous avons un problème plus immédiat, plus permanent que la sécheresse, intervint le Président, visiblement mal à l'aise. Je ne puis vous dire à quel point mon gouvernement estime graves, dangereuses, les implications de votre discours d'hier à Princeton.

– Mais, là encore, nous n'avons répété que le message du Christ, dit le pape François d'une voix calme, trop calme à mon goût. Nous ne voyons pas comment, considérant l'armement moderne, le service armé peut s'accorder avec les commandements de l'Évangile.

– Mais vous avez vous-même pris part à deux guerres. Vous savez que les Russes occuperaient l'Europe de l'Ouest en deux jours si nos armées pliaient bagage et passaient leur temps à de pieuses assemblées. Avant peu, il y aurait un étranger à ce bureau.

– Nous ne « savons » pas ces choses, monsieur le Président ; nous avons trop foi dans la bonté de Dieu pour présumer un désastre si nous obéissons à Sa parole. Mais, même dans ce cas, le Christ n'a pas promis le bonheur en ce monde. C'est l'autre monde qui importe au chrétien. Ce monde n'est qu'un terrain d'essai. En ce qui concerne notre histoire personnelle, il est vrai que nous avons péché, même si ce fut, croyons-nous, par manque de réflexion, par ignorance. Nous avons demandé, et nous continuons à demander le pardon de Dieu. Nos défaillances personnelles ne peuvent servir d'excuse pour remettre aux autres leurs péchés.

Le Président parut *stufato; ecco,* vous dites « exaspéré »? J'avoue que je le comprenais. Heureusement, l'habile Secrétaire d'État intervint de nouveau :

– D'après nos informations, Sa Sainteté n'a pas pris de décret ni fait de déclaration officielle qui obligeraient les catholiques à ne pas servir dans les forces armées?

– C'est exact, dit Candutti. Sa Sainteté a simplement posé de graves questions. Tous les catholiques et, peut-on l'espérer, tous les hommes de bonne volonté doivent se les poser à eux-mêmes. Un catholique peut réfléchir sérieusement et estimer en conscience ne pas devoir suivre les voies suggérées par Sa Sainteté, mais s'en tenir à celles qui correspondent à la distinction traditionnelle entre guerres justes et injustes. Mais pas un catholique ne peut ignorer ce qu'a dit le Pontife. Et, sauf si sa conscience lui impose une autre ligne de conduite, un catholique doit suivre son enseignement.

– Voilà, pour l'instant, ajouta François, l'obligation qu'ont les catholiques relativement à ce que nous avons énoncé. Mais cela n'exclut pas que nous prenions un décret qui engagerait alors tous les catholiques.

– Mais qu'essayez-vous donc de nous faire? demanda le Président d'un ton où se mêlaient l'agacement et l'incrédulité.

– Nous essayons de prêcher la parole de Dieu. C'est là notre mission. C'est pour cela que nous avons été mis dans ce monde. Monsieur le Président, nous n'avons ni la naïveté ni l'arrogance de croire que nous pouvons par nous-même changer le monde, dit *il Papa* d'un ton radouci. Cela, Dieu seul le peut. Mais nous avons une mission, que vous pouvez comprendre en raison de notre héritage religieux commun. Nous devons prêcher la parole de Dieu, et à propos de la violence, cette parole est claire : tendre l'autre joue, aimer son ennemi. Si vous ne croyez pas pouvoir suivre dans l'instant ces commandements, ne pouvez-vous au moins commencer à aller dans cette direction? Reprenez en l'adaptant la formule de William Lloyd : Non le pacifisme immédiat, mais immédiatement entrepris.

Le Président paraissait interdit, mais son Secrétaire d'État reprit habilement la parole :

– C'est une proposition très intéressante, Très Saint-Père. Peut-être pourrions-nous l'explorer dans un cadre moins officiel, monsignor Candutti et moi. Et si je puis me permettre de revenir à l'Afrique, je n'ai pas pu vous entretenir hier, monsieur le Président, d'une idée qui serait de doubler le prêt que nous faisons aux Africains, mais d'en affecter une partie à l'Amérique latine, dans le cadre de la croisade du pape, pour stimuler la production agricole. L'avantage, pour les Africains, serait qu'ils pourraient puiser dans ce grenier sans débourser d'argent, et sans faire appel à nous.

– Dans cet ordre d'idée, glissa Candutti, si les États-Unis pouvaient inciter les Nations unies à prendre en considération la requête du Pontife qu'elles financent la croisade en Amérique latine, nous aurions alors d'autant plus de ressources à consacrer à l'Afrique et ensuite à l'Asie.

– Je pense que nous serons en mesure de faire l'un et l'autre, dit le président Fletcher.

L'initiative, spontanée ou préparée, était habile : un don au bénéfice de la croisade, un autre don pour sauver des millions d'êtres au bord de la famine. Le prix tacite, c'était que le pape François mette en sommeil son message pacifiste.

François hésita un moment, puis il répondit adroitement, en feignant de ne pas saisir qu'on lui proposait un marché :

– Monsieur le Président, nous sommes sûrs que Dieu se souviendra de ce don, même si les peuples de la terre se montrent oublieux. Cependant, nous vous demandons d'aller plus loin, de considérer nos paroles, et d'employer votre magnifique charge pour nous aider à persuader l'humanité de rejeter le matérialisme et de reconnaître l'enseignement du Christ au sujet de la violence.

Au même moment Candutti se levait et nous rappelait que l'hélicoptère attendait pour nous conduire à l'aéroport, car nous regagnions Rome le soir même. Sa synchronisation fut parfaite.

Dans l'avion, François nous confia qu'il avait brusquement compris pourquoi la croisade connaissait tant de difficultés financières. C'était notre peu de foi qui nous donnait une vision étriquée. Sous-estimant la grâce divine et le sentiment de la justice chez les hommes, nous avions pensé en millions au lieu de penser en milliards.

Lorsque nous atterrîmes à Fiumicino, le lendemain matin, nous vîmes qu'un groupe de journalistes stationnaient dans un hangar d'Alitalia, à proximité de notre hélicoptère. Un double cordon de police les tenait à distance. François se dirigea vers eux et accepta de répondre à quelques questions.

– Votre Sainteté est-elle affectée par le nouveau « miracle » demanda *L'Unita*, espérant embarrasser *il Papa*.

– Les véritables miracles s'opèrent dans le cœur des hommes. C'est pourquoi nous ne savons quand, ni si, ils surviennent. Même votre dialectique n'y peut rien.

– Est-ce que Votre Sainteté ordonne aux catholiques de devenir objecteurs de conscience? demanda *Die Welt*.

– Nous prêchons la parole de Dieu : Tends l'autre joue, aime ton ennemi. « Que celui qui a des oreilles entende. »

– Et les catholiques qui sont déjà dans les forces armées? demanda *Il Tempo*.

– Nous ne voyons pas quel engagement moral peut constituer une promesse de participer à un fratricide.

– Qu'entendait spécifiquement Votre Sainteté en parlant, à Washington, de changer le mode de vie américain? interrogea le *Washington Post*.

– Nous avons donné des exemples américains, puisque nous parlions aux États-Unis, mais nos propos portaient de manière générale sur la société moderne, américaine, européenne, asiatique, communiste et socialiste aussi bien que capitaliste. Dans le contexte matérialiste de notre planète, les Américains ont été, de tous les peuples, le plus généreux. Mais nous réclamons d'abord la justice, et ensuite la générosité. Nous voulons d'abord changer la conception de la justice dans le monde, et ainsi réordonner ses valeurs. La sollicitude éperdue doit remplacer la consommation éperdue.

– Très Saint-Père, n'est-ce pas une gigantesque entreprise? intervint *Newsweek.*

– Nous sommes conscient de l'immensité du problème, mais nous avons foi en Dieu. Si la foi peut déplacer les montagnes, elle peut déplacer les hommes. Des gains minimes peuvent produire d'importants résultats immédiats. Le jeûne hebdomadaire des cinquante millions de catholiques américains et canadiens épargnera autant de nourriture au profit des affamés. Qu'ils contribuent annuellement un milliard de dollars de plus, et nous sauverons des centaines de milliers, des millions peut-être de vies humaines. Nous allons prêcher ce même message dans toute l'Europe, au Japon et dans tous les pays dits développés. Nul homme n'a le *droit moral* de disposer de deux tranches de pain quand son prochain n'en a même pas une.

La police nous prévint qu'il serait impossible de rentrer au Vatican par la route. François lui-même était trop exténué pour discuter et l'hélicoptère nous déposa dans les jardins. *Il Papa* gagna aussitôt son bureau du palazzo, mais je m'effondrai dans une des chambres de la *casina,* épuisé et dérouté par le torrent d'idées de François et aussi par Dieu, Qui semblait content de laisser Son Vicaire agir à sa guise.

Le lendemain, l'audience générale sur la piazza fut l'occasion d'une cinglante dénonciation de la pornographie, « culte de la chair qui est un autre symbole du matérialisme de l'homme moderne ». *Il Papa* se déchaîna particulièrement contre les Italiens et contre les Romains. « On trouverait difficilement dans cette prétendue ville sainte, dit-il, des étalages de journaux qui ne dégradent les femmes en exposant des magazines montrant en couverture des lesbiennes dénudées ou des couples nus dans d'indécentes attitudes sexuelles. Les adultes s'arrêtent pour les contempler d'un œil graveleux. Pire encore, les jeunes gens sont ainsi encouragés à regarder les femmes non comme leurs égales en Dieu mais comme des objets de lubricité. Et, pire encore que cela, les petits enfants en sont forcément influencés dans leurs actes et dans leurs valeurs morales. Souvenez-vous bien de l'avertissement du Christ : "Mieux vaudrait pour lui se voir passer autour du cou une pierre à moudre et être précipité dans la mer que de scandaliser un seul de ces petits." »

La nuit même, des groupes de « femmes chrétiennes » renversèrent dans la ville plus de vingt kiosques à journaux et en incendièrent six. A Padoue, une petite troupe de femmes en furie arrêtèrent un camion de livraison de journaux, frappèrent le chauffeur, et mirent le feu à sa cargaison dans le véhicule même. Le véhicule fut perdu, et le chauffeur n'était guère en meilleur état. On signala des incidents similaires à Brescia et à Bolzano.

Le lendemain, cent cinquante mille personnes envahirent la place Saint-Pierre au moment de l'audience générale. Je crois que la foule se composait moins de fidèles que de curieux, avides de voir ce Pontife faiseur de miracles et parlant en traits de flammes. François dénonça sans ambiguïté « la conduite inhumaine de la junte militaire brésilienne. Ils emprisonnent et torturent des hommes et des femmes dont le seul crime est de s'élever contre l'oppression. Nous nous joignons en esprit à ceux qui souffrent de ce cruel déni de leurs droits d'êtres humains. Nous demandons au gouvernement du Brésil de libérer immédiatement tous ses prisonniers politiques. Nous lui demandons en outre d'organiser dans un très proche futur des élections libres afin que la population de ce pays meurtri puisse exprimer ses préférences légitimes. »

Tout homme civilisé ne pouvait que s'associer à ce message – tout au moins jusqu'à l'exigence d'élections libres. Mais le ton de François me troubla. Sa voix résonna sur la piazza, offrant une double citation – le Christ citant le prophète Isaïe : « "L'Esprit du Seigneur est sur moi, parce qu'il m'a consacré par l'onction. Il m'a envoyé porter la bonne nouvelle aux pauvres, annoncer aux captifs la délivrance et aux aveugles le retour à la vue, rendre la liberté aux opprimés..." Des chambres de torture les cris de douleur atteignent nos oreilles. La puanteur des geôles envahit nos narines. Au nom du Dieu de justice, nous ne pouvons plus longtemps demeurer silencieux. »

Vingt-quatre heures plus tard, nous apprenions qu'au Brésil la guerre civile avait éclaté. François resta impassible en apprenant la nouvelle, mais il se mit aussitôt à rédiger le texte de l'audience générale du lendemain. Il condamnait la violence et appelait de nouveau à des élections libres.

Fieschi, qui était avec nous lorsque nous parvinrent les premiers communiqués sur la révolte, nous en donna une explication triomphaliste :

– C'est la volonté de Dieu, Très Saint-Père. Vous avez usé de votre pouvoir d'élever et d'abattre les nations. C'est la vengeance de Dieu appliquant Sa justice. Nous sommes Ses instruments.

Candutti en fut horrifié. Il quitta la pièce en me faisant signe de le suivre. Je lui proposai d'aller dans les jardins.

– Éminence, j'ai l'impression de vivre un cauchemar depuis quelques semaines, commença-t-il. J'éprouve des craintes pour ma santé mentale. Je n'en peux plus. *Il Papa* ne m'écoute pas, et le cardinal Fieschi fait écho à son moindre mot. Ou bien ce sont eux qui ne se conduisent pas comme des êtres humains rationnels, ou bien c'est moi. (Je murmurai quelques encouragements.) Le Pontife saute d'un sujet à l'autre. Parfois il s'exprime comme saint Jean dans les derniers chapitres de son Évangile, ou comme saint Jean-Baptiste, si le miel sauvage avait fermenté. Je voudrais que vous ayez entendu les hurlements dont toutes les nations occidentales ont fait retentir mon bureau après le discours sur le pacifisme. Les Américains sont frénétiques. Ils se demandent combien de catholiques demeureront dans leurs forces armées. Dieu sait si les Italiens et les Français ont peu besoin d'incitation à la désertion. Même les communistes s'en émeuvent. Il y aurait des désertions en Pologne et en Roumanie. Tout cela est fou, Éminence, absolument fou!

– Souvent un saint homme paraît irrationnel, dis-je. La raison n'est que le moyen le plus efficace d'accomplir certaines fins. Un Romain païen trouvait irrationnels les martyrs chrétiens, mais si leur fin était le bonheur dans l'autre monde, ils se conduisaient selon la raison. Je crois que le problème, c'est que vous et le pape François n'avez pas les mêmes fins. Je crois qu'il veut amener le royaume de Dieu dans ce monde de son vivant.

– Vous ne le croyez donc pas insensé?

– Je ne sais malheureusement pas s'il est, ou non, sain d'esprit, *Eccellenza.* Je ne suis sûr que de mon propre désarroi. Il fut un temps où je priais Dieu de l'aider à revêtir les attitudes d'un chef religieux. J'ai peut-être trop insisté. Mon souci, comme le vôtre, est aujourd'hui qu'il demeure en deçà de la ligne invisible qui sépare le chef religieux du fanatique religieux. Il croit ou, pour être plus juste, il « admet » qu'il a une mission divine. Je ne sais si c'est là folie ou sainteté. Peut-être un peu de chaque. A mon avis, les saints ne sont pas des gens agréables. Ils sont toujours trop certains d'eux-mêmes et de Dieu.

– Vous avez peut-être raison, Éminence, mais c'est sans espoir, dit Candutti qui ne semblait nullement conforté par mon auto-examen. Il faut que je résigne ma charge.

– Vous avez tout motif, dis-je, mais avez-vous songé à qui vous remplacera? Probablement quelqu'un comme Fieschi, qui servira *il Papa* sans éprouver de doutes, sans s'interroger, et sans lui faire de bien, non plus qu'à l'Église.

– Éminence, vous ne savez pas quelle croix vous m'imposez, vous imposez à ma santé mentale, dit Candutti au bord des larmes.

– Dieu vous donnera la force, *monsignore,* dis-je en lui pressant le bras. Il est avec nous chaque jour, et Il connaît nos limites. Souvenez-vous de la promesse de saint Paul : nous ne serons pas tentés au-delà de nos forces.

– Je voudrais que saint Paul fût ici, dit Candutti avec un de ses rares sourires.

– Mais, là est précisément le problème, rétorquai-je. Il se pourrait qu'il y fût.

35.

Il faut que je vous parle d'un dîner que nous avions eu au palazzo à la fin mai. Je m'en souviens parfaitement parce que, ce soir-là, François prit part aux conversations, pour la première fois depuis des mois. Et aussi à cause de l'émotion que ses paroles suscitèrent chez les traditionalistes de la Curie. Les convives étaient les *monsignori* Cavanaugh et Zaleski, moi-même et, comme en d'autres occasions, Bonetti. Il y avait aussi parmi nous un jeune et brillant évêque irlandais, plusieurs séminaristes du Collège éthiopien, et deux du Collège nord-américain.

François mangea peu et goûta à peine le magnifique cabernet sauvignon de vos vignobles de Mondavi qui accompagnait le plat de résistance. La conversation, d'abord hésitante, était vite devenue aisée. Au dessert, un des séminaristes nord-américains nous régala, non sans fatuité, de son savoir sur l'arianisme. (Pour vous situer les choses, le prêtre Arius, contemporain de Constantin au IVe siècle, soutint que le Christ n'était pas de nature véritablement divine, dans le sens où il n'était pas de même substance que Dieu. En 325, le concile de Nicée condamna cette doctrine, mais l'hérésie continua à se propager pendant plusieurs décennies.)

Au bout de dix minutes, François interrompit le jeune homme :

– Nous nous interrogeons sur ce que le jeune homme Christ aurait dit à ce sujet.

– Plaît-il, Très Saint-Père?

– Aurait-Il compris les postulats fondamentaux?

– Étant Dieu, Il comprenait toutes choses, dit le séminariste.

– Étant Dieu, évidemment; mais étant homme?

– Mais nous ne pouvons séparer les natures humaine et divine du Christ et parler de Lui comme de deux personnes. Il était une personne. Le concile de Chalcédoine l'a établi en 451.

– Deux natures en une personne, oui. Mais ne pourrait-on dire qu'Il est devenu progressivement conscient de Sa nature divine – et totalement conscient seulement après la Résurrection? Sans cela, ce que nous appelons la Rédemption ne serait qu'un semblant, une comédie, fût-elle divine?

– Très Saint-Père, chercha à intervenir le jeune évêque irlandais.

– Nous savons que selon les théologiens catholiques, d'ailleurs non unanimes, le Christ a toujours su qui Il était, S'est toujours pleinement su Dieu. Mais cet argument opposé à l'arianisme, et qui en a eu raison, ne fait-il pas une cruelle énigme du Vendredi saint?

– Je ne comprends pas, Votre Sainteté, dit l'évêque.

– Voyons, un être se sachant immortel, omnipotent et autres attributs, savait par là même qu'il possédait la volonté de supprimer toute douleur, y compris la sienne. Pour un être éternel et parfait – et se sachant tel – abandonner notre imparfaite existence humaine devait être un minuscule sacrifice. Était-ce même un sacrifice, s'Il savait pouvoir recouvrer cette existence quand Il le voudrait – s'Il le voulait. Et d'ailleurs, il Lui suffisait d'avoir la volonté de ne pas souffrir.

– Mais nous croyons qu'il n'a pas voulu éviter la douleur d'une mort atroce, insista l'évêque.

– Peut-être le Christ l'a-t-Il voulu, peut-être ne l'a-t-Il pas voulu. Si nous croyons qu'Il connaissait Sa nature divine comme Sa nature humaine, nous sommes bien obligés de croire qu'Il l'a voulu. Mais s'Il savait cela, Il savait aussi qu'Il était éternel; et trois heures sur une croix ou trente-trois ans sur cette terre doivent être moins qu'un trillionnième de seconde pour celui qui est éternel. Si le Christ savait pleinement qu'Il était Dieu, Sa souffrance fut insignifiante comparée à celle des êtres qui subissent la torture, à celle des Juifs à Auschwitz ou à celle d'un soldat blessé qui se bat encore pour défendre ses camarades. Les souffrances éprouvées au Calvaire par un être sachant qu'il était Dieu n'étaient rien à côté des douleurs de l'enfantement. Au surplus, s'il savait pleinement qu'Il était Dieu, le Christ ne risquait rien.

– Il ne risquait rien? Je ne comprends pas, marmonna l'évêque.

– Mais oui, Il ne risquait rien, répéta François d'un ton impatient. Celui qui risque sa vie pour un autre risque plus que sa vie. Il sait qu'il ne risque pas uniquement d'être tué mais mutilé, ou horriblement défiguré, ou paralysé, condamné à vivre pendant d'interminables années dans la souffrance et la solitude, en aspirant à la délivrance de la mort. Celui qui sait qu'Il est parfait et éternel n'éprouve pas ces craintes. Nous savons par expérience personnelle que ces craintes sont pires que la mort.

– J'avoue ne pas avoir cette expérience, dit l'évêque.

– Et il y a un risque encore plus grave. Tout humain intelligent entretient des doutes au sujet de la vie future. Nous pouvons croire. Nous pouvons espérer. Mais nous n'avons pas de certitude absolue qu'il y a au-delà du tombeau autre chose que de froides ténèbres. Si le Christ Se savait Dieu, Il n'encourait pas ce risque qu'il n'y ait rien après la mort.

– Très Saint-Père, parlez-vous sérieusement? demanda le séminariste. Ce serait hérésie.

– Si *nous* le disons, ce ne peut être hérésie, dit François qui, remarquant l'air scandalisé du jeune homme, reprit d'un ton plus mesuré : Lisez saint Matthieu. Certes, le récit n'est pas complet, mais le Christ semble singulièrement divers au long des années. Ou Il s'est formé un sens différent de Sa mission avec le temps – ce qui signifierait qu'Il ne la comprenait pas entièrement au début – ou Il était schizophrène. A tel moment, Il est le farouche prophète du repentir, brandissant la menace de la vengeance divine; et puis soudain Le voici tendre prophète de l'amour et de la miséricorde de Dieu. A tel autre moment, Il vient apporter le glaive, et puis Il dit que ceux qui prennent le glaive périront par le glaive. Je préfère Son côté humain avec sa confusion. Il était un jeune Juif pieux poussé par une force divine qu'Il ne comprit pas entièrement jusqu'à Sa mort – et c'est en humain ignorant qu'Il a souffert comme chacun de nous aurait souffert, et subjectivement risqué autant que nous aurions risqué.

– Votre Sainteté semble plus agréer les idées de certains théologiens modernes que celles qui sont plus traditionnelles, intervint d'un ton désapprobateur notre pieux évêque irlandais.

– Les agréer? Non, nous ne le pensons pas. Nous avons affronté ce problème bien des années avant de savoir que des théologiens posaient les mêmes interrogations. Peut-être trouvons-nous cette interprétation plus confortable que l'interprétation traditionnelle, car si l'on accepte cette dernière, le Christ, et donc Son Vicaire, doit parler avec la clarté et la force de l'éclair. Nous – le « nous » institutionnel de l'autorité doctrinale de l'Église – devons toujours parler avec une autorité absolue, une certitude absolue, une finalité absolue. Il ne peut y avoir évolution, mais uniquement application de règles préétablies à des circonstances neuves. En revanche, selon l'interprétation que j'évoquais, l'Église peut aller vers la vérité en trébuchant et en tâtonnant, sans appréhender totalement le feu de la vérité dernière qui brûle en elle. Elle peut errer dans sa quête de la vérité dernière.

– Mais sans tomber dans l'erreur ou le mal, me hâtai-je d'ajouter.

– Bien entendu. Peut-être nous voyons-nous, de façon infiniment moins haute que le Christ, comme un être qui trébuche le long du chemin, ployant sous la croix de l'humanité, mais que pousse une énergie divine dont nous ne comprenons pas pleinement le sens et dont nous ne savons même pas employer efficacement le pouvoir.

Lorsque les traditionalistes de la Curie eurent vent des propos du Pontife, ils manifestèrent de vives appréhensions touchant la pureté doctrinale. Le Vatican en bruissa d'intrigues. Pour ma part, je les avais trouvés rassurants et éclairants. Je n'avais jamais encore entendu François exposer si clairement la conception qu'il se faisait de sa mission. Se voir comme un être qui trébuche et tâtonne est un symptôme de santé spirituelle aussi bien que mentale.

Les jours qui suivirent se déroulèrent assez bien. Fieschi était satisfait des directives préparées par ses collaborateurs à l'intention des évêques nord-américains. Il était ravi d'avoir tant à faire : donner des instructions à notre pro-nonce à Ottawa et au délégué apostolique à Washington; discuter avec la Congrégation pour les évêques; organiser la coordination entre, d'un côté, la Congrégation pour les sacrements et le culte divin et, de l'autre, le Saint-Office, afin d'essayer d'intégrer les jeunes dans la liturgie; et s'initier aux questions financières auprès de Chelli.

Chelli s'amusait de ce que les évêques nord-américains aient finalement saisi non sans mélancolie qu'en invitant *il Papa* dans leur université ils lui avaient donné l'occasion de les forcer à lui fournir trois milliards de dollars. Il pouvait à bon droit s'en amuser puisque la moitié de cette somme passerait par son office. Mais il me confia par ailleurs ses inquiétudes sur le discours pacifiste de François à Princeton. Selon une rumeur qui circulait, *il Papa* serait devenu fou. Il s'en trouvait certains, au Vatican, pour les encourager, mais, selon Chelli, elles devaient émaner de la C.I.A. Que la C.I.A. ou un organisme similaire dans un autre pays soit capable de répandre de tels bruits, je n'en doutais nullement. Mais il me semblait aussi que Chelli pouvait aussi vouloir détourner mes soupçons d'une source appartenant au Vatican.

Je priai Dieu qu'il guide François et qu'il me guide, mais, à son habitude, l'Esprit Saint garda le silence. Je n'eus pas le temps de reprocher au Tout-Puissant Son indifférence, car peu après nous apprenions une nouvelle tragique : la mort de l'archevêque Candutti. Vous avez sans doute entendu dire qu'il avait lui-même mis fin à sa vie. Aussi navrante que soit la chose, elle est vraie. Son médecin annonça que le *monsignore* avait succombé à un infarctus du myocarde. Ce peut avoir été la cause directe, je ne connais rien à la médecine. Mais la cause première, ce fut une absorption massive de somnifères.

Un grand sentiment de culpabilité se mêlait à ma tristesse. Je crois que François éprouvait la même chose. Il apprit la nouvelle avec calme, mais il alla prier dans sa chapelle privée, et quand il revint, je vis qu'il avait pleuré.

Candutti était un diplomate compétent et un homme pieux. Il aimait Dieu et l'Église, et les servait avec habileté et foi. Aurais-je été moins inquiet pour François, j'aurais prêté plus d'attention à la santé mentale de Candutti. Mais François monopolisait l'attention et l'énergie de tout son entourage. J'espère que Dieu a jugé miséricordieusement le *monsignore* et tenu compte du point de surmenage où il en était arrivé.

36.

Le lendemain des obsèques de monsignor Candutti, je reçus un billet de Bisset me demandant de passer le voir dans l'après-midi chez lui, au Borgo, juste devant l'enceinte du Vatican et la porte Sainte-Anne. Comme bien vous pensez, Son Éminence ne comptait pas parmi mes intimes. C'était même la première fois qu'il m'invitait chez lui – ce qui ne laissait présager rien de bon.

Je trouvai chez Bisset non seulement Chelli et Greene, mais aussi le cardinal Giovanni Lanzoni, archevêque de Palerme, ainsi que le cardinal Bernardo Freddi, depuis longtemps en retraite et quasi aveugle, mais, à quatre-vingt-deux ans, aussi incisif, aussi théologiquement réactionnaire que durant les quatorze années où il avait mené d'une poigne de fer la Congrégation pour les évêques. L'archevêque Kevin Moriarity, qui, en tant que secrétaire de la Congrégation pour les sacrements et le culte divin, était l'adjoint de Bisset, m'introduisit et prit également part à la discussion.

LaTorre aussi était présent. En qualité d'archiprêtre de la basilique Saint-Pierre, il appartenait toujours au Vatican, mais sans plus aucune autorité officielle. Enfin, il y avait encore une autre personne dans la pièce : monsignor Bonetti, le secrétaire du Pontife. Sa présence me donnait enfin la clef des « fuites » du bureau pontifical.

La composition de ce groupe me déplaisait. Chelli et LaTorre étaient les deux seuls chez qui j'aie jamais constaté une mince lueur d'esprit spéculatif – ce qui ne signifie pas que les autres manquaient d'intelligence, mais ils avaient l'esprit aussi fermé que les mâchoires d'une tortue géante. Bisset, par exemple, avait un cerveau extrêmement rapide; il pouvait en un éclair diviser un problème en trente-deux éléments et les analyser brillamment. En tant que machine critique, il était admirablement doué. Mais, comme M. Keller l'avait un jour formulé, de façon vulgaire mais exacte, Son Éminence était intellectuellement vierge : jamais une idée originale n'avait pénétré dans son crâne.

Dès les premiers mots de Bisset – qui, avec sa typique hospitalité française, ne nous offrit aucune sorte de rafraîchissement – je me sentis inquiet.

– Messeigneurs cardinaux Galeotti et Chelli n'ont pas assisté à nos précédents entretiens. Nous avons pensé qu'il était temps qu'ils nous entendent. La tragique mort de monsignor Candutti nous met dans une situation de crise. Si nous voulons agir, nous devons le faire promptement, avant que les choses s'aggravent, avant que d'autres saints hommes de Dieu soient conduits à un profond désespoir.

– Agir? intervins-je.

– Avant d'aller plus loin, nous devons demander à nos deux frères de s'engager, comme l'a fait chacun de nous, à ne rien divulguer de notre rencontre sauf par consentement unanime.

Chelli sortit un de ses cigares cubains et se mit à l'admirer.

– Son Éminence nous prend au dépourvu, dit le jeune cardinal. Il est difficile de promettre le secret lorsqu'on ne sait pas à propos de quoi, sédition, hérésie ou célébration d'un anniversaire?

– Nous pouvons assurer monseigneur cardinal Chelli que nous ne discuterons ni d'hérésie, ni de sédition, ni même d'un anniversaire, simplement du bien de l'Église.

– Dans ce cas, et puisque nous ne discuterons *que* du bien de l'Église, je peux donner ma parole, mais non sans réticences.

– Je donne moi aussi ma parole dans ces limites dis-je. Je partage les réticences de mon révérend frère, et si j'estimais que l'on s'écarte du sujet, je m'en estimerais par là même délié.

– Voilà qui va bien, dit Bisset, puisque vous nous avez prévenus. Ainsi donc, nous sommes quelques-uns à penser que le moment est venu d'agir en commun. Ou le Saint-Père souffre de maladie mentale, ou il est au bord de l'hérésie – si même il n'est pas déjà tombé dans ce noir abîme. Il est une source de scandale dans l'Église. Il songe même à abolir l'institution centrale de l'Église.

– Permettez, permettez, dis-je.

– Pouvons-nous demander à Son Éminence de nous entendre? dit Bisset en levant la main. Nous avons promis de parler du bien de l'Église. On doit nous laisser développer notre argumentation. Monseigneur cardinal Galeotti aura ensuite toute latitude de nous présenter son opinion. Toutes réunies, les preuves sont accablantes. Nous nous trouvons devant une intention déclarée d'améliorer la condition humaine. C'est un but louable, mais notre mission primordiale, c'est de convaincre le monde de son péché et de prêcher la bonne nouvelle qu'il peut obtenir son salut. Nous ne pouvons légitimement promettre un bonheur terrestre car le royaume du Christ n'est pas de ce monde.

» Voici, en substance, ce que nous relevons. En premier lieu, la répudiation implicite d'*Humanae Vitae* et, ce que nous savons tous imminent, la répudiation explicite d'une tradition morale qui remonte au Christ par l'intermédiaire des Apôtres et trouve ses solides racines dans l'Ancien Testament, une tradition que les papes et l'Église universelle ont reconnue partie intégrante de la loi naturelle immuable, à savoir la nécessaire liaison entre l'union sexuelle légitime et la possibilité de la conception. (J'allais intervenir pour redresser cette exposition gravement erronée de la doctrine morale, mais je décidai d'attendre.) En deuxième lieu, poursuivit Bisset, il prépare en ce moment, selon les rumeurs, une encyclique qui non seulement mettra fin au saint célibat sacerdotal, mais en outre admettra l'ordination des femmes. (Je ne pus m'empêcher de rire bruyamment.)

» Nous ne plaisantons pas, monseigneur cardinal, dit Bisset d'un ton furieux, et quiconque aime notre sainte Mère l'Église ne peut qu'en éprouver une profonde consternation. La simple pensée de l'abolition du célibat sacerdotal est effrayante. L'ordination des femmes serait désastreuse. Elles n'ont pas la nature du Christ. Au surplus, leur admission dans les saints ordres équivaudrait à transformer les cures en maisons de débauche. Cela va beaucoup plus loin encore que les intentions qu'ont les Hollandais de pervertir l'Église.

– Vos épouvantables prédictions ne concernent nullement le pape François. Il ne prépare ni l'ordination des femmes ni l'abolition du célibat des prêtres.

– Une fois de plus, nous demandons à notre frère de faire preuve de patience, me coupa Bisset. Son tour viendra de parler. Nous avons de bonnes raisons de croire que ce Walsh *entretient* de tels projets. Les troisièmes points de notre longue liste sont la destitution du Saint-Office de notre saint et estimé frère LaTorre, pour avoir averti le Pontife qu'il frôlait l'hérésie, et la désignation à la tête de la Congrégation pour le clergé de ce Hollandais rouge, ce Gordenker dont les paroles et les écrits sont hérétiques selon toutes les normes catholiques acceptées.

Chelli ne pouvait plus tenir en place. Il sortit son canif, coupa le bout de son cigare et fourragea dans ses poches à la recherche d'allumettes. Bisset poursuivit sans se laisser distraire :

– En quatrième lieu, le pape a introduit au Saint-Siège, pratiquement en qualité d'adjoint – et ne l'a récemment renvoyé que contraint et forcé – un abbé, hérétique notoire et qui, ici, a accumulé des péchés d'une autre sorte. En cinquième lieu, il y a eu ces scandales de la croisade à la suite de déportements sexuels. Sixièmement, et dans le même ordre d'idée, le pape a également introduit au Saint-Siège en qualité de secrétaire particulière une divorcée.

– Soyons précis, monseigneur cardinal, intervint sèchement Chelli. La signora Falconi a obtenu un divorce civil pour des motifs dont la Rote romaine aurait estimé qu'ils fondaient valablement un décret en nullité de mariage. De toute façon, la signora Falconi ne s'est pas remariée; et ce n'est pas le divorce civil que condamne l'Église, mais le remariage après un divorce civil. Son mari est mort depuis plusieurs années; son mariage a donc été dissous par Dieu Lui-même.

– Cela est vrai, monseigneur cardinal, répondit Bisset en souriant, et nous amène justement à notre septième point. Nous ne le citons pas parce que telle est notre conviction, mais parce que nous devons considérer que là est une autre source de scandale. Des articles de presse ont fait allusion à une liaison entre le Pontife et sa collaboratrice américaine divorcée.

– *Merda,* m'écriai-je – ou, pour dire vrai, criai-je.

Je reconnais la grossièreté de mon intervention, indigne d'une conversation entre des princes de l'Église, mais la tentation était trop forte.

– Son Éminence exprime certainement la vérité, convint Bisset, encore que dans un langage peu châtié. Il n'en demeure pas moins que la rumeur persiste. Les difficultés de la croisade lui ont conféré de la crédibilité, et celle-ci se renforcera encore avec l'invitation à la débauche qu'impliquent la répudiation d'*Humanae Vitae*, l'abolition du célibat sacerdotal et l'ordination des femmes.

» Ajoutons, toujours dans cet ordre d'idée, que ce pape se prépare à ordonner aux évêques du monde entier de réadmettre aux sacrements les catholiques divorcés et remariés. Dans la mesure où un tel ordre altère la doctrine de l'Église – et du Christ – à l'encontre du divorce et du remariage, il encourage l'hérésie. Dans la mesure où il scandalise les chrétiens pratiquants, il constitue encore un autre péché.

– Votre Éminence a-t-elle terminé sa récitation? dis-je.

– Non, monseigneur cardinal. Je garde pour la fin les points les plus révélateurs relativement à l'hérésie. Mais je passe à présent à des questions qui, tout en étant des occasions de scandale, peuvent être une indication de dérangement mental. Considérons ces « miracles », et particulièrement le dernier, qui concerne un ministre athée. Nous sommes sûrs que chacun de ces incidents a eu des causes naturelles. Ils correspondent tous aux descriptions classiques de maux et de guérisons hystériques. Tous sauf le dernier, où nous voyons tromperie. Nous pensons que le pape y voit un miracle, mais que l'Église fasse mine de reconnaître ces prétendus miracles, et les socialistes révéleront leur artifice, ce qui nous rendra la risée du monde entier.

» C'est de toute façon un signe dangereux qu'un homme, et à plus forte raison un pape, se croie capable d'opérer des guérisons miraculeuses. Nous y voyons une sorte de mégalomanie, assurément entretenue par l'adulation publique. On peut interpréter comme un autre indice de mégalomanie ses audiences quotidiennes depuis la fenêtre du palazzo, et cette insistance à être porté sur la piazza dans la *sedia* pour ses audiences générales aux marches de Saint-Pierre. Cet homme est clairement enivré par les acclamations des foules.

– Comme Pie XII, de sainte mémoire, dit Chelli à mi-voix.

– Nous voyons encore un autre signe de mégalomanie dans ses accès de colère. Vous êtes le seul, monseigneur cardinal Freddi, à ne pas avoir subi les dures et injustes remontrances de Sa Sainteté, et cela par la grâce de votre retraite.

Malgré son habituelle courtoisie envers les non-fumeurs, Chelli alluma son cigare et souffla un gros rond de fumée plus ou moins dans la direction de Bisset. Son Éminence toussa d'un air irrité. Chelli en profita pour prendre la parole :

– J'ai travaillé avec quatre papes. En dépit de leur sainte image publique, aucun n'était de caractère doux. Et quant aux réprimandes que nous méritons dans la Curie, je ne discuterai certainement pas de leur opportunité, mais plutôt de ce qu'elles ne sont pas assez vigoureuses.

– Monseigneur cardinal Chelli généralise peut-être à partir de sa propre conscience, lança sarcastiquement Bisset. Nous avons tous assisté, en privé et en public, aux éclats de ce Pontife. Sa tirade contre Pie XII et celle contre *Der Spiegel* peuvent difficilement constituer des modèles de comportement pontifical. Son adulation publique renforce ce danger. Nous venons d'assister à des déchaînements de violence à la suite de sa dénonciation des magazines italiens. Un éclat du même genre a précipité une sanglante guerre civile au Brésil.

– A l'appui de votre argumentation, dis-je, j'ajouterai que ces magazines étaient particulièrement destinés à édifier les familles et que le gouvernement brésilien était un lumineux exemple de charité chrétienne.

– Nous en aurons bientôt terminé, repartit Bisset, et nous serions reconnaissant à Son Éminence d'attendre jusque-là. Nous ajouterons encore trois choses qui indiquent un dérangement mental. Le Pontife a vendu certaines pièces de notre trésor historique, le patrimoine de saint Pierre, et il a l'intention de récidiver. Il appelle les chrétiens au pacifisme, répudiant ainsi près de deux mille ans d'enseignement moral de l'Église sur la distinction entre les guerres justes et injustes. Et encore, il a parlé d'abolir la Curie – le pivot même de l'Église – et d'aller s'installer en simple moine à Jérusalem. Voir là des signes patents de dérangement mental, c'est sans doute lui faire trop charitablement crédit. De façon réaliste, on ne peut les interpréter que comme une tentative délibérée de destruction de l'Église, car tel ne peut être que leur effet inévitable – et rapide.

(François devait s'être confié à d'autres que moi, car, quand il m'avait parlé de Jérusalem, nous étions seuls, et je ne m'en étais évidemment ouvert à personne.)

– Voilà des charges caractérisées, dit Bisset en me regardant d'un air triomphant, mais elles pâlissent devant la dernière. Sa Sainteté a tenu en privé des propos, et prépare un document – que je n'honorerai pas du terme d'encyclique – qui raniment l'hérésie arienne. Il met en doute la divinité du Christ.

– C'est faux! explosai-je.

– Un moment, monseigneur cardinal, me coupa Bisset. Plus que quelques secondes.

– Mais j'insiste pour intervenir, m'écriai-je. Vous avez faussement décrit la position de Sa Sainteté. Pas plus que quiconque ici, il ne nie la divinité du Christ.

– Permettez, repartit Bisset. Saint Pie X a condamné comme participant de l'hérésie du modernisme la croyance que le Christ n'a pas toujours été pleinement conscient de Sa mission divine, de Sa mission messianique.

– Je ne comprends rien à cette discussion, dit Chelli en soufflant encore un rond de fumée. J'aimerais que le cardinal Galeotti me dise ce que pense le pape. Ainsi pourrais-je mieux peser les accusations d'hérésie du cardinal Bisset.

Bisset consentit d'un signe de tête condescendant. J'exposai alors de mon mieux la pensée de François, son effort de compréhension face au mystère de la rédemption de l'homme par le Christ. J'insistai sur le caractère purement personnel de cet effort. Il n'avait pas parlé d'encyclique, bien que je n'en pusse écarter la possibilité.

Chelli et LaTorre m'écoutaient attentivement. Je ne pouvais savoir si mes paroles étaient convaincantes car tous les visages demeuraient impassibles. Lorsque j'eus terminé, LaTorre dit simplement : *« Ecco »*, tandis que Chelli faisait mine de prendre la parole puis se ravisait.

– Monseigneur Galeotti nous parle comme un professeur défendant admirablement son élève, mais mon jugement n'en est nullement modifié. C'est de l'arianisme ou du modernisme ou les deux. Nous devons sauver notre Église bien-aimée de l'hérésie, du scandale et de la folie. Si nous, éminents membres de la Curie – sans Fieschi, bien sûr, puisqu'il est aussi désespérément fou lui-même – constituons un front uni et présentons au pape nos preuves, nous pourrions le persuader de se démettre.

– Mais seulement si Son Éminence cardinal Galeotti se joint à nous pour en parler à d'autres dans le Saint-Siège et pour affronter lui aussi le Pontife, dit le vieux cardinal Freddi.

– Exactement, approuva le cardinal archevêque de Palerme.

Tous les regards étaient tournés vers moi, à l'exception de Chelli, s'absorbant dans la contemplation d'un rond de fumée.

– Et si je ne suis pas d'accord? demandai-je.

– Nous ne saurions dire, Éminence. Mais peut-être devronsnous forcer le Pontife à se démettre.

– Et de quelle façon, s'il vous plaît? interrogea Chelli d'un air détaché. Il n'est pas jeune, mais je n'aimerais pas être son adversaire dans un match de lutte.

– Nous apprécions l'esprit de notre jeune collègue, dit Bisset, mais nous avions songé à un procès en hérésie, plus conforme à la dignité ecclésiastique.

– Sans préjuger la validité de vos accusations, devant quel tribunal devrait être portée la cause?

– Certains pensent que le Sacré Collège conviendrait, intervint l'archevêque Moriarity. Pour ma part, je préférerais la *Segnatura Apostolica*. Elle ne se compose que de dix cardinaux et elle est notre « Cour suprême » (quel mot spirituel, n'est-ce pas?). En outre, comme les cardinaux Bisset, Greene et LaTorre en sont membres, son comportement serait, disons, moins erratique que celui du collège au complet.

(Moriarity était moins fin qu'il ne le pensait car cinq autres membres de la *Segnatura* étaient suprêmement fidèles à François.)

– Allons, Mario, dit Greene, vous aviez vous-même envisagé la chose. C'est vous qui en avez parlé le premier l'été passé.

– Vraiment? Mais ce n'était qu'une remarque irréfléchie, Sean, dit Chelli. Tandis que ce que vous proposez risque de déchirer l'Église.

– Pas plus que ce que fait cet homme, dit Greene avec véhémence, et infiniment moins que ce qu'il menace de faire. Mario, auriez-vous passé à l'ennemi?

– S'agissant de membres de l'Église, je ne pense pas en termes d'amis ou d'ennemis. Si le sens de votre question est : ai-je changé à l'égard du pape François? la réponse est oui, et à maintes reprises. Je suis troublé par ce que vous énoncez. Je voudrais que le Pontife ait une appréciation plus réaliste de la nature pécheresse de l'homme, et donc de l'inefficacité finale des réformes, renouveaux et croisades. Je voudrais qu'il renvoie Fieschi et nous débarrasse de ces affaires de miracles. J'aurais préféré qu'on ne parlât pas de la question des divorcés remariés. Mais si le pape François se trompe à ce sujet, c'est par excès de charité. Et si un chrétien doit se tromper, cela me semble la meilleure façon.

» J'aurais voulu aussi, poursuivit Chelli, qu'il ne soulevât pas la question de la conscience qu'avait le Christ de Sa nature humaine et divine. Non d'ailleurs que la théorie soit nouvelle ni *nécessairement* hérétique. Également, la question du pacifisme me trouble profondément. La solution historique de l'Église a été pragmatique. La réponse du Pontife, aussi naïve qu'elle paraisse dans le monde moderne, est beaucoup plus proche de celle du Christ. En résumé, même si beaucoup de choses ne me plaisent pas, je ne vois ni folie ni hérésie, et je ne sache pas que le pape François lui-même ait causé quelque scandale que ce soit.

Tous les regards se tournèrent vers moi.

– Je m'associe à ce que vient de dire le cardinal Chelli. *Moi,* je ne sais pas si *il Papa* projette d'abolir le célibat sacerdotal. J'espère que non. Mais il en a le pouvoir. C'est une loi créée par les hommes, non par Dieu. Quant à *Humanae Vitae,* pas plus le pape Paul que Vatican II n'ont, ensemble ou séparément, décrété comme un point de doctrine que l'emploi de moyens artificiels de contraception violait la loi divine. Il en va de même du refus des sacrements aux divorcés remariés. Ce n'est pas un commandement de Dieu dans l'Écriture ou dans notre tradition; ce n'est qu'une ligne de conduite de l'Église – et qui n'a pas prévalu à toutes les époques. C'est, selon moi, plus le manque de charité que la peur du scandale qui nous fait punir les divorcés. Nous ne punissons qu'une fois le meurtrier, mais nous punissons quotidiennement les divorcés remariés.

» Monseigneur cardinal Bisset parle de l'ordination des femmes, et avance à ce sujet des choses risibles. Le pape François éprouve de la compassion pour les pieuses femmes qui ne peuvent devenir prêtres, mais, autant que je sache, c'est là une vertu chrétienne. Ce qui est faux, c'est de dire qu'il projette d'autoriser ces ordinations, même dans l'avenir. (Je regardai mon auditoire, mais ne pus rien lire sur les visages.)

» Pour ce qui est de l'abbé, il n'a jamais été accusé d'hérésie. A un moment le Saint-Office, inquiet de la direction prise par son mysticisme, lui a interdit de publier des textes. Il s'est soumis, sans protester. Nul de nous, ici, ne peut se dire étranger au péché, aussi puissants que soient ses efforts et ses prières. Les péchés de l'abbé peuvent être différents des nôtres – nul n'ignore l'orgueil et le manque de charité qui sont nôtres – mais cela ne le rend pas pire que nous.

» Vous parlez de Jérusalem. Quel Pontife, déçu par les péchés et la lenteur du monde et de ses soi-disant assistants, n'a pas rêvé de tout recommencer en Terre sainte? Même le pape Paul confiait ce rêve à ses amis. Ce n'était pas folie chez lui, et ce n'est pas folie ici.

» Et nous en arrivons au pacifisme. Comment pouvons-nous prêcher que tous les hommes sont frères, que la vie est un don sacré de Dieu et pourtant ne pas tout faire pour empêcher les guerres? Dire que les nations, comme les individus, doivent tendre l'autre joue, c'est peut-être de la folie, mais c'est une folie partagée avec le Christ.

– Ne pourrait-on persuader Walsh que le carnage guerrier n'est qu'une contraception rétroactive? dit sarcastiquement Bisset. Cela le transformerait en véritable faucon.

– Je n'abaisserai pas ma dignité ni celle de ma charge à répondre à une aussi monstrueuse calomnie, dis-je en me levant. Je ne demeurerai pas un instant de plus ici. J'observerai ma promesse de ne pas parler de cette réunion, même au pape François. A moins qu'il en soit averti par une autre source, auquel cas je lui en ferai immédiatement un compte rendu détaillé.

Bisset s'inclina avec raideur. *Ecco,* Chelli puis, plus lentement, LaTorre, se levèrent après moi. Bonetti, ayant fait le geste de se mettre debout, se renfonça dans le *divano.* Bisset haussa les épaules à l'intention de Chelli, mais l'attitude de Vanni le troublait.

– Nous quittez-vous aussi, monseigneur cardinal LaTorre? Nous quittez-vous pour cet hérétique dément qui s'est servi de vous et vous a rejeté, vieil homme brisé?

– *« Il Signore ha dato, e il Signore ha tolto, Benedica il nome del Signore »,* dit LaTorre, citant Job en italien. Toute ma vie j'ai servi Dieu de tout mon cœur dans sa sainte Église. Le pape est le Vicaire du Christ, le symbole de l'Église universelle. Vers qui pourrais-je me tourner dans mon âge avancé?

Nous arrivâmes tous les trois sur la piazza sans avoir dit un mot. LaTorre nous suggéra de pénétrer dans la basilique. Nous montâmes les marches parmi les cohortes de touristes. Dans cet univers de marbre, où toute cathédrale du monde tiendrait à l'aise, l'air était froid, presque glacé après la chaleur de la piazza. Nous montâmes la nef centrale, contournâmes l'autel papal surmonté du magnifique baldaquin de bronze du Bernin, et nous dirigeâmes au fond de la basilique, jusqu'à la chaire de saint Pierre. Au-dessus, le soleil se répandait à flots par les vitraux, transformant en or étincelant les panneaux qui entourent la blanche colombe du Saint-Esprit. Devant ces deux symboles, chacun de nous fit une prière silencieuse.

37.

Au sein de l'Église, les critiques contre le pape sont habituellement indirectes, sourdes. Nous acceptons son autorité intrinsèque car elle émane de Dieu Lui-même. Dans la Curie, nous sommes beaucoup plus conscients que le reste du clergé de la nature délicate du pouvoir pontifical, et de la nécessité du symbolisme et du rituel pour préserver ce pouvoir en ce monde. Ma prière avait été que ceux qui étaient restés chez Bisset se désistent en prenant conscience de ce qu'ils risquaient de faire à l'Église s'ils essayaient de déposer un Pontife.

Mais j'avais prié en vain. Dès le lendemain matin, la cabale de Bisset avait élargi le théâtre du conflit. Les visiteurs de Saint-Pierre étaient accueillis par de grandes affiches apposées sur les édifices le long de la via della Conciliazione. Celles-ci, renforcées par des tracts répandus dans les rues et sur la piazza, exigeaient en quatre langues soit le départ du Pontife, soit son jugement pour hérésie. Les accusations étaient essentiellement celles énoncées la veille par Bisset. La presse avait reçu ces documents, et pour une fois *L'Unita* et *Il Manifesto* prirent bruyamment la défense d'un Pontife. En vérité, c'était le monde renversé. Les radios annonçaient une manifestation d'étudiants catholiques : le cortège se formerait à midi piazza Venezia – site traditionnel des rassemblements politiques romains – et se rendrait au Vatican pour exiger le départ du pape François.

Ce matin-là, je ne pénétrai pas dans le bureau pontifical sans de graves appréhensions. Mais, au lieu de trouver un taureau furieux se préparant à encorner ses bourreaux, je vis *il Papa* qui étudiait tranquillement l'antépénultième rédaction de son encyclique sur le célibat sacerdotal. Je vais vous en parler à présent, car ce texte ne correspondait en rien aux allégations de Bisset.

C'était une encyclique réformiste, plutôt que révolutionnaire, et elle aurait déçu les prêtres dissidents. (Gordenker en aurait été accablé.) Au surplus, elle ne contenait pas un mot sur l'ordination des femmes. Essentiellement, le pape François créait une nouvelle série de stipulations pour ceux qui voulaient accéder à la prêtrise. La plus importante concernait les jeunes gens qui, à la sortie du séminaire, seraient désormais simplement ordonnés diacres, et ne prononceraient que des vœux temporaires de trois ans. S'ils avaient œuvré de façon satisfaisante dans une paroisse, au bout des trois ans ils pourraient être ordonnés prêtres, mais là encore, seulement avec des vœux temporaires de cinq ans. A la fin de cette période, ils auraient la latitude, soit de quitter honorablement le ministère, soit de prononcer des vœux permanents.

– A propos, Ugo, me demanda le Pontife, avez-vous lu notre bonne presse romaine ce matin, ou êtes-vous venu par la via della Conciliazione?

Il avait parlé d'une voix douce, mais j'étais en alerte. J'avais déjà vu bondir la panthère.

– Non, Saint-Père, mais j'ai entendu la radio et vu les tracts sur la piazza.

– C'est un spectacle intéressant, et non exempt d'ironie, dit *il Papa,* en imitant le parler précieux de monsignor Moriarity.

Sur le moment, l'allusion m'échappa. Je remarquai seulement qu'*il Papa* souriait comme d'un bon mot – ce qui ne me semblait guère de mise étant donné la situation. J'étais en proie à un véritable débat de conscience. Je souhaitais tout lui raconter de la réunion chez Bisset, mais j'avais donné ma parole de n'en rien faire – stupidement, je m'en rendais compte. Serait-ce en respectant ma parole ou en la rompant que je servirais Dieu?

– Détendez-vous, mon vieil ami, me dit François qui avait certainement remarqué ma gêne. Nous attendons incessamment des visiteurs. J'aimerais que vous les rencontriez. A propos, j'en suis arrivé à apprécier votre vieil ami LaTorre, poursuivit-il d'un ton sincère. C'est une mule, mais aussi un saint homme.

J'estimai prudent de garder le silence, mais j'avais compris. Quelques minutes plus tard entrèrent Bisset, Greene, Lanzoni, Moriarity, Bonetti et Fieschi. Ils portaient tous les insignes extérieurs de leur dignité, soutanes noires soutachées de rouge, cape écarlate, croix pectorales et, à l'exception de Moriarity et Bonetti, chapeau rouge. Ils paraissaient tous tendus, sauf Fieschi qui bouillait d'une rage froide. En entrant dans la pièce, ils firent une génuflexion et le pape François leur tendit la main de sorte qu'ils durent s'agenouiller et baiser son anneau. Puis il prit place à son bureau, mais sans nous convier à nous asseoir.

– Monseigneur cardinal, dit *il Papa* à Bisset, nous vous savons plus expert que nous pour ce qui touche à l'Écriture et à la théologie. C'est pourquoi nous vous demandons votre aide. Nous avons souvenir que le Christ fut critiqué parce qu'il avait mangé avec des pécheurs et même parce qu'il se trouvait, parmi ses adeptes, une prostituée et un publicain. Notre souvenir est-il exact?

– Oui, Saint-Père, il est exact, répondit nerveusement Bisset.

– Nous le pensions, mais en vieillissant, la mémoire vous joue parfois des tours. Souvent la folie s'empare lentement de vous. Soyez également assez bon de rafraîchir sur un autre point notre mémoire défaillante. Quelles furent exactement les paroles du Christ à Pierre lorsqu'Il en fit le premier des Apôtres et le chef de l'Église?

Bisset me lança un regard mauvais. Je m'efforçai de demeurer impassible. Ce n'était pas moi qui l'avais trahi, mais il était évident que quelqu'un l'avait fait. Bisset cita saint Matthieu dans la version latine de la Vulgate. Je traduis pour vous :

> Tu es Pierre, et sur cette pierre je bâtirai mon Église, et les portes de l'enfer ne prévaudront pas contre toi.

– Intéressant, Éminence. Nous admirons votre mémoire et votre diction. Votre latin est fort mélodieux. Il nous rappelle l'église de notre jeunesse. Je vous en prie, continuez.

> Je te donnerai les clefs du Royaume des Cieux : quoi que tu lies sur la terre, ce sera tenu dans les cieux pour lié, et quoi que tu délies sur la terre, ce sera tenu dans les cieux pour délié.

– *Quoi que* nous délions et lions? Oui, nous le pensions bien. Aucune restriction, simplement « quoi que ». Cela au moins relève de notre Alliance, dit François en caressant sa barbe. Si nous choisissons de délier le peuple de Dieu de l'oppression par des laïcs ou des ecclésiastiques, nous agissons dans les limites de notre juridiction. La nomination et le maintien dans leur charge des évêques et des cardinaux entrent bien aussi dans notre juridiction, n'est-ce pas?

– Certains le soutiendraient, Très Saint-Père.

– Oui, certains, dit François en prenant sur son bureau un jeu de photocopies. Et justement, voici un article d'un théologien français réputé, publié dans *Civiltà Cattolica.* Il plaide puissamment contre la collégialité des évêques, parce que l'évêque de Rome est le Vicaire du Christ; tous les autres prélats n'ont que l'autorité qu'il choisit de leur conférer. Eux, les autres évêques, peuvent être égaux entre eux, mais ils ne peuvent être égaux à celui dont ils tiennent une autorité. Vous souvenez-vous de cet article, Éminence?

– Certainement. J'en suis l'auteur.

– Ah? Fort bien! Éminence, poursuivit François en s'adressant à Greene, nous avons ici un résumé des remarques sur ce point précis faites lors de Vatican II. L'allocution était due à un savant archevêque irlandais, à présent cardinal. Vous en souvenez-vous?

– Oui, Très Saint-Père, précisément, dit Greene d'un ton triste. (Je savais que sa mélancolie allait incessamment l'accabler.)

– Éminence, nos notes disent que, lors de Vatican II, vous vous êtes associé aux remarques de l'archevêque irlandais, demanda alors *il Papa* à Lanzoni. Est-ce exact?

Lanzoni acquiesça d'un signe de tête. Je crus qu'il allait éclater en sanglots.

– *Giusto,* dit sèchement François. Devant ces témoins, les cardinaux Fieschi et Galeotti, nous, évêque de Rome et Souverain Pontife de l'Église universelle, successeur de saint Pierre, prince des Apôtres, nous, le Vicaire du Christ, acceptons votre démission de toutes vos charges ecclésiastiques. Nous vous relevons même de vos vœux sacerdotaux et vous accordons le retour à l'état laïc sans autres formalités que votre simple requête. Si vous choisissez de demeurer dans les ordres, ce sera comme simples prêtres nommés dans les monastères que nous vous assignerons. Vous avez une heure pour prendre sur ce point votre décision. Mais, à partir de cet instant, chacun de vous est démis de toute dignité dans l'Église et de toutes fonctions au Saint-Siège...

Ecco, je n'ai jamais aimé les « exécutions », et leur souvenir me hante encore. Je sais que les sentences étaient justes, mais elles étaient, à mon sens, très dures. Lanzoni, Bonetti et les deux Irlandais choisirent de demeurer dans le clergé. François envoya Bonetti dans un monastère franciscain près de Milan, Moriarity dans un monastère bénédictin de Sicile, et Lanzoni dans un monastère trappiste en Israël. Seul le cardinal Freddi se vit épargner un châtiment, peut-être en raison de son âge et de sa cécité.

Bisset quitta le palazzo d'un pas ferme. Il devait, par la suite, retourner en France, non à Paris mais dans le midi, et s'associer à une communauté de catholiques dissidents ultra-traditionalistes, arrière-garde de l'Action française qui taxe d'hérésie les réformes de Vatican II. Il continue à écrire de savants traités théologiques, mais il est aussi maintenant un bonze politique, publiant des brûlots contre le communisme, le socialisme, le catholicisme hollandais, le sionisme international et l'impérialisme américain qui, selon ses dires, fusionnèrent tous au Vatican sous le règne du pape François.

38.

Les « exécutions » ne furent qu'un des nombreux sujets traités ce jour-là par *il Papa.* Une heure plus tard, lui-même, Fieschi, Pritchett, le doctor Twisdale et moi rencontrions monsignor Ernesto Parisella, qui avait été le sous-secrétaire de Candutti, afin d'établir des projets préliminaires pour les voyages du Pontife en Europe de l'Ouest et de l'Est. Le *monsignore* avait déjà reçu quelques premières réactions qui n'avaient absolument rien pour me surprendre : pas un pays ne semblait intéressé par une visite papale. La formule diplomatique était invariablement « en ce moment ». Nous savions tous que cela signifiait « tant que le pape prônera le pacifisme ». François n'en fut pas découragé pour autant, et nous continuâmes nos projets.

Au début de la semaine suivante, je fus absent de Rome pendant quatre jours. C'était le moment où je devais consulter mes docteurs en Suisse, et François tint à ce que je m'y rendisse, malgré la masse de notre travail. Nous n'avions pas encore réfléchi sérieusement aux remplaçants de Greene et de Bisset à la Curie. Je voulais proposer LaTorre pour un des postes, mais François me prévint en me demandant si je pensais que LaTorre accepterait d'être nommé maître du palazzo pontifical. (Si vous l'ignoriez, ce titre trompeur désigne le théologien du Pontife; il revient habituellement à un dominicain, mais il était vacant depuis le début du règne de François.) Je répondis qu'il en serait ravi, mais je ne pus m'empêcher de demander à François comment lui-même supporterait la chose. Il sourit et me dit qu'il la supporterait bien; il éprouvait le besoin d'un peu, mais pas trop, de théologie traditionaliste. « Il aiguillonnera notre conscience », dit-il. Je ne pouvais qu'en convenir.

Pour la période suivante, la période fatale, il vous faudra interroger d'autres que moi. Le doctor Twisdale l'a vécue près du Pontife d'un bout à l'autre. Il en sait plus que quiconque. Au lieu de vous rapporter ce que j'ai appris de seconde main, permettez-moi de vous livrer encore quelques remarques.

Cela fait plusieurs semaines que nous nous entretenons. Cela m'a fait du bien – et pas seulement en me faisant pratiquer l'anglais. Pour avoir dû vous les décrire, je vois à présent beaucoup d'événements et de questions dans leur véritable éclairage. Cela m'a forcé à essayer de comprendre en premier pourquoi j'avais proposé le nom de Declan Walsh au conclave. Choisir un Pontife est une affaire effrayante; être un Pontife est bien pire. Est-ce donc qu'aussi effrayé que je fusse par la première tâche, la seconde me terrifiait encore plus? Je prie pour que ce n'ait été ni l'un ni l'autre. Mais j'avoue que la lâcheté pourrait compter parmi mes péchés.

Tandis que nous parlions, je me suis souvent interrogé sur ce que j'aurais fait si ç'avait été moi, et non Declan Walsh, qui avait marché dans les pas du Grand Pêcheur. Je vous en ai assez dit pour qu'il soit clair que j'aurais fait bien des choses différemment. Mais je ne suis pas du tout sûr que je les aurais faites mieux, ni même aussi bien – sauf que je n'aurais jamais renvoyé LaTorre. En réalité, j'avoue que mon sentiment prédominant, en revivant ces jours magnifiques, a été le soulagement de ne pas avoir à répondre devant le Dieu Tout-Puissant de ce que j'aurais pu faire.

L'Église, qui existe, comme nous le croyons, aussi bien dans l'autre monde que dans celui-ci, demeure un mystère. Je veux dire par là au sens religieux, quelque chose que l'esprit humain, aussi profond et précis soit-il, ne saisit jamais pleinement. Je suis né dans une Église dirigée par le pape Pie X. J'étais heureusement trop jeune pour appréhender cette guerre contre ce qu'il appelait le modernisme – « hérésie » que l'on peut définir sommairement comme les notions positives adoptées plus d'un demi-siècle plus tard par le concile Vatican II, au cours duquel les évêques répudièrent obliquement un Pontife depuis longtemps disparu. Cependant, comme tous les catholiques, j'ai ressenti les effets de la guerre du pape Pie. S'il ne fut pas le père du traditionalisme, il en fut le grand nourricier. On comprend mieux ainsi pourquoi les traditionalistes furent si gravement émus par Vatican II – et, infiniment plus encore, par le pape François.

J'ai atteint mon âge adulte sous le triste mais généreux règne du pape Benoît XV; je suis devenu prêtre et membre de la Curie sous l'actif Pie XI. J'ai été déchiré sous Pie XII, plein d'allégresse avec le pape Jean, de douleur avec le pape Paul, et d'espoir sous ses éphémères successeurs. Et qu'ai-je fait sous le pape François? J'ai été tout ensemble déchiré, plein d'allégresse, plein de douleur, plein d'espoir. Mais pourquoi avais-je pensé que lui, le pragmatiste américain ouvert, direct, pratique, s'installerait confortablement dans un siège occupé par ces prélats flexueux, indirects et très professionnellement religieux? Je l'ignore. Je crois, mais aussi bien veux-je fortement le croire, que ce fut l'Esprit Saint. Seulement, je n'en suis pas sûr. C'est en partie ce que je veux dire par « l'Église demeure un mystère ». Comment reconnaît-on les souhaits de l'Église invisible, et comment les concilie-t-on avec les nécessités humaines de l'Église visible, celle de cette terre?

Quelquefois, je me demandais si j'avais fait descendre sur l'Église invisible l'Esprit Saint ou la colère de Dieu. A ce sujet, je lisais Jung cette semaine – il faut bien parfois se délasser des lectures pieuses – ce passage sur l'irritabilité, les accès d'humeur qui sont des symptômes classiques d'une vertu coutumière. Tel fut exactement le cas pour le pape François, sauf pendant les toutes dernières semaines.

Et je vais encore me répéter : il a changé l'Église, mais plus encore, il s'est changé lui-même. Ses rites, son apparat et la dignité suprême ont donné à François une nouvelle image de lui-même. J'estime cependant que ce qui a le plus contribué à son développement, ce fut le raisonnement, et, plus tard, la prière. La logique de l'évangile d'amour l'a converti et la grâce divine l'a soutenu. Il avait dit, bien des années plus tôt, lors des audiences de votre Sénat à propos de sa nomination à la présidence de la Cour suprême, qu'il manquait de foi. Ces paroles, il me les répéta par une chaude nuit orageuse, dans son monastère, en Caroline du Sud. Et la foi, il l'a trouvée en raisonnant et priant; il l'a trouvée parce qu'il la cherchait. La foi est toujours un libre don de Dieu, mais si jamais homme s'employa à recevoir ce don, ce fut François.

Je sais que quand je partis pour la Suisse, François avait trouvé la paix. Le pouvoir et la paix ne se combinent pas facilement. Mais il avait trouvé l'un et l'autre. Il conduisait l'Église comme elle ne l'avait pas été depuis des siècles. Je ne puis en vérité vous dire s'il la conduisait dans la voie choisie par Dieu; seuls lui-même et Fieschi en étaient sûrs. Que j'aie été lâche, prudent ou inspiré lors du conclave, ma tâche était de suivre, d'assister, non de conduire. Je vous l'ai dit quand vous avez commencé à enregistrer : j'ai été le chien du berger. Cela suffit si le berger aime son troupeau, et celui-là l'aimait, ou tout au moins il s'est pris à l'aimer.

Lorsque je dis que François a trouvé la paix et l'amour, cela ne signifie pas qu'il ait appris à aimer comme nous tous. Ce défaut qui existait chez lui – d'autres emploieraient un autre terme – de sacrifier amis, famille, et lui-même à un idéal abstrait, il ne parvint jamais à le vaincre. Mais il parvint à le reconnaître, à l'accepter, à essayer de s'en racheter – et sans laisser la contrition qu'il en éprouvait interférer dans sa mission. Non, je m'exprime mal; ce fut d'abord sa mission, mais ensuite, sa vision.

Cette vision, il l'a poursuivie sans relâche, et même sans pitié. Sans notre consentement, et parfois même malgré nous, il a imprimé en traits de feu cette vision dans nos âmes. Cette brûlure fit souffrir beaucoup d'êtres, parfois l'Église tout entière. Nous en garderons les marques, peut-être à tout jamais, mais nous garderons aussi cette vision. *Ecco,* je m'exprime avec la certitude d'un homme qui sent la mort le tirer par la manche.

QUATRIÈME PARTIE

LE SUCCESSEUR DE SAINT PIERRE

De toute façon tu devais périr Hamlet tu n'étais pas pour la vie
tu croyais en des notions de cristal non en l'argile humaine
toujours tressaillant comme endormi tu chassais des chimères
voracement tu broyais l'air et tu le vomissais
tu ne savais nulle chose humaine tu ne savais même pas respirer
Maintenant tu as la paix Hamlet tu as accompli ce que tu devais

ZBIGNIEW HERBERT.
Elégie de Fortinbras.

1.

Je suis heureux de vous aider. Cela va m'être utile de mettre de l'ordre dans mes idées. Moi aussi, je vais écrire un livre sur lui. Mais il faut que je laisse passer quelques années. Pour l'instant, je vais profiter de Paris. Et après, je reprends le collier.

Si vous voulez mettre votre machine en marche : Je m'appelle Robert Twisdale. J'ai fait sa connaissance pendant la guerre de Corée, en 1951. Il était chef de bataillon. Moi, j'étais un jeune reporter. Je suis encore reporter, mais moins jeune. Je ne suis pas tellement différent. Celui qui avait changé, c'était lui. Quand j'ai fait sa connaissance, c'était un chef guerrier. J'étais en relation avec lui lorsqu'il présidait la Cour. J'ai travaillé pour lui lorsqu'il était la plus grande figure religieuse de son temps. Autant que je le sache, c'était un saint. Du courage à la justice puis à la sainteté, j'ai vu toutes ses transformations. Ce qui ne veut pas dire que je les comprends, pas plus que je ne comprends pourquoi les gens le suivaient toujours.

Je suppose que vous voulez que je vous parle de ce mois de juin. Pour nous, ce fut une période de surexcitation. Le voyage en Amérique avait été un immense succès. Pour lui, ce fut une période de paix. Des actions décisives, mais pas d'éclats. Il a nettoyé la Curie, il les a vraiment secoués, mais sans colère. Son pouvoir était toujours là, mais aussi une paix intérieure qui ne remontait qu'à quelques semaines. Il avait toujours besoin des foules – le cardinal Galeotti disait qu'il avait besoin de partager avec elles. C'est possible, mais il en avait tout de même besoin, et cela nous inquiétait. Nos forces de sécurité étaient insuffisantes pour contenir une foule déchaînée comme celle de Washington, par exemple. Cela ne le préoccupait pas. Il était conscient des dangers. Mais il n'en continuait pas moins à tenir ses audiences du mercredi sur la plazza même.

Il pensait avant tout à préparer son prochain voyage. L'Autriche, puis l'Allemagne – l'Allemagne de l'Ouest, forcément, l'Allemagne de l'Est s'il y avait moyen. Nous reviendrions nous reposer à Rome, et nous tenterions les Balkans.

L'habileté diplomatique de Candutti nous manquait. Monsignor

Parisella se donnait du mal, mais ce n'était pas un Candutti. Nous rencontrions des difficultés. Chez Tito, ils nous recevraient probablement; avec les Roumains, il y avait aussi bien des chances. Mais les autres ne nous laisseraient sûrement pas venir. Après ça, ou à la place, si ça tombait à l'eau pour les Balkans, nous continuerions par la Hollande, la Belgique, et aussi la France, même s'il n'y en avait pas un qui tienne réellement à notre venue. Et ce serait ensuite l'Espagne et le Portugal, quand ça se calmerait un peu par là-bas. Il parlait même en privé du Japon et de la Chine. Le pauvre Parisella n'approuvait pas ces deux-là.

Et ce serait toujours le même message simple : Aime ton prochain. Aime en rejoignant la croisade, ou en faisant un sacrifice à son profit, ou en t'occupant de ton prochain chez toi. Il répéterait ses questions pacifistes. Comme à Princeton, il demanderait, encore et encore, si le service armé était compatible avec le christianisme. Et il suggérerait la réponse. En fait, il n'avait plus cessé d'évoquer le sujet. Il en avait parlé dès la première audience du mercredi après notre retour. L'allusion était voilée, mais elle fut saisie par plusieurs journalistes. Et par tous les diplomates.

Il travaillait déjà à une encyclique capitale. Il l'aurait intitulée *Monstrum Bellum* (« Sur l'horreur appelée guerre »). Il avait déjà confié à trois ou quatre jésuites de l'Université grégorienne la compilation de ce que les précédents papes et les grands théologiens avaient dit sur la « guerre juste ». Il s'intéressait particulièrement à l'Église primitive. C'était là que l'erreur avait commencé, disait-il.

Les fuites du Vatican étaient plus nombreuses que dans le dernier des rafiots. Moins de dix jours plus tard, deux journalistes m'avaient déjà demandé le sujet de la prochaine encyclique. Je louvoyai, mais ils s'obstinaient. Finalement, je dus m'arrêter de répondre à leurs questions. Belle avance. On ne tarda pas à lire que le pape rédigeait une encyclique interdisant aux chrétiens de servir dans les forces armées.

Quand je l'avertis, il se contenta de sourire. Il fit une légère grimace lorsque je lui appris que c'était *Der Spiegel* qui révélait la chose. Il refusa de publier un démenti ou de me laisser faire un quelconque commentaire. Il ajouta que je pouvais dire sincèrement que j'ignorais le contenu de toute nouvelle encyclique, parce que lui-même n'en avait pas encore décidé. La question, il la connaissait, mais la réponse, il pensait seulement la connaître.

Cette fuite m'inquiétait énormément. Elle en inquiétait également beaucoup d'autres, mais pour des raisons très différentes. Un journaliste italien dont l'oncle était un collaborateur du ministre de la Justice m'informa discrètement que les *carabinieri*, la police italienne d'élite, avaient repéré sur la piazza, lors de la dernière audience, des agents d'au moins sept pays, plus deux francs-tireurs bien connus. (Je ne lui demandai pas ce que les *carabinieri* fabriquaient au Vatican.) J'en parlai au cardinal Fieschi. Aussi inquiet que moi, il se chargea personnellement de la sécurité. C'était rassurant. Il était quasiment une machine humaine. Mais il n'avait pas grand-chose comme effectifs ni comme organisation. En fait d'agents du contre-espionnage, les Gardes suisses auraient été plutôt voyants. Ce que nous avions comme forces de sécurité était dérisoire.

Les gens de Fieschi (ou ceux qu'il avait empruntés) partirent en chasse lors de l'audience suivante. Ils confirmèrent l'information, et signalèrent même d'autres personnages suspects. Les audiences attiraient facilement cent mille personnes. Pour sa couverture, un agent n'avait que l'embarras du choix. Il pouvait être le touriste américain à la chemise criarde, l'Allemand en culottes de cuir, le bourgeois irlandais transpirant dans son complet de lainage par plus de 30°, l'impeccable marin américain, le soldat italien dans son uniforme trop court et trop large, la grosse nonne avec une mitraillette sous ses jupons noirs ou même le saint prêtre avec un pistolet dans son bréviaire. N'importe quoi et n'importe qui pouvait s'insérer dans ce kaléidoscope humain de formes et de couleurs.

J'avais besoin des conseils d'un professionnel. Je me rendis via Veneto et pris un café chez Doney's avec un vieux copain appartenant à la C.I.A. On était en compte tous les deux. Il fut d'une franchise brutale.

– Bon sang, qu'est-ce que vous croyez? Votre bonhomme fait le tour du monde en s'ingérant dans les guerres, en envoyant balader les histoires de passeports et de souveraineté nationale, en lançant des croisades pour la paix, en montant ses miracles bidon, en prêchant l'amour et la justice sociale. Ça dérange, mais c'est tolérable – et pourvu qu'il ne reste pas trop longtemps dans un pays. Les gens comme nous ne savent pas grand-chose de l'amour. On le fait, on ne le vit pas. Notre truc à nous, c'est la haine. On peut la mesurer, la prévoir, l'utiliser et, par-dessus tout, compter dessus. Mais l'amour? Qui sait les imbécillités que ferait un homme s'il aimait son voisin. Ce serait la femme de son voisin qu'il aimerait, ça on peut le comprendre, prévoir les résultats, et probablement en tirer parti. Mais son prochain? Sauf si c'est une tante, nous sommes dans le pétrin.

– Et alors? demandai-je.

– Alors nous ne sommes pas heureux. Mais c'est encore vivable. Nous avons l'habitude. Nous classons votre homme parmi les tristes sires. Seulement le voilà qui menace tout le système de la politique de force. Il passe par-dessus la tête des gouvernements pour parler directement aux gens, et il y en a des tas qui l'écoutent. Il critique la presse porno, et la nuit même une tripotée de distributeurs manquent se faire écharper. Il critique la junte brésilienne, et vingt-quatre heures plus tard nous nous retrouvons avec une révolution. Il pose des questions – et suggère les réponses « exactes » – piégées en faveur du pacifisme, et dans les pays catholiques les enrôlements s'effondrent tandis que les désertions augmentent. Même les communistes dégustent avec son dernier truc. Il y a tout de même de quoi paniquer.

» Ce que fait votre homme, c'est qu'il chatouille les jugulaires, les jugulaires de grands types qui sont très puissants et très, très nerveux. Il dit que c'est une plume qu'il a en main; ils croient que ce sont des rasoirs. Ces types dont il chatouille la gorge ont déjà des tas de migraines. Ils veulent être les premiers dans leur pays et ils veulent que leur pays soit le premier dans les relations avec les autres pays.

Et ils ont la trouille d'une masse d'autres choses, du genre communistes ou capitalistes, Blancs ou Noirs, protestants ou papistes, terroristes sionistes ou palestiniens. N'importe qui détenant le pouvoir ou voulant le détenir peut devenir méchamment paranoïde à propos de votre bonhomme. Je ne suis au courant de rien, mais je l'imagine facilement. Je parie que mon organisme a deux gars qui farfouillent dans le coin et que ceux des autres pays en font autant, y compris les Russkofs, les Israéliens et l'O.L.P. A mon avis, ils sont plus en train de se surveiller les uns les autres que de préparer une petite sauterie. Il y a deux choses dont vous devez vous inquiéter. La première, c'est l'encyclique prévue. Si elle interdit aux gens de servir dans les forces armées, et si l'un de ces pays le découvre, eh bien, sans être absolument affirmatif, je vous parie ma pension contre une pièce de dix lires qu'elle ne sera jamais publiée.

– Ce serait tout de même un peu radical, dis-je.

– Et déclencher des guerres civiles ou priver les nations de leur armée, ce n'est pas radical? Et vous êtes en face de gens radicaux, eux aussi. Bon sang, où en serait le monde si on ne lui pratiquait pas une bonne petite saignée massive tous les dix ans? demanda-t-il en souriant.

– Et quel est le second danger? dis-je sans apprécier son humour noir.

– Un franc-tireur, évidemment. Quelqu'un qui compte frapper maintenant et toucher ses honoraires plus tard, là où on lui en sera reconnaissant – au singulier ou au pluriel.

– Que pouvons-nous faire?

– Je vous dirais bien de prier, répondit mon ami en se renversant sur sa chaise, mais vos bonshommes en savent plus que moi dans la partie. Je vous dirais d'essayer un peu de politique de force, mais vos bonshommes connaissent la musique, là aussi. Votre hiérarchie a suivi le conseil du Livre et s'entend bien avec Mammon depuis une flopée de siècles.

– Ne plaisantez pas. Vous savez que je suis croyant.

– Ah! oui? A chacun ses ennuis. Bon, pour commencer, vos diplomates du Vatican font savoir aux gouvernements que vous soupçonnez de fouiner que vous savez très bien qu'ils fouinent. Et ils disent aussi qu'au moindre micmac on vous entendra à l'autre bout de la terre. Ensuite, et c'est le plus important, vous persuadez votre homme de ne pas interdire le service armé. Et enfin, vos diplomates assurent tous les pays concernés qu'ils ne risquent rien. Votre homme peut apaiser sa conscience en circonlocutant aussi habilement que ce vieux Pie XII quand il condamnait le meurtre des Juifs dans des déclarations que seul un biographe jésuite complaisant est capable de décoder.

– Mais n'y a-t-il pas des précautions de sécurité que nous pourrions prendre?

Mon ami fit les yeux ronds et répondit d'un ton condescendant :

– Bob, mon minet, ces types sont des tigres, de vrais tigres. Et des tigres professionnels. Oui, vous pouvez faire deux ou trois choses. C'est avec un fusil à lunette qu'un agent aurait le plus de chances de l'atteindre; donc, quand votre homme est à la fenêtre du palais ou sur la piazza, vous postez du monde sur tous les toits et aux fenêtres qui commandent ces endroits.

– C'est possible, dis-je. La majorité des édifices appartiennent au Vatican ou à des organismes religieux. On en interdira l'entrée pendant les audiences et on y mettra en faction des séminaristes.

– Parfait. Et ne le laissez pas arriver dans la foule depuis le palais. Faites-le sortir de la basilique.

– Cela, nous ne le pouvons pas.

– Bah, je ne suis pas sûr que les précautions y changeront quelque chose, dit caustiquement mon ami. Des amateurs, on les intimide en montrant qu'on est prêt, mais avec des professionnels, on leur complique juste un peu plus la tâche, ce qui les rend encore plus méchants. Et ils sont déjà sacrément méchants au départ. Si on y réfléchit bien, il y a tellement de façons de l'avoir : bombe, poignard, fusil à lunette, pistolet muni d'un silencieux, et même poison, comme il paraît que Mussolini s'y est pris avec ce vieux Pie XI.

– Vous ne croyez tout de même pas que c'est vrai?

– Non. Mais je ne crois pas non plus que c'est faux. Ce que je crois, c'est que Benito était prêt à tuer Pie XI tout comme Hitler était prêt à enlever Pie XII pendant la dernière guerre, et que ces deux salauds fascistes avaient pourtant bien moins de raisons que n'en ont une ou deux douzaines de pays de vouloir éliminer votre homme. A propos, il est au courant, non?

– Nous n'en avons pas parlé, mais je pense que oui.

– Il a été Marine, dit mon ami. Il est au courant, mais rappelez-lui la chose. Ce ne serait pas mauvais pour l'inciter à se calmer. Mais soyons réalistes. Votre seul espoir, c'est qu'il n'y ait plus de raisons de s'en prendre à lui. Poussez votre homme à arrêter ses questions stupides et à déchirer son encyclique. Croyez-moi, c'est votre seul espoir.

Il n'y avait plus rien à ajouter. Je payai la note exorbitante – sans rien laisser au garçon insolent – et m'en fus.

Le premier point, c'est-à-dire les avertissements par voie diplomatique, pouvait être facilement rempli. Fieschi avait d'ailleurs certainement fait le nécessaire. Mais cette précaution était assez vaine si l'on ne prenait pas les deux autres. Les façons dont un pays pouvait agir sans crainte d'être détecté étaient tellement nombreuses. Je relatai ma conversation au cardinal Fieschi, ainsi qu'au cardinal Pritchett. Ils acceptèrent que nous allions le voir tous les trois ensemble.

Il devait nous recevoir à dix heures du matin. J'arrivai avec un quart d'heure d'avance. Comme tant de ses collaborateurs, je ne l'avais guère vu depuis notre retour de New York. Elena avait promis de m'introduire avant l'arrivée des autres. Un *monsignore* que je ne connaissais pas me fit entrer dans la bibliothèque. Elena s'y trouvait, assise à la table de conférence, à côté de lui. Elle avait posé une main sur la table, et sa main à lui la couvrait. A mon entrée, il resta dans la même attitude et ne manifesta aucune gêne.

– Asseyez-vous, Bob, me dit-il. Nous parlions, Elena et moi. Ce que je lui disais vaut aussi en partie pour vous et pour Mike Keller. (Je pris un siège.) J'ai exploité Elena pendant des années. Je l'ai monopolisée, je me suis servi d'elle. Je me donnais comme raison que c'était pour la Cour, et ensuite pour l'Église. Ce n'est pas faux, pourvu que l'on ne tienne pas à en savoir plus soi-même. J'ai employé la compétence d'Elena au bénéfice de ces desseins, mais aussi pour servir mon ambition. Et je ne lui ai jamais rien offert en retour, même pas le droit de se féliciter d'œuvres qui, en fait, étaient partiellement siennes. Je viens de lui dire, ou plutôt, de lui ordonner, de rentrer aux États-Unis afin de soulager ma conscience. Elle a le droit d'avoir sa vie à elle. Mike l'aime depuis toujours. Elle se fera mon interprète, pour que lui aussi me pardonne. J'ai abusé de son affection au moins autant que de celle d'Elena. J'ai aussi abusé de la vôtre.

– Mais vous m'avez fait vivre ce dont rêve tout journaliste, dis-je en toute sincérité.

– Je sais. C'est pourquoi je ne vous donne pas, comme à Elena, l'ordre de partir. Vous pouvez choisir.

– Je reste.

Pritchett et Fieschi arrivèrent sur ces entrefaites, et Elena s'empressa de partir. J'ignore ce qu'elle pensait ou ressentait. Elle n'avait pas ouvert la bouche devant moi. Depuis, je ne l'ai revue que rarement, et nous n'avons jamais pu parler en privé. Elle est avec Keller. Je n'ai jamais apprécié ni l'homme ni sa façon de vivre.

Comme nous le craignions, Pritchett, Fieschi et moi, il refusa de nous écouter, autant à propos de l'encyclique que du grave problème de la sécurité. Pritchett le prit plus philosophiquement que Fieschi, qui faillit perdre son calme, dans la mesure où un iceberg en est capable. Voilà un type que je n'ai jamais pu comprendre. J'appréciais son dévouement. J'admirais son intelligence. Et travailler avec lui était facile, pourvu que l'on supporte l'arrogance. Je m'y était fait. Mais ce qui se passait intérieurement chez lui, mystère.

Il écarta les arguments de Fieschi, tout en l'en remerciant.

– L'Esprit Saint ne peut être réduit au silence par des pressions séculières. C'est nous qui prévaudront contre les portes de l'enfer, et non les portes de l'enfer contre nous.

L'après-midi, lors de l'audience générale sur la piazza, il reprit ses questions sur le christianisme, la guerre et le service armé, en termes clairs et simples, auxquels nul ne pouvait se tromper.

2.

J'ai encore du mal à parler de ce mercredi. Je vais commencer par Willie Adams. Je le connais encore mieux que moi-même. J'ai lu, à Newark, son dossier de police une douzaine de fois. J'ai retenu par cœur son dossier de la C.I.A. et celui du fichier des *carabinieri*. J'ai une photocopie de la fiche du Vatican sur lui. J'ai parlé à sa sœur, à sa mère, à l'officier du contrôle judiciaire, à deux défenseurs publics qui l'avaient représenté en différentes occasions, à quatre détectives qui l'avaient arrêté à divers moments, au juge qui l'avait envoyé pour la première fois en maison de correction, et jusqu'à deux « Black Muslims » qui avaient partagé sa cellule dans la prison de haute sécurité de Trenton. A Rome, j'ai interrogé des chauffeurs de taxi, des serveurs et des mendiants. Je sais pratiquement tout de sa vie. Et je peux vous raconter le moindre de ses faits et gestes, ce mercredi-là.

C'était une fin de juin romaine, pleine de soleil et de bruit : voix précipitées, cornes des voitures, cris des marchands, bruits de vaisselle. Willie était assis à la terrasse d'une petite trattoria de la piazza di Risorgimento. Il appréciait plus le soleil que la bière tiède et les cannelloni froids qu'on lui avait servis.

Un mendiant estropié avait joué – très mal – du violon. A présent, il faisait la quête de table en table. Willie fouilla dans sa poche, tira quelques bizarres piécettes et les laissa tomber dans le chapeau tendu.

– *Grazie, signore, grazie,* murmura l'homme.

Willie remarqua que, comme le mendiant, personne ne le regardait. Passé le premier coup d'œil, peu de gens retournaient la tête. Très bon, ça. Autant son boulot que la suite en seraient facilités. Dans la matinée, il avait vu circuler dans le Borgo, hors du Vatican, pas mal de séminaristes noirs en soutanes soutachées de rouge. Deux soldats noirs, et une bonne douzaine de touristes noirs armés de cartes et d'appareils photo flânaient sur la piazza.

Willie consulta sa montre; il était quatorze heures trente. Il lui restait encore une heure et demie à tuer avant son rendez-vous au Vatican. Il commanda une seconde bière, pour chasser le goût graisseux de l'agneau qu'il avait pris comme plat de résistance. Il avait passé une partie de la matinée à arpenter la piazza devant la basilique Saint-Pierre, en se familiarisant avec le moindre détail. Il la connaissait, pour en avoir une pleine valise de plans et de photos. Mais Willie était un professionnel. Et un professionnel reconnaît toujours le terrain avant une opération. En elle-même, l'exécution du contrat ne présentait pas de problèmes techniques. Après, les choses pourraient se compliquer.

Et voilà que la musique se faisait de nouveau entendre, par-dessus les voix, par-dessus le fracas de la circulation. C'était cette fois un homme d'une trentaine d'années, pauvrement vêtu, qui jouait de l'accordéon. Une gamine de sept ou huit ans l'accompagnait d'un air triste. Elle frappait son tambourin, plus ou moins en mesure. De temps en temps, le regard de l'enfant virait vers la nourriture sur les tables, et l'homme la poussait du coude. Alors, elle recommençait à frapper son tambourin.

Le regard de l'enfant, si semblable à celui de sa jeune sœur, toucha Willie. Il connaissait cette expression. C'est le regard de ceux qui n'attendent rien de la vie et n'en obtiennent rien. La gamine était blanche, mais pas moins damnée que la sœur noire de Willie, là-bas à Newark. Il appela le garçon et lui indiqua du geste de donner un Coca-Cola à la gosse. La gosse reçut la bouteille avec des yeux illuminés. Aussitôt Willie s'en voulut d'avoir fait quelque chose risquant de faire croire à l'enfant qu'il pouvait y avoir de la joie dans sa vie.

L'homme s'arrêta de jouer, et la gamine fit la quête dans son tambourin retourné. Au moment où Willie fouillait dans ses poches, l'homme attrapa brutalement la gosse et la poussa vers une autre table.

– *Scusi, signore, scusi,* dit-il d'un ton obséquieux. *La bambina...* et il fit un signe de tête en direction de la gamine – trop bête pour connaître le code des mendiants romains : ne jamais pomper le même client deux fois dans la journée.

Willie se contint pour ne pas frapper l'homme. Et puis il fit quelque chose qu'il regretta plus que le Coca-Cola. Au moment où la gosse repassait devant sa table – et où l'homme regardait ailleurs – il lui glissa discrètement dans la main un billet de mille lires. Dès que l'homme et l'enfant eurent disparu, il se rendit sans doute compte qu'il venait de faire encore une chose cruelle. Bien qu'il fît une besogne cruelle, il se disait constamment qu'il n'était pas lui-même cruel. Il était simplement un homme efficace dans ce monde de dureté créé par les Blancs. Dans cette jungle, il se contentait d'exécuter un travail pour une bande de gros félins blancs contre une autre bande. Pourtant, ce jour-là, il avait été cruel envers une enfant pour se faire plaisir à lui.

Il était impatient d'en avoir terminé avec le rendez-vous de l'après-midi et de rentrer aux États-Unis. Le pays lui tapait sur les nerfs, avec ses mendiants blancs et ses infirmes blancs. Dans son monde à lui, ces rôles étaient réservés aux Noirs et aux Portoricains.

Willie termina lentement sa bière et paya. On lui avait compté l'équivalent de soixante-quinze cents pour le Coca-Cola. Il se leva, pénétra dans la trattoria et trouva les toilettes pour hommes. L'endroit était petit, sale et malodorant. Tirant d'un sac de matière plastique une soutane noire soutachée de rouge, il la revêtit par-dessus son léger costume d'été. Puis il coiffa la barrette. On aurait dit n'importe quel séminariste noir circulant aux abords du Vatican. Il était plus vieux, mais, pour le Blanc, tous les Noirs se ressemblent. Il plia le sac de plastique et le garda sur lui. Il en aurait l'usage tout à l'heure.

Jusqu'à Saint-Pierre le trajet n'était pas long, mais Willie dut transpirer. Le soleil était chaud, et la soutane par-dessus son costume devait être peu confortable. Il était à peine passé trois heures, c'était encore le moment de la sieste pour les Italiens. Mais la piazza se remplissait déjà. Une foule d'au moins vingt mille personnes piétinait autour de la colonnade, pour essayer de se protéger du soleil en attendant l'audience.

Les choses s'étaient considérablement simplifiées depuis que l'audience générale se donnait du haut des marches de Saint-Pierre. Porté sur son trône, il sortait du palazzo par la Porte de bronze, arrivait sur la piazza. Les porteurs opéraient un quart de tour et s'avançaient jusqu'au pied des marches qui bordent entièrement la façade de la basilique. Au centre de celles-ci avait été aménagé un plan incliné semi-circulaire qui permettait aux porteurs d'arriver plus facilement jusqu'à l'estrade de bois aménagée en haut. Au pied du plan incliné, dix-huit poteaux de ciment, hauts d'environ quatre-vingt-dix centimètres, dessinaient un arrondi que l'on pouvait fermer avec des chaînes. Mais aujourd'hui, comme d'habitude, le périmètre n'était pas fermé de chaînes. En revanche, sur la piazza même, le couloir qu'emprunteraient les porteurs du trône était délimité par des barrières de bois.

Dans la matinée, il avait mesuré deux fois les distances. Il y avait cinquante-quatre pas du bord de la colonnade au centre de la piazza, et, de là, quarante et un pas jusqu'au milieu des deux poteaux centraux. Il exécuterait le contrat au moment où les porteurs du trône auraient fait environ trente-huit pas depuis le milieu de la piazza.

Il ne lui restait plus qu'à se planter et à attendre, en prenant garde de ne pas se laisser évincer de sa place – car les grosses religieuses semblaient savoir jouer des coudes. Il avait certainement envie de fumer un peu d'herbe pour se calmer les nerfs, mais il n'en serait pas question avant le retour à New York. Au moins, le soleil glissait derrière le dôme de l'église et de fraîches ombres commençaient à s'étirer près de lui. Le rendez-vous était à seize heures cinq. Une voiture l'attendrait à seize heures dix-huit près du marché ambulant dressé contre l'enceinte sud-ouest du Vatican. On le conduirait à moyenne allure, pour ne pas attirer l'attention, jusqu'à Florence. Là, il passerait deux jours à l'hôtel Lungarno. Puis il prendrait le train pour Milan et, de là, l'avion pour Londres. Il laisserait s'écouler quelques jours, et puis s'envolerait pour Toronto, d'où il rentrerait aux États-Unis en voiture ou en autocar. Au départ de Milan, il aurait un faux passeport diplomatique du Nigeria. A Londres, on lui donnerait probablement un autre passeport. Il avait déjà en poche une enveloppe renfermant le premier passeport et les billets pour le trajet Florence-Milan, puis Londres et Toronto.

Quelque part, dans la foule, il y avait un collaborateur. Inutile de le chercher de l'œil, il ne le connaissait pas. Et le collaborateur, homme ou femme, ne connaissait pas Willie non plus. S'ils étaient pris, ils ne pourraient rien révéler. Tout ce qui comptait pour Willie, c'était que ce soit aussi un professionnel. Sa tâche était simple, mais capitale : susciter une diversion qui détournerait l'attention générale vers un autre point de la place, pendant les quelques secondes où Willie opérerait. Willie ignorait en quoi consisterait cette diversion.

Quelques minutes après seize heures, deux trompettes sonnèrent à l'intérieur de la Porte de bronze, et une petite procession se mit en marche. Willie apercevait des taches de couleur dans le couloir délimité par les barrières. Il vit une silhouette blanche portée sur un trône. Une minute plus tard, le cortège arrivait au centre de la piazza. Willie le voyait maintenant assez nettement. Glissant sa main par la soutane et la veste, il tira le 38 de la gaine sous son aisselle. Avec son silencieux, l'arme n'était pas facile à manier secrètement au milieu des remous de la foule. Mais, d'un autre côté, on remarquerait moins ses mouvements dans la bousculade. Il glissa le pistolet dans son sac de plastique.

Le personnage sur le trône n'était plus qu'à vingt pas de lui. C'était un homme de haute taille, un bel homme, selon les critères des Blancs. Il était encore charpenté, le cheveu gris taillé court, la barbe poivre et sel courte elle aussi, l'œil brillant et dur, et la tempe gauche rayée par une longue cicatrice. Willie n'avait jamais vu cet homme, et il dut être impressionné par son évidente solidité. Les acclamations de *« il Papa! il Papa! »* devenaient assourdissantes. Les Gardes suisses s'efforçaient de maintenir les barrières en place contre la pesée de la foule.

Au moment où l'homme sur le trône se tournait dans la direction de Willie et levait la main pour faire le signe de croix, une explosion secoua la fontaine près du palais. Deux grosses colonnes de fumée verte s'élevèrent – une petite bombe plus deux grenades. La foule surexcitée éclata en hurlements de panique. Les porteurs du trône s'arrêtèrent. Ils le déposèrent au sol, de crainte qu'il arrive du mal au passager si eux-mêmes perdaient l'équilibre. Willie assura son bras sur le poteau de ciment, pointa le sac et appuya deux fois sur la détente de l'arme. Les deux balles atteignirent l'homme qui se renversa sur son trône.

« Il Negro! Il Negro! », la voix stridente hurlait dans l'oreille de Willie. Une lourde main lui immobilisa le bras sur le poteau de ciment, le forçant à lâcher le sac et le pistolet. Le cri d'*« Assassino »* et la vue du pistolet centrèrent l'attention de la foule hystérique sur Willie. Il se peut qu'il n'ait pas vu le froid et calme regard de son assaillant, mais il dut avoir le temps de comprendre que sa découverte n'était pas accidentelle. Il se sentit pas les poings et les pieds

qui s'acharnaient sur lui parce qu'il y avait eu, avant cela, la brûlure de la lame lui vrillant le côté.

Sur la droite du trône, les Gardes suisses n'étaient pas encore conscients de l'attentat, mais ils luttaient farouchement pour repousser la foule s'agglutinant autour de la *sedia gestatoria.* Sur la gauche, ils essayaient vainement d'arracher sa proie à la meute enragée. Moi, je me trouvais dans le couloir ménagé par les barrières, à dix pas derrière le trône. Pendant quelques instants, je fus le seul qui sache ce qui s'était passé et qui essayât de s'occuper de lui, mais la ruée me coupait le passage et je n'arrivais pas à l'atteindre.

Sous le choc des balles, il avait roulé sur les pavés de la piazza. Il se releva sur ses genoux et se mit à se hisser sur le plan incliné. Il devait être hébété par le tumulte, avoir la tête qui lui tournait. Et puis le brouillard s'éclarcit. Peut-être suivait-il le lacis des ruelles du Trastevere, à la recherche de son père. Ou était-ce la barre et la plage d'Iwo Jima? Non, le sol était trop dur. A Iwo, il n'y avait que la cendre volcanique molle aux pas. Alors, il était sur Caspar. C'est ça, Caspar. Haut-de-forme Six. Il était Haut-de-Forme Six, menant la contre-attaque contre la colline 915 où Johnny Kasten tenait toujours. Je le vis se redresser un peu et tendre l'oreille. Une mitrailleuse crépitait en cadence et dessinait un S.O.S. en morse. Les avions piquaient en rugissant, les flammes orange de napalm montaient. « Haut-de-Forme, Haut-de-Forme », grésillait la radio. J'essayai vainement d'arriver jusqu'à lui. Quelqu'un me jeta par terre, mais j'étais assez rapproché pour l'entendre répondre : « Ici Haut-de-Forme Six. Terminé », en articulant nettement comme dans une transmission radio. Il fallait qu'il arrive en haut, mais il était difficile de se déplacer, pas douloureux, juste difficile. Il appela : « Johnny! Johnny! » Où était Johnny Kasten? Il y avait des voix qui se mêlaient, des hurlements, des imprécations. Il dut croire que c'étaient les blessés.

Au prix d'un terrible effort, il se remit debout. Il regarda les grosses taches rouges maculant sa soutane blanche. « Mon Dieu, ils m'ont eu encore une fois », dit-il en retombant en avant et en recommançant sa lente ascension jusqu'au sommet de Caspar. Et tout a dû devenir très vite noir. Je l'ai entendu prononcer distinctement les mêmes paroles qu'il avait dites à Guicciardini avant la contre-attaque : *Introibo ad altare Dei, ad Deum qui leatificat juventutem meam.*

Il a avancé le bras, pour essayer de continuer à se hisser. Je l'ai saisi aux épaules pour l'aider. Et puis il s'est détendu. Il était arrivé au sommet. Johnny Kasten devait y être déjà. Il devait avoir un sourire paisible, non le rictus grotesque de la mort violente. Il réussit encore une fois à se remettre debout, ouvrit les bras et hurla : « Johnny! » Et puis, sans que je puisse le retenir, le corps sans vie de l'évêque de Rome roula jusqu'en bas, laissant une sanglante traînée sur le pavé de la Piazza.

3.

Au lieu des neuf jours traditionnels de deuil pour la mort d'un Pontife, l'Église n'en observa que trois. Mais ses obsèques ne furent pas moins grandioses que celles de ses prédécesseurs. Il avait spécifié dans son testament que son corps devrait être exposé à Saint-Pierre et non à Saint-Jean-de-Latran, et seulement pendant soixante-douze heures. Et il n'avait pas voulu être enterré dans l'une ou l'autre basilique mais dans le sol de la piazza, au pied de l'obélisque. Dans la mort comme dans la vie, le cardinal Fieschi accomplit toutes les volontés du Pontife.

La brièveté de la période du deuil officiel fit se rassembler des vastes foules. La double file des fidèles s'étendait sur toute la piazza, le long de la via della Conciliazione et presque jusqu'au Tibre. La basilique Saint-Pierre dut rester ouverte pendant les soixante-douze heures d'affilée pour permettre à une partie de cette masse de défiler devant le corps.

Et il y eut encore des miracles. Pas moins de sept personnes se dirent guéries pour avoir touché le simple cercueil de cyprès. Dès que la nouvelle s'en fut répandue, la foule, déjà immense, se grossit encore de vieillards, de malades, et de malheureux Italiens du sud. Des bagarres éclataient dans la file, à cause d'une place contestée. Les disputes tournaient souvent à l'empoignade. Il y eut trois personnes poignardées, dont l'une mortellement. La police renonça à dénombrer les pugilats dont l'issue ne nécessitait pas d'hospitalisation.

Son testament contenait plusieurs autres stipulations relatives au déroulement des obsèques. Un Fieschi terrassé de chagrin les suivit à la lettre. Le matin de l'inhumation, à dix heures, les quatre-vingt-deux membres du Sacré Collège se trouvant présents à Rome marchèrent, en une lente et solennelle procession, de la chapelle Sixtine jusqu'à l'autel improvisé devant la basilique. La messe funèbre, en latin, fut concélébrée par les cardinaux Martín, Mwinjamba, Su, Tascherau et Fieschi. Pendant toute la cérémonie, les grosses cloches de Saint-Pierre sonnèrent le glas. Elena Falconi, Sidney Michael Keller et moi étions assis au premier rang, à côté de chefs d'État et de hautes personnalités diplomatiques. Lorsque commença la messe, le cardinal Galeotti quitta l'autel et vint s'asseoir avec nous.

L'Église interdit, sans grand succès, que l'on prononce un éloge devant une dépouille mortelle. Mais les prêtres ont toujours été capables de le faire, sous la forme de l'homélie. La messe terminée, le cardinal Galeotti se leva et alla se placer au pied de l'autel.

– Je vais vous lire deux documents, dit-il en anglais, puis en italien. D'abord les premiers paragraphes du message qu'aurait prononcé le pape François lors de l'audience générale, le jour où il fut assassiné :

> Nous avons une vision du royaume de Dieu parmi nous et en nous, de l'humanité animée par l'amour et non la haine, mue par la justice et non l'avidité. Cette vision ne peut devenir réalité que si chacun de nous rejette le nationalisme, le racisme, le matérialisme et tous les autres « ismes » politiques et économiques, et accepte à la place la notion fondamentale que nous sommes tous frères et sœurs, enfants du même Père. Cette vision ne peut devenir réalité que si chacun de nous admet que tous les hommes et toutes les femmes ont un droit égal, sinon à toutes choses, du moins à celles qui sont nécessaires pour se nourrir, se vêtir, se loger, s'instruire et se protéger, eux-mêmes et leur famille.
>
> Cette vision ne peut devenir réalité que si chacun de nous accepte aussi ce dur fait que le véritable bonheur ne peut être trouvé dans les plaisirs passagers de ce monde. Ainsi devons-nous comprendre qu'amasser des biens matériels n'est pas simplement inutile, mais dangereux. « Souvenez-vous, a dit le Christ, que là où est votre trésor, là aussi est votre cœur. » Nous devons aussi comprendre que nous ne pouvons aimer nos frères si nous les massacrons au nom de cette idole païenne, l'État. « Tu n'auras pas d'autres dieux », dit le premier Commandement, et ces « autres dieux » sont autant les nations que les images taillées. Nous ne pouvons vouer à César l'obéissance suprême qui n'est due qu'à Dieu. « Tu ne tueras pas » n'admet pas d'exception, même pour plaire à César.
>
> Ne vous laissez pas distraire par des ambitions personnelles ou nationales de vos véritables buts : parvenir ici sur terre, dans notre exil, à notre plein développement d'êtres humains, lequel ne peut être atteint qu'en nous vouant totalement à Dieu et à Ses autres enfants; et, en assumant la plénitude de notre humanité, à gagner le bonheur éternel dans l'autre monde.

Galeotti s'arrêta et promena ses regards sur la grande piazza. « Dieu seul peut à présent juger le pape François, dit-il, mais je dis en vérité que cette vision n'est ni plus ni moins que celle de l'évangile du Christ. Prêcher cet évangile, voilà le devoir de Son Église, de Son clergé et de tout Son peuple. Le pape François nous exhortait à prêcher cet évangile à son exemple : par des actes, et non simplement des paroles; par des actes de paix, non de guerre. » Puis, après une nouvelle pause, Galeotti nous lut le second document, une courte variation sur la prière de l'inhumation chez les Esséniens, rapportée par Nikos Kazantzakis. Le testament demandait qu'elle soit lue au-dessus de sa dépouille.

> Tu fus poussière; à la poussière tu retournes. L'âme qui te nourrissait a fui. Pars, car ta tâche est à présent accomplie. Tu as aidé cet homme faible à marcher, à prier et à se relever et à marcher encore lorsqu'il trébuchait et tombait. Tu l'a aidé lorsqu'il connaissait le malheur et le désespoir, la joie et l'espoir, et même des lueurs de foi. Ces besoins sont terminés, chair, désagrège-toi.

Galeotti revint à nos côtés. Deux gardes d'honneur se formèrent en tête de la procession. La première était une escouade de Gardes suisses dans la tenue d'apparat Renaissance. La seconde était une section du Corps des Marines des États-Unis en uniforme bleu et rouge. Les hommes des deux troupes ne portaient pas d'armes. Derrière eux se rassembla le Sacré Collège des cardinaux, en chasuble dorée et mitre blanche. Derrière le catafalque se rangea la fanfare des Marines des États-Unis. Au moment où la procession se mettait en place près de l'autel, le chœur pontifical entonna *The Battle Hymn of the Republic.* Ce n'était pas une manifestation d'œcuménisme, mais une de ses dernières volontés. Dès que le cortège s'ébranla, la fanfare des Marines reprit l'hymne, transformant la douce modulation du chœur en une puissante marche d'armée victorieuse. Les séminaristes du Collège nord-américain reprirent les paroles du chant. Un journaliste irlandais a parfaitement décrit la scène. Voici ce qu'il dit :

> La solennité constituait un mélange exotique entre la Rome rituelle et l'Amérique martiale : des cardinaux essayaient de marcher sur les roulements de tambours des Marines, tandis que les voix des choristes et des séminaristes étaient renvoyées en écho par la façade de la grande basilique et la colonnade de la piazza. Le refrain fut repris par des prélats connaissant l'anglais, puis par ceux qui, dans la vaste foule, savaient un peu – ou pas du tout – la langue. Les vers du chant de bataille de la guerre de Sécession déferlèrent sur la piazza : « Mes yeux ont vu la gloire de la venue du Seigneur. Ses pieds foulent la vendange où les raisins de la colère furent semés... Sa vérité est en marche. Gloire, Gloire, Alléluia, Sa vérité est en marche. »
>
> Peut-être la foule, dans sa tristesse aussi profonde et aussi vraie que l'on en pût jamais voir dans cette ville de cynique comédie, fut-elle remuée par le roulement des tambours, marquant la martiale cadence de l'hymne; peut-être ceux qui comprenaient l'anglais saisirent-ils l'adéquation de la référence au « terrible glaive »; ou peut-être même certains crurent-ils que la vérité de Dieu était en marche. A Rome, on ne sait jamais. Même les Romains peuvent difficlement dire où finit leur comédie et où commence leur véritable émotion. En tout cas les larmes, comme toujours, étaient authentiques.

Le catafalque fut glissé doucement jusqu'au bas du plan incliné. Les porteurs du trône, transpirant pour la dernière fois sous son poids, portèrent le cercueil jusqu'à la fosse ouverte au pied de l'obélisque. Le Sacré Collège se rangea en carré autour de la tombe. Huit *sampietrini* remplirent rapidement la fosse de rouge argile romaine, comme celle de la colline morte du Palatin. Puis ils replacèrent les pavés. Les cardinaux psalmodièrent encore quelques prières puis repartirent vers la Porte de bronze, tandis que la fanfare remontait vers la basilique, les tambours battant à présent à un rythme accéléré. Les Gardes suisses prirent position autour de la tombe. Le mort était enterré. Mais la foule s'attardait. Certains partirent au bout de quelques minutes, beaucoup restèrent plusieurs heures à prier à genoux près de la tombe.

Quelques jours plus tard, les *sampietrini* rouvrirent la fosse. Ils remplacèrent l'argile rouge par du ciment, pour empêcher des vandales d'enlever le corps. Puis ils scellèrent une petite plaque de bronze dans le pavement de la piazza, pour marquer l'emplacement de la tombe.

Je ne sais qui sont les responsables de l'assassinat, ceux qui l'avaient financé. Willie était un professionnel; il tuait uniquement pour de l'argent. Je vous ai dit que j'avais passé des mois à enquêter. Bien d'autres gens, plus qualifiés que moi, en ont fait autant. S'ils savent quelque chose, ils le gardent pour eux. Ce peut aussi bien avoir été un coup monté par un fou, par notre C.I.A., par le K.G.B. des Soviétiques, le MI 6 britannique, l'O.L.P., ou même l'I.R.A. Ce peut également avoir été l'initiative à longue portée d'un franc-tireur, ou une vengeance de la junte brésilienne. Ils avaient tous des raisons. De même qu'une douzaine d'autres pays, y compris l'Égypte et l'Espagne. Cela ne change pas grand-chose aux faits. C'était un séditieux. Mon ami de la C.I.A. avait absolument raison. Dans le monde tel qu'il est, sa doctrine était subversive. Ce qu'il prêchait conduisait inévitablement à l'exigence d'une totale révolution dans les valeurs et le comportement de l'Occident, de l'Est, et de tous les pays du tiers monde que je connaisse. Tôt ou tard les défenseurs d'un système politique devaient trouver cette menace trop grave pour la tolérer plus longtemps. Je crois que nous tous – et lui, certainement – le savions.

La vie de l'Église poursuivit son cours. Le conclave s'ouvrit trois jours après les obsèques. Bien des journalistes voyaient le cardinal Fieschi, camerlingue et secrétaire d'État, plus *papabile* que jamais. Les plus sophistiqués pariaient pour Rauch. Les plus cyniques prédisaient une temporisation et désignaient Galéotti.

Huit jours plus tard, un peu avant midi, par une chaude et lumineuse journée, je me trouvais sur la piazza lorsque le premier des cardinaux-diacres parut à la loggia de Saint-Pierre. Il répéta l'antique formule : « Je vous annonce une grande joie. Nous avons un pape. C'est mon Éminentissime et Révéré Seigneur cardinal Mario Chelli. Il a choisi de régner sous le nom de Boniface. »

Sur la piazza, la foule se déchaîna. Le nouveau pape demeura pendant près d'une heure à répondre aux acclamations délirantes de « *Eviva il Papa!, Viva il Papa!, Viva il Papa!* » Tandis que le tumulte se répercutait tout autour de l'immense piazza, j'allai jusqu'au pied de l'obélisque et lu la petite plaque de bronze :

HIC JACET FRANCISCUS I
VICARIUS CHRISTI

Ci-gît François Ier, le Vicaire du Christ.

TABLE DES MATIÈRES

TABLE

Achevé d'imprimer le 6 mars 1980
par Maury-Imprimeur S.A.
45330 Malesherbes

N° d'imprimeur : A80/7999
N° d'éditeur 80506
Dépôt légal : 1er trimestre 1980

Imprimé en France.